Claude FAUCHET

SA VIE, SON ŒUVRE

Fig. 1:

Claude Fauchet à 70 ans.

Janet Girvan ESPINER-SCOTT

Docteur ès lettres

Claude FAUCHET

SA VIE, SON ŒUVRE

« Vous avez Monsieur Fauchet, premier
President aux Monnoyes, personnage qui
sans fard et hypocrisie s'estudie à ces
vieilles recherches. »

*Lettre d'Estienne Pasquier
à La Croix du Maine.*

PARIS

LIBRAIRIE E. DROZ

25, RUE DE TOURNON

MCMXXXVIII

A la mémoire de
Robert Henry Espiner,
1895-1930
Grand blessé de guerre

AVANT-PROPOS

Claude Fauchet a bénéficié tout dernièrement du renouveau de l'étude du xvi° siècle qui caractérise notre époque, mais jusqu'à présent, on ne lui a consacré que quelques articles de revue [1]. C'est comme historien des anciens poètes français et annotateur infatigable des nombreux manuscrits historiques et littéraires qu'il possédait que le « savant président » a franchi les siècles qui le séparent de nous. Une seule fois, en 1864, il a eu l'honneur d'une monographie insuffisante, mais estimable à plus d'un égard, où l'auteur, J. Simonnet, n'a pas eu accès aux documents d'archives.

Pourtant, Fauchet fut de son temps l'ami de tous les érudits. En 1555, il traversa l'entourage de Ronsard; plus tard il fréquenta les milieux les plus intellectuels de la capitale. Il traduisit pour la première fois en France une grande partie de Tacite. Il correspondait avec Pierre Pithou, consultait J.-J. Scaliger, et impressionnait Jean Bodin de son immense savoir.

La renommée de Fauchet ne cessa pas avec sa mort. A négliger ses *Antiquitez*, ses traités, et même son histoire de la langue qui furent bientôt égalés, son *Recueil* des anciens poètes ne fut définitivement dépassé qu'au xix° siècle. Fauchet est un des plus grands médiévistes — sinon le plus grand — avant Gaston Paris.

A ce titre, il mérite pleinement le livre que nous publions aujourd'hui.

Notre étude se divise en trois parties : 1° la vie; 2° la critique littéraire; 3° l'histoire.

Pour la vie, nous avons poussé nos recherches aussi loin que possible, utilisant tous les documents susceptibles d'en éclairer les différentes étapes. Nous signalons pour la première fois certains faits :

---

[1] Voir à la bibliographie les noms *Holmes* et *Radoff*, *Bisson* et *Dillay*.

Que Fauchet a étudié le droit à Orléans sous Anne du Bourg;

Qu'il a été riche, et a possédé de nombreuses propriétés;

Qu'il s'est réfugié chez François de Menuau pendant les troubles;

Que sa maison sur les quais a été « saisie » après sa mort.

En outre, nous avons soigneusement étudié les documents de la Cour des Monnaies, dont l'existence est connue depuis longtemps, mais qui n'ont subi qu'un dépouillement rapide de la part d'autres chercheurs.

Dans la seconde partie, nous avons analysé les critiques littéraires portées par Fauchet sur les poètes. Comme il n'existe aucune édition moderne des Œuvres, nous n'avons pas craint de donner d'assez fréquentes citations. C'était le seul moyen d'éviter au lecteur la consultation des éditions originales souvent rares et peu accessibles.

Nous ne nous sommes pas contenté de lire les seules Œuvres imprimées; nous avons examiné les notes marginales que Fauchet avait mises sur ses manuscrits.

La conclusion générale qui découle de cette partie est la suivante : la critique littéraire, telle que nous la comprenons, n'est pas née au XVIe siècle; mais, comme historien littéraire, Fauchet a entrevu un grand nombre de problèmes que les futures générations essayeront de résoudre, et son opinion mérite toujours d'être retenue.

Notre troisième partie est consacrée à la traduction de Tacite et aux divers traités historiques, remarquables pour plusieurs raisons. Fauchet emploie une méthode rigoureuse, utilisant de nombreuses sources et opposant autorité à autorité. Il veut écrire une histoire vraie, mais qui rendra en outre la couleur particulière de l'époque qu'il décrit. Par la précision dans la peinture des costumes et des armes, il est un lointain devancier du roman historique de l'époque moderne. Pour étoffer ses descriptions des anciennes dignités, il cite les chansons de geste et les romans du moyen âge. C'est là une originalité dont lui-même se rendait très bien compte, et qui le distingue nettement des antiquaires contemporains.

Par l'étendue de ses lectures, par son souci de la matière au détriment de la forme, par l'abondance trop riche des détails, Fauchet ressemble aux érudits de l'époque de François Ier. Mais son savoir purement français l'apparente plus étroitement à Estienne Pasquier, qui, au milieu des luttes qui déchiraient la France, trouvait, comme Fauchet, le calme d'esprit nécessaire à la composition de livres d'érudition. Fauchet ressemble aussi à Pasquier par son patriotisme ardent, car il voulait « embellir sa patrie », comme Pasquier voulait faire « un présent à *sa* France ».

Si notre thèse avait la prétention de faire une démonstration en faveur d'un chapitre littéraire du siècle, elle prouverait incontestablement que c'est dans le monde juridique que se conservait le mieux le goût désintéressé du savoir.

*
* *

Il me reste l'agréable devoir d'exprimer mes remerciements à tous ceux qui m'ont encouragée dans ce travail.

Je le dédie à la mémoire de mon regretté mari, qui aurait voulu écrire un livre sur Fauchet, et dont les notes sur la vie de celui-ci m'ont fourni mes premières indications bibliographiques [1].

M. Henri Chamard, professeur en Sorbonne, a accepté avec la plus grande bienveillance de diriger mon travail. Il m'a encouragée pendant mes séjours — trop courts hélas — à Paris, et c'est encore M. Chamard qui a lu mon étude en manuscrit et m'en a signalé les principales bévues. Je tiens à lui exprimer ma profonde reconnaissance.

Les cours de M. Abel Lefranc à l'Ecole des Hautes Etudes pendant l'année 1931-1932 m'ont été de toute utilité.

M. Gustave Cohen, professeur en Sorbonne, rapporteur de ma thèse complémentaire, a toujours eu de bonnes paroles pour moi au cours de l'élaboration de mon travail.

M. Jean Plattard, professeur à l'Université de Poitiers, m'a souvent prêté le secours précieux de son érudition [1].

A côté de ces noms de maîtres, il faut rappeler celui d'un professeur trop tôt disparu : M. A.-T. Baker, professeur à l'Université de Sheffield, qui avait suivi mes recherches avec une bienveillante attention.

J'ai contracté également une dette de reconnaissance envers mes collègues et amis de l'Université de Sheffield, M. A.-M. Boase, nommé à la chaire de littérature française à l'Université de Glasgow, M. G.-R. Potter, professeur d'histoire moderne, M. W.-S. Maguinness, maître de conférences, et M. J.-D. Craig, doyen de la Faculté des lettres. Je les prie de

---

[1] Les recherches de mon mari ne furent jamais publiées, et l'article de Mlle Dillay a refait la plupart de ses découvertes. V. la *Neuphilologische Mitteilungen* de Helsingfors, 1932. Ce fut M. Plattard qui signala à M. Espiner l'intérêt d'une étude sur Fauchet.

bien vouloir agréer cette expression de mes plus vifs remerciements.

Je ne saurais oublier les professeurs nombreux qui ont répondu avec une patience inlassable à toutes mes questions, M. P. Ronzy, professeur à l'Université de Grenoble, M. L. Delaruelle, professeur à l'Université de Toulouse, M. P. Harsin, professeur à l'Université de Liège, M. P. Barbier, professeur à l'Université de Leeds, M. Ig. Gonzalez-Llubera, professeur à la Queen's University de Belfast, M. Lawton P.-G. Peckham, professeur à Brown University, R. I., Etats-Unis.

Comment remercier les bibliothécaires et les archivistes dont la bonne grâce n'a jamais été lassée par mes demandes? Ils sont très nombreux. A Paris, en province, à Londres, en Italie, en Suède, en Allemagne, en Hollande, en Suisse, ils n'ont, malgré leur besogne, jamais refusé de me renseigner. Je voudrais au moins nommer M. Soyer, archiviste du département du Loiret, M. R. Busquet, archiviste en chef des Bouches-du-Rhône, et M. B. Faucher, archiviste en chef de la Haute-Garonne.

Je remercie également Me Léonce Jarriand, notaire à Paris, de m'avoir permis de consulter le fonds qu'il avait déposé aux Archives nationales et qui contient d'intéressants documents sur Fauchet.

Je voudrais aussi reconnaître mes obligations envers Mme Alice Hulubei, et Mme Françoise de Borch-Bonger, amies et camarades de l'Ecole des Hautes Etudes de l'année 1931-1932, qui m'ont aidée de leur avis.

M. Paul Emard a lu mon travail en manuscrit et m'a secourue de ses judicieuses observations.

Je remercie également Mlle E. Droz de son encouragement. Elle s'est intéressée au progrès de mon travail, et c'est elle qui, continuant les meilleures traditions des éditeurs de la Renaissance, le publie aujourd'hui.

ŒUVRES DE FAUCHET

Veilles ou observations de plusieurs choses dinnes de memoire en la lecture d'aucuns autheurs françois par C(laude) F(auchet) P(arisien) l'an 1555. Manuscrit autographe, B. N. [1] fr. 24726, ancien Saint Victor 997. Extraits reproduits dans notre livre de documents.

Du mot marmouset et autres dissertations, publiées par E. Langlois, *Quelques dissertations inédites...* Manuscrit autographe, Rome, Bibl. Vat. Reg. 734. Copie à la B. N. fonds Moreau, 1659 f. 85 et suiv.

Notes, textes historiques, première rédaction du début des *Antiquitez*, Vie de Pierre Abelard, etc. Rome, Bibl. Vat. Ottob. 2537, fol. 1-41 et les 21 derniers feuillets. Extraits publiés dans notre livre de documents.

Notes sur Tacite. Manuscrit autographe. B. N. lat. 10406, f. 18-20.

Antiquitez, liv. XI et XII, écrits par un clerc et corrigés par Fauchet. B. N. fr. 4959.

Antiquitez, liv. XI, B. N. fr. 4942. Main d'un clerc, et corrigé par Fauchet.

Remontrances de Fauchet sur les monnaies, 1577, B. N. Cinq-Cents de Colbert, vol. 29, fol. 303, et Dupuy, vol. 412, f. 22. Reproduites dans notre livre de documents.

Vers latins pour le recueil offert à Michel de l'Hospital, B. N. lat. 8139, f. 95 et fr. 1662, n° 78. Voir plus loin, p. 28.

Lettre au duc de Nevers sur le sens d'arrière-ban, 1587, 7 août. B. N. fr. 20152, f. 307. Publiée dans notre livre de documents.

Lettre sur les successeurs de Charlemagne, s. d. B. N. Dupuy, vol. 34, fol. 40-43. Publiée dans notre livre de documents.

Lettre à Pierre Pithou renfermant des questions historiques, B. N. Dupuy, 490, f. 178. Publiée dans notre livre de documents.

Des contes et de leur dignité. Lettre à « M. de Malassize, maistre des requestes à Paris, 8 avril 1564 ». B. N. fr. 482, f. 35. V. livre de documents.

Ce qui est escrit en une ancienne piece de monnoie de France, B. N. fr. 482, f. 39. Autographe. Note sur Josèphe au XV livre chap. xiv. B. N. fr. 482, f. 40. Notes de la main de Fauchet prises pendant la lecture de l'*Histoire d'Anjou*. Généalogie de la maison d'Anjou. B. N. fr. 482, f. 50-53 r°.

Diverses lettres relatives aux monnaies dans la série Z 1B aux Archives nationales. Publiées dans notre livre de documents.

Vers satiriques attribués à Claude Fauchet, B. N. fr. 884, f. 303 v°, fr. 4897, f. 79 et Bibl. de l'Institut, coll. Godefroy, ms. 216, f. 265.

---

[1] B. N. Bibliothèque nationale.

Imprimés

Antiquitez

Recueil des antiquitez gauloises et françoises (par Claude Fauchet), Paris. J. Du Puys, libraire juré, à la Samaritaine, 1579, in-4°.

Les Antiquitez gauloises et françoises augmentées de trois livres contenans les choses advenues en Gaule et en France jusques en l'an 751 de Jésus-Christ, recueillies par M. le président Fauchet, Paris, J. Périer, rue Saint-Jacques, au Bellerophon, 1599, 2 parties en 1 vol. in-8°.

Fleur de la maison de Charlemaigne, qui est la continuation des Antiquitez françoises, contenant les faits de Pépin et ses successeurs depuis l'an 751 jusques à l'an 840... recueillie par M. le président Fauchet, Paris, J. Périer, 1601, in-8°.

Declin de la maison de Charlemagne, faisant la suitte des Antiquitez françoises, contenant les faits de Charles le Chauve et ses successeurs, depuis l'an 840 jusques à l'an 987... et entrée du règne de Hugues Capet, recueillies par Claude Fauchet, Paris, J. Périer, 1602, in-8°.

Traduction de Tacite

Les Œuvres de Tacitus, Chevalier Romain, a sçavoir, Les Annales et Histoires des choses... L'Assiete de Germanie... La vie de Jules Agricola... Le tout nouvellement mis en françois... Paris, Abel l'Angelier, au premier pilier de la Grande Salle du Palais, 1582 (2e édition) in-f° 1584 (3e édition), in-8°.

Les Œuvres de C. Cornelius Tacitus, Chevalier Romain, assavoir (comme auparavant). Le tout traduit du latin et nouvellement revu et corrigé, [Genève]. Par les héritiers d'Eustache Vignon, 1594, in-8° (contient une dédicace de Pyrame de Candole à « Messire de Brulard, sieur de Silleri, ambassadeur pour sa Majesté au pais des Ligues »).

C. Cornelii Taciti Opera Latina, cum versione Gallica, Estienne de la Plance et Claude Fauchet; Francofurti, excudebat Nicolaus Hoffmannus, 1612, in-8°.

Dialogue des orateurs, Paris, Abel L'Angelier, 1585, in-8°. B. N. J. 13633 (2).

Œuvres

Les œuvres de feu M. Claude Fauchet premier president en la cour des monnoyes. Reveues et corrigees en ceste derniere edition, supplées et augmentées sur la copie, memoires et papiers de l'Autheur, de plusieurs passages et additions en divers endroits. A quoy ont encore esté adjoustees de nouveau deux Tables fort amples, l'une des Chapitres et sommaires d'iceux, l'autre des matieres et choses plus notables. A Paris, par David Le Clerc, ruë Frementel, au petit corbeil, prez le puits Certain, 1610. Avec privilège du Roy, in-4°. [Ed. aussi par J. de Heuqueville.]

Comprend

Les Antiquitez gauloises et françoises
Origines des dignitez et magistrats de France
Origine des chevaliers, armoiries et héraux...
Recueil de l'origine de la langue et poesie françoise
plus les noms...

Traité des libertez de l'Eglise gallicane
Pour le couronnement du Roy Henri IV
La ville de Paris.

(Les titres particuliers de chaque partie portent le nom du libraire Jean de Heuqueville, joint à celui de son confrère.)

Les Antiquitez et histoires gauloises et françoises contenant l'origine des choses advenues_ en Gaule et ès annales de France depuis l'an du monde 3350 jusques à l'an 987 de Jésus-Christ, tant pour le fait ecclésiasticq que politicq recueillies par M. le president Fauchet. Edition derniere   avec deux traictez des origines des dignitez et magistrats de France, chevaliers, armoiries et héraux, ensemble de l'ordonnance, armes et instruments desquels les François ont anciennement usé en leurs guerres, Genève, P. Marceau, pour la Société Caldorienne, 1611, in-4⁰.
    comprend les œuvres excepté le *Recueil de l'origine de la langue...*

Recueil

Recueil de l'origine de la langue et poesie françoise, ryme et romans. Plus les noms et sommaire des œuvres de CXXVII poetes françois vivans avant l'an MCCC. A Paris par Mamert Patisson imprimeur du Roy, au logis de Robert Estienne, 1581, in-4⁰.

Origines des dignitez

Origines des dignitez et magistrats de France, recueillies par Claude Fauchet, — Origine des chevaliers, armoiries et héraux, ensemble de l'ordonnance, armes et instruments desquels les François ont anciennement usé en leurs guerres par Claude Fauchet, Paris, J. Périer, 1600, 2 parties en 1 vol. in-8⁰.

2ᵉ édition, Paris, 1606, in-8⁰. (Il existe des exemplaires de la seconde partie.)

1611, Genève, P. Marceau, in-4⁰.

Le Roy des Ribauds. Dissertations recueillies par Ludovic Pichon, Paris, A. Claudin, 1878, in-8⁰.

[La dissertation de Fauchet se trouve aux pages 21 à 26.]

Opuscules

Traicté des libertez de l'Eglise gallicane fait par M. Maistre Claude Fauchet, vivant premier President en la Cour des Monnoyes dans le recueil attribué à Jacques Gillot : *Traictez des droictz et libertez de l'Eglise gallicane,* Paris, P. Chevalier, 1609, in-4⁰, 2ᵉ édition 1612, in-4⁰. Reproduit dans les OEuvres de 1610.

Reproduit dans le recueil attribué à Pierre Dupuy : *Traictez des droicts et libertez de l'Eglise gallicane,* s. l. 1639, 2 vol. in-f⁰.

Reproduit dans le recueil attribué à Pierre Dupuy et continué par J.-L. Brunet, *Traictez des droicts et libertez de l'Eglise gallicane, Preuves des libertez de l'Eglise gallicane.* 3ᵉ éd. Paris, S. et G. Cramoisy, 1731-1751, 4 vol. in-f⁰.

Pour le couronnement du roy Henri IIII, roy de France et de Navarre, et que pour n'estre sacré, il ne laisse d'estre roy et legitime seigneur.

(« Fait a Tours, le 6 janvier 1593, et presenté au Roy le 25 fevrier ensui-
vant. ») Publié dans les *Œuvres*, 1610.

*Des armes et bastons des chevaliers. A Monsieur Galaup, sieur de
Chastoil.* Publié dans les *Œuvres*, 1610.

*De la ville de Paris, et pourquoy les roys l'ont choisie pour leur
capitale.* Publié dans les *Œuvres*, 1610.

Du mot marmouset et autres dissertations publiées par E. Langlois,
Quelques dissertations inédites de Claude Fauchet dans *Etudes romanes
dediées a Gaston Paris*, Paris, 1891, pp. 97-112.

OUVRAGES CONSULTÉS

MANUSCRITS

Paris.

Bibliothèque nationale.

Manuscrits :

lat. 10327, 10406, fr. 482, Pièces recueillies par de Mesmes.

lat. 8139, Poésies offertes à Michel de l'Hospital.

fr. 1662, Recueil de poésies diverses.

fr. 5685, Inventaire de la Bibliothèque de Catherine de Médicis.

fr. 18156 à 18166, Résultats du Conseil d'Etat.

fr. 21388, Notes sur les officiers du Châtelet, t. Ier, 1311-1608.

fonds Moreau, 1659, Notices sur des manuscrits d'Italie. ff. 85 suiv.

fonds italien, t. 1733, pp. 257 suiv. sur l'assemblée de Saint-Germain-en-Laye, 1584, dans Copie des dépêches des ambassadeurs.

Cinq Cents de Colbert, 29. Recueil de pièces diverses.

Clairambault 987, Extrait des registres paroissiaux de Saint-André-des-Arcs, t. Ier, 1525-1630.

fr. 18503, Mémoires présentés par la Cour des Monnaies aux Etats de Blois, 1576, dans Recueil de pièces diverses.

fr. 32838, Extrait des registres paroissiaux de Saint-Gervais, baptêmes, etc.

fr. 32587, Extrait des registres paroissiaux de Saint-Eustache.

Dupuy, 736, 334, Lettres de François Perrot.

P. O. 2570, dossier 57346, Rouville 28. Fauchet.

P. O. 1102, dossier 25395, Fauchet.

P. O. 2048, dossier 46691, Morel.

P. O. 1926, dossier 44350, Menuau.

P. O. 1349, Gohory.

Nouv. acquis. fr. 8485, f. 142 v°, armoiries de Fauchet.

Dossiers bleus, 472, Morel.

Dossiers bleus, 261, dossier 6712, Fauchet.

Dossiers bleus, 39, dossier 916, Audry et de Thou.

Dossiers bleus, 317, dossier 111, Godefroy et Lourdel.

Dossiers bleus, 318, Gohory.

Dossiers bleus, 139, dossier 3431, Brosset.

Dossiers bleus, 518, dossier 13528, Perrot.

fr. 22329, notes manuscrites contenant des allusions aux *Antiquitez* de Fauchet.

fr. 17496-8, Extraits des *Antiquitez.*

Dupuy, 34, 490, 488, 412, 817, 821, 896, 702, 808, 816, pièces diverses, extraits, etc.

Cabinet d'Hozier, 134, Fauchet.

Bibl. de Sainte-Geneviève.
> fr. 1663, f. 172, extrait des œuvres de Fauchet.

Bibl. de l'Arsenal.
> ms. 3102,copie de Rome, Vat. Reg. 1522.

Rouen, Bibl. de la ville.
> Manuscrits :
>> Martainville 3. Catalogue général n° 2847, généalogie des principales familles de Paris.
>> Coquebert de Montbret 464. Catalogue général n° 1588. Extraits du registre civil de la prévôté de Paris.

Milan, Bibl. Ambrosiana.
> Codex T. 167, Lettres, Corbinelli-Pinelli.

Rome, Bibl. Vaticana.
> Reg. 734, 753, Ottob. 2537.

Paris, Archives nationales.
Série :
> E. — Conseil d'Etat, E 1c, E 3A, Arrêts.
> H, — 748/141, Extrait des registres du Conseil d'Etat, Recueil des édits donnés à l'instance de la province de Languedoc.
> H, — 748/19, Etats généraux du pays de Languedoc.
> KK 888, Noms de tous les officiers de la Chambre des Comptes qui ont possédé une même charge...
> M inventaire des titres généalogiques, M. 478, dossier 7, pièce 35, Morel.
> M 469, dossier xix, Menuau.
> P Chambre des Comptes : P7 anciens hommages, P 773/8 déclarations sur le fief de Béconcelles.
> T Séquestre : T* 155². Aveux de la terre d'Orgerus.
> U Ordonnance de Blois, 497 dans Extraits et copies.
> Y Châtelet de Paris. Insinuations, Y, 86, 88, 91, 99, 100, 106, 109, 110, 113, 115, 116, 123, 125, 127, 129, 141, 162, 173.
> Z 1A Cour des Aides, Z 1A 531, 536, anoblissement.
> Z 1B Cour des Monnaies. Nous avons consulté tous les documents sans exceptions pour les années 1565-1602 : registres des ordonnances, provision d'offices, mandements, feuilles de présence, procès-verbaux de visites dans les monnaies du royaume, apport des boîtes, taxes et gages, etc. Voir notre livre des documents.

Archives nationales.
Dépôt du Notaire Jarriand.
> Minutier central XC, — Registres et liasses (inventaires) ayant appartenu à Pierre de Briquet et Jehan Marchant, notaires de Fauchet, 124, 127, 138, 139, 140, 144, 147, 157.

Paris.
Archives des affaires étrangères.
> Venise 29 (1580-1583), Correspondance de Hurault de Maisse.

Archives départementales.
Versailles (Seine-et-Oise).
> Série F : Notes et documents réunis par le comte de Dion sur la région de Montfort.

Orléans, Arch. départ. du Loiret.
Série D-276, Université d'Orléans, pièces de comptabilité.

Toulouse, Arch. départ. de la Haute-Garonne.
Série B : Parlement de Toulouse,
B 153, f. 25
B 156, f. 35 } Arrêts enregistrant lettres de commission.
B 182, f. 198
(Recherches faites par M. Faucher, archiviste en chef.)

Marseille, Arch. départ. des Bouches-du-Rhône.
Série B : Parlement de Provence.
B 3339, f. 379, enregistrement des lettres patentes de Fauchet et
de Montperlier.
B 3339, f. 415, enregistrement des lettres patentes de Favier.
(Recherches faites par M. Busquet, archiviste en chef.)

IMPRIMÉS

I. — A. *Ouvrages parus au XVIe siècle*

AGATHIUS *de Bello Gotthorum et aliis peregrinis historiis temporum suo-
rum per Christophorum Persona e Graeco in latinum traductus...*
Augustae Vindelicorum, in officina S. Grimm atque M. Wirsung,
1519, in-4°.

*Aimoini monachi qui antea Annonii nomine editus est, Historiae Fran-
corum libri V...* Parisiis, apud A. Wechelum, 1567, in-8°.

Arnobii disputationum adversus Gentes libri VII, Basileae, apud H. Fro-
benium, 1546, in-8°.

Auli Gellii noctium atticarum libri XIX (nam octavus praeter capita desi-
deratur) pluribus locis quam antehac integriores, cum Ascensianis
scholiis collectis fere ex annotatis sane doctorum hominum Aegidii
Maserii parisiensis et Petri Mosellani protogensis. Parisiis in officina
J. Parvi, mense septembri 1536, 2 parties en un vol. in-f°.

BAÏF (Jean-Antoine DE), *Carminum Iani Antonii Baifii,* liber I, Lutetiae,
apud M. Patissonum in officina R. Stephani, 1577, in-16.

BÈDE LE VÉNÉRABLE, *Venerabilis Bedae... Opera* in octo tomos distincta...
Basileae, per J. Hervagium, 1563, 8 tomes en 4 volumes in-f° (voir
MIGNE, *Patrologie latine,* XC-XCV, 1850-1851, 6 vol. gr. in-8°).

BELLEFOREST (François DE), *La Cosmographie universelle,* Paris, M. Sonnius, 1575, 2 vol. in-f°.

— *Les Grandes Annales et Histoire générale de France dès la venue des
Francs en Gaule jusques au règne du Roy Henri III,* Paris, G. Buon,
1579, 2 tomes in-f°.

BEMBO (Pietro), *Prose (Nelle quali si ragiona della volgar lingua),* Vinezia, per G. Tacuino, 1525, in-f°.

BODIN (Jean), *Les six livres de la Republique,* 3e édition, Paris, J. du
Puys, 1578, in-f°.

BOETHIUS, *De disciplina scolarium ab Ascensio compendiose dilucideque
explanatus.* S. l. n. d. [Lugduni, 1508].

BOUELLES (Bouvelles, Bovillus), (Charles DE), *C. Bouilli Samarobrini
liber de differentia vulgarium linguarum & Gallici sermonis varietate,* Paris, Robert Estienne, 1533, in-4°.

BUNEL (Pierre), *Petri Bunelli familiares aliquot epistolae*, Lutetiae, cura ac diligentia Caroli Stephani, 1551, in-8°.

CENEAU (Robert), *Gallica historia Roberti Coenalis... Gallica historia in duos dissecta tomos...*, Parisiis, G. a Prato, 1557, in-f°.

CORROZET (Gilles), *Les Antiquitez histoires et Singularitez de Paris ville capitale du Royaume de France*. Paris, G. Corrozet, 1550, pet. in-8°.

DANIELLO (Bernardino), *Poetica*, Vinezia G. A. di Nicolini, 1536, in-4°.

DANTE ALIGHIERI, *Dante de vulgari eloquentia*. ed. J. Corbinelli. Parisiis. Apud Io. Corbon., via Carmelitarum ex adverso coll. Longobard., 1577, in-8°.

DOLCE (Ludovico), *I quattro libri delle osservationi di M. L. Dolce*, Vinezia, G. Giolito de' Ferrari, 1562, in-8°.

DUBOIS (Sylvius) (Jacques), *In linguam Gallicam isagωge ex hebraeis, graecis latinis scriptoribus*, Paris, Robert Estienne, 1531, in-4°.

DU BELLAY (Guillaume), *Epitomé de l'Antiquité des Gaules et de France*, Paris, V. Sertenas, 1556, in-4°.

DU MOULIN (Charles), *Commentarius ad edictum Henrici secundi contra parvas datas et abusus curiae romanae*, Lyon, A. Vincent, 1552. Trad. fr. *Les Commentaires analytiques tant sur l'Edit des Petites Dates... que contre les Usurpations et Abus des Papes...*, Lyon, J. Robuchon, 1554, in-4°.

DU TILLET (Jean), *Recueil des Roys de France, leur Couronne et Maison... par Jean du Tillet, sieur de la Bussière... plus une chronique abbrégée... par M. J. du Tillet evesque de Meaux freres...* Paris, J. Du Puys, 1580, 2 parties en un vol. in-f°.

EQUICOLA (Mario), *Di natura d'amore, di nuovo ricorretto et con summa diligentia riformato per Thomaso Porcacchi*, Vinegia, Giolito de' Ferrari, 1563, in-8°.

ESTIENNE (Henri), *Sexti Philosophi Pyrrhoniarum hypotypωseωn, libri III...* Genevae interprete H. Stephano, anno 1562, in-8°.

ESTIENNE (Henri), *De latinitate falso suspecta expostutatio Henr. Stephani*, Genève, H. Estienne, 1576, in-8°.

FONTANON (Antoine), *Les Esdicts et Ordonnances des roys de France depuis S. Loys*. Paris, J. Du Puys, 1585, 4 t. en 2 vol. augmentez 1611.

GAGUIN (Robert), *Roberti Gaguini Compendium de Origine et Gestis Francorum*, Parisiis, D. Gerlier, 1497, in-f°.

GARRAULT (François), *Recueil des principaux advis donnez es Assemblées en l'Abbaye saint Germain-des-Prez*, Paris, J. Du Puys, 1578, in-8°.

GELLI (Giovanni-Battista), *Ragionamento intorno alla lingua*. Ragionamento infra M. Cosimo Bartoli e Giovanni Battista Gelli sopra le difficultà del mettere in regole la nostra detta lingua, Firenze (s.d.), in-8°.

GIAMBULLARI (Pierfrancesco), *Origine della lingua fiorentina... altrimenti il Gello...* in Fiorenza, per il Doni, 1546, in-4°.

GILLES (Nicole), *Les Annales et Cronicques de France composées par feu... Nicolle Gilles*. *Le Second Volume des Cronicques et Annales de France*, Paris, G. Du Pré, 1538, 2 vol. in-8°.

GIRALDI (Giovanni Battista), *Discorsi... intorno al comporre dei Romanzi... delle commedie e delle tragedie e di altre Maniere di poesie*, Venezia, Giolito de' Ferrari, 1554, in-4°.

— Même ouvrage, Milan, 1862 et 1864, in-8°.

GODEFROY DE VITERBE, *Pantheon*, Basilae, ex officina J. Parci, 1559, in-f°.

GOHORY (Jacques), *Livre de la Fontaine perilleuse, avec la Chartre d'Amours : autrement intitulé le Songe du Verger, Œuvre tres excellent de Poesie antique contenant la Steganographie des Mysteres secrets de la Science numerale.* Avec commentaires de I. G. P., A Paris pour Jean Ruelle, librairie demeurant rue Sainct Jacques à l'enseigne S. Hierosme, 1572, in-8°.

GOMES (Luis), évêque de Sarno, *Commentaria in regulas cancellariae judiciales,* Parisiis, apud J. Kerver, 1554, in-8°.

GREGORII Turonensis episcopi, *Historiarum praecipue gallicarum libr. X.* Venundantur ab Impressore Iodoco Badio et Ioanne Parvo, 1522 (l'autre page de titre porte aussi le nom de Ioanne Confluentino).

GREGORII Turonici, *Historiae Francorum libri decem...* Parisiis MDLXI. Apud Guil. Morelium typographum Regium et Gulielmum Guillard, ac Almaricum Warancore sub D. Barbarae signo in via Jacobaea.

HOTMAN (François), Franc. Hotomani, *Franco-Gallia,* Genevae, ex. officina J. Stoerii, 1573, in-8°.

Francisci Hotomani, *Franco Gallia... accessit Antonii Matharelli Responsio.* Francofurti apud G. Fickwirt, 1665, 2 parties en un vol. in-8°.

La Gaule françoise, nouvellement traduite par S. Goulart. Cologne, par H. Bertulphe, 1574, in-8°.

HOTMAN (François), *Brutum fulmen Sixti V... adversus Henricum Regem Navarrae,* Lugduni Batavorum, ex. off. J. Praetsii, 1586, in-8°.

LA LOUPE (Vincent DE), *Commentarii Vincentii Lupani de magistratibus et praefecturis Francorum.* Parisiis apud G. Nigrum, 1551, 2 parties en un vol. in-8°.

— *Des dignitez magistrats et offices du royaume de France. Second livre des dignitez...* Paris, G. Le Noir, 1553, 2 parties en un vol. in-4°.

LE CARON (Loys), (dit Charondas), *Dialogues de Loys le Caron, Parisien,* Paris, Jean Longis, 1556, in-8°.

LE FÉRON (Jean), *Catalogue des... ducz et connestables de France depuis le roy Clotaire I*er*...*
Catalogue... des ... chanceliers... Grands maistres... etc. Paris, Imp. de M. de Vascosan, 1555, 6 parties en un vol. in-f°.

LEMAIRE (Jean), *Le promptuaire des Conciles de l'eglise Catholique avec les Scismes et la difference diceulx :* faict par Jehan le Maire de Belges elegant Hystoriographe. Traicte singulier et exquiz. On les vend a Lyon en la boutique de Romain Morin, libraire demeurant en la rue Merciere [1532].

LOISEL (Antoine), édit. *Vers de la mort,* de Hélinant, moine de Froidmont, s. l. n. d. [1594], in-8°.

MATTHAEI PARIS *Historia major a Guilielmo Conquestore ad ultimum annum Henrici tertii.* Londini excusum apud R. Wolfium, 1571, in-f°.

MEIGRET (Louis), *Le Tretté de la grammere francoeze,* Paris, C. Wechel, 1550, in-4°.

— *Defenses de Louis Meigret touchant son orthographe francoeze,* Paris, C. Wechel, 1550, in-4°.

MINTURNO (Antonio), *Ant. Sebast. Minturni de poeta,* Venetiis apud F. Rampazetum, 1559, in-4°.

MUNSTER (Sebastian), *La Cosmographie universelle de tout le monde...* auteur en partie Munster, mais beaucoup plus augmentée, ornée, et enrichie par François de Belle-forest, Paris, M. Sonnius, 1575, 2 vol. in-f°.

Nicot (Jean), *Dictionnaire François-Latin*, Paris, J. Du Puys, 1584, in-f°.

Paul-Emile de Vérone, *Pauli Aemilii... de Rebus Gestis Francorum libri IIII*, Parisiis in aedibus Jodoci Badii [circa 1517], in-f°.

Perion, *Ioachimi Perionii Benedictini Cormoeriaceni Dialogorum de linguae gallicae origine eiusque cum Graeca cognatione libri IV*. Parisiis, Apud Sebastianum Nivellum sub Ciconiis in via Jacoboea, 1555.

Pigna (Giovambatista), *I Romanzi*, Vinegia, V. Valgrisi, 1554, in-4°.

Pithou (Pierre), *M. F. Quintiliani Declamationes quae... supersunt*. Ex bibliotheca P. Pithoei I. C. Lutetiae, Apud Mamertum Patissonium Typographum Regium in officina Roberti Stephani, MDLXXX. in-8°.

Postel (Guillaume), *de Originibus seu de Hebraicae linguae et gentis antiquitate deque variarum linguarum affinitate Liber...* Prostant Parisiis apud Dionysium Lescuier, sub Porcelli signo, e regione D. Hilarii [1538].

Sigonio (Carolo), *Caroli Sigonii Historiarum de regno Italiae libri XV*. Venetiis apud Jordanem Zilettum, 1574, in-4°.

Speroni (Sperone), *I dialogi di Messer Speron Speroni*, in Vinegia, Aldo, 1542, in-8°.

Tolomei (Claudio), *Il Cesano, dialogo, in Vinegia*, appresso Gabriel Giolito de Ferrari et Fratelli, 1555.

Varchi (Benedetto), *L'Hercolano : dialogo*. Vinetia, Filippo Giunti, 1570, in-4°.

I. — B. *Réimpressions et éditions modernes d'ouvrages du* xvie *siècle*

Barbieri (Giammaria), *Dell'origine della poesia rimata*, Modena, presso la Società tipografica, 1790, in-4°.

Des Periers (Bonaventure), *Œuvres françoises*, revues sur les éditions originales et annotées par M. Louis Lacour, Paris, P. Jannet, 1856, 2 vol. in-16.

Du Bellay (Joachim), *La Deffence et Illustration de la langue françoyse*, éd. H. Chamard, Paris, Fontemoing, 1904, in-8°.

Du Faïl (Noël), *Œuvres facétieuses*, éd. J. Assézat, Paris, Paul Daffis, éditeur-propriétaire de la Bibliothèque elzévirienne, 1875, 2 vol. in-8°.

Estienne (Henri), *Traicté de la Conformité du langage françois avec le grec...* ed. L. Feugère, Paris, J. Delalain, 1852, in-12.

— *Deux Dialogues du Nouveau Langage françois italianizé et autrement desguizé*, éd. avec introduction et notes par P. Ristelhuber, Paris, A. Lemerre, 1885, 2 vol. in-8°.

— *La precellence du Langage françois*, éd. E. Huguet, Paris, A. Colin, 1896, in-8°.

Haton (Claude), *Mémoires*. Collection de Documents inédits sur l'Histoire de France, Paris, Imprimerie nationale, 1857, 2 vol. in-4°.

Hauser (Henri), *Response de Jean Bodin à M. de Malestroit*, Paris, Armand Colin, 1932, in-8°.

La Croix du Maine (François Grudé, sieur de la Croix dit) et du Verdier (Antoine), *Bibliothèques françoises*, rééditées par Rigoley de Juvigny, Paris, Saillant et Nyon, 1772-1773, 6 tomes en 5 volumes in-4°.

Lemaire (Jean), *Œuvres*, éd. J. Stecher, Louvain, J. Lefever, 1882-1891, 4 vol, in-8°.

L'Estoile (Pierre de), *Mémoires-Journaux*, publiés par G. Brunet, A. Champollion, E. Halphen, Paul Lacroix, Ch. Read, Tamizey de

Larroque et Ed. Tricotel, Paris, Librairie des bibliophiles (A. Lemerre), 1875-1896, 12 vol. in-8°.

MAROT (Clément), *Œuvres*, 5 vol. in-8°; tome Ier, Robert Yve-Plessis; tomes II et III, G. Guiffrey; tomes IV et V, J. Plattard. Paris, Jean Schmit, 1875-1931.

PASQUIER (Estienne), *Œuvres*, Amsterdam, Compagnie des Libraires Associéz, 1723, 2 vol. in-f°.

— *Les Lettres d'Estienne Pasquier augmentées et mises en lumière par André du Chesne*, Paris, Jean Petit-Pas, 1619, 2 vol. in-8°.

PELETIER (Jacques) (du Mans), *Art poétique*, éd. André Boulanger. Publications de la Faculté des Lettres de l'Université de Strasbourg, 53. Publié avec introduction et commentaire, Paris, Les Belles-Lettres, 1930, in-8°.

PICHON (Ludovic), *Les Curiosités de l'Histoire. Le Roy des Ribauds*, Paris, A. Claudin, 1878, in-8°.

PUSSOT (Jean), *Journalier 1568-1625*, publié par Edouard Henry et St. C. Loriquet, Reims, P. Régnier, 1856, in-8°.

RONSARD, *Œuvres complètes*; nouvelle édition par Paul Laumonier, Paris, A. Lemerre, 1914-1919, 8 vol. in-8°.

SCALIGER, *Lettres françaises inédites de Joseph Scaliger*, publiées par Philippe Tamizey de Larroque, Agen, J. Michel et Médan, Paris, A. Picard, 1879.

SÉBILLET (Thomas), *Art poétique françoys*, éd. Félix Gaiffe, Paris, Société des textes français modernes, 1910; 2e tirage, 1932.

TASSO (Torquato), *Opere*, ed. Rosini, 33 vol. Opere di Torquato Tasso colle controversie sulla Gerusalemme poste in migliore ordine, ricorrette sull'edizione Fiorentina, ed. illustrate dal Professore Gio. Rosini (Vita di Torquato Tasso scritta da G. Manso), 33 vol., Pisa, 1821-1832, in-8°.

TORY, *Champfleury de Geofroy Tory*, éd. G. Cohen, Reproduction phototypique, Paris, Charles Bosse, 1931, in-4°.

VARCHI (Benedetto), *Opere di Benedetto Varchi con un discorso di A. Racheli intorno alla filologia del secolo XVI*, Trieste, Lloyd Austracio, 1859, in-4°.

II. *Ouvrages parus au* XVIIe *et au* XVIIIe *siècle*

ABOT DE BAZINGHEN (Françoys), *Traité des Monnoies et de la Jurisdiction de la Cour des Monnoies en forme de Dictionnaire*, Paris, Guillyn, 1764, 2 tomes, in-4°.

Autori (degli) del ben parlare per secolari e Religiosi. Opere diverse, in Venetia, nella Salicata, 1643, con licentia dei Superiori, e privilegio.

BAILLET (Adrien), *Jugemens des Savans*, Paris, C. Moette, 1722-1725, 7 vol. in-4°.

BILLY (Jacques DE), *Historia de Vitis de Rebus Gestis SS. Barlaam Eremitae et Josaphat Indiae regis*, Coloniae, sumptibus Bernardi Gualtheri, 1624, in-8°.

BOREL (Pierre), *Dictionnaire des Termes du vieux Françoys ou Tresor des Recherches et Antiquités gauloises et françoyses par Borel*, Paris, 1750. Nouvelle édition suivie des patois de la France... précédée d'une étude sur l'origine des patois par L. Favre, Niort, L. Favre, 1882, 2 vol. in-8°.

BOUTEROUE (Claude), *Recherches curieuses des Monnoyes de France depuis le commencement de la Monarchie*, Paris, Imp. de E. Martin, 1666, in-f°.

BULLART (Isaac), *Académie des Sciences et des Arts*, Bruxelles, F. Foppens, 1682, 2 vol. in-f°.

CHARPENTIER (François), *De l'Excellence de la Langue françoise*, Paris, Vve Bilaine, 1683, 2 vol. in-12.

— *Deffense de la Langue françoise pour l'Inscription de l'Arc de Triomphe*, Paris, C. Barbin, 1676, in-8°.

COLLETET (Guillaume), *Eloges des Hommes Illustres... Composez en latin par le Sieur de Sainte Marthe et mis en françois par G. Golletet*, A Paris, chez A. de Sommaville et Augustin Courbé au Palais et chez François Langlois, dit Chartre, rue Saint-Jacques, 1644, in-4°

CONSTANS (Germain), *Traité de la Cour des Monnoyes et de sa jurisdiction.* Paris, S. Cramoisy, 1658, 2 parties en un vol. in-f°.

COSTE (Le P. Hilarion DE), *Histoire catholique où sont descrites les Vies, Faicts et Actions héroiques et signalées des Hommes et Dames illustres...* Paris, P. Chevalier, 1625, in-f°.

DU HAILLAN (Bernard de Girard, sieur), *Histoire générale des Rois de France*, Paris, J. Petit-Pas, 1615-1629, 2 vol, in-f°.

DUPLEIX (Scipion), *Histoire générale de France*, Paris, L. Sonnius, 1621-1628, 3 vol. in-f°.

FLEURY-TERNAL (Charles), *Histoire du Cardinal de Tournon.* Paris, d'Houry, 1728, in-8°.

GOMBERVILLE (Marin LE ROY DE), *La Doctrine des Mœurs*, chez Pierre Daret, graveur ordinaire du Roy, rue Sainct Jacques, pres Saint Benoist. Avec privilege de Sa Maiesté, 1646.

— *Discours des Vertus et des Vices de l'Histoire*, à Paris, chez Toussainct du Bray, rue S. Jacques aux Espis meurs, et au Palais en la galerie des Prisonniers, 1620.

GOUJET (Claude-Pierre), *Bibliothèque françoise, ou histoire littéraire de la France*, Amsterdam, J. F. Bernard, 1723-1746, 42 vol. in-16. Tome Ier, pp. 34, 294, 339; tome V, p. 7; t. VIII, pp. 302 et suiv.; tome IX, pp. 5, 10, 15, 35, 103, 187, 289; tome XIII, p. 436.

JACOB (Louis), *Traicté des plus belles Bibliothèques publiques... qui ont esté et qui sont à présent dans le monde.* Paris, R. Le Duc, 1644, in-8°.

LENGLET DU FRESNOY (Abbé Nicolas), *De l'Usage des Romans...*, Amsterdam, Vve de Poilras, 1734, 2 vol. in-8°.

LOISEL (Antoine), *Divers Opuscules tirez des Mémoires de M. A. Loisel... par Claude Joly*, à Paris, De l'Imprimerie de la Veufve J. Guillemot... rue des Marmouzets, proche l'Eglise de la Magdeleine et chez J. Guignard au premier Pilier de la Grand'Salle du Palais, proche les Consultations, 1652, in-4°.

MALINGRE (Claude), *Les Antiquitez de la Ville de Paris*, Paris, impr. de Rocolet, 1640, in-f°.

MANSI (Gian Domenico), *Sacrorum Conciliorum nova et amplissima Collectio*, 31 vol., Florence, A. Zatta et Venise, 1759-1798; réimp. et continuation, 53 vol., Paris, expensis H. Welter, 1903-1927.

MASSIEU (Abbé Guillaume), *Histoire de la Poésie françoise, avec une Défense de la Poésie par feu M. l'abbé Massieu*, Paris, Prault fils, 1739, in-8°.

MÉNAGE (Gilles), *Anti Baillet ou Critique du livre de M. Baillet, intitulé*

Jugemens des savans, *par M. Ménage*, La Haye, E. Foulque et L. Van Dole, 1688, 2 vol. in-12.

— *Les Origines de la Langue françoise*, Paris, A Courbé, 1650, in-4°.

Menagiana Perroniana et Thuana, Paris, F. et P. Delaulne, 1693, in-8° (de nombreuses éditions).

MORERI (Louis), *Le Grand Dictionnaire historique dans lequel on a refondu les Suppléments de l'abbé Goujet*, Paris, Les libraires associés, 1759, 10 vol. in-f°.

MORNAC (Antoine), *Feriae forenses et elogia illustrium togatorum Galliae ab Anno 1500*. Ex veteribus schedis Auctoris, Parisiis sumptibus Nicolai Buon, via Jacobaea, 1619, in-8°.

NICERON (Jean-Pierre), *Mémoires pour servir à l'Histoire des Hommes illustres dans la République des Lettres*, Paris, Briasson, 1727-1745, 43 vol. in-12.

PATIN (Guy), *Patiniana dans Naudeana et Patiniana*, Paris, F. et P. Delaulne, 1701, in-8°; Amsterdam, 1703.

RIBIER (Guillaume), *Lettres et Mémoires d'Estat*, A Blois chez Jules Hotot, imprimeur et libraire ordinaire de feu son Altesse Royale devant la Grande Fontaine. Avec privilège du Roi; 1666, 2 vol. in-f°.

SAINTE MARTHE, *Scaevolae et Abelii Sammarthanorum opera latina et gallica*. Lutetiae Parisiorum. Apud Jacobum Villery, in via Clopinia, ad insigne scuti Franciae, 1633.

SARASIN (Jean-François), *Œuvres*, A Paris, chez Estienne Loyson, au Palais dans la Galerie des Prisonniers, au Nom de Jesus, 1673.

SAUVAL (Henri), *Histoire et Recherches des Antiquités de la Ville de Paris*, A Paris, chez Charles Moette, libraire, rue de la Bouclerie à Saint-Alexis, près du Pont Saint-Michel et chez Jacques Chardon, imprimeur, libraire, rue du Petit-Pont au bas de la rue Saint-Jacques, à la Croix d'Or, Avec privilège du Roy, 1724, 3 vol. in-f°.

SCALIGER (Joseph-Juste), *Josephi Scaligeri Epistolae omnes quae reperiri potuerunt*, Leyde, ex off. Bonaventurae et Abrahami, 1627; Frankfurt, sumptibus Aubriorum et Clementis Schleichii, 1628.

Scaligerana, Thuana, Perroniana, Pithoeana et Colomesiana, A Amsterdam, chez Covens et Mortier, 1740, 2 vol. in-f°.

SOREL (Charles), *Bibliothèque françoyse*. Seconde édition, à Paris, par la Compagnie des Libraires du Palais, 1667.

Storia della Letteratura italiana del cavaliere abate Girolamo Tiraboschi. Seconda edizione modenese. Modena, Presso la Società tipografica, con licenza di Superiori, 1787-1794.

TITON DU TILLET, *Le Parnasse*; description du Parnasse françois exécuté en bronze. A Paris, chez la Veuve Ribou, rue et vis-à-vis la Comedie; chez Pierre Prault, quai de Gèvres au Paradis; chez la Veuve Pissot, quay de Conty à la Croix d'Or, 1727.

VAISSÈTE (Dom), *Histoire générale du Languedoc*, A Paris, chez Jacques Vincent, Imprimeur des Etats-généraux de la Province de Languedoc, rue et vis-à-vis l'Eglise Saint-Severin-à-l'Ange; avec approbation et privilège du Roi, 1730.

VAISSÈTE et DEVIC (Doms), *Histoire générale du Languedoc*, Paris, 1733-1735, 5 vol. in-f°. Toulouse, éd. Privat, 1872-1894, 16 vol.

III. *Ouvrages parus à l'époque moderne (Critique)*

ARBELLOT (Abbé François), *Du Titre de Bourgeois et du Titre de Sieur, suivi d'un Nom de Fief ou de Domaine*, Paris, R. Haton, 1897, in-8°.

ARMSTRONG (Edward C.), *The Authorship of the Vengement Alixandre and of the Venjance Alixandre of Jean le Nevelon*. Princeton et Paris, Les Presses universitaires de France, 1926, in-8°.

AUGÉ-CHIQUET (Mathieu), *La Vie, les Idées et l'Œuvre de Jean-Antoine de Baïf* (avec un facsimilé), Paris, Hachette, Toulouse, E. Privat, 1909, in-8°.

AUVRAY (Lucien), *Notices sur quelques Cartulaires et Obituaires français conservés à la Bibliothèque du Vatican*, dans *Mélanges Julien Havet*, p. 384, Paris, E. Leroux, 1894, in-8°.

BASTARD D'ESTANG (Vicomte Henri DE), *Les Parlements de France*, Paris, Didier, 1857, 2 vol. in-8°.

BÉDIER (Joseph), *Les Légendes épiques : Recherches sur la Formation des Chansons de Geste*, Paris, H. Champion, 1908-1912, 4 vol. in-8°, réédition 1914-1921.

— *Les Fabliaux*, 5ᵉ édition, Paris, Champion, 1925, in-8°.

BELLANGER (Justin), *Histoire de la Traduction en France*, Paris, E. Thorin, 1892, in-8°.

BERGER (Elie), *Notice sur Divers Manuscrits de la Bibliothèque Vaticane* (Bibl. des Ecoles françaises d'Athènes et de Rome, t. VI), Paris, E. Thorin, 1879, in-8°.

BERTONI (Giulio), *I trovatori minori de Genova*, Dresden, 1903, Gedruckt für die Gesellschaft für romanische literatur. Vertreter für den Buchhandel Max Niemeyer, Halle a. S.

— *Giov. Mario Barbieri e gli studi romanzi nel sec. XVI*, Modena, Vincenzi e Nipoti, 1905.

BERTY (Adolphe), *Topographie historique du vieux Paris*, Paris, Imprimerie nationale, 1866-1897, 6 vol. in-f°.

BISSON (Sydney W.), *Claude Fauchet's Knowledge of Old French Literature*, thèse d'Oxford, 1929, non imprimée [1].

BLANCHET (Adrien) et DIEUDONNÉ (Adolphe), *Manuel de Numismatique française*, Paris, Picard, 1912-1930, 3 vol. in-8°.

BLIGNIÈRES (Auguste DE), *Essai sur Amyot et les Traducteurs français au XVIᵉ siècle*, Paris, A. Durand, 1851, in-8°.

BONNARD (Jean), *Les Traductions de la Bible en Vers français au Moyen Age*, Paris, Imprimerie nationale, 1884, in-8°.

BOSSUAT (Robert), *Littérature du Moyen Age*, Paris, J. de Gigord, 1931, in-8°. (*Histoire de la littérature française* publiée sous la direction de J. Calvet.)

BOUCLIER (Jacques), *La Cour des Monnaies de Paris à la Fin de l'Ancien Régime*, Paris, Rousseau et Cⁱᵉ, 1924, in-8°.

BRUNOT (Ferdinand), *Histoire de la Langue française des Origines à 1900*, tome Iᵉʳ, Paris, A. Colin, 1905, in-8°. Ouvrage en cours.

CALDERINI DE' MARCHI (Rita), *Jacopo Corbinelli et les Erudits français d'après la Correspondance inédite Corbinelli-Pinelli (1566-1587)*, Milan, U. Hoepli, 1914, in-16.

CAMPARDON (Emile) et TUETEY (Alexandre), *Inventaire des Registres des Insinuations du Châtelet de Paris, Règnes de François Iᵉʳ et Henri II* (*Histoire générale de Paris*), Paris, Imprimerie nationale, 1906, in-4°.

---

[1] Nous remercions cordialement M. Bisson de nous avoir prêté sa thèse. Notre ouvrage en a profité.

CANELLO (Ugo Angelo), *Storia della letteratura italiana nel secolo* XVI, Milano, F. Vallardi, 1880, in-4°.

Catalogue des manuscrits français. Ancien fonds. B. N.

Catalogue of Additions to the Manuscripts of the British Museum, 1854-1875, II, p. 266.

Catalogus codicum Bernensium (Bibliotheca Bongarsiana), p. p. H. Hagen, Berne, 1875.

CHAMARD (Henri), *Joachim du Bellay, 1522-1560*, Lille, au siège de l'Université, 1900, in-8°.

— *Les Origines de la Poésie française de la Renaissance*, Paris, E. de Boccard, éd. de 1932, in-8°.

CHAPELAIN (Jean), *De la Lecture des Vieux Romans*, éd. A. Feuillet, Paris, A. Aubry, 1870, in-8°.

CHASLES (Victor E. Philarète), *Etudes sur le* XVIe *Siècle en France*, Paris, Amyot, 1848, in-18.

CHAUVIRÉ, (Roger), *Jean Bodin Auteur de la « République »*, Paris, Champion, 1914, in-8°.

CHINARD (Gilbert), *L'Exotisme américain dans la Littérature française au* XVIe *Siècle*, Paris, Hachette, 1911, in-16.

CLAUDIN (Anatole), *Histoire de l'Imprimerie au* XVe *et au* XVIe *Siècle*, Paris, Imprimerie nationale, 1900-1919, 4 vol. in-f°.

CLÉDAT (Léon), *Rutebeuf*, Paris, Hachette, 1891, in-8° (Les Grands Ecrivains français).

CLÉMENT (Louis), *Henri Estienne et son Œuvre française*, Paris, A. Picard et fils, 1898, in-8°.

CODORNIU (Jean), *Etude historique sur Gaston Phebus (Recueil de l'Académie des Jeux Floraux*, pp. 97-153), Toulouse, Imprimerie Douladoure-Privat, 1895.

COHEN (Gustave), *Chrétien de Troyes et son Œuvre*, Paris, Boivin, 1931, in-8°.

COLLAS (Georges), *J. Chapelain, 1595-1674; Etude historique et littéraire*, Paris, Perrin et Cie, 1912, in-8°.

COMPARETTI (Domenico), *Ricerche intorno al Libro di Sindibâd*, Milano, G. Bernardoni, 1869, in-4°.

CRESCINI (Vincenzo), *Lettere di Jacopo Corbinelli. Contributo alla Storia degli studi romanzi* nel *Giornale storico della letteratura italiana*. II, 1883, 2e semestre, p. 303.

— *Jacopo Corbinelli nella storia degli studi romanzi. Saggi ed appunti*, Padova, 1892, in-8°. (Reproduit avec quelques modifications l'article du *Giornale storico della letteratura italiana*.)

DARMESTETER (Arsène) et HATZFELD (Adolphe), *Le Seizième Siècle en France. Tableau de la Littérature et de la Langue*, Paris, Ch. Delagrave, 1887, 3e éd., in-8°.

DEBENEDETTI (Santorre), *Gli studi provenzali in Italia nel cinquecento*, Torino, E. Loescher, 1911, in-8°.

DELISLE (Léopold), *Le Cabinet des Manuscrits de la Bibliothèque nationale...*, Paris, Imprimerie impériale (nationale), 1868-1881, 4 vol. in-4°.

— *La Chronique romanesque jadis possédée par le Président Fauchet*, dans *Bibliothèque de l'Ecole des Chartes*, t. XL, 1879, p. 653.

— *Inventaire général et méthodique des Manuscrits français de la Bibliothèque nationale*, Paris, H. Champion, 1876-1878, 2 vol. in-8°.

— *Notice sur un manuscrit de Saint-Laud d'Angers appartenant à*

M. le marquis de Villoutreys, Nogent-le-Rotrou, Daupeley Gouverneur, 1899, in-8°. (*Bibliothèque de l'Ecole des Chartes*, t. LIX, p. 553.)

— *Notice sur vingt Manuscrits du Vatican*, Paris, H. Champion, 1877, in-8°. (*Bibliothèque de l'Ecole des Chartes*, t. XXXVII, p. 517.)

DE LA RUE (Abbé Gervais), *Essais historiques sur les Bardes, les Jongleurs et les Trouvères normands et anglo-normands*, Caen, Mancel, 1834, 3 vol. in-8°.

DESJARDINS (Abel), *Négociations diplomatiques de la France avec la Toscane*, Paris, Imprimerie impériale, 1859-1886, 6 vol. in-4°.

DESMAZE (Charles), *Le Châtelet de Paris*, Paris, Didier, 1863, in-8°. (Plusieurs éditions.)

DIEUDONNÉ (Adolphe), *Hildebert de Lavardin, sa Vie, ses Lettres*, Paris, Picard, 1898, in-8°.

DILLAY (Madeleine), *Quelques Données bio-bibliographiques sur Claude Fauchet*, Articles dans *Neuphilologische Mitteilungen*, de Helsingfors, 1932, pp. 35-82.

DION (Comte Adolphe DE), *Nobiliaire de Montfort*, Rambouillet, Imprimerie de Raynal, 1881, in-8°. Voir Maquet (Adrien) et Dion.

DOUTREPONT (Georges), *Jean Lemaire de Belges et la Renaissance*, Bruxelles, Lamertin, 1934.

DUCANGE (Charles), *Glossarium mediae et infimae latinitatis conditum a Carolo Dufresne domino Du Cange*, Paris, F. Didot, 1840-1850, 7 vol. in-4°. Niort, Favre, 1883-1887, 10 vol. in-4°.

DUPIRE (Noël), *Jean Molinet*, Lille, Société d'impressions littéraires, industrielles et commerciales, Paris, E. Droz, 1932, in-8°.

DUPRÉ-LASALE (Emile), *Michel de l'Hospital*, Paris, Thorin et fils, 1875, 1899, 2 vol. in-8°.

DUTILLEUX (Adolphe), *Topographie ecclésiastique du Département de Seine-et-Oise*, Versailles, Cerf et fils, 1874, in-8°.

EVERLIEN (Hermann), *Ueber « Judas Machabee » von Gautier de Belle-Perche*, Halle, C. A. Kaemmerer, 1897, in-8°.

FARAL (Edmond), *Les Jongleurs en France au Moyen Age*, Paris, H. Champion, 1910, gr. in-8°.

— *Courtois d'Arras : Jeu du XIIIe Siècle*, Paris, H. Champion, 1911, in-8° (Classiques français du moyen âge), n° 3.

— *La littérature latine du Moyen Age*, Paris, H. Champion, 1925, in-8°.

— *La Chanson de Roland*, Paris, Mellottée, 1934, in-16.

FARMER (Albert J.), *Les Œuvres françaises de Scévole de Sainte-Marthe*, Toulouse, E. Privat, 1920.

FEUGÈRE (Léon), *Caractères et Portraits du XVIe Siècle*, Paris, Didier, 1859, 2 vol. in-8°.

— *H. Estienne, Essai sur la Vie et les Ouvrages de Henri Estienne suivi d'une Etude sur Scevole de Sainte-Marthe*, Paris, J. Delalain, 1853, in-12.

— *Etienne Pasquier. Essai sur la Vie et les Ouvrages d'Etienne Pasquier*, Paris, Firmin-Didot, 1848, in-18.

FLACH (Jacques), *Les Origines de l'Ancienne France*, Paris, L. Larose et Forcel, 1886-1917, 4 vol. in-8°.

FLAMINI (Francesco), *Il Cinquecento*. Milan, F. Vallardi, 1902, in-8° (Storia letteraria d'Italia, 1900, etc.).

FOULET (Lucien), *Le Roman de Renard*, Paris, Champion, 1914, in-8°, (Bibl. Ecole des Hautes Etudes), fasc. 211.

Fremy (Edouard), *Origines de l'Académie française...*, Paris, E. Leroux, 1887, gr. in-8°.

Fustel de Coulanges (Numa-Denis), *Histoire des Institutions politiques de l'Ancienne France*, Paris, Hachette, 1888-1892, 6 vol. in-8°.

Gams (Pius Bonifacius), *Series episcoporum Ecclesiae Catholicae*, Ratisbonne, Typis et Sumptibus G. J. Manz, 1873, in-f°.

Garosci (A.), *Jean Bodin, politica e diritto nel rinascimento francese*, Milan, A. Corticelli, 1934, in-8°.

Gasquet (Amédée), *Institutions politiques et sociales de l'Ancienne France*, Paris, Hachette, 1885, 2 vol. in-16.

Gaullieur (Eusèbe-Henri), *Etudes sur la Typographie genevoise*, Genève, Kessmann, 1855, in-8°.

Gautier (Léon), *Les épopées françaises*, Paris, V. Palmé, 1865-1868, 3 vol. in-8°; Paris, V. Palmé, 1878-1892, 4 vol. in-8°.

Geffroy (Auguste), *Notices et Extraits des Manuscrits concernant l'Histoire ou la Littérature de la France qui sont conservés dans les Bibliothèques ou Archives de Suède, Danemark et Norwège*, Paris, Imprimerie impériale, 1855, in-8°.

Gillot (Hubert), *La Querelle des Anciens et des Modernes en France, de la « Deffense et Illustration de la Langue française » aux Parallèles des Anciens et des Modernes*, Paris, Champion, 1914, in-8°.

Godefroy-Menilglaise (Denis-Charles, marquis de), *Les Savants Godefroy. Mémoires d'une famille pendant les* xvie, xviie *et* xviiie *Siècles*, Paris, Didier, 1873, in-8°.

Gohin (Ferdinand), *De Lud. Charondae (1534-1613) vita et versibus*, Lutetiae Parisiorum typis mandabat Leroux, 1901, in-8°.

Grammont (Maurice), *Le Vers français*, 2e édition, Paris, Champion, 1913, in-8°.

Grave (Victor-Eugène), *A Travers l'Armorial de Montfort.* (Extrait du *Bulletin des Sociétés savantes de Seine-et-Oise*), Versailles, imprimerie de E. Aubert, 1907, in-8°.

— *Supplément au Nobiliaire et Armorial du comté de Montfort l'Amaury*. Extrait des *Mémoires de la Société archéologique de Rambouillet*, Versailles, imprimerie de E. Aubert, 1906, in-8°.

Haag (Eugène et Emile), *La France protestante*, Paris, J. Cherbuliez, 1846-1859, 10 vol.

Harsin (Paul), *Les Doctrines monétaires et financières en France*, Paris, Félix Alcan, 1928, in-8°.

Hatem (Anouar), *Les Poèmes épiques des Croisades*, Paris, P. Geuthner, 1932, in-8°.

Hauser (Henri), *Sources de l'Histoire de France au* xvie *siècle*, Paris, A. Picard, 1906 et suiv., 4 vol. in-8°.

— et Renaudet (Augustin), *Les Débuts de l'Age moderne*, Paris, F. Alcan, 1929, in-8°.

— *La prépondérance espagnole*, Paris, F. Alcan, 1933, in-8°.

Hoefer (Ferdinand), *Nouvelle Biographie générale*, Paris, Firmin-Didot frères, 1852-1866, 46 volumes in-8°.

Holmes (Urban) and Radoff (Maurice), *Claude Fauchet and his Library* (*Publications of the Modern Language Association of America*, XLIV 1929, pp. 229-242).

Huet (Pierre-Daniel), *Traité de l'Origine des Romans suivi d'Observations et de Jugemens sur les Romans français avec l'Indication des*

Meilleurs Romans qui ont paru surtout pendant le XVIII⁰ *Siècle jusqu'à ce jour*, Paris, N. L. M. Desessarts, an VII, in-12.

HUIZINGA (Johan), *Le Déclin du Moyen Age*, trad. J. Bastin, Paris, Payot, 1932, in-8⁰.

JACOUBET (Henri), *Comment le* XVIII⁰ *Siècle lisait les Romans de Chevalerie*, Grenoble, Xavier Drevet, 1932, in-8⁰.

JEANROY (Alfred), *Bibliographie sommaire des Chansonniers français du moyen âge*, Paris, H. Champion, 1918, in-16 (Classiques français du moyen âge, n⁰ 18).

— *Les Origines de la Poésie lyrique en France au moyen âge*, Paris, Hachette, 1889, in-8⁰, 3⁰ édition, 1925.

KASTNER (Léon-E.), *A History of French Versification*, Oxford, Clarendon Press, 1903.

— *Des différents sens de l'Expression Rime léonine au Moyen Age* (*Rev. Phil. Fr. et de littérature*, XVII, 3).

KOHLER (Charles), *Catalogue des Manuscrits de la Bibliothèque Sainte-Geneviève*, Paris, E. Plon-Nourrit et Cⁱᵉ, 1893-1913, 3 vol. in-8⁰.

LACOUR (Louis), article *Fauchet (Claude)*, dans la *Nouvelle Biographie générale*, Firmin Didot, t. XVI, col. 163.

LÅNGFORS (Arthur), *Les Incipit des Poèmes français antérieurs au* XVI⁰ *siècle* : répertoire bibliographique établi à l'aide de notes de M. Paul Meyer, Paris, Champion, 1918, in-8⁰.

LANGLOIS (Ernest), *De artibus rhetoricae rhythmicae...*, Parisiis, apud A. Bouillon, 1890, in-8⁰.

— *Les Manuscrits du Roman de la Rose*, Lille, Tallandier, 1910, in-8⁰.

— *Notices des Manuscrits français et provençaux de Rome antérieurs au* XVI⁰ *Siècle* (Notices et extraits, t. XXXIII, 2⁰ partie), Paris, Imprimerie nationale, 1889, in-4⁰.

— *Quelques Dissertations inédites de Claude Fauchet*, dans *Etudes romanes dédiées à Gaston Paris*, Paris, E. Bouillon, 1891, in-8⁰.

— *Table des Noms propres compris dans les Chansons de Geste imprimées*, Paris, E. Bouillon, 1904, in-8⁰.

LANUSSE (Maxime), *De Joanne Nicotio philologo*, Gratianopoli, ex typis J. Allier, 1893, in-8⁰.

LAUMONIER (Paul), *Ronsard, poète lyrique. Etude historique et littéraire*, Paris, Hachette, 1909, in-8⁰ (2⁰ éd. 1923).

LAVISSE (Ernest), *Histoire de France*, Paris, Hachette, 1903-1911, 9 vol. in-4⁰.

LEBEUF (Jean), *Histoire de la Ville et de tout le Diocèse de Paris*. Rectifications et additions par F. Bournon, Paris, Fechoz, 1883-1893, 7 vol. in-8⁰.

LEFRANC (Abel), *Histoire du Collège de France depuis ses Origines jusqu'à la fin du Premier Empire*, Paris, Hachette, 1893, in-8⁰.

LIVET (Charles-Louis), *La Grammaire et les Grammairiens du* XVI⁰ *Siècle*, Paris, Didier, 1859, in-8⁰.

LONGNON (Auguste), *Etude biographique sur François Villon*, Paris, H. Menu, 1877, in-16.

LOT (Ferdinand), *Etude sur le « Lancelot » en prose*, Paris, Champion, 1918, in-8⁰.

LUCHAIRE (Achille), *Histoire des Institutions monarchiques de la France sous les Premiers Capétiens*, Paris, Imprimerie nationale, 1883-1885, 2 vol. in-8⁰.

LUMBROSO (Giacomo), *Memorie italiane del buon tempo antico*, Torino, E. Loescher, 1889, in-8°.

MADELIN (Louis), *L'Expansion française. De la Syrie au Rhin*, Paris, Plon, 1918, in-16.

MAQUET (Adrien) et DE DION (Adolphe), *Nobiliaire et Armorial de Montfort l'Amaury*, Rambouillet, impr. de Raynal, 1881, in-8° (Extrait des *Mémoires et Documents*, Société archéologique de Rambouillet).

MARCHANGY (Louis-Antoine-François DE), *Tristan le Voyageur ou la France au XIVᵉ Siècle*, Paris, F. M. Maurice, 1825, 6 vol. in-8°.

MARTIN (Ernest), *Observations sur le Roman de Renart*, Paris, 1887.

— *Examen critique des Manuscrits du Roman de Renart*, Bâle, J. Schweighauser, 1872, in-8°.

MAUGAIN (Gabriel), *Ronsard en Italie*, Paris, les Belles-Lettres, 1926, in-16. (Publications de la Faculté des lettres de Strasbourg.)

MEYER (Paul), *Alexandre le Grand dans la littérature française du Moyen Age*, Paris, F. Vieweg, 1886, 2 vol. in-12.

— *De l'Expansion de la Langue française en Italie pendant le Moyen Age*, Roma, typ. della R. Accademia dei Lincei, 1904, in-8°.

— *Notice sur un Manuscrit bourguignon (Romania, VI, 1877, pp. 1-46).*

MOLINIER (Auguste), *Les Sources de l'Histoire de France*, Paris, A. Picard et fils, 1901-1906, 6 vol. in-8°.

MOORE (Margaret-J.), *Estienne Pasquier Historien de la Poésie et de la Langue françaises*, Poitiers, Société française d'imprimerie et de librairie, 1934, gr. in-8°.

NICOLAU (Mathieu), *L'Origine du Cursus rythmique et les Débuts de l'Accent d'Intensité en Latin*, Paris, Les Belles-Lettres, 1930, in-8°.

NOLHAC (Pierre DE), *Ronsard et l'Humanisme*, Paris, H. Champion, 1921, in-8°.

OMONT (H.), *Catalogue général des Manuscrits français. Ancien-Saint-Germain français*, Paris, Leroux, 1898, in-8°.

— *Anciens petits fonds français*, Paris, E. Leroux, 1897-1902, in-8°.

PARIS (Gaston), *De pseudo-Turpino*, Paris, apud A. Franck, 1865, in-8°.

— *Histoire poétique de Charlemagne*. Notes de Paul Meyer, Paris, E. Bouillon, 1905, in-8°.

PARIS (Paulin), *Les Manuscrits françois de la Bibliothèque du Roi*, Paris, Techener, 1836-1848, 7 vol. in-8°.

PATRY (Raoul), *Philippe Du Plessis Mornay; un Huguenot Homme d'Etat, 1549-1623*, Paris, Fischbacher, 1933, in-8°.

PAUPHILET (Albert), *La Queste del Saint Graal*, Paris, éditions de la Sirène, 1923, in-8°; du même, *Etudes sur la Queste*, Champion, 1921, in-8°.

PEIRESC (N.-C. Fabri DE), *Lettres de Peiresc aux Frères Dupuy*, publiées par Tamizey de Larroque, Paris, Imprimerie nationale, 1888-1892, 3 vol. in-4°, 7 vol. 1898.

PICOT (Emile), *Les Italiens en France au XVIᵉ Siècle*, Bordeaux, Feret et fils, 1901, in-8°. (Extrait du *Bulletin italien*.)

— *Les Français à l'Université de Ferrare au XVᵉ et au XVIᵉ Siècle*, Paris, Imprimerie nationale, 1902, in-8°.

— *Des Français qui ont écrit en italien au XVIᵉ Siècle*, Paris, E. Bouillon, 1902, in-8°.

— *Les Français italianisants au XVIᵉ Siècle*, Paris, H. Champion, 1906-1907, 2 vol. in-8°.

PIGEONNEAU (Henri), *Le Cycle de la Croisade et de la Famille de Bouillon*, Saint-Cloud, E. Belin, 1877, in-8°.

PIRENNE (Henri), *Histoire de Belgique*, Bruxelles, Lamertin, 1900-1932, 7 vol. in-8°.

PLATTARD (Jean), *La Vie et l'Œuvre de Scévole de Sainte-Marthe*, Paris, H. Champion, 1924.

RANKE (Leopold von), *Histoire de la Papauté*, Paris, Sagnier et Bray, 1848, 3 vol.

RAYMOND (Marcel), *L'Influence de Ronsard*, Paris, H. Champion, 1927, 2 vol. in-8°.

RAYNAUD (Gaston), *Bibliographie des Chansonniers français des* XIIIe *et* XIVe *Siècles*, Paris, Vieweg, 1884, 2 vol. in-8°.

RAYNOUARD (François-J.-M.), *Lexique roman ou Dictionnaire de la Langue des Troubadours*, Paris, Silvestre, 1838-1844, 6 vol. in-8°.

Registres des Délibérations du Bureau de la Ville de Paris..., texte édité par F. Bonnardot, A. Tuetey, P. Guérin, L. Le Grand, Paris, Imprimerie nationale, 1883-1927, 15 volumes et 1 facsimile in-4°. (*Histoire générale de Paris. Collection de Documents.*)

RENAUDET (Augustin), *Préréforme et Humanisme à Paris pendant les Premières Guerres d'Italie 1494-1517*, Paris, H. Champion, 1916, in-8°.

RIVAROL (Antoine), *De l'Universalité de la Langue française*, ed. W. W. Comfort, New York, Boston, etc., Ginn and Co., 1919.

ROCQUAIN (Félix), *La France et Rome pendant les Guerres de Religion*, Paris, Champion, 1924, in-8°.

RONZY (Pierre), *Bibliographie critique des Œuvres de Papire Masson*, Paris, Champion, 1924.

— *Papire Masson*, Paris, H. Champion, 1924, in-8°.

ROSANBO (Louis DE), *Pierre Pithou* (*Revue du* XVIe *Siècle*, t. XVI, XVII, 1928-1929).

ROY (Emile), *La Vie et les Œuvres de Charles Sorel*, Paris, Hachette, 1891, in-8°.

SACHROW (Karl), *Ueber die Vengeance d'Alexandre von Jean le Venelais*, Halle, Druck von H. John, 1902, in-8°.

SAINTE-BEUVE (Charles-A.), *Premiers Lundis*, Paris, Michel-Levy, 1874-1875, 3 vol. in-12.

SAINTSBURY (George), *History of Criticism*, Edinburgh, W. Blackwood, 1900-1904, 3 vol. in-8°.

SAMFIRESCO (Elvire), *Gilles Ménage Polémiste, Philologue, Poète*, Paris, L'Emancipatrice, 1902, in-8°.

SCHNEIDER (R.) et COHEN (Gustave), *La Formation du Génie moderne dans l'Art de l'Occident*, Paris, Albin Michel, 1936.

SÉE (Henri), *Esquisse d'une Histoire économique et sociale de la France depuis les Origines jusqu'à la Guerre mondiale*, Paris, F. Alcan, 1929.

SIMONNET (Jules), *Le Président Fauchet, sa Vie et ses Ouvrages*, Paris, 1864, in-8°, dans *Revue historique de Droit français et étranger*, IX, 1863, p. 425.

SPAAK (Paul), *Jean Lemaire de Belges*, Paris, H. Champion, 1926, in-8°.

SPINGARN (Joel Elias), *Literary Criticism in the Renaissance*, New York, Macmillan, 1899, in-16. (The Columbia University Studies in Literature.)

STEPHENS (G.), *Förteckning öfver de Förnämsta Brittiska och Fransyska handskrifterna uti Kongl. Bibliotheket i Stockholm*, Stockholm, P. A. Norstedt & Söner, 1847.

STUREL (René), *Jacques Amyot, Traducteur des Vies parallèles de Plutarque*, Paris, Champion, 1909, in-8°.

THIEME (Hugo-P.), *Essai sur l'Histoire du Vers français*, Paris, Champion, 1916, in-8°.

THOMAS (Antoine), article *Fauchet* dans la *Grande Encyclopédie*, t. XVII, p. 40.

— *Nouvelles Recherches sur l'Entrée de Spagne, Chanson de Geste franco-italienne*, Paris, E. Thorin, 1882, in-8°.

THUASNE (Louis), *Villon et Rabelais*, Paris, Fischbacher, 1911, in-8°.

— *Le Roman de la Rose*, Paris, Edgar Malfère, 1929, in-12. (Les Grands Evénements littéraires.)

TILLEY (Arthur), *Studies in the French Renaissance*, Cambridge University Press, 1922, in-8°.

— éd. *Medieval France*, Cambridge, University Press, 1922, in-8°.

TRACCONAGLIA (Giovanni), *Henri Estienne e gli Italianismi. Contributo allo studio dell'Italianismo in Francia*, vol. I, Lodi, Tipo-Litografia C. Dell-Avo, 1907.

VERRIER (Paul), *Le Vers français*, Paris, H. Didier, 1932, 3 vol. in-4°.

VIANEY (Joseph), *Le Pétrarquisme en France au XVIe Siècle*, Montpellier, Coulet et fils, 1909, in-8°. (Société pour l'Etude des Langues romanes.) *Travaux et Mémoires de Montpellier*, série littéraire, III.

VILLEY (Pierre), *Les Sources italiennes de la « Deffense et Illustration de la Langue françoise » de Joachim du Bellay*, Paris, H. Champion, 1908, in-8°.

— *Marot et Rabelais*, Paris, Champion, 1923, in-8°.

VINAVER (Eugène-M.), *Etudes sur le Tristan et Iseut dans l'Œuvre de Thomas Malory* (en prose), Paris, H. Champion, 1925, in-8°.

WAHLUND (Carl), *Bibliographie der französischen Strassburger Eide von Jahre 842*, dans le recueil *Bausteine zur Romanischen Philologie, Festgabe fur Adolfo Mussafia zum 15 Februar 1905*, Halle, Niemeyer, in-8°.

WILLEY (Basil), *Tendencies in Renaissance Literary Theory*, Cambridge, Bowes and Bowes, 1922.

WEILL (Georges), *Les Théories sur le Pouvoir royal en France pendant les Guerres de Religion*, Paris, Hachette, 1891, in-8°.

WILMOTTE (Maurice), *Le Wallon, Histoire et Littérature des Origines à la fin du XVIIIe siècle*, Bruxelles, Charles Rozez, 1893, in-8°.

— *La Culture française en Belgique*, Paris, H. Champion, 1912, in-8°.

IV. — *Ouvrages parus à l'époque moderne*
(*Textes littéraires et historiques*) [1]

ADAM DE LA HALLE, *Le Jeu de la Feuillée*, éd. Langlois (Ernest), Paris, H. Champion, 1911, in-8° (Classiques français du moyen âge, n° 6).

ADENET LE ROI, *Li Roumans de Berte aus grans piés par Adenés li Rois*, éd. Scheler (Auguste), Bruxelles, MM. Closson et Cie et H. Merzbach, 1874, in-8°.

— *Cléomadès*, éd. Van Hasselt (André-Constant), Bruxelles, Comptoir universel d'imprimerie et de librairie, Victor Devaux et Cie, 1865, 2 vol. in-8°.

Antioche, La Chanson d'Antioche, éd. Paris (Paulin), Paris, J. Techener, 1848, 2 vol. in-8°.

Aquin, Le Roman d'Aquin..., chanson de geste du XIIe siècle, éd. Jouon des Longrais (Frédéric), Nantes, Société des bibliophiles bretons, 1880, in-4°.

---

[1] Les notes bibliographiques que nous donnons au cours de notre ouvrage étant sommaires, nous croyons utile d'ajouter cette liste.

Arthur, The Vulgate version of the Arthurian romances, éd. Sommer (Heinrich Oskar), Washington, The Carnegie Institution, 1909-1913, 7 vol. in-4°.

Arthur, La Légende arthurienne. Etudes et Documents, éd. Faral (Edmond), Paris, H. Champion 1929 (Bibl. de l'Ecole des Hautes Etudes, fasc. 255, 256, 257, 3 vol.).

Auberee, Altfranzösisches Fablel, éd. Ebeling (Georg), Halle, Niemeyer, 1895, in-8°.

Aubry le Bourgoing, Le Roman d'Aubery le Bourgoing, éd. Tarbé (Prosper), Reims, imprimerie Régnier, 1849, in-8°.

Aye d'Avignon, Aye d'Avignon, chanson de geste, éd. Guessard (François), et Meyer (Paul), Paris, F. Vieweg, 1861, in-16.

Benoît de Sainte-More, *Le Roman de Troie*, éd. Constans (Léopold), Paris, Société des anciens textes français, 1904-1912, 6 vol. in-8°.

Bodel (Jean), *Le Jeu de Saint-Nicolas*, éd. Jeanroy (Alfred), Paris, Champion, 1925 (Classiques français du moyen âge, n° 48).

Bonet (Honoré), *L'Apparition de Jehan de Meun ou le Songe du Prieur de Salon*, par Honoré Bonet, prieur de Salon, Paris, Silvestre, 1845, in-8° (Société des bibliophiles français). Ed. I. Arnold, Les « Belles Lettres » 1926.

Cartulaire — Cartulaire du Chapitre de Saint-Laud d'Angers, éd. Planchenault (Adrien), Angers, Germain et Grassin, 1903, in-8° (Documents historiques sur l'Anjou, n° 4).

Chartier (Alain), *Le Quadrilogue invectif*, éd. Droz (Eugénie), Paris, Champion, 1923, in-8°.

Chastellain (Georges), *Œuvres*, éd. Lettenhove (Kervyn de), Bruxelles, Heussner, 1863-1866 (Académie royale de Belgique), 8 vol. in-8°.

Chevalier au Cygne. — La chanson du Chevalier au Cygne et de Godefroy de Bouillon, éd. Hippeau (Celestin), Paris, A. Aubry, 1874-1878, 2 vol. in-8°.

Chrétien de Troyes, *Der Karrenritter (Lancelot)*, éd. Foerster (Wendelin), Halle, Niemeyer, 1899, in-8°.

— *Der Löwenritter (Yvain)*, éd. Foerster (Wendelin), Halle, Niemeyer, 1887, in-8°.

— *Der Percevalroman (Li contes del Graal)*, éd. Hilka (Alfons), Halle, Niemeyer, 1932, in-8°.

Chronique d'Anjou. — Chronique des comtes d'Anjou et des seigneurs d'Amboise, éd. Halphen (Louis), et Poupardin (René), Paris, Picard, 1913, in-8° (Collection de textes pour servir... à l'étude de l'histoire, n° 48).

Chroniques. — Chroniques, éd. par Buchon (Jean A. C.), Paris, Verdière, 1826-1828, 46 vol.

Chronique de Morigny, éd. Mirot (Léon), Paris, Picard, 1909, in-8° (Collection de textes pour servir... à l'étude de l'histoire, n° 41).

Commynes (ou Commines) (Philippe de), *Mémoires*, éd. Calmette (Joseph), Paris, Champion, 1924, 3 vol. in-8° (Les classiques de l'histoire de France au moyen âge).

Conon de Béthune, *Les Chansons*, éd. Wallensköld (Axel), Paris, H. Champion, 1921, in-16 (Classiques français du moyen âge, n° 24).

Conquête de Jérusalem, La Conquête de Jérusalem faisant suite à la Chanson d'Antioche, éd. Hippeau (Celestin), Paris, Aubry, 1868, in-8°.

Dante Alighieri, *Il Trattato De Vulgari eloquentia*, per cura di Pio Rajna, Firenze, Le Monnier, 1896, in-4° (Società dantesca italiana. Edizione critica).

Dolopathos. — *Li Romans de Dolopathos*, éd. Brunet (Charles) et de Montaiglon (Anatole), Paris, Jannet, 1856, in-8°.

Doon de Nanteuil, dans *Romania*, XIII, 1884, pp. 1 et suiv., éd. Meyer (Paul).

Eginhard, *Vie de Charlemagne*, éditée et traduite par Halphen (Louis), Paris, H. Champion, 1923, in-8° (Classiques de l'histoire de France au moyen âge).

Enguerrand de Monstrelet, *La Chronique*, publiée pour la Société de l'Histoire de France, éd. Douet d'Arcq (Louis), Paris, Mme Vve J. Renouard, 1857-1862, 6 vol. in-8°.

L'Entrée d'Espagne, éd. Thomas (Antoine), Paris, Firmin-Didot, 1913, 2 vol. in-8° (Société des anciens textes français).

Evangile aux femmes, éd. Keidel (George C), Baltimore, The Friedenwald Co., 1895, in-8°.

— *Marie de Compiègne d'après l'Evangile aux femmes*, éd. Constans (M.), Paris, Franck, F. Vieweg, propriétaire, 1876, in-8°.

Fabliaux. — *Fabliaux, dits et Contes en Vers français du* xiiie *Siècle*. Facsimilé du manuscrit français 837, publié par Omont (Henri), Paris, Leroux, 1932, in-4°.

— *Recueil général et complet des Fabliaux des* xiiie *et* xive *Siècles*, éd. de Montaignon (Anatole) et Raynaud (Gaston), Paris, Librairie des bibliophiles, 1872-1890, 6 vol. in-8°.

— *Fabliaux et Contes* publiés par Barbazan. Nouvelle édition par Méon (Martin), Paris, Warée, 1808, 4 vol. in-8°.

Fille du comte de Pontieu. — *La fille du comte de Pontieu*. Versions du xiiie et du xve siècle, éd. Brunel (Clovis), Paris, Champion, 1922, in-8° (Société des anciens textes français).

Flodoard, *Les Annales*, éd. Lauer (Philippe), Paris, Picard, 1905, in-8° (Collection de textes pour servir à... l'étude de l'histoire, n° 39).

Gace Brulé, *Les Chansons* de Gace Brulé, éd. Huet (Gédéon), Paris, 1902, in-8° (Société des anciens textes français).

Garin le Loherain, Li Romans de Garin le Loherain, éd. Paris (Paulin), Paris, 1833, 2 vol. in-12 (*Les Romans des douze pairs de France*, t. II et III.)

Gaston Phébus, *Le Miroyer de Phebus des deduictz de la chasse*, Paris, Jehan Treperel, s. d., in-4°.

Gautier de Coincy, Gautier de Coincy's *Christinenleben*, éd. Ott (Andreas C.), Erlangen, Jung and Sohn, 1922, in-8°.

Girart de Roussillon, trad. Meyer (Paul), Paris, Champion, 1884, in-8°.

Gervais du Bus, *Le Roman de Fauvel*, éd. Långfors (Arthur), Paris, 1914-1919, in-8° (Société des anciens textes français).

— *Le Roman de Fauvel*, éd. Pey (Alexander), dans *Jahrbuch für romanische und englische Literatur*, 1886, VII.

Grammatici latini, éd. Keil (Heinrich), Lipsiae, Teubner, 1857-1880, 8 vol. in-4°.

Grégoire de Tours, *Historiae Francorum lib. I-VI*, éd. Omont (Henri), Paris, Picard, 1886, in-8° (Collection de textes pour servir à l'étude de l'histoire).

Gui de Nanteuil, éd. Meyer (Paul), Paris, Vieweg, 1861, in-16.

Guillaume de Lorris, voir *Roman de la Rose*.

Guillaume de Dole. — *Le Roman de la Rose ou de Guillaume de Dole*, éd. Servois (Gustave), Paris, 1893, in-8° (Société des anciens textes français).

— Jean Renart, *Le Roman de la Rose ou de Guillaume de Dole*, éd. Lejeune (Rita), Paris, E. Droz, 1936, in-8°.

GUILLAUME DE DEGUILEVILLE ou Deguilleville ou Degulleville, *Le Pèlerinage de Vie humaine. Le Pèlerinage de l'Ame, Le Pèlerinage Jhesu-Crist*, éd. Stürzinger (Jakob J.), London, Nichols, 1893-1897, 3 vol. in-4°. (Printed for the Roxburghe Club.)

GUIOT DE PROVINS, *Œuvres*, éd. Orr (John), Manchester, The University Press, 1915, in-8°.

Graal. — *Le Saint Graal ou Joseph d'Arimathie*, éd. Hucher (Eugène), Le Mans, Imprimerie de la Sarthe, 1875-1878, 3 vol. in-12.

— *The Old French Grail Romance Perlesvaus*, éd. Nitze (William A.), Baltimore, J. Murphy Cᵒ, 1902, in-8°.

— *La Queste del Saint Graal*, éd. Pauphilet (Albert), Paris, Champion, (Classiques français du moyen âge, n° 33).

— Voir aussi *Arthur* et *Joseph de Arimathia*.

HÉLINANT, *Les Vers de la Mort* de Hélinant, moine de Froidmont, éd. Wulff (Fredrik) et Walberg (Emmanuel), Paris, 1905, in-8° (Société des anciens textes français).

HUON DE MERY, *Li Tornoiemenz Antecrit*, éd. Wimmer (Georg), Marburg, N. G., Elwert'sche Verlagsbuchhandlung, 1888, in-8°.

HUON LE ROI. — Huon le Roi de Cambrai, *Œuvres*, éd. Långfors (Arthur), Paris, Champion, 1913, in-16 (Classiques français du moyen âge, nᵒˢ 8 et 13).

Image du Monde. — *L'Image du Monde* (dissertation), Fant (Carl), Upsala, Berling, Imprimeur de l'Université, 1886, in-8°.

JEAN MAUPOINT, *Journal parisien 1437-1469*, éd. Fagniez (Gustave), Paris, Champion, 1878, in-8° (Société de l'histoire de Paris et de l'Ile-de-France), t. IV.

Jeux-Partis. — *Recueil général des Jeux-Partis français*, éd. Långfors (Arthur), Jeanroy (Alfred) et Brandin (Louis), Paris, Champion, 1926, 2 vol. in-8° (Société des anciens textes français).

JOHANNIS DE ALTA SILVA. — *Dolopathos sive De rege et septem sapientibus*, éd. Hilka (Alfons), Heidelberg, Carl Winters Universitäts buchhandlung, 1913, in-8°. (Sammlung mittellateinischer Texte n° 5.) Le n° 4 de la même série contient la *Historia septem sapientum*, éd. également par A. Hilka.

Joseph de Arimathia. — *Der prosaroman von Joseph von Arimathia*, éd. Weidner (Georg), Oppeln, Eugen Franck's Buchhandlung (Georg Maske), 1881, in-8°.

Journal d'un Bourgeois de Paris, 1405-1449, éd. Tuetey (Alexandre), Paris, H. Champion, 1881, in-8° (Société de l'histoire de Paris et de l'Ile-de-France).

LAMBERT LI TORS et ALEXANDRE DE BERNAY, *Li Romans d'Alixandre*, éd. Michelant (Henri), Stuttgart, 1846, in-8° (Bibliothek des Literarischen Vereins in Stuttgart, XIII).

MARIE DE FRANCE, *Die Fabeln der Marie de France*, éd. Warnke (Karl), Halle, Niemeyer, 1898, in-8°.

NITHARD, *Histoire des Fils de Louis le Pieux avec le Texte des Serments de Strasbourg*, publiée et traduite par Lauer (Philippe), Paris, H. Champion, 1926, in-8° (Classiques de l'histoire de France au moyen âge, n° 7).

PSEUDO-TURPIN, *Historia Karoli Magni et Rotholandi*, éd. C. Meredith-Jones, Paris, E. Droz, 1936, in-8°.

RAOUL DE HOUDENC, *Sämtliche Werke*, éd. Friedwagner (Matthias), Halle, Niemeyer, 1897-1909, 2 vol. in-8°.

Recueils d'actes notariés relatifs à l'histoire de Paris et de ses environs au xviᵉ *siècle*, éd. Coyecque (Ernest), dans *Histoire générale de Paris*, 1866, suiv.

Raoul de Cambrai, chanson de geste publiée par Meyer (Paul) et Longnon (Auguste), Paris, 1882, in-8° (Société des anciens textes français).

Renard. — *Le Roman du Renard*, éd. Méon (Martin), Paris, Treuttel et Wurtz, 1826, 4 vol in-8°.

— *Le Roman de Renart*, éd. Martin (Ernst), Strasbourg et Paris, Trübner, 1882-1887, 3 vol, in-8°.

Renaud de Montauban, éd. Castets (Ferdinand), Montpellier, Coulet et fils, 1909). (Extrait de la *Revue des Langues romanes*, XLIX-LII, 1906-1909).

RENCLUS DE MOILIENS. — *Li romans de Carité et Miserere du Renclus de Moiliens...*, éd. Van Hamel (Antoine-Gérard), Paris, Vieweg, 1885, 2 vol. in-8°.

RICHARD DE FOURNIVAL, *Quelques œuvres de Richard de Fournival prises dans le manuscrit 526 de la Bibliothèque municipale de Dijon*, éd. Langlois (Ernest), Nogent-le-Rotrou, Daupeley-Gouverneur, 1904, in-8°. (*Bibliothèque de l'Ecole des Chartes*, t. LXV, 1904, pp. 101-131.)

— *Le Bestiaire d'amour en vers*, éd. Långfors (Arthur), Helsingfors, 1925, in-8° (*Mémoires de la Société néo-philologique de Helsingfors*, t. VII, pp. 293-317.)

ROBERT DE BORRON, *Le Roman de l'Estoire dou Graal*, éd. Nitze (William A.) Paris, Champion, 1927, in-8°.

Roman de Brut, éd. Le Roux de Lincy (Antoine-Jean-Victor), Rouen, 1836, 2 vol. in-8°.

Roman de la Rose. — *Le Roman de la Rose* par Guillaume de Lorris et Jehan de Meung, éd. Langlois (Ernest), Paris, Champion, 1914-1924, 5 vol. in-8° (Société des anciens textes français).

RUTEBEUF, *OEuvres complètes*, éd. Jubinal (Achille), Paris, Plon-Nourrit, 1874, 3 vol. in-16 (Bibliothèque elzévirienne).

— *Rustebuef's Gedichte*, éd. Kressner (Adolf), Wolfenbüttel, Zwissler, 1885, in-8°.

Sainte Foy. — *La Chanson de Sainte Foy*, éd. Hoepffner (Ernest) et Alfaric (Prosper), Paris, Les Belles-Lettres, 1926, in-4°. (Publications de la Faculté des lettres de l'Université de Strasbourg, fasc. 32-33.)

— éd. Thomas (Antoine), Paris, Champion, 1925 (Classiques français du moyen âge, nº 45).

Sept Sages. — *Le Roman des Sept Sages*, éd. Misrahi (Jean), Paris, E. Droz, 1933, in-8° (Société des anciens textes français).

— *Deux Rédactions du Roman des Sept Sages*, éd. Paris (Gaston), Paris, 1876, in-8° (Société des anciens textes français).

Théâtre. — *Le Théâtre en France au* xviᵉ *et au* xviiᵉ *Siècle* (choix de comédies), éd. Fournier (Edouard), Paris, Laplace, Sanchez et Cⁱᵉ (1871), gr. in-8°.

THIBAUD DE MARLY. — *Les Vers*, éd. Stone (Herbert King), Paris, E. Droz, 1932, in-8°.

THIBAUT DE CHAMPAGNE., roi de Navarre, *Les Chansons*, éd. Wallensköld (Axel), Paris, Champion, 1925, in-8° (Société des anciens textes français).

Tristan. — *Le Roman en Prose de Tristan, le Roman de Palamède et la Compilation de Rusticien de Pise*, analyse Lôseth (Eilbert), Paris, Bouillon, 1891 (Bibl. de l'Ecole des Hautes Etudes, n° 82).

Trouvères belges, éd. Scheler (Auguste), Bruxelles, Closson et Cie, 1876, in-8°; nouvelle série à Louvain, Lefever, 1879.

VILLON. — François Villon, *Œuvres*, éd. Thuasne (Louis), Paris, Picard, 1923, 3 vol. in-8°.

VILLON, *Le Petit et le Grant Testament de François Villon. Les cinq Ballades en Jargon et des Poésies du Cercle de Villon.* Reproduction fac-similé du manuscrit de Stockholm avec introduction de Marcel Schwob, Paris, Champion, 1905, in-8°.

VILLON. — François Villon, *Œuvres*, éd. Longnon (Auguste), 3e édition revue par Lucien Foulet, Paris, H. Champion (Classiques français du moyen âge, n° 2).

PREMIÈRE PARTIE

LA VIE DE CLAUDE FAUCHET

CHAPITRE PREMIER

Enfance, jeunesse et premières études

Claude Fauchet Parisien; une famille de parlementaires. Nicole Fauchet procureur : les Audry, les de Thou. Premières études à l'Université de Paris, puis à l'Université d'Orléans sous Anne Du Bourg. Influence de ce milieu sur Fauchet.
Fauchet a-t-il fait partie de la suite du cardinal de Tournon ? Date probable de son séjour en Italie, 1551; son cousin, François Perrot. Admiration de Fauchet pour Rome et pour Venise. Ce qu'il a retiré de son séjour en Italie : goût pour la philologie, pour l'histoire.
Fauchet devient avocat, puis conseiller au Châtelet. Mariage avec Jeanne de Morel, fille d'un avocat au Parlement.
Relations en 1556 avec Pasquier, Ronsard, Jodelle; le dialogue de Louis le Caron. Relations avec les humanistes du cercle de Henri de Mesmes. Recueil de vers offert à Michel de l'Hospital en 1564 par le groupe. Réunions dans la maison de de Mesmes, discussions philosophiques et littéraires.

Claude Fauchet vit le jour à Paris le 3 juillet 1530 [1]. Il a fallu attendre jusqu'au XIXe siècle pour connaître la date de sa naissance, donnée par le manuscrit aujourd'hui conservé à la Bibliothèque nationale et intitulé par Fauchet : *Veilles ou Observations de plusieurs choses dinnes de memoire en la lecture d'aucuns autheurs françois par C. F. P. l'an 1555.*

Son père était « honorable homme maistre Nicole Fauchet », sa mère Geneviève Audry. La famille de son père nous est presque totalement inconnue. Par une note écrite en marge d'un des manuscrits qui lui appartenaient [2], Fauchet nous

---

[1] Dans l'avant-propos de ses *Antiquitez gauloises et françoises*, Fauchet dit : « Je Claude Fauchet... en mon aage soixante et dixiesme, et l'an de nostre Seigneur Jesus-Christ, mil cinq cens quatre vingts dix et neuf... » C'est un chiffre rond.
M. Louis Lacour, se basant sur le manuscrit B. N. ms. fr. 24726, rétablit la date dans la *Biographie Hoefer*.
B. N. ms. fr. 24726 : « Je naquis l'an 1530 le 3 jour de juillet, jour de dimanche entre 5 et 6 heures du matin. »
[2] Manuscrit actuellement à la Bibliothèque du Vatican, Reg. 753, fol. 66,

apprend que son bisaïeul s'appelait Jehan. Nous n'avons aucun renseignement précis sur son grand-père. On est tenté de croire qu'un certain Pierre Fauchet « notaire et secrétaire du roy » en 1488 et 1490 était apparenté à notre Claude, mais nous n'avons pas la preuve de cette parenté [1]. Heureusement il n'y a aucun doute au sujet de son père. Il s'appelait Nicolas ou Nicole et on le trouve mentionné dans les *Dossiers bleus* [2], dans les *Insinuations* [3] au *Châtelet* et probablement dans le *Registre des Délibérations du Bureau de la Ville* [4]. Les Dossiers le qualifient « d'avocat au Parlement de Paris » mais Nicolas Fauchet lui-même ne se donne pas ce titre dans les *Insinua-*

---

texte relatif aux affaires de Savoie. Cf. G. FAGNIEZ, *Journal parisien de Jean de Maupoint*, Paris, 1877, pp. 7 et suiv. Cf. p. 11 : « Si une sorte d'instinct pouvait remplacer des preuves positives, nous dirions que c'est Jean Fauchet l'auteur du troisième fragment contenu dans le manuscrit de Rome, le contemporain de Louis XI le bisaïeul de Claude Fauchet qui aurait hérité ainsi de son ancêtre le goût de l'érudition. »

Mais E. LANGLOIS, *Notices des manuscrits français et provençaux de Rome antérieurs au xvie siècle*, Paris, Imprimerie nationale, 1899 (t. XXXIII, 2e partie), *Notice sur le manuscrit Vat. Reg. 753*, après avoir attiré l'attention sur la note à laquelle nous faisons allusion, fait remarquer que Claude Fauchet n'est pas du tout sûr que ce soit son bisaïeul qui ait écrit le fragment en question : « Quand l'auteur parle de Louis XI, « le roi nostre sire a present », Fauchet écrit en marge, « Ceci a esté escrit du temps du roi Lois unziesme par Jehan Fauchet mon bisaieul ». Mais plus loin (fol. 80 ro) en face d'un passage analogue, Fauchet écrit : « Il semble que ce soit un François qui ait escrit ceci. » Il ne précise pas davantage.

En tout cas, nous pouvons être sûr que son bisaïeul s'appelait Jehan.

[1] B. N., *Pièces originales*, 2570, dossier 57346, Rouville 28 : « Estat du paiement que le Roy nostre sire a commandé estre fait pour le fait de sa venerie et fauconnerie durant l'année 1488 par Me Pierre Fauchet, notaire et secretaire dudit Seigneur et par luy commis à tenir le compte et faire les paiemens de ladite venerie et fauconnerie. »

Cf. *Pièces originales*, vol. 1102, dossier 25395 : « Je Pierre Fauchet clerc des offices de l'ostel du Roy nostre sire et par lui commis à la recepte generale et à tenir le compte des paiemens du charroy et autres fraiz de son artillerie... » Il y a d'autres reçus analogues.

[2] *Dossiers bleus*, 261, dossier 6712, pp. 2 et 3.
« Nicolas Fauchet, avocat au Parlement de Paris épousa Geneviève Audry, fille d'Adrien, Me des Comptes et de Marie de Thou. »

[3] Arch. Nat. Y 86, fol. 318 ro : « honnorable homme maistre Nicole Fauchet, procureur au Chastelet de Paris demourant rue de la Buscherie... »

Y 100 fol. 101 vo : Testament de Guillaume Ezelin : « a esleu ses executeurs honnorables hommes Maistre Nicole Fauchet, Procureur au Chastelet de Paris son maistre et... »

Cf. Ernest COYECQUE, *Recueil d'actes notariés relatifs à l'histoire de Paris et de ses environs au xvie siècle*, t. 1er, p. 412, sous date de janvier 1542; t. 1er, p. 416, février 1542.

[4] *Registre des Délibérations du Bureau de la Ville*, t. 3, 1539-1552. Fauchet est mentionné aux pages 43, 114, 118, 125, 128, 132, 134, 285. Dans la première mention, son nom apparaît parmi les bourgeois; ensuite il est « Monsieur Fauchet, Procureur » ou « Monsieur Fauchet, Procureur au Chastelet », *ibid.*, t. 4, 1552-1558, pp. 112, 118, 245, 420, 422, 456, 470. Un « Monsieur Faulchet Conseiller en la Court » apparaît p. 503. Nicole Fauchet est mort vers 1560. Le tome 5 ne contient aucun Fauchet, et le tome 6 nous fait connaître Claude Fauchet « Président des Monnoyes ».

La bourgeoisie comme classe sociale paraît remonter à la deuxième moitié du xve siècle, et le titre de « bourgeois » indique que l'on appartient à une classe sociale au-dessus des artisans et du peuple, mais au-dessous de la noblesse. Cf. l'abbé ARBELLOT, *Du titre de Bourgeois et du titre de Sieur suivi d'un nom de fief ou de domaine*, Paris, 1897.

tions au Châtelet : il est simplement « Procureur au Chastelet de Paris [1] ».

Le Châtelet s'occupait de la justice ordinaire de la ville, prévôté et vicomté de Paris — grande étendue de territoire, ce qui, parce qu'il n'existait aucun grand bailli à Paris, avait fait acquérir à ce siège de justice une énorme importance. En plus, l'union entre le Châtelet et le Parlement était étroite; les avocats au Parlement avaient accès au Châtelet et la réciprocité s'était ensuivie. La « Justice ordinaire » de Paris comprenait le règlement des diverses professions, la subsistance des habitants, les mesures à prendre contre la sédition, les moyens de combattre les épidémies. Les deux chefs de cette justice étaient le prévôt de Paris et le lieutenant civil.

On peut expliquer la confusion qui a régné au sujet de la profession précise de Nicole Fauchet si l'on songe aux rapports qui existaient entre les avocats et les procureurs. Ces deux groupes se prêtaient un mutuel appui pour mieux assurer l'observation des ordonnances relatives à la procédure. En fait, leurs charges se ressemblaient tellement qu'on voit les Etats [2] demander parfois la suppression radicale des procureurs, étant donné que les avocats pouvaient cumuler les deux charges.

L'élection à une charge de procureur était entourée de précautions, et le nombre de ceux-ci limité. Lorsqu'on demandait à être admis procureur, la requête était d'habitude renvoyée à l'examen de commissaires désignés par le Parlement. Quatre avocats au Parlement devaient délivrer un certificat de capacité au candidat [3] et comme cette cour se préoccupait d'empêcher l'accroissement du nombre des procureurs, il fallait sans doute avoir des connaissances sérieuses pour être admis. Leur élection était faite par le prévôt assisté de conseillers au parlement.

Quant à leurs travaux, ils étaient chargés d'une partie des actes de la procédure. Ils devaient faire leurs écritures, et se communiquer « loyaument » les pièces sous peine de dix sols parisis d'amende. Pour les causes communes ils avaient droit à quatre livres parisis et pour les « grosses et subtiles » jusqu'à huit livres [4].

Nous ne pouvons pas quitter ce sujet sans signaler la répu-

---

[1] V. sur le Châtelet, C. Desmaze, *Le Châtelet de Paris*, Paris, 1863.

[2] V. G. Picot, *Histoire des Etats généraux*, Paris, 1872, t. 2, p. 163. Aux Etats d'Orléans 1560, la noblesse demandait la suppression des procureurs que les avocats seraient chargés de remplacer.

[3] Cf. Desmaze, *op. cit.*, p. 149; R. Delachenal, *Histoire des Avocats*, Paris, 1885, pp. 18 et suiv.

[4] Desmaze, *op cit.*, p. 149.

tation faite aux procureurs — réputation de rapacité sans bornes qui se fait jour dans maint écrit du xvie siècle. « Larron », « corsaire », « mangeur de biens », sont les termes communément employés pour les décrire [1].

Nous pouvons supposer que Nicole Fauchet était de condition aisée, pour ne pas dire riche, et des documents viennent à l'appui de cette conjecture [2]. Le titre de « Bourgeois de Paris » donné par les *Délibérations de la ville*, implique en général une âme pratique accessible aux raisons tirées de l'intérêt mais d'une honorabilité reconnue et d'une culture souvent très soignée.

La mère de Claude Fauchet, Geneviève Audry, appartenait, du côté maternel, à l'une des familles les plus connues dans le monde du Palais, les de Thou. Elle était la fille de Jean-Adrien Audry ou Andry de Vaires [3]..., auditeur des comptes, à Paris, entre les années 1497 et 1502 [4]. Ensuite il fut envoyé par le roi Louis XII à Milan « pour estre maistre des comptes » [5]. Sa femme était Marie de Thou, fille de Jacques III de Thou et de Geneviève Le Moine. La famille de Thou était originaire d'Orléans. S'étant transportée à Paris, elle était arrivée par le seul mérite de ses membres à occuper les charges les plus importantes du Parlement. Peut-être le plus connu de ceux-ci au xvie siècle fut Christophe de Thou, premier président au Parlement [6]. Vient ensuite, Nicolas de Thou, évêque de Chartres —

---

[1] V. Pierre DE L'ESTOILE, *Mémoires-Journaux*, éd. Brunet, t. 9, pp. 210, 230, 231, 269, etc. La justice a toujours été en butte à la satire. Citons au xvie siècle l'*Enfer* de Clément MAROT (cf. Guiffrey, éd., t. 3, p. 84), RABELAIS, *Pantagruel*, liv. 4, 12 : « Des Procultous et Chiguanous... Ils estoient tous à nostre commandement en payant. » Agrippa D'AUBIGNÉ, *Les Tragiques*, liv. 3.

[2] V. plus loin p. 6.

[3] Arch. Nat. Y. 99, f. 44, 45 v°, 51 v°, 252 v°. Dans les *Dossiers bleus*, 39, dossier 916, Audry, il est appelé Adrien. « Adrien Audry, M[e] des Comptes, espousa Marie de Thou, fille de Jacques, avocat général aux Aydes et de Genefvieve Le Moine, dont Genefv. Audry, femme de Nicole Fauchet, avocat, père de Claude Fauchet, président aux Monnoies. »

[4] V. Arch. Nat. K K 888, *Noms de tous les Officiers de la Chambre des Comptes qui ont possédé une mesme charge avec la datte de leur réception et une table alphabétique à la fin.* On y trouve sous le titre « Auditeurs aux Comptes » Jean Andry avec la date 21 août 1497, et en-dessous de son nom Jean Teste, 18 juillet 1502. Le nom est écrit *Andry*, mais c'est bien lui.

[5] Manuscrit du Vatican, Reg. 734, Fauchet écrit : « Feu mon aïeul maternel maistre Jehan Audri tiré par le roi Louis XII de la Chambre des Comptes de Paris pour estre à Milan maistre des Comptes. » Fauchet parle alors des maisons et des rues qui ont été démolies au xvie siècle pour faire place à l'Hôtel-Dieu. Sa famille était assez instruite pour s'intéresser aux antiquités de Paris. Il possédait un grand-père qui en parlait.
Cf. E. LANGLOIS, *Quelques Dissertations inédites de Claude Fauchet*, dans *Etudes romanes dédiées à Gaston Paris*, Paris, 1891, p. 91. Le nom de Jehan Audri se trouve à la page 101.

[6] Sur les de Thou on peut consulter les *Mémoires de Jacques-Auguste de Thou*, liv. 1er; P. MASSON, *Christophori et Augustini Thuanorum Elogia*, Lutetiae, 1595.
On trouve toute la généalogie des de Thou dans Moreri et dans les *Pièces*

tous deux étaient cousins germains de la mère de Claude Fauchet. La postérité connaît surtout Jacques-Auguste, l'historien. Nous pouvons conjecturer que la mère de Fauchet d'abord et ensuite Claude Fauchet lui-même conservaient des relations avec les de Thou [1].

Claude Fauchet naquit dans une maison qui faisait le coin de la rue de la Bûcherie et de la place Maubert, maison acquise en 1518 par Pierre Lourdel [2], premier mari de Geneviève Audry, lui aussi procureur au Châtelet. En 1542 Nicole Fauchet fait reconstruire cette maison et le contrat passé entre Hardouin Corrivault, maçon, et Pierre Prothais, « voiturier par eau » mentionne certains travaux de cette maison que Fauchet « veult faire bastir tout de neuf joignant la maison du Griffon, place Maulbert » [3]. En 1554, par suite sans doute de la mort de Geneviève Audry, les biens de la famille furent partagés. La maison est décrite à nouveau : « Une maison size en ceste ville de Paris faisant les coings de la rue de la Bucherye et de la place Maubert contenant trois corps d'hostels aians yssue en

---

originales, 2838, p. 76 (généalogie imprimée) : Dans les Dossiers bleus 633, dossier 16875.

Les activités des de Thou sont mentionnées dans C. MALINGRE, Les Antiquitez de la Ville de Paris, 1640, passim.

V. aussi P. DE NOLHAC, Ronsard et l'Humanisme, Paris, 1923, p. 135; R. RADOUANT, Guillaume Du Vair, Paris, s. d., p. 25; P. RONZY, Papire Masson, Paris, 1924, pp. 310-11, 536-7; E. FRÉMY, Essai sur les Diplomates du Temps de la Ligue, Paris, 1873, p. 187, etc.

[1] V. B. N. Dossiers bleus 317, dossier 111 Godefroy, f. 9 v°. Augustin de Thou, avocat au Parlement, assiste au mariage de Léon Godefroy et de Marie Lourdel-Fauchet 1535. Arch. Nat. Y 127, f. 399, mariage de François Le Fevre et de Louise de Sainction le 9 mars 1586, le président Augustin de Thou est cité à côté de Claude Fauchet. A la réception de Pierre Perrot comme procureur de la Ville de Paris, en 1579, un de Thou est également cité à côté de Fauchet. V. Délibérations du Bureau de la Ville, t. 8, p. 193, « Assemblée pour adviser sur la résignation que Me Claude Perrot, procureur du roy et de ladicte ville entendoit faire de sond. Estat et Office au proffict et faveur de Me Pierre Perrot, docteur es-droictz...

» De Thou, premier avocat du Roy en la Court de Parlement;

» Fauchet, président en la Court des Monnoyes. »

[2] Arch. Nat. Minutier central XC, Etude Jarriand 127 : « laquelle maison en partie auroict este acquise par Me Pierre Lourdel, procureur au Chastelet et Geneviève Audri, sa femme. » V. notre Répertoire de Documents, Document n° VII. Le nom s'écrit aussi Lourdet. Voir plus loin.

[3] V. Ernest COYECQUE, Recueil d'actes notariés relatifs à l'histoire de Paris et de ses environs au XVIe siècle, t. 1er, p. 412, janvier 1542 : Marché entre Pierre Prothais, voiturier par eau et Hardouin Corrivault, maçon, pour « faire et fouller... toutes les wydanges qu'il conviendra faire pour l'ediffice d'ung corps d'hostel, cave et autres ediffices que led. Corrivault a marchandé de faire... pour Nicolle Faulchet... en ung lieu et maison qu'il veult faire bastir tout de neuf, joignant la maison du Griffon... place Maulbert... et commencera dedans... ». Ibid., p. 416 . Marché entre Jean Lojoys, maçon briquetier... et Hardouin Corrivault, maçon, pour « faire tous les ouvrages de bricqueterie que led. Corrivault vouldra faire faire en tous les édifices... que led. Corrivault a de présent en ceste ville de Paris... » prix 28 s. 6 d. t. la toise de briqueterie « fors et excepté que pour ce qu'il fera en l'ediffice de maistre Nicolle Faulchet... » (février 1542).

Il paraît, d'après le premier de ces actes que Nicole Fauchet n'a fait reconstruire qu'un seul corps d'hôtel.

lad. rue de la Bucherye et à lad. place Maubert... et par
derrière à noble homme et saige M⁰ Lois de Sainctyon advocat
en la court de Parlement et au Chastelet de Paris ¹. » L'hôtel
était grand : il fallait alors un certain nombre de domestiques,
et nous ne sommes pas surpris de les voir nombreux au service
de Nicole Fauchet dans le testament de Guillaume Ezelin qui
meurt en 1559 ².

Au moment d'épouser Nicole Fauchet, Geneviève Audry
était veuve et mère de deux filles, Marie et Jeanne Lourdel.
Marie devint la femme de Léon Godefroy, avocat au Châtelet ³
et Jeanne celle de Nicolas Lecourt, procureur au Châtelet ⁴.
Les Godefroy également sont connus dans l'histoire. Le fils de
Marie Lourdel, Denis Godefroy, devint professeur à Strasbourg
et à Heidelberg, enseigna le droit et édita de nombreux textes
latins ⁵. Ses descendants sont les célèbres Godefroy ⁶, historiens
du XVIIᵉ siècle.

Terminons enfin cette liste en citant les noms de familles
qui paraissent avoir été ceux des cousins de Fauchet sans que
nous puissions toutefois préciser le degré de parenté, — les
Saint-Yon ou Sainction, riche famille de parlementaires, les

---

¹ Arch. Nat. Minutier central XC, Etude Jarriand, 127, Document VII. Une
note dans le manuscrit du Vatican, Ottob., 2537, fol. 140 r⁰ confirme ces renseignements. Dans « la Vie de Pierre Abellard », Fauchet dit : « Il se retira à St Gene-
viefve, alors assise hors les murs de Paris (lesquels comme en passant je dirai avoir
esté lors environ la place Maulbert, plus pres de la rue au Foarre, me souvenant
avoir veu les fondementz d'une tour au coing de la rue des Ratz et quand feu mon
pere fit creuser ung puitz en sa maison au coing de la rue de la Bucherie ou je
sui nai, l'on trouva une vielle muraille puissante comme celle d'une ville biaizant
vers ladite tour)... »

² Arch. Nat. Y 100, f. 101 v⁰ : « Testament de Guillaume Ezelin... donne
et laisse à Anthoine Deslions, serviteur de maistre Claude Fauchet... Item donne et
laisse à Marye, chambrière de maistre Nicole Faulchet... Item donne et laisse à
Marie Léger, niepse dud. seigneur Faulchet... Item donne et laisse à une nommée
Jehanne naguère servante dud. seigneur Faulchet. »

³ V. B. N. Dossiers bleus 317, dossier 111, Godefroy : « Léon Godefroy épousa
par contrat du 29 mars 1535 où il est qualifié Noble homme avocat au Châtelet
de Paris... Marie Lourdel, fille de feu Pierre Lourdel et de Geneviève Audry, sa
veuve, remariée à Nicolas Fauchet, avocat au Châtelet. »

GODEFROY-MÉNILGLAISE, Les Savants Godefroy, Paris, 1873, pp. 14 et suiv.
donne des détails sur la dot de Marie. « Son apport consiste en un capital de
4.000 livres tournois, un demi-arpent de vignes à Antony, le quart d'une maison
rue de la Bucherie, quelques menues rentes, quatre cents livres de biens meubles
et deux robes, l'une écarlatte, l'autre noire. Le contrat lui assure un douaire de
160 livres de rentes s'il y a enfants, de 200 au cas contraire, rachetable sur le
pied du denier dix. » Marie mourut en 1562, Léon Godefroy en 1566.

⁴ V. Document VII.

⁵ V. GODEFROY-MÉNILGLAISE, op. cit., pp. 27, 28, 29. 30.

⁶ V. B. N. Dossiers bleus, Godefroy 317. Cf. MICHAUD. Un autre Denis Godefroy,
cousin de celui-ci devint procureur du roi à la Cour des Monnaies. Denis Godefroy,
neveu de Claude Fauchet, est mentionné dans Divers Opuscules tirez des Mémoires
de M. Antoine Loisel... par Claude Joly, Paris, 1652, p. 183. Sa mère y est appelée
Marie Lourdel-Fauchet.

Gohory [1], les Brosset [2], avocats également. N'oublions pas non plus la famille des Belut, issue de Pierre Belut [3], procureur au Parlement et d'Anne Audry, sœur de Geneviève; la famille des Perrot qui descendait du mariage de Marguerite de Thou, sœur de Marie de Thou, grand'mère de Claude Fauchet, et d'Emile Perrot, conseiller au Parlement.

Quelles furent les premières années de celui qui devait occuper plus tard une magistrature si importante? On ne le saura probablement jamais, mais il est facile de se figurer cette tranquille vie de famille qui devait se partager entre les dévotions et les soucis domestiques. Nicole Fauchet ne paraît pas avoir eu d'autres enfants. Le petit Claude semble avoir conservé toute sa vie le souvenir des promenades qu'il fit avec son père dans le vieux Paris [4]. Toutes les églises de Paris et des environs lui étaient familières. L'intérêt porté par le Président de la Cour des Monnaies à toutes les choses anciennes datait probablement de sa plus tendre enfance. Il avait dû profiter des doctes entretiens auxquels sans doute il avait assisté, et ainsi, à son insu, il s'était familiarisé avec les textes de droit.

Evidemment l'éducation du jeune Fauchet ne fut pas uniquement confiée au hasard. Nicole Fauchet eut soin de faire faire à son fils des études sérieuses et, en 1540, celui-ci est « estudiant en l'Université de Paris » [5]. « La grande excellence » de cette université est restée dans la mémoire de l'étudiant. Il y fait allusion dans ses *Antiquitez* [6]. Comme la maison paternelle se trouvait tout près du collège, Claude pouvait se mêler d'une façon régulière à cette foule studieuse qui se pressait autour des professeurs célèbres. A ce moment-là on comptait des milliers d'étudiants à Paris [7], foule très mêlée. Pourtant Claude devait assimiler le grec et le latin, l'histoire surtout qui le passionnait. Ses visites à la place Maubert ont dû être parfois attristées ou égayées par le spectacle des exécutions de toutes sortes qui avaient lieu sur la place [8].

---

[1] Nous reviendrons sur certains de ces noms. V. pour Gohory, p. 63.
[2] V. Arch. Nat. Y 125, fol. 16-17 et Cf. Y 91 fol. 15. En 1545 les Brosset furent seigneurs de Launay dans la vallée de Montfort. Ce fief appartint plus tard à Claude Fauchet.
[3] Arch. Nat., Y 97, fol. 420, v°.
[4] V. *Antiquitez*, f. 247 r°. « Et mesmes à Paris les images des apostres ne sont sur les autels… Il n'y en avoit point sur le maistre autel de la grand Eglise ainsi que j'ay entendu dire à mon pere qui le tenoit de plus anciens que luy. »
[5] Document n° III.
[6] *Antiquitez*, fol. 242 r°.
[7] Cf. G. Tory, *Champ Fleury*, éd. Gustave Cohen, Paris, 1931, feuil. VI, louanges de Paris : «Paris… est une droicte Grece en multitude de livres, ung vray pais Dinde en bonnes sciences et estude, une segonde Rome en poetes, unes Athenes en savans hommes. »
[8] V. P. de l'Estoile, *Mémoires-Journaux*, *passim*. La Grève et la place de la

Ses humanités terminées ainsi que le cours réglementaire de logique et de philosophie, notre étudiant a appris assez de droit canonique pour être reçu à la licence [1]. Ses *Antiquitez* attestent une connaissance profonde de l'histoire ecclésiastique. Il lui restait alors à acquérir une teinture de droit civil; dans ce but, il partit pour Orléans.

Dans toutes les universités de France il y avait eu un grand relâchement dans les études juridiques au début du xvie siècle [2]. A Orléans, les titres universitaires s'obtenaient à prix d'argent, et si l'on doit croire la réputation faite par Rabelais [3] à cette université en 1532, les étudiants passaient tout leur temps à danser et à jouer à la paume. La part d'exagération dans ce jugement est évidente mais on doit avouer que les remarques de Claude Fauchet sur le jeu en question viennent plutôt à l'appui de la légende. Il confesse son amour pour le jeu [4] et il est au courant de ses termes techniques. Il distingue entre le jeu de paume proprement dit et les « jeux appelez Blouses, à Orléans » [5]. On remarquera que le jeu s'associe naturellement dans son esprit avec la ville d'Orléans. Pourtant quand à deux reprises il fait allusion à cette ville cela nous prouve qu'elle existe bien pour elle-même dans les souvenirs du jeune Fauchet. Il connaît l'abbaye de Saint-Mesmin, à deux lieues d'Orléans et il remarque le portail de la grande église de la ville [6].

Nous avons l'air d'intervertir les occupations de notre étudiant en parlant d'abord des passe-temps de ses loisirs, car

---

Croix du Tirouer sont également célèbres par les exécutions dont elles ont été le théâtre.

[1] Nous avons cherché en vain le nom de Fauchet dans les *Acta rectoria* (B. N. ms. lat. 9954 et 9955) primitivement destinés à recevoir les noms des élèves qui suivaient les cours de philosophie. Le premier recueil va de 1544 à 1553, le second de 1568 à 1585.

Nous avons cherché également dans la bibliothèque de l'Ecole de droit qui possède un registre manuscrit de l'ancienne Faculté de décret (4e Mémorial). Ce registre contient la mention de grades décernés à ses élèves mais le nom de Fauchet n'y figure pas.

Les deux registres manuscrits de l'ancienne Faculté de droit de Paris (MM 264-265 aux Arch. Nat.) ne renferment aucune mention du nom de Fauchet.

[2] R. DELACHENAL, *Histoire des Avocats*, pp. 10 et suiv.

[3] *Pantagruel*, chap. V, fin.

> *Un esteuf en la braguette*
> *En la main une raquette*
> *Une loy en la cornette*
> *Une basse dance au talon*
> *Voy vous là passé coquillon.*

Un esteuf est une balle de paume. Une basse danse est une danse aux pas tranquilles. Le coquillon est le chaperon de docteur; par suite, il désignait le docteur lui-même. La cornette était la patte du chaperon qui se portait autour du cou et dont la pointe pendait jusqu'à terre.

[4] *Œuvres*, f. 512 r° « Un jeu que j'ay bien aimé et plus commun aux François qu'à tous leurs voisins. »

[5] *Œuvres*, f. 528 v°.

[6] *Œuvres*, f. 67 v°, 71 r°, 132 r°.

après tout il était allé à Orléans pour faire des études. Il y resta un an sans doute; car avant l'édit de 1679 [1] on limitait à un an la durée des études nécessaires pour la licence. En tout cas, il est reçu licencié en droit civil en 1550 et en août de cette année il paie pour le grade 25 sols tournois, plus 10 sols à la « Nation » à laquelle il était inscrit (Nation de France [2]). Les noms de quelques-uns des professeurs qui ont enseigné à ce moment sont connus : Jean Robert, Jean Le Jay et Anne Du Bourg [3] Ce dernier professait le droit civil en octobre 1549. En qualité de docteur agrégé, il expliquait le « sixième livre du Codex, titre 20 ». En mai 1550, Du Bourg devint régent après des disputes publiques qui eurent lieu devant tout le collège doctoral. Les candidats discutaient entre eux et les plus forts furent proclamés par le chef du collège. Les régents élus distribuèrent, suivant l'usage, 20 écus d'or au soleil aux quatre nations.

On connaît le sort réservé à Anne Du Bourg. La distinction avec laquelle il enseigna à Orléans avait fixé l'attention sur lui; en 1557, il fut reçu conseiller clerc au Parlement de Paris. Au nombre des conseillers qui professaient les doctrines de la Réforme, il fut arrêté comme suspect et après quelque temps condamné et pendu en place de Grève [4].

Quelle a pu être l'influence d'un milieu tout imprégné des idées de la Réforme sur un jeune homme de vingt ans? Cette question est d'autant plus délicate que Scipion Dupleix [5] au début du XVIIe siècle accuse formellement Fauchet de tomber « souvent aux mesmes erreurs, que les hérétiques et schismatiques ». Ce qu'il y aurait le plus à blâmer dans les *Antiquitez* de Fauchet « c'est la passion déréglée qu'il témoigne à tous propos à l'encontre du Saint-Siège et toutes sortes d'ecclésiastiques ». Certains parents de Fauchet, François Perrot [6] et Denis Godefroy, tout en appartenant comme lui au monde parlementaire, qui, en général était attaché par toutes ses fibres

---

[1] R. DELACHENAL, *Histoire des Avocats*, p. 8.

[2] *Archives départementales du Loiret*, série D, n° 276; *Université d'Orléans, pièces de comptabilité, années 1550-1553*. Document n° IV.

[3] *Société archéologique de l'Orléanais, Mémoires*, 18, Paris, 1884, pp. 455 et 456.

[4] Sur Anne Du Bourg v. H. HAUSER, *Sources de l'Histoire de France*, XVIe siècle. n°s 1406, 1407; A. TILLEY, *Studies in French Renaissance*, Cambridge, 1922, p. 151; O. DOUEN, *Clément Marot et le Psautier huguenot*, 1878, p. 8.
Anne du Bourg avait été à Ferrare en 1545. Voir E. PICOT, *Les Français à l'Université de Ferrare au XVe et au XVIe siècle*. Extrait du *Journal des Savants* (cahiers de février et mars 1902), Paris, 1902.

[5] *Histoire générale de France*, Paris, 1631, t. 1er.
Il y eut plusieurs éditions de l'*Histoire...* de Dupleix. Dans l'avant-propos, il examine les historiens du Tillet, Belleforest, Vignier, Fauchet, du Haillan, Masson, Jean de Serres et Flavigny.

[6] V. plus loin, p. 11.

à la religion traditionnelle, allaient être obligés, à cause de leurs idées religieuses, de choisir un domicile à l'étranger. Je crois cependant que l'orthodoxie de Claude Fauchet ne doit pas être mise en question. Pour occuper sa haute charge dans la magistrature [1] il dut faire publiquement, à deux reprises, profession de foi catholique. Aucun soupçon d'hérésie ne fut émis sur son compte par ses contemporains. Fauchet est un des premiers à dénoncer les abus de l'Eglise et les vices du haut clergé, mais c'est en gallican [2] convaincu et non en calviniste, et il ne pense pas à se séparer de « nostre mère Saincte Eglise ».

Séjour en Italie

Nous perdons Claude Fauchet complètement de vue entre les années 1550 et 1556. Scévole de Sainte-Marthe nous dit formellement : « Iam tum enim cum Senae a Pontificis et Florentinorum legionibus obsessae Gallicis armis Monlucio duce defenderentur, traiectis identidem Alpibus, ut Regem de rebus gravissimis a Turnonio Cardinale conveniret, ianuam sibi ad honores aperuit [3]. »

Selon Sainte-Marthe, Fauchet , pendant la défense de Sienne, en 1554, par Montluc, aurait alors traversé les Alpes portant des dépêches au roi de la part du cardinal de Tournon. Sainte-Marthe paraît être la seule source de ces renseignements qui sont répétés par tous les dictionnaires biographiques et par Simonnet [4].

D'autre part, si nous consultons les œuvres de Fauchet, nous constatons qu'il n'a parlé nulle part de Tournon ni de Monluc ni du siège de Sienne. Certes, il n'a pas l'habitude de s'épancher en confidences, mais le siège de Sienne [5] a eu un tel retentissement qu'on s'étonne qu'il l'ait passé sous silence. Si c'est pour avoir été le courrier de Tournon que la

---

[1] V. plus loin, p. 33.

[2] V. *Antiquitez*, fol. 72 r°, 111 r°, 131 r°. V. plus loin pour le traité de Fauchet sur l'Eglise gallicane.

[3] *Scaevolae Sammarthani lucubrationum pars altera qua continentur Gallorum doctrina illustrium qui nostra patrumque memoria floruerunt elogia*, 1606, lib. 4, *Cl. Falchetus*, p. 245 et *Scaevolae Sammarthani Elogiorum lib. quintus*, 1633, p. 146.

[4] V. NICERON, HOEFER, MORERI, *Grande Encyclopédie*. G. SIMONNET, *Le Président Fauchet, sa Vie et ses Œuvres*, Paris, 1864.

[5] V. P. COURTEAULT, *Blaise de Monluc, Historien; Etude critique sur le Texte et la Valeur historique des Commentaires*, Paris, 1908; L. ROMIER, *Les Origines politiques des Guerres de religion*, Paris, 1913-1914. Le siège avait été remarquable par le courage romanesque des femmes, les signore Forteguerra, Piccolomini et Livia Fausta qui sont sorties au-devant de l'ennemi.
Les *Commentaires* de Monluc ne font pas allusion à Claude Fauchet.

porte des honneurs lui fut ouverte, il faut convenir que ces honneurs se sont fait bien attendre. Fauchet a bien obtenu une haute charge dans la magistrature mais ce ne fut qu'en 1581 alors qu'il avait déjà 51 ans. De plus, si le fils d'Adrien Turnèbe avait vécu, Fauchet, malgré toute son expérience aurait été obligé de céder le pas à un jeune homme de 29 ans. Son ascension n'a pas été rapide.

Au sujet de son séjour en Italie, nous ne possédons que deux ou trois faits indiscutables :

1° Une allusion dans le livre IX des *Antiquitez* [1] à la chaise *stercoraria* que Fauchet a vue au palais du Latran « qu'il me souvient d'avoir veue (il y a cinquante ans et plus à ceste heure qu'on imprime cecy) ». Comme ce livre a été publié pour la première fois en 1602 après la mort de Fauchet en janvier de cette année, nous devons nous reporter à l'année 1551;

2° En 1582, le grand voyageur Filippo Pigafetta, étant à Paris se lie d'amitié avec Fauchet. Ils découvrent qu'ils ont un ami commun en Sperone Speroni. Pigafetta dit à Fauchet qu'il connaît Speroni depuis vingt-quatre ans, et Fauchet lui répond qu'il le connaît depuis trente ans. Nous arrivons ainsi à l'année 1552 [2];

3° Notre futur historien a pris soin de spécifier qu'il était à Venise le jour de « l'Ascension Notre-Seigneur » [3];

4° Pendant son séjour en Italie, Fauchet faillit se noyer en traversant la Secchia; il fut sauvé par son cousin, François Perrot [4].

---

[1] F. 345 r°.
[2] *Opere* di Sp. Speroni, Venise, 1740, t. 5, p. 371. V. aussi Pierre DE NOLHAC, *Ronsard et l'Humanisme*, Paris, 1921, pp. 230-231.
[3] B. N. ms. fr. 24726, *Veilles et Observations*, f. 17.
[4] *Veilles et Observations*, f. 18 v°. Parlant des rivières des Apennins « qui croissent en merveilleuse grandeur », Fauchet ajoute « et moi-mesme le sçai par experience car en passant la Secchia pres Rubiere je la trouvai bien moite d'autant que la violance de son cours (la voulant passer à gai) me roula aval l'eau aveq mon cheval, tesmoing le seigneur François Perrot qui se mit presque en pareil danger pour me sauver ».
Sur les Perrot, v. E. PICOT, *Les Français italianisants*, Paris, 1906-1907, t. 1er, p. 323; E. DUPRÉ-LASALE, *Michel de l'Hospital*, Paris, 1875-1899, 2 vol., t. 2, ch. 1er; E. et E. HAAG, *La France protestante*, Paris, 1846, t. 8.
Quelques lettres autographes de François Perrot se trouvent à la B. N. ms. Dupuy 736. Pour la parenté de Claude Fauchet avec les Perrot, par les de Thou, v. B. N. *Dossiers bleus* 518, dossier 13.528 Perrot.
Nous n'avons trouvé aucune mention de Claude Fauchet dans les lettres du manuscrit Dupuy, lettres écrites en italien et en français par Perrot à son père, à Augustin de Thou et à G. Le Lieur, qui sont antérieures à la date présumée du séjour de Fauchet en Italie.
Les Archives des Affaires étrangères ne contiennent aucun document sur la mission de François Perrot à la Cour de Renée de Ferrare.
François Perrot est passé au protestantisme et s'est fait connaître par une

Ces deux derniers faits ne nous fournissent aucune date précise. François Perrot, après avoir accompagné l'ambassadeur d'Aramon [1] en Perse et en Egypte, était de retour en Italie en 1549 et y resta jusqu'en 1553. Entre les années 1553 et 1555 ses mouvements sont incertains. En février 1553, il partit de la Cour de Ferrare pour porter des dépêches en France. En septembre 1555, il alla à Constantinople.

Voici donc les précisions que nous pouvons donner dans l'état présent de nos connaissances. Claude séjourna en Italie au printemps de 1551 ou 1552. Il visita Rome, Venise et d'autres villes italiennes [2]. Il fit la connaissance de Speroni et vraisemblablement d'autres érudits. Il voyagea accompagné de François Perrot.

On pourrait objecter que les souvenirs de Fauchet qui remontent à trente et à cinquante ans ont toutes les chances d'être inexacts. Soit, mais cette date de 1551 est la seule qui soit donnée par Claude Fauchet lui-même.

Or, remarquons bien que François Perrot est un personnage assez considérable pour porter des dépêches de la Cour de Ferrare. Il semble bien aussi que le jeune Fauchet ait séjourné dans cette ville. Dans un de ses traités historiques, il indique qu'au temps de Charlemagne les vassaux, qui avaient juré de servir tel seigneur, ne pouvaient le quitter pour un autre, et il ajoute : « ce qui encore s'observe en Italie, et nommément à Ferrare d'où les nobles ne peuvent partir sans le congé du duc [3]. » Le chapitre sur Clément Marot dans son cahier de notes [4] parle ainsi de la duchesse de Ferrare : « (Marot) fut contraint d'aller en Italie se retirer au service de Madame Renée, fille de Louis XIIe, duchesse de Ferrare, dame

---

traduction en italien du traité de Du PLESSIS-MORNAY, *De la Vérité de la Religion chrétienne*, par une réfutation également en italien de la bulle du pape Sixte-Quint contre le roi de Navarre qu'il intitule *Avviso piacevole dato alla bella Italia*, et par une traduction italienne des Psaumes de David sous le titre *Psalmi in rithmos etruscos conversi*. Cf. H. HAUSER, *Sources de l'Histoire de France*, xvie siècle, n° 2404.

[1] Sur D'Aramon, voir H. HAUSER, *op. cit.*, n° 783; L. ROMIER, *Les Origines politiques des Guerres de religion*, Paris, 1913, t. Ier, p. 270; E. CHARRIÈRE, *Négociations de la France dans le Levant*, 4 t., Paris, 1848-1860, t. 2, 154 suiv. Cf. A. TILLEY, *Studies in the French Renaissance*, Cambridge, 1922, pp. 81-83.

[2] Fauchet commença sa moisson de documents relatifs à l'histoire de France en 1553, peut-être même plus tôt. V. B. N. ms. fr. 482, *Recueil des contes et de leur Dignité*. Lettre de Fauchet à Henri de Mesmes, qui se termine : « Voilà, Monsieur, ce que j'ay apris de l'origine des contes depuis que j'ai fait ce recueil qui fut l'an 1553... »

Au partage fait en 1554 entre Nicole Fauchet, Claude Fauchet, les enfants de Léon Godefroy et Marie Lourdel et Jeanne Lourdel et son mari, Claude Fauchet paraît avoir été présent en personne. Voir Document VII.

[3] *Œuvres*, f. 497 v°.

[4] B. N. ms. fr. 24726 f. 38 r°.

très docte et recueil de tous les François gens d'esperit et vertu voiageantz en Italie ». François Perrot a dû être reçu par Madame Renée et peut-être son jeune parent le fut-il aussi. Lorsque François Perrot revint en France en 1553, on peut présumer que Fauchet l'accompagna [1].

Si les choses sont arrivées comme nous le croyons, Scévole de Sainte-Marthe [2] a dû se souvenir de dépêches venant de l'Italie, et comme il y avait beaucoup d'érudits dans la suite du cardinal de Tournon, il a dû supposer que Fauchet en faisait partie. Du reste quelques années plus tard, Fauchet appartient au cercle de Henri de Mesmes dont le nom est attaché en quelque sorte à Sienne [3] et c'est peut-être comme cela que l'erreur — si c'en est une — a été commise.

Nous venons de voir que notre jeune lettré visita Rome pendant son séjour en Italie. Il a pu alors rencontrer quelques-uns des savants de la suite de Tournon. Rome paraît avoir exercé une réelle fascination sur lui. Cette ville gardait toute vive la tradition de son grand passé, et y ajoutait l'autorité évangélique. A n'en point douter, Claude a subi le charme plein d'attrait de sa splendeur religieuse et historique. Il connaît les églises romaines. Il s'efforce de nous expliquer que le Panthéon « s'appelle aujourd'huy Nostre Dame la Rotonde

---

[1] Nous avons vainement cherché à rattacher Claude Fauchet à la suite du cardinal de Tournon. Rien cependant ne contredit l'hypothèse que Fauchet ait fait partie pendant quelque temps de sa suite. Tournon était à Rome en 1549, en 1550 et en 1551; à Venise à la fin de 1551, de nouveau à Rome jusqu'au mois de mai 1552. Il passe 1553 en France, mais il est de nouveau à Rome en 1555.

Sur Tournon, nous avons regardé d'abord ses lettres à la B. N. ms. fr. 20442 et 20444, ensuite sa biographie par C. Fleury-Ternal, les *Mémoires* de Jacques-Auguste de Thou, les lettres de Denis Lambin publiées par H. Potez, *R.H.L.F.*, 1906; René STUREL, *Jacques Amyot*, Paris, 1909.

[2] Sainte-Marthe n'a pas la réputation d'être fort exact. Voir à ce sujet, A. FARMER, *Scévole de Sainte Marthe*, Toulouse, 1920, p. 143; H. CHAMARD, *Joachim du Bellay*, Lille, 1900, p. 498; M. AUGÉ-CHIQUET,, *J.-A. de Baïf*, Paris, 1909, p. 8; H. POTEZ, *La Jeunesse de Denis Lambin*, *R.H.L.F.*, 1902, pp. 389. et suiv.

Sur la Cour de Ferrare, v. G. GUIFFREY, *Les Œuvres de Clément Marot*, t. 4, *Epistre à Madame la Duchesse de Ferrare*. O. DOUEN, *Clément Marot et le Psautier huguenot*, p. 168, donne une liste de ceux qui fréquentent la Cour.

Ni Claude Fauchet ni François Perrot n'ont été inscrits à l'Université de Ferrare, d'après les renseignements que nous a transmis le bibliothécaire de la Bibliothèque municipale de Ferrare et d'après l'article de Emile PICOT, *Les Français à l'Université de Ferrare au xve et au xvie siècle* (extrait du *Journal des Savants*, cahiers de février et mars 1902).

Le bibliothécaire de la Bibliothèque de l'Université de Bologna, le docteur Carlo Frati, et le directeur de la Bibliothèque communale « Dell'Archiginnasio » de la même ville ont fait des recherches dans leurs registres pour le nom de C. Fauchet. Les registres ne sont pas complets. Ils n'ont rien trouvé.

Le directeur de la Bibliothèque de l'Université de Padoue a également cherché le nom de C. Fauchet, mais sans résultat.

[3] V. *Henri de Mesmes, Mémoires inédits*, E. Fremy, Paris, 1886, p. 28. Henri de Mesmes a quitté Paris en novembre 1556 pour se rendre en Italie où il fut podestat de Sienne. Cf. Henri HAUSER, *op. cit.*, n° 1258. Sur toutes les guerres de Sienne, H. HAUSER, *op. cit.*, n° 1359 à 1364.

pour ce que c'est un édifice rond ». Il fait allusion à Saint-Paul Ostiense, à Saint-Jean du Latran (S. Giovanni Laterano), à Saint-Laurent *in Lucina*, et tout le quartier de la ville léonine et Saint-Pierre du Vatican ont été l'objet de ses visites [1]. Tout en expliquant la coutume de baiser la pantoufle du pape, il la critique :

« Telles ceremonies pratiquées aux Couronnements par humilité chrestienne (plustost que par grandeur) s'est retenuë (ce devons-nous croire) par le Pape : lequel à l'imitation des Empereurs Payens : souffrant maintenant baiser sa pantoufle, couvertement retient ce droict seigneurial sur tout les chrestiens : voire sur l'Empereur mesme à son Couronnement : jaçoit que pour couvrir ce qu'on luy pourroit reprocher, il face coudre une croix dessus à fin qu'il ne soit estimé insolent, si les Rois s'enclinent, non pour luy baiser les pieds, ains la Croix qu'il porte à sa pantoufle. Toutesfois en quelque façon que l'on desguise ceste ceremonie d'homage, il semble à d'aucuns n'estre gueres seant de mettre le signe de nostre redemption si bas [2]. »

Mais la Rome chrétienne n'a pas été seule à solliciter son attention. Il remarque que les « Gotz seulz n'ont ruiné Rome, mais aussi les Chrestiens voulant abolir la mémoire de la religion ancienne » [3]. — Affirmation indépendante qui montre déjà non seulement l'esprit critique de notre érudit, mais sa passion enthousiaste pour l'archéologie et ses regrets au sujet de la mutilation des monuments. Il s'est rendu au Forum de Trajan et a contemplé de près sa colonne [4].

Venise aussi a fait une profonde impression sur son esprit. Il l'appelle « grande et admirable ville et l'un des plus beaux ornemens de la chrestienté » [5]. Il a visité Saint-Marc et il a vu les trésors qui y sont gardés, « les corselletz ou brigandines garnies de pierreries » [6]. Il a voyagé en gondole [7]. Lorsque l'occasion s'en présente, il prend un évident plaisir à décrire le site ou, comme il dit, « l'assiette » de cette ville. Le patriotisme

---

[1] V. *Œuvres*, f. 152 v°, 212 r°, 220°, etc.; f. 411 v°. Il explique que la ville léonine est le bourg Saint-Pierre ou du Vatican.

[2] *Antiquitez*, f. 255 r°.

[3] B. N. ms. fr. 24726, *Veilles*, f. 76.

[4] *Œuvres*, f. 522 v° : « Lequel Tallevas couvroit son homme entierement ayant une pointe à bas, pour le ficher en terre et qui estoit fort massif... desquels il se void des figures en la colonne de Trajan. »
V. *Œuvres*, f. 524 v° : « Et l'on voit encore en la colonne de Trajan plus ancienne qu'Ammien des figures d'hommes et chevaux vestus d'écailles jusques aux pieds. »

[5] *Œuvres*, f. 9 r°.

[6] Ms. fr. 24726, f. 17. Fauchet corrige le texte de Commynes : « estant à Venise, je vis des corselletz ou brigandines... »

[7] *Œuvres*, f. 510 r°.

de Fauchet dérive le nom de *Venetes* de Vennes, aujourd'hui
Vannes, en Bretagne, car les Vénètes appartenaient à cette
bande de Gaulois qui envahirent l'Italie en 350. Fauchet connaît parfaitement tous les endroits qu'il décrit. Parlant des
marais qui forment le nord de la mer Adriatique, il dit :

> Ce marets ou estang, ainsi qu'on le voudra nommer, a sa forme
> presque ronde; et contient de travers huict ou neuf lieuës. Du costé du
> Soleil levant, y a une levee naturelle, soigneusement entretenuë, appellee
> *Gli Argini* de neuf lieuës de long, en façon d'arc, qui empesche que les
> tempestes de la mer poussent le sable dans la rondeur de ce marets : ...
> Ceste levee et rivage, ... commence du costé du Levant, tirant par le Midy
> en Occident : et du costé du Septentrion c'est terre ferme. En ce marets
> souloit avoir plusieurs Isles, les unes pres, les autres loing : mais
> aujourd'huy celles qui estoient vers le meilleu sont, presque joinctes
> ensemble, faisants un grand corps [1].

Et l'histoire de la cité des lagunes l'intéresse à tel point
qu'il retrace ses origines, cherchant à s'excuser en disant :
« Maintesfois nous aurons occasion cy-apres d'en parler, pour
la grande participation que les habitans de ceste ville ont eu
avec nos François, aux conquestes de Levant [2]. » Evidemment
la beauté du site, la douceur du climat et sans doute le commerce des humanistes ont exercé un attrait puissant sur un
esprit fortement imprégné d'études antiques [3].

Quant aux autres villes du nord de l'Italie où Fauchet a
dû passer pour aller à Rome, elles n'ont pas laissé une trace
aussi profonde que Venise. L'Université de Padoue jetait en ce
moment un vif éclat : elle était célèbre pour l'étude du droit
et des langues anciennes. Fauchet s'y est peut-être arrêté et
peut-être y a-t-il connu Gianvincenzo Pinelli avec lequel plus
tard il devait entretenir des relations amicales. En 1582, lorsque Archambault Fauchet, le fils de Claude Fauchet, fera le
voyage en Italie, Jacopo Corbinelli écrit à Pinelli et lui
recommande le jeune homme : « Essendo figlio di quel padre
che merita tanto e ama tanto V. S. [4]. »

On sait que Nicolas Perrot, frère de François, étudia le
droit à Bologne et François lui-même s'attire la colère de son
père parce qu'il écrit des vers au lieu de s'efforcer d'acquérir,
à Padoue ou ailleurs, de solides connaissances juridiques.

---

[1] *Antiquitez*, f. 271 rº.
[2] *Antiquitez*, f. 270 vº.
[3] C'est en vain que nous avons cherché le nom de Fauchet dans *Deux
Registres de Prêts de Manuscrits de la Bibliothèque de Saint-Marc à Venise
1545 à 1559*, publiés par H. Omont, *Bibliothèque de l'Ecole des Chartes*, t. 48,
1887.
[4] Milan, Bibl. Amb. Codex T 167, p. 100.

Malgré toutes nos recherches, nous n'avons relevé aucune trace du passage de Claude Fauchet dans ces universités. Au cours de son histoire des relations des Français avec le Nord de l'Italie, Fauchet mentionne Ravenne, Vérone, Pavie, Milan, Ferrare et Florence, mais nous ne savons pas lesquelles d'entre ces villes il a visitées lui-même [1].

Si Fauchet a été en relations avec d'autres Français qui habitaient la péninsule entre les années 1550 et 1555 ou qui y passaient tout simplement, s'il a été attaché au cardinal de Tournon, même s'il n'a eu que son parent François Perrot pour tout guide, il devait nécessairement faire la connaissance d'un certain nombre d'érudits italiens. Nous avons mentionné Sperone Speroni que Fauchet lui-même dit avoir connu. Cet érudit a passé presque toute sa vie à Padoue et à Venise [2] et c'est dans l'une ou l'autre de ces villes que le jeune Français a dû le voir. Trente ans après, Fauchet lui envoie un exemplaire de son *Recueil* parce qu'il se souvient sans doute de l'intérêt témoigné par Speroni à la question des langues. Le septième dialogue de Speroni s'intitule *Dialogue des Langues*, et il est écrit contre les « latiniseurs ». Speroni affirme l'impossibilité d'égaler les anciens dans leurs langues. C'est une idée chère aussi à l'auteur du *Recueil* et des *Antiquitez*.

Speroni est le seul dont nous puissions relever le nom avec certitude. Fauchet a-t-il connu Carlo Sigonio? Mystère. Quoi qu'il en soit, il témoigne d'une grande admiration pour « ce très docte Italien », « ce très éloquent autheur » [3]. De même pour Onofrio Panvinio. Nous citons ailleurs les noms de tous les historiographes italiens que Fauchet a employés pour écrire ses *Antiquitez* [4].

La curiosité linguistique de Fauchet n'a pas manqué de s'exercer sur la langue italienne. Il se sert souvent des noms italiens des villes italiennes — Clusi, Fiesole, Rimini, — mais cela particulièrement quand il n'y a pas de forme française. Les mots italiens « estropiats », « bote », « spronelle », « para-

---

[1] *Antiquitez*, f. 211 v°, 233 v°, 257 r°, 269 v°, 219 r°, 272 v°, 273 r°, 155 r°, 220 r° et v°, 288 v°, 238 r°.

[2] V. pour la biographie de Speroni sa *Vie* par Marco FORCELLINI dans les *Opere*, Venise, 1740; E. BOTTARI, *Dei Dialoghi di S. Speroni*, Cesena, 1878. Cf. NICÉRON, P. VILLEY, *Les Sources italiennes de la Deffense et Illustration de la Langue françoise*, Paris, 1908, p. 14.

[3] *Antiquitez*, f. 209, etc. Carlo Sigonio (1524-1584), professeur à Venise, à Padoue et à Bologne. Onofrio Panvinio (1529-1568), religieux de l'ordre des Ermites de Saint-Augustin, étudia les antiquités chrétiennes. V. TIRABOSCHI, *Storia della Letteratura italiana*, 2ᵉ éd. de Modène, t. 7, pp. 825 à 840. Cf. P. RONZY, *Papire Masson*, p. 56.

[4] Voir plus loin p. 294.

pet », « scadron », « gonne » « gonnelle », « guivara » [1],
l'expression « correre il paglio » viennent plus tard émailler
les traités historiques de notre antiquaire. Il va jusqu'à citer
une phrase en italien [2]. On peut conjecturer que l'intérêt qu'il
porte à ce sujet ne dépend pas uniquement de ses lectures et si
l'on réfléchit que le compagnon, d'une partie au moins de son
voyage, fut François Perrot, qui connaissait l'italien au point
de s'en servir dans ses lettres à son parent Nicolas de Thou, et,
ce qui est mieux, au point de vouloir toucher le cœur d'une
Italienne par des vers écrits dans la langue de la dame [3], on
comprendra que Fauchet, sujet d'élite, ait dû profiter de toutes
les occasions pour approfondir sa connaissance de la langue de
Dante et de Pétrarque.

Pour conclure, son séjour en Italie a servi surtout à stimuler l'intelligence du jeune Fauchet. Lorsque plus tard il
écrira pour son propre compte, son patriotisme l'empêchera
de suivre les « vestiges » de tant de savants « latiniseurs », mais
il transportera en français leurs méthodes de documentation
précise en sorte que l'érudition de Fauchet ne saurait être mise
en doute.

Fauchet, Conseiller au Châtelet

Après avoir pâli sur les livres de Justinien à Orléans, traversé les Alpes, mis sa vie en danger dans un torrent des
Apennins, assisté aux entretiens de Speroni, le jeune Fauchet
devait songer à se créer une situation. On se mettait alors « au
Palais et Cours souveraines pour apprendre (comme ils disent)
la pratique; et s'avancer aux honneurs, estats, et offices de
judicature » [4].

Fauchet avait l'avantage d'appartenir par sa naissance au
monde parlementaire. Avant d'aller à Orléans, il « hantait et
fréquentait » chez son oncle, Pierre Belut [5], il était lié avec le
clerc de son oncle, Denis Revesye, futur procureur au Parle-

---

[1] *OEuvres*, f. 509 v°, 512 r°, 513 v°, 522 v°, 155 r°, 524 v°, 468 v°; *Recueil*,
pp. 161, 112.
[2] *OEuvres*, f. 486 r° et v°. V. plus loin, p. 336. V. aussi plus loin la lettre
de Pigafetta, p. 76. En 1582, le Président critique une traduction en italien.
[3] V. E. Picot, *op. cit.*, t. Ier, p. 323.
[4] F. Hotman, *L'Antitribonian ou Discours sur l'estude des loix*, p. 2, dans
Opuscules françoises des Hotman, Paris, 1616.
[5] Arch. Nat. Z 1B, 552. Document n° XIV.
Cf. Arch. Nat. Y 97, f. 420 v° : « Anne Audry, veuve de Pierre Belut procureur en la cour de Parlement...» Parmi d'autres enfants Anne Audry avait
une fille, Anne, qui devint la femme de François Regnaut, « dict Saint-Victor ».
François Regnaut est un des témoins au mariage de Nicole Fauchet, fille de
Claude, en 1587. V. Arch. Nat. Y 129, f. 215.

ment. Les moyens d'acquérir une connaissance pratique des
lois et surtout de la procédure ne manquaient pas au fils de
Nicole Fauchet.

D'après les aspirations de sa famille, le jeune homme était
destiné à occuper un jour un siège de conseiller dans une des
cours souveraines. C'était une situation plus solide et plus
honorable que celle de procureur. Mais pour entrer en possession d'une charge de conseiller, il fallait avoir vingt-six ans et
avoir « fréquenté les barreaux et plaidoiries » pendant quatre
ans [1]. Les conseillers étaient généralement choisis parmi les
avocats. Bien qu'on ne puisse l'affirmer de façon certaine, on
est porté à croire que Claude fut reçu avocat au Châtelet.
Comment Louis Le Caron aurait-il eu l'idée, en 1556, de le
mettre à côté d'Estienne Pasquier en les parant tous les deux
du titre pompeux « d'orateurs » ? Supposons donc, puisque
rien ne s'oppose à cette conjecture, qu'il a présenté ses lettres
de licence, qu'on s'est informé de sa religion et de sa moralité,
qu'il prêta le serment le 12 novembre, jour de la rentrée du
Parlement, et que son nom fut inscrit sur le « rôle » ou
tableau. Nous ne savons pas à quel moment, son stage d'« avocat nouveau » terminé, il devint « avocat plaidant », à quel
moment il put passer du second banc au premier. Son stage
a-t-il été écourté pour lui permettre de suivre les « vestiges »
de son père? C'est peu probable. En tout cas, ses occupations
comme avocat ne devaient pas différer de beaucoup de celles de
son père. Les avocats comme les procureurs étaient chargés
d'une partie notable des actes de la procédure. En plus, ils plai-
daient, écoutaient les plaidoiries et donnaient des consultations.

Mais Fauchet avait des rêves d'ambition qui visaient plus
loin et plus haut. Le 19 juillet 1557 il est nommé à un office de
conseiller au Châtelet [2] (création de 1552), au lieu de Nicolas

---

[1] Ordonnance de Blois, Arch. Nat. U 497, f. 617, 824. Sur le Parlement et
les avocats. V. BASTARD D'ESTANG, *Les Parlements de France*, Paris, 1858, 2 vol.;
R. DELACHENAL, *Histoire des Avocats au Parlement de Paris*, Paris, 1885; abbé
G. PÉRIÈS, *La Faculté de Droit de l'Ancienne Université de Paris*, Paris 1890;
LA ROCHE-FLAVIN, *Treize Livres des Parlements de France*, Bordeaux, 1620;
E. MAUGIS, *Histoire du Parlement de Paris*, Paris, 1913, 3 vol.; F. AUBERT,
Recherches sur l'Organisation du Parlement de Paris au XVIe siècle, Paris, 1912.
[2] B. N. fr. 21388, f. 124 v°. *Notices sur les officiers du Châtelet*. Des men-
tions de Fauchet se trouvent aux f. 128 v°, 129 v°, 130 v°, 131 r°, 132 r°,
133 r° : dernière mention 133 f° : « M. Pierre Laisné au lieu dud. Fauchet
par lettres données à Paris le 19 octobre 1569, serment le 27 octobre suivant. »
Léon Godefroy, mari de Marie Lourdel, était conseiller au Châtelet à ce
moment. On trouve aussi un Jehan Le Court, et un Nicolle Belut. C'est évidemment par suite de ses relations avec le Châtelet que Fauchet a connu
Jean-Jacques de Mesmes et Michel Vialart. Augustin de Thou y devient avocat
du roi en 1561.

des Lions mort le 8 juillet. Il prêta le serment le 5 août suivant.

Nous ignorons s'il avait acheté sa charge [1], — mais nous pouvons être sûrs que la tenue [2] du nouveau conseiller qui mérita en 1564 l'amitié de Michel de l'Hospital sera toujours digne.

Une mention de Claude Fauchet, conseiller au Châtelet, se trouve dans un registre de la paroisse Saint-André-des-Arts [3], Fauchet fut le parrain d'un fils de Nicolas Perrot, baptisé le 26 août 1563.

Les fonctions des conseillers du Châtelet sont définies dans une déclaration de Henri II sur l'Edit des présidiaux (le 25 avril 1552). Les conseillers « sont tenus pour le fait de police de la ville et faubourgs de Paris de constituer prisonnier ceux qui sont trouvez contrevenir aux lois, statuts et ordonnances du roy et aux arrests, règlements du Parlement, et du prévost de Paris, empeschans la tranquillité de la dite ville » [4]. Ces magistrats sont divisés en plusieurs catégories. « Les uns assistaient à l'audience, avec le prévot, et on les appelait auditeurs de causes [5] : les autres étaient commis pour l'instruction des causes, c'étaient les enquêteurs-examinateurs : les autres statuaient sur les rapports et on les nommait jugeurs. »

Le Châtelet assistait à toutes les cérémonies publiques, à toutes les processions et prenait rang après la Cour des Monnaies. C'est ainsi que Fauchet était présent au tournoi où le Roi fut blessé : « Le Roi Henri II que au grand malheur de la France je vy frapper à la mort aux joustes qu'il faisoit faire en la rue Sainct-Antoine devant les Tournelles pour la resjouissance des nopces d'Isabelle sa fille, mariée à Philippe second, roy d'Espagne [6]. » Il assista probablement aussi au sacre de François II [7] et peut-être au Colloque de Poissy [8].

---

[1] P. DE L'ESTOILE, op. cit., t. 2, p. 165, dit qu'un conseiller au Châtelet payait sa charge 4.000 écus.

[2] Cf. La Philosophie de Loys le Caron, Paris, 1556, f. 4 v⁰ : « Aussi en l'administration civile, le Royaume de France est mieus gouverné par lois, exemples et mœurs que nulle autre République qui ait jamais flori. »

[3] B. N. fr. 32589, f. 123.

[4] V. DESMAZE, Le Châtelet de Paris, p. 116. Cf. C. MALINGRE, Antiquitez de Paris, 1640, p. 762 : « Le prévôt de Paris est chef de cette justice qui a trois lieutenants sous luy, nommez selon leurs charges, civil, criminel ou particulier, ausquels le procureur et advocat du roy et douze conseillers assistent. »

[5] DESMAZE, op. cit., ibid.

[6] Œuvres, f. 509 v⁰. Cf. 483 r⁰ : « Il me souvient que François duc de Guise, porta la bannière de France à l'enterrement du roy Henri II au lieu du grand maistre. »

[7] Ibid., f. 491 v⁰ : « Mais la Roine Catherine, vefve du roi Henri II, a vuidé ce différend, faisant au sacre du roi François II son fils immédiatement aller après ledit roi, ses autres enfants vestus en habits de pairs. »

[8] Ibid., f. 375 v⁰ : « Comme au Colloque de Poissy tenu l'an 1560, Catherine vefve du roi Henri II présida avec Charles IX son fils. »

Vie privée

L'acquisition d'une charge de conseiller au Châtelet eut lieu probablement au moment où Claude Fauchet se maria. Vers 1557 ou 1558, vraisemblablement, il épousa Jeanne de Morel [1], fille d'Archambault de Morel, avocat au Parlement, qui appartenait à une ancienne famille noble de Saintonge [2]. Il était le second fils de Guillaume de Morel, écuyer, sieur de Vigier de Salles et de Marguerite Gerauld. Archambault est appelé parfois sieur de Vigier [3]. Il avait épousé Nicole Semele, et ils eurent au moins deux enfants, Pierre et Jeanne [4]. En 1542, Pierre de la Maison « chirurgien et valet de chambre du roi » fait une donation à Morel de diverses terres situées à Chesnay à la Bretèche, et au terroir de Plaisir près Neauphle-le-Château [5], et — détail piquant — le procureur qui s'occupe de l'acte est Nicole Fauchet [6].

Nous ignorons quelle fut la dot de Jeanne de Morel, mais Jeanne ne dut pas arriver les mains vides. Elle posséda plus tard des rentes sur l'Hôtel de Ville qu'elle avait héritées de son père [7].

En 1569 le jeune ménage était installé dans une maison « assize sur le quay de la rivière de Seine ayant son issue au-devant de l'une des portes de l'église Monsieur Saint-Germain de l'Auxerrois » [8]. Un autre acte nous apprend que cette maison « en laquelle ils estoient demourans » contenait plusieurs corps d'hôtels, cours, salles, chambres et autres appartenances

---

[1] Nous n'avons trouvé aucun contrat de mariage, mais le mariage dut avoir lieu vers cette date. Archambault Fauchet fils de Claude alla en Italie en 1582. Nicole, sa fille, se maria en 1587. La première allusion au mariage de Fauchet se trouve Arch. Nat. Z 1B 552 dans les documents sur sa vie et mœurs.

[2] V. aux Arch. Nat. M 478, dossier 7, pièce 35, à la B. N., P. O. 2048 dossier 46691, pièce 8, pour une table généalogique. Archambault de Morel est le frère de Joachim de Morel, sieur de Vigier et seigneur de Montagrier en partie. La famille remonte au début du XIVe siècle. On peut voir le nom d'Archambault de Morel parmi les avocats qui firent profession de catholicité le 10 juin 1562, Arch. Nat. M 772.

[3] Arch. Nat. Z 1B 552. Document nº XIV.

[4] Ibid.

[5] Arch. Nat. Y 88, f. 40 Pierre de la Maison, chirurgien et valet de chambre ordinaire du roi : donation à Archambault de Morel, avocat au Parlement... f. 43 vº — autre donation : f. 45 vº — troisième donation.

[6] Arch. Nat. Y 88 f. 45 : « L'original de la donation dont coppie est cy-dessus escrite a esté insinué par Me Nicole Fauchet, procureur en Chastelet de Paris au nom et comme procureur de nobles personnes Me Archambault de Morel, avocat en la cour de Parlement et Nicole Semele, sa femme, donataires nommez en ladite donation et enregistrées le XIVe jour d'avril l'an mil cinq cens quarante deux après Pasque et après rendus aud. Fauchet. »

[7] Voir Document nº II.

[8] Document nº V.

et dépendances [1]. Le mariage paraît avoir été heureux, il fut
suivi de la naissance d'un fils et d'une fille. Les beaux-parents
de Fauchet habitaient tout près. Le Châtelet n'était pas loin,
mais quelquefois le son des cloches de Saint-Germain-l'Auxerrois était assourdissant. Fauchet se plaint de « sept cloches
presque pendues dans son étude » [2]. Quand le glas funèbre ne
sonnait pas, les lavandières de la Seine, avec leurs « batouers »
— et leur langue aussi sans doute — n'accordaient pas toujours
toute la tranquillité que notre jeune érudit eût désirée. Si le
bruit l'énervait en temps ordinaire, quelle dut être son émo-
tion en août 1572, lorsque au milieu de la nuit la cloche de
Saint-Germain donna le signal du massacre de la Saint-Barthé-
lemy! L'impression laissée sur son esprit par de tels spectacles
est sans doute à la base de l'horreur que Fauchet témoigne toujours lorsqu'il parle des guerres civiles.

Relations avec le cercle de Ronsard

Une quarantaine de pages de Louis Le Caron, jeune avocat
parisien [3] de vingt ans, nous dévoile d'une autre façon les
préoccupations de Claude Fauchet vers 1556. Dans un dialogue
intitulé *Ronsard ou de la Poésie*, il nous présente « à l'exemple
des anciens les deux qui sont aujourd'hui à bon droit réputez
les premiers poëtes de nostre tens, Ronsard et Jodelle avec deux
orateurs Pasquier et Fauchet, lesquelz l'excellence de leur
esprit pour la bonne espérance d'eux m'a fait toujours aimer ».

---

[1] Arch. Nat. Minutier central XC, Jarriand 140.
[2] Dans le manuscrit Vat. Reg. 734. Voir E. LANGLOIS, *Quelques Dissertations
inédites de C. Fauchet* dans *Etudes romanes dédiées à Gaston Paris*, 1891,
p. 106. Ces dissertations datent probablement des années qui suivent la mort
de la seconde femme de Fauchet mais ce qu'il dit du bruit peut s'appliquer
à toutes périodes. MALINGRE, *Antiquités de Paris*, p. 522, donne un curieux
renseignement sur les maisons du cloître Saint-Germain-l'Auxerrois. L'an
1560, par arrêt du Parlement, il fut permis aux doyen et chanoines de l'église
de « faire clore de portes le cloître d'icelle église pour leur tranquillité et
sûreté ayant remonstré que toutes les maisons qui y sont leur appartiennent
excepté une de laquelle le propriétaire n'empêchoit ladite closture ». La maison
de Fauchet est décrite comme « size au cloistre et paroisse Saint-Germain-de-
l'Auxerrois ». C'est donc de Fauchet ou de son prédécesseur qu'il s'agit ici.
    Voir notre reproduction du plan en élévation de la mouvance du chapitre
de Saint-Germain-l'Auxerrois au xvie siècle (d'après Arch. Nat. N III Seine 63).
[3] Sur Louis Le Caron, voir L. PINVERT, *Revue de la Renaissance*, 1902;
F. GOHIN, *De Lud. Charondae Vita et Operibus*, Paris, 1902; E. DUPRÉ-LASALE,
Michel de l'Hospital, t. 1er, p. 198. Cf. M. RAYMOND, *L'Influence de Ronsard*,
Paris, 1927, t. 1er, p. 314. Cf. H. FRANCHET, *Le Poète et son Œuvre d'après
Ronsard*, Paris, 1923.
    Les Dialogues de Loys Le Caron, Paris, date du privilège, 7 juillet 1556.
Le Caron donne les titres de ses dialogues en trois livres dont il ne publie
que le premier. Il paraît n'avoir jamais publié les autres. *Ronsard ou de
la Poésie* est le quatrième dialogue. Le dernier dialogue du livre II est intitulé
Faulchet ou de l'Utilité qu'apporte la Cognoissance des Choses naturelles.
Il serait intéressant de savoir ce qu'il allait donner sous ce titre.

Il a soin de spécifier que le dialogue est purement imaginaire[1]. Par conséquent, nous n'attribuerons pas une trop
grande importance aux idées prêtées aux interlocuteurs. Evidemment, chaque personne doit exprimer un point de vue différent.

La scène du dialogue est la grande salle du « palais roial
de Paris, la plus renommée et excellente ville du roiaume en
laquelle souvent les compagnies des hommes doctes s'assem-
blent et se pourmenants devisent quelquefois de choses graves
et sérieuses. » Les premières paroles de Ronsard suggèrent bien
l'atmosphère du Palais où l'on avait jugé nécessaire de statuer
« quant aux jeunes advocatz... qu'ils aient à se contenir au second barreau pour escoulter... sans faire bruict ne interrompre
ceulx qui plaident »[2], et où il fallait deux huissiers spécialement désignés pour empêcher qu'on ne fît trop de bruit pendant les plaidoiries. « Je m'esbahi (Messieurs) » dit Ronsard,
« comment le bruit de tant de voix tumultuantes ne trouble
le repos de voz tendres et délicates oreilles. » Pasquier répond
qu'ils y sont tellement habitués que le bruit leur fait plaisir.
Après ces quelques paroles d'introduction, le dialogue s'engage
sur des questions plus abstraites. Ronsard parle de la fonction
civilisatrice de la poésie, cite les noms d'Amphion et d'Orphée,
et passe à l'immortalité conférée par la poésie. Le vrai sujet du
dialogue, la querelle des philosophes et des poètes, que Louis
le Caron a pris chez Platon attire ensuite l'attention de Ronsard : « Qu'on face les législateurs, les sages et les philosophes
tant grans qu'on voudra, s'ilz confessent devoir aux poëtes tout
ce qu'ilz ont de meilleur, ilz les doivent recongnoistre comme
les plus honorables : s'ilz nient, très facile sera de les convaincre de larçin. » Pour prouver cette affirmation, Ronsard prend
certaines idées générales comme exemples, « que Dieu est la
parfaite cause et l'auteur de toutes choses », « que les choses
humaines sont périssables ». Il trouve ces idées exprimées par
Pindare avant de l'avoir été par Platon, et croyant avoir prouvé
sa déclaration, s'écrie : « Qu'est-il besoing de plus longs propos? » arrêtant la liste des exemples anciens de peur de « faire
injure à ceux de nostre eage ». Les poètes donc n'ont rien
oublié en leurs vers de ce qui « pouvoit estre cogneu en cette

---

[1] « Mais si aucun d'eux s'estonne que je le fai parler de ce que par aventure
il n'a jamais ne dit ne pensé, ou est entièrement contraire à son opinion,
je croi que se resouvenant de la coustume des dialogues il ne trouvera estrange
que j'aie emprunté son nom et sa personne. Aussi je les cognoi estre mieux
nez qu'ilz daignassent tirer en la mauvaise part ce qu'une bienveillance me
leur fait franchement attribuer. »
[2] R. Delachenal, op. cit., p. 100.

grandeur de l'universelle nature », mais « pensant estre indigne de prostituer leurs sacrées inventions au prophane vulgaire les ont voulu couvrir de fables ». Pourtant la poésie est plus accessible à tous que la philosophie. Il vient ensuite à quelques fables poétiques qui lui plaisent, celle de Prométhée, de Protée, d'Atlas, il en citerait d'autres si ce n'était qu'il ne veut pas vanter l'antiquité. Il conclut en louant le génie poétique des Français.

Jodelle prend la parole ensuite et discourt pendant une dizaine de pages sur la fureur poétique, « inspiration des Muses laquelle souffle en l'âme pure et non souillée des vaines afections, une sainte chaleur qui l'embraze toute de divinité ». Jodelle relève les divers endroits des dialogues de Platon où celui-ci parle de l'inspiration, l'*Ion*, par exemple où il est peu favorable aux poètes. Les meilleurs poètes, selon Jodelle, sont toujours inspirés, et la recherche de l'harmonie leur apporte une « ferme connoissance » des choses divines et humaines. Jodelle développe cette idée, passe ensuite aux Muses et à la signification de leurs noms et, se souvenant sans doute de Marsile Ficin, compare le nombre des Muses aux sphères célestes.

Pasquier pose la question, qui a embarrassé maint critique depuis Platon : pourquoi Platon a-t-il banni les poètes de sa République? Après avoir rappelé tout ce que Platon luimême doit aux poètes et à Homère en particulier, il croit pouvoir expliquer l'attitude du philosophe envers les poètes par le souci de la perfection qui règne dans toute sa République, de laquelle il a trouvé « le moule et patron » au ciel, et laquelle « il a instituée en telle discipline qu'il ne veut rien apparoir en ses citoyens qui ne se ressente d'une plus haulte et divine pensée ». Bien que les poètes soient admirés de Platon, toutefois « ilz ne pourroient avoir lieu en sa République, car aucuns se rendent trop populaires et semblent estre serfs des afections humaines, les autres et ceux plus graves et excellents (comme Homère) imitent les mœurs des hommes qui ont esté ou vertueux ou vicieux ». En plus, Platon a toujours « réputé indigne de chatouiller ses citoyens de je ne sçai quelles blandices et amorces des fables desquelles la jeunesse ne peut rapporter aucune utilité ».

Solution, on l'avouera, assez ingénieuse d'un problème difficile, par un jeune homme de vingt ans.

Les dernières paroles de Pasquier donnent le ton de tout le discours que Le Caron a prêté à Claude Fauchet, — le mal qui peut résulter pour la jeunesse d'une peinture attrayante du vice [1] : « je ne sçai », dit-il, « comment cette chose publique prospéreroit en laquelle les enfants dès le berceau seroient abbreuvez presque avec le laict de la nourrice des vaines fables chantées par Hésiode et Homère : comme de celles qui récitent les guerres et discordes, les adultères, les risées et moqueries, les surprises, les courroux, les liens et autres semblables mensonges des dieux. » Les poètes romains ont mieux fait, comme le dit Cicéron, de taire « les vices et calamitez des princes ». En poursuivant, Fauchet énumère les vices des personnages homériques, l'ivrognerie de Nestor, la cruauté d'Achille et la félonie de Pandare [2]. La poésie, comme dit Platon, n'est qu'une imitation. Les poètes imitent tout dans la nature : « Ils ne donnent moins aux choses vitupérables leur grâce et bienséance qu'aux louables et vertueuses ». Fauchet voudrait que les fables qu'on raconte à la jeunesse fussent pleines d'exemples « des faits vertueux et mémorables ».

Jodelle fait ensuite quelques remarques sur certains défauts de style trouvés dans les poètes anciens, et Pasquier essaie d'expliquer l'imitation par les poètes de ce qui est laid dans la nature. « Il ne faut tant regarder au sujet qu'à la bienséance de l'art qui l'a diligemment exprimé. » Il faut méditer sur les sentences que contient la poésie, sur l'agencement des personnes et des événements, et il faut dire que le poète décrit des mœurs efféminées non pas pour les faire imiter mais pour les faire fuir.

Reprenant les paroles de Pasquier, Fauchet exprime l'opinion que l'aimable peinture du vice ne peut être que nuisible au poète lui-même et au lecteur.

C'est encore Ronsard qui s'efforce de résoudre le problème en revenant à l'inspiration. Les poètes qui sont inspirés de Dieu produisent des œuvres admirables de tous les points de vue, mais « tous ne sont également favorisez de Dieu ». Les poètes qui se fient à l'imagination humaine, à l'art, ne sont pas les plus grands. L'inspiration divine n'est pas le partage de tous. « Cette poésie donc laquelle est inspirée d'une simple fureur ne peut rien imiter qui ne soit tout céleste, illustre et accompli, à l'exemple de laquelle je voudrois que nostre vul-

---

[1] Dans ces *Antiquitez*, f. 356 r°, Fauchet critique les mensonges des chansons de geste. V. plus loin, p. 143.
[2] Michel de l'Hospital critiquait la poésie de la même façon. V. E. Dupré-Lasale, *op. cit.*, t. 2, p. 68 : « Retranchez les mensonges des livres des anciens, que restera-t-il qui puisse recréer l'esprit et le distraire?... Laissons ces vers trop semblables aux déités fausses et méchantes qui les ont inspirés. Laissons ces écrits honteux et lascifs qui nous induisent en péché, nous corrompent et nous brûlent de feux deshonnêtes. » (Hospitalis, *Carm.*, éd. 1732, p. 27.)

FIG. 2.

Claude Fauchet à 50 ans.

gaire ne se proposât que les sujets dignes de quelque honnorable grandeur et vertueuse noblesse. »

C'est ainsi que Louis Le Caron a affronté ce problème
séculaire, la justification de l'œuvre d'art, problème fort
débattu à l'époque de la Renaissance, surtout en Italie [1]. Mais
pour le biographe de Fauchet, ce dialogue a un autre intérêt.
Notre jeune érudit a côtoyé pendant un moment le plus grand
poète de l'époque. Fauchet n'a jamais été partiçulièrement lié
avec Ronsard, mais leurs entretiens ont laissé un germe dans
l'esprit de Fauchet, — cette attention qu'il prête aux vieux
mots par exemple, ce constant souci d'opposer les anciens poètes français aux anciens tout court. D'autre part, l'influence
de Fauchet et de Pasquier sur Ronsard se retrouve probablement dans l'*Abbrégé de l'Art poétique françois* où Ronsard
conseille la lecture de romans du moyen âge. Nous ne pouvons
que regretter que la rencontre des jeunes magistrats et des
jeunes poètes ne se soit pas produite plus tôt. La Pléiade
n'aurait peut-être pas affiché un si grand dédain pour la vieille
poésie française, et la défense de la langue française aurait eu
des bases plus solides.

Vers la même époque, nous entrevoyons Claude Fauchet
et ses amis dans un autre écrit du temps. Une médaille antique
avait été découverte qui représentait la tête d'Aristote, et cette
tête avait une si forte ressemblance avec celle du chancelier
Michel de l'Hospital que nombre de poètes du temps, professeurs de langues anciennes au Collège Royal et magistrats,
humanistes tous, saisirent l'occasion pour chanter les louanges du Chancelier et la bonne fortune du Roi de posséder un
tel serviteur. Le recueil de vers [2] est intitulé : *Diversorum poetarum lusus in argenteam Aristotelis imaginem antiquo numis-
mate expressam, quae eadem videtur effigies esse Michaelis
Hospitalis Galliae cancellarii, cui donata est a Memmio Lugduni an. D. 1564.* Nombre de poètes prirent part à ce tournoi :
Adrien Turnèbe, Pierre Montdoré, Vaillant de Guélis, Denis
Lambin, Léger Duchesne, Nicolas Perrot, François Perrot, Jaco-
bus Faber (Jacques Du Faur), Thomas Sibilet, Nicolas Vergece, Théodore de Bèze, Jean Dorat, Antoine Gouvéa, Jacques
de Vintimille [3] et Claude Fauchet.

---

[1] V. J. E. SPINGARN, *Literary Criticism in the Renaissance*, New-York, 1925,
ch. Ier.

[2] B. N. lat. 8139, f. 90 vo et suiv. Le poème de Fauchet se trouve également B. N. fr. 1662, f. 29 vo.

[3] Comme bon nombre de ces humanistes ont été professeurs au Collège royal,
voir Abel LEFRANC, *Histoire du Collège de France*, Paris, 1893.
Le *Tombeau* d'Adrien Turnèbe (1512-1565) fait bien connaître son entourage.

Il faut avouer que les poésies ne sont pas très intéressantes. Une seule idée, celle de la ressemblance physique et morale de Michel de l'Hospital avec Aristote, fournit la matière de la plupart d'entre elles :

Ergo animi cum sint similes et corporis ambo,
Dotibus, effigies illius, huius erit.

(A. Turnèbe)

Mentem, animum, ingenium, studium, famamque decusque
Hospitalis honorifico cum nomine, cum arte,
Cum virtute, equidem censebis in omnibus ambos
Omnino similes...

(L. Duchesne)

Vultus Aristotelis, vultus Michaelis et idem
Alterutrum quisquis spectat utrumque videt.
Vultus et amborum similis, sic vita; sed artem
Ille docet, factis comprobat iste suis.

(J. Dorat)

Par his est animus, solers par mentis acumen

(N. Vergece)

V. L. Clément, *De A. Turnebi regii professoris praefationibus et poematis*, Paris, 1899; P. de Nolhac, *Ronsard et l'Humanisme, passim.*

Sur Pierre de Montdoré, « maître de la librairie de Fontainebleau », v. L. Dorez, *Extrait des Mélanges d'Archéologie et d'Histoire publiés par l'Ecole française de Rome*, t. XII, Rome, 1892.

Germain Vaillant de Guélis : P. de Nolhac a signalé divers écrits de ce savant, *Ronsard et l'Humanisme*, p. 157, note 3. Il était conseiller au Parlement, ami de Pierre Daniel et évêque d'Orléans de 1585-1587. Il a écrit un commentaire sur Virgile, publié à Anvers en 1570. Il était avec les principaux poètes du temps, Ronsard, Belleau, J.-A. de Baïf, Dorat, A. Jamyn, Desportes; avec les humanistes, Lambin, Scaliger, etc. Cf. R. Radouant, *G. du Vair*, p. 70; T. Graur, *A. Jamyn*, p. 48.

Les Préfaces des *Orationes* de Lambin nous renseignent sur les personnes qu'il fréquentait. V. H. Potez, *Deux Années de la Renaissance* (*R. H. L. F.* 1906, pp. 458 et 658).

Sur Léger Duchesne, v. A. Lefranc, *Histoire du Collège de France*, p. 141. Duchesne a édité *Farrago poematum* en 1560, *Tombeau de Turnèbe.*

Sur N. Perrot, v. E. Picot, *Les Français italianisants*, vol. 1, p. 323. Il était lié avec E. Pasquier et J. Gohory. C'est le frère de François.

Sur Jacques du Faur, v. A. Cabos, *Guy du Faur de Pibrac*, Paris 1922, pp. 16, 17.

Sur Thomas Sibilet, v. F. Gaiffe, éd. *L'Art poétique de Sibilet*, Paris, 1932.

Sur Nicolas Vergèce, v. E. Legrand, *Bibliographie hellénique*, t. 1er, p. CLXXXIII, t 2, p. 405 (Paris, 1885). Il fut lié avec Ronsard, Baïf, Turnèbe. Cf. *Humanisme et Renaissance*, t. 1er, p. 142, note 2. *La fille d'Ange Vergèce.*

T. de Bèze est bien connu, de même que J. Dorat.

Sur Antonio de Gouvea, juriste portugais, frère du principal du collège de Guyenne, v. *Antonii Goveani opera iuridica, philologica, philosophica*, ed. Iac. van Vaassen, Rotterdam, 1766.

Sur Jacques de Vintimille, traducteur du *Cyropaedia*, et ami des Vauzelles de Lyon, v. *Bibliothèque françoise*, de La Croix du Maine, t. 1er, p. 437 et du Verdier, t. 4, p. 316.

Talis Aristoteles oculos atque ora ferebas...

. . . .

En vivo in xenio vivis Aristoteles

(T. DE BÈZE)

Illa fides mihi Aristotelis prope certa figurae est
Quod vultus Michael exprimit illa tuus

(A. GOUVEA)

A peine y a-t-il quelques légères variations sur ce thème, un compliment à J.-J. de Mesmes qui a non seulement donné des « livres », c'est-à-dire mis sa bibliothèque à la disposition des lettrés, mais leur a rendu « Aristote vivant » (N. Perrot), un compliment au roi Charles IX qui devient pour le moment Alexandre le Grand dans un second poème de Nicolas Perrot, et, comme nous le verrons, dans celui de Claude Fauchet. François Perrot compare la Gaule et la Grèce, et l'avantage reste naturellement à la première :

Rerum etiam inventrix cedat iam Graecia et armis
Supra illam et literis Gallia nostra viget

Les préoccupations religieuses de François Perrot se font voir même dans cette poésie; car la Gaule se trouve placée sous les auspices du Christ. Denis Lambin fait allusion à la fin de la première guerre civile et à l'édit d'Amboise. C'est le Chancelier qui a arraché les armes au peuple furieux et a apaisé les tumultes :

Tu tantos hominum motus, tamque horrida bella
Civibus armatis alijs componere inermus
Scivisti tandem, et tantos sedare tumultus.

(Denis LAMBIN)[1]

Thomas Sibilet exprime une pensée analogue, comparant l'Hospital et Aristote :

Quod patriae afflictis prudens succurrere rebus
Instar Aristoteles, ceu deus alter, ades...

Vaillant de Guélis considère que la découverte de l'image portera bonheur au pays et à lui-même :

Quidquid id est, omen tantum patriaeque mihique
Accipio, augurium laetusque volensque saluto.

Rien de moins inattendu que de voir les professeurs du Collège Royal et les magistrats exprimant la gratitude envers

---

[1] Nous donnons ici la version imprimée par Lambin. La version manuscrite (f. 92 v°) présente certaines variantes.

leur puissant ami [1]. Mais il est très curieux de trouver notre
jeune érudit dans ce milieu qui comprend l'élite intellectuelle
de son temps.

Comment Fauchet connut-il le futur Chancelier? Sans
doute par l'intermédiaire de ses cousins, les Perrot et de Jacques Gohory, son parent également. Les rapports de Michel de
l'Hospital avec la famille Perrot dataient de plus de trente ans
au moins, du temps où, étudiant en droit à Padoue, il fréquentait Pierre Bunel, Barthélemy Faye, Arnoult Du Ferrier, Jacques Du Faur et Emile Perrot, oncle de Nicolas et de François.
Les relations de tout ce groupe sont connues par les lettres de
Bunel réunies après sa mort par Jacques Du Faur et publiées
en 1551 par Charles Estienne [2]. Emile Perrot était mort en 1556
mais la bienveillance du Chancelier restait vraisemblablement
acquise à la famille.

Jacques Gohory, dans la dédicace à la duchesse de Berry de
sa traduction du Xe livre de l'*Amadis*, rappelle que Michel de
l'Hospital et Emile Perrot « ne sont seulement juges compe-
tens des controverses de droit ains de toutes les difficultés plus
ardues qu'on leur pourroit soumettre ».

Les vers de notre conseiller au Châtelet sont adressés directement au jeune roi Charles :

> Carole Alexandri ut superes nomenque decusque
>   Hic pius et doctus prodit Aristoteles
> Retulit ille artis pretium miseratus accerbam
>   Nam stagyre sortem restituit Macedo
> Nil petit humani noster : demissus Olimpo est
>   Et regnum et patriam Carole qui tibi det [3].

La comparaison du roi avec Alexandre le Grand est évidemment très flatteuse; mais les éloges à l'adresse de Michel
de l'Hospital, son érudition, son amour des lettres, son
influence en faveur de la paix, remplissent comme nous voyons
le reste du poème. Aucune des idées de ce court poème n'est
frappante. Fauchet n'a pas la fécondité d'un Dorat ou d'un
Lambin. Son poème cependant ne fait pas mauvaise figure
dans le recueil, et il est bien dans le ton des autres productions.

---

[1] Le cercle de Michel de l'Hospital a été décrit par Emile Dupré-Lasale, P. de
Nolhac, P. Champion, et on y fait allusion dans toutes les thèses qui se rapportent
aux poètes de la Pléiade.

[2] *Petri Bunelli familiares aliquot epistolae Lutetiae cura ac diligentia Caroli
Stephani* MDCLI. Cf. Dupré-Lasale, *Michel de l'Hospital*, t. 1er, p. 53, t. 2, p. 2.

[3] B. N. lat. 8139, f. 96 v°, voir deux vers attribués également à Fauchet;
un mot seulement est changé :

> Carole Alixandri superes ut nomen et acta;
> Hic pius et doctus prodit Aristoteles.

Le recueil collectif fut présenté par J.-J. de Mesmes, d'où l'on peut conclure que tous ces poètes avaient probablement des relations avec les de Mesmes.

Une dédicace de Henri Estienne à Henri de Mesmes en 1562 nous livre le précieux renseignement que la bibliothèque de ce dernier servait de rendez-vous aux hommes doctes de l'époque, et que de belles discussions y étaient fréquentes [1] :

> Age igitur foecundum concuto pectus. Quodsi forte nihil ex eo quod tibi satisfaciat deprompseris, domum habes quae adeo a doctissimis frequentatur viris ut quoddam pulcherrimarum disputationum emporium appellari merito possit : hanc igitur quaestionem in frequenti illorum conciliabulo proponas velim, et quomodo soluta fuerit (ut aliquem narrationis meae fructum capiam) perscribas...

Nous pouvons conjecturer que les réunions se composaient des humanistes dont nous venons de parler. Leurs discussions portaient sans doute sur des sujets très divers, sur les textes des anciens, car la bibliothèque de de Mesmes était fort riche en ce genre de manuscrits, sur la philologie, sur les mérites des poètes français du moyen âge, sur l'étendue de la langue française autrefois. C'est à ces moments-là que devait briller notre jeune érudit. Si nous rencontrons les mêmes idées, les mêmes citations et les mêmes étymologies chez Fauchet et chez Estienne, on peut vraisemblablement les attribuer aux entretiens chez Henri de Mesmes. La dédicace de H. Estienne nous avertit que de Mesmes tenait Henri Estienne au courant des discussions et en ce qui concerne Claude Fauchet, une preuve indiscutable des relations qui existent entre Henri de Mesmes et Fauchet nous est fournie par une lettre de ce dernier (B. N. fr. 482, f. 35), sorte de petit traité reproduisant un chapitre des *Veilles*, qui est moins intéressant pour nous par son contenu que par la conclusion même de la lettre adressée à Henri de Mesmes, alors maître des requêtes au Conseil d'Etat [2] :

---

[1] *Sexti Philosophi Pyrrhoniarum hypotyposeon libri III...* interprete Henrico Stephano. Anno 1562.
On nous permettra de renvoyer à notre article dans les *Mélanges Abel Lefranc*, p. 354.
[2] Sur la bibliothèque de H. de Mesmes, v. L. Delisle, *Le Cabinet des Manuscrits*, t. 1er, p. 398; E. Frémy, *Mémoires de H. de Mesmes*, p. 109; Denis Lambin, éd. du livre 1er de *Lucrèce*, dédicace, 1563; A. Turnèbe, 2e partie des *Adversaria*, 1565, préface; J. Dorat, vers grecs (1566) en tête du *Cicéron* de D. Lambin. C'est à la bibliothèque d'Henri de Mesmes que Fauchet a dû connaître Jean Dorat. V. P. de Nolhac, *Ronsard et l'Humanisme*, p. 76.
On peut se faire une idée du cercle d'Henri de Mesmes à cette époque en consultant le ms. lat. 10327 (B. N.). Ce sont des papiers que de Mesmes a rassemblés, qui contiennent bon nombre de poèmes par Jean Dorat adressés à de Mesmes, mais on y trouve aussi des poésies de G. Audebert, Passerat, Lambin, F. Hotman, un poème d'Etienne Dolet à Emile Perrot. Fauchet n'y figure pas

Voilà, Monsieur, ce que, pour le présent j'ai appris de l'origine des contes depuis que j'ai fait ce recueil qui fut l'an 1553. Autres en ont parlé que vous pourrez voir. Je me recommande à vos bonnes grâces et prie Dieu vous tenir en sa garde et vous donner la grâce de continuer la bonne volonté que portez à l'augmentation des lettres. De vostre maison à Paris 1564, le huit avril après Pasque. Celuy qui est prest à vous faire service très humble, C. F.

La lettre se termine par un post-scriptum :

Je serai fort aise de sçavoir vostre opinion afin de corriger mes faultes, car je sçai certainement que la miene ne plaira à tous, et pour ceste cause je n'ai voulu soubzscrire affin que plus librement je sois repris de ceux auzquelz il vous plaira communiquer ceste rapsodie, si tant est qu'elle merite le lire.

Fauchet, comme Lambin, Turnèbe et Dorat, avait donc dès 1564 ses entrées à la bibliothèque d'H. de Mesmes. D'ailleurs il rendra hommage plus tard au seigneur de Roissy dans son *Recueil*, en rappelant que sa « librairie » est bien garnie « de livres excellents en toutes langues », et en se servant d'un livre de chansons qu'il avait emprunté à cette bibliothèque pour y prendre les noms des anciens poètes français.

En 1568, une allusion d'un autre parlementaire, Jean Bodin dans sa *Response à M. de Malestroict* [1] nous présente un Fauchet « fidèle registre de belles antiquitez ».

Ces faits nous dévoilent pour un moment les occupations de Fauchet en dehors du Palais. Il appartient à ce groupe de magistrats qui consacrent tous leurs loisirs à l'étude et cultivent les Muses latines et françaises à leurs heures perdues. Mais l'influence de ce milieu sur Fauchet se révèle aussi dans son attitude très gallicane en matière de religion. Sans doute, il fera toujours profession de catholicisme, mais d'ores et déjà il appartient au groupe des partisans de l'Eglise nationale.

---

[1] Ed. H. Hauser, Paris, 1932, p. 8.

CHAPITRE II

Fauchet second Président à la Cour des Monnaies

Claude Fauchet second Président; difficultés élevées pour sa réception.
Personnel de la Cour; magistrats instruits. Lutte de la Cour pour
établir sa souveraineté. Edit de 1570. Lutte contre le Prévôt des
marchands et les échevins de la ville de Paris. Elle assiste aux
réunions, aux fêtes.
Fauchet pendant les années de la crise monétaire. Son discours à
l'assemblée de Saint-Germain-des-Prés en 1577.
Les « chevauchées » du Président en Normandie. Fauchet à Troyes en
1574. Les détails de cette commission sont confirmés par les
Mémoires de Claude Haton.
Les propriétés de Claude Fauchet et de sa femme. Leurs emprunts.

En 1568, Fauchet obtient des lettres de provision [1] pour
l'office de second Président en la Cour des Monnaies. On ignore
ce qui lui fit rechercher cette charge. Usa-t-il de l'influence
de ses parents? Ses amis s'efforcèrent-ils de parler de lui à la
Reine-mère et au jeune Roi? Ce que nous savons de précis,
c'est que le 2 octobre 1568 des lettres patentes qui louent les
« sens, suffisances, littérature, expérience au faict de judicature et preudhomye et bonne diligence de nostre amé et féal
maistre Claude Fauchet nostre conseiller au Chastelet de
Paris », lui donnent et « octroyent » l'office de second Président vacant pour le remboursement qui en a été fait à
Me Alexandre de la Torrette [2], et lui promettent les « droictz,
prouffictz et esmolumens accoustumez » [3]. En même temps elles

---

[1] Document n° XIV

[2] Alexandre de la Torrette avait obtenu par lettres du 22 juillet 1564 la
suppression et le remboursement de sa charge. Il n'a pas une bonne réputation
dans les annales de la Cour. Il paraît avoir eu des dettes. Il est cependant devenu
général subsidiaire en Bourgogne. V. Z 1B 374, 14 déc. 1571.
On trouve quelques détails sur sa vie dans la *Bibliothèque françoise* de
La Croix du Maine.

[3] Pour les privilèges de ces magistrats, v. l'édit. de 1551, Constans, *Traité
de la Cour des Monnoyes et de sa jurisdiction*, Preuves, pp. 59 et 87.
Ils sont exempts de certains droit. tailles, coutumes, péages, des impôts

ordonnent aux Généraux des Monnaies de recevoir le nouveau Président et de lui faire prêter le serment habituel. Les trésoriers de France et de « nostre espargne » sont invités à « payer, bailler et délivrer » les gages de la charge, mille livres par an « aux termes et en la manière accoustumée ».

La pièce qui suit les lettres de provisions est une quittance de la somme de 9.000 livres [1] « enregistrée aux registres du contrerolle des finances par ung contrerolleur général d'icelle », quittance en date du 21 novembre 1568 donnée à Me Claude Fauchet « pour l'office de second Président en la Court des Monoyes à Paris ».

Jusqu'à ce point tout s'était très bien passé et notre conseiller au Châtelet croyait qu'il allait prendre paisible possession de sa charge; car dès le mois de décembre ses amis viennent témoigner de sa bonne vie et mœurs. Mais Fauchet n'est pas le seul nouvel officier que la Cour devait accepter au même moment. Deux conseillers généraux, Claude Le Fèvre et Nicolas Roland ont également obtenu des lettres du Roi, et la Cour fait des objections. Plus on augmente le nombre des magistrats, plus on diminue la valeur des charges; et lorsque Fauchet écrit, le 23 décembre, aux « Messieurs tenans la Cour des Monnoyes », leur demandant d'entériner ses lettres, la Cour s'assemble, délibère, et cinq jours après décide de faire des remontrances au Roi sur les lettres de Fauchet. L'office de second Président avait été créé en 1551 et « par arrest de la Cour des Monnoyes et conformément à l'article XLI de l'ordonnance des Estats tenus à Orléans » cette charge est supprimée du moment que le Roi rembourse celui qui la possède, parce qu'il n'existe aucun édit autorisant la création d'un nou-

---

indirects, gabelle et droits d'aide. Ils ont chacun un setier de sel et une mine pour leur clerc.

Ils jouissent du droit de *committimus* et leurs causes sont soumises aux requêtes de l'Hôtel ou du Palais.

Ils bénéficient aussi de certains avantages honorifiques.

Quant aux gages, un président touche 1.000 livres, un conseiller 500 livres. Nous verrons que l'édit de 1571 leur donne une augmentation. Il faut noter qu'aux gages s'ajoutent les menus droits et nécessités, payés en nature, papier, jetons, plumes, bougies. V. par exemple, Z 1B 67, f. 31 r° : « Petits et menus droits des officiers de la Cour. Ung cent de getons de cuivre, une bourse de cuyr pour les mectre. Ung carton de plumes. Une rame de pappier. Une livre et demye de cire blanche en cierges pour la chandelleur. Trois livres de bougies au lieu du gasteau des Roys. Au lieu du banquet des rois trente sept solz, six deniers ou trois milliers boutons de rozes, et vingt cinq solz pour une escriptoire à pendre à la ceinture, garnie de deux canivetz et deux poinçons... »

Un autre droit appelé *denier fort* ou *pied fort* est perçu par ces magistrats à chaque changement de monnaie ou à l'avènement des rois. Il consiste en une pièce d'or ou d'argent marquée de la même impression que la monnaie, mais pesant le quadruple.

[1] Pour les prix des charges, on peut voir ce qu'en dit P. DE L'ESTOILE. *Mémoires-Journaux*, passim. V. par ex. t. 2, p. 165.

Der Müntzmeister.

In meiner Müntz schlag ich aericht/
Gute Müntz an kern vnd gewicht/
Gülden/Cron/Taler vnd Batzen/
Mit gutem preg / künstlich zu schatzen/
Halb Batzen/Creutzer vnd Weißpfennig/
Vnd gut alt Thurnis / aller mennig
Zu gut/in recht guter Landswerung/
Dardurch niemand geschicht gferung·

FIG. 3.

Atelier monétaire au XVIe *siècle.*

(Reproduction que nous devons à M. Adrien Blanchet,
membre de l'Institut.)

veau Président et que la Cour des Monnaies a résolu de réduire ses officiers « au nombre de l'établissement ancien ». En attendant, la Cour retient les lettres obtenues par Fauchet, et ses remontrances sont portées devant le Conseil du Roi. Naturellement, Fauchet ne se tient pas pour battu. Le 25 février, il écrit au Roi et au Conseil pour leur demander de l'aider à recouvrer ses lettres. A la date du 8 mars, une autre lettre du Roi explique que Charles IX, par son édit de décembre 1567, a voulu « remettre et rétablir tous estats et offices tant de judicature que de finance en tels nombre et estat qu'ils étaient du vivant du feu roi nostre très honoré sieur et père ». La Cour est bien obligée d'accepter cette déclaration du Roi, et le 19 mars, elle vérifie et entérine les lettres patentes de Fauchet, ordonnant qu'elles soient enregistrées, et qu'il soit informé « des vie, renommée, conversation catholique » du candidat à la charge.

Les témoignages en faveur du candidat constituent une mine de renseignements précieux sur sa vie antérieure dont nous avons déjà tiré parti [1]. Six prêtres de Saint-Germain-l'Auxerrois et un procureur au Parlement certifient la moralité de Fauchet. Le premier est Messire Jehan Toubel, qui a connu Fauchet et son beau-père. Me Richard Brocquet, prêtre paroissial de Saint-Germain-l'Auxerrois, connaissait Fauchet « au logis de feu son père demeurant à la place Maubert ». Me Antoine Saget connaissait Archambault de Morel et son fils Pierre. Il « a veu sur les fons de lad. église Saint-Germain baptiser les enffants dud. Fauchet par defunct Cochery, curé de lad. église ». Messire Lubin Duchemyn, et Messire Supplisse Houdier attestent que Fauchet assiste régulièrement à la messe et qu'il fait dire des messes pour lui-même. Tous les témoins disent que Fauchet n'a jamais été soupçonné pour le fait de la religion. Nous avons déjà parlé de Denis Revesye, le procureur qui avait autrefois été clerc de l'oncle de Fauchet, Pierre Belut.

Pendant quelques jours à partir du 19 mars, la Cour écoute les témoins qui viennent signer leurs dépositions. Ensuite le candidat est examiné au bureau « tant sur la loy, practique que exercice dudit estat ». Il fait profession de catholicité, et on lui fait prêter le serment de la Cour, qui datait de 1355 et avait été établi par Jean le Bon de ne conseiller jamais au Roi ni consentir à l'empirance de ses monnaies.

La date exacte de la réception du nouveau président est le 29 mars 1569.

---

[1] Les informations sont faites deux fois. Voir Document XIV.

Personnel de la Cour

La Cour comprenait en 1568 et années suivantes une quinzaine de magistrats, qui appartenaient pour la plupart à des familles parlementaires. Les deux premiers Présidents qui se succédèrent avant Claude Fauchet, Jean Le Lieur et François du Lyon [1] semblent avoir été des officiers consciencieux, le dernier continuant à s'intéresser aux affaires de la Cour même après avoir pris sa retraite. Le procureur du roi s'appelle Denis Godefroy — ce n'est pas le neveu de Fauchet mais le cousin de son plus célèbre homonyme. Il a toutefois publié, sur la fin de sa vie un petit opuscule sur les monnaies [2]. Parmi les Conseillers généraux mentionnons Hilaire Dam, qui eut « entrée, séance et voix délibérative » après avoir pris sa retraite, Thomas Turquam [3], éminent officier qui a laissé une publication sur les monnaies, François Garrault [4], qui a recueilli et publié un certain nombre d'opinions exprimées à l'assemblée de Saint-Germain-des-Prés en 1577 et qui écrivit lui-même quelques traités. Dans les archives de la Cour, il apparaît comme l'officier qui eut l'idée ingénieuse de faire renouveler, lors d'un voyage à Rome en 1582, la bulle du pape contre les rogneurs des monnaies et contre « ceux qui apportent aucune monnoie contrefaicte » [5]. Au moment du séjour forcé de la Cour à Tours en 1589, il fut investi en même temps que Guillaume Leclerc d'une commission spéciale pour siéger dans la Chambre des Comptes le jour où seraient traitées les affaires des monnaies. Les Favyer, Nicolas [6] et plus tard son

---

[1] François du Lyon devient premier président en 1571. F. du Lyon et H. Dam signent les mémoires présentés aux Etats de Blois en 1576. (B. N. fr. 18503.) Aux Etats de 1588, F. du Lyon est prêt à donner des conseils au jeune Gilles en l'absence de Fauchet.

[2] Advis presenté à la royne pour reduire les monnoyes à leur juste prix et valeur, empescher le surhaussement et empirance d'icelles, 1611.

[3] T. TURQUAM, Remonstrances faites au Parlement de Dijon, 10 septembre 1573, V. LA CROIX DU MAINE, Bibl. fr., t. 2, p. 436.

[4] F. GARRAULT, Recueil des principaux advis donnez ès assemblees faictes par le commandement du Roy, 1578; IDEM, Paradoxes sur le faict des monnoyes, 1578; IDEM, Traitté des finances de France, 1580 (V. CIMBER et DANJOU, Archives curieuses, t. 9, pp. 379-385).

[5] Arch. Nat. Z 1B 72, f. 90
Ici, nous avons choisi les plus éminents officiers de la Cour pendant les années où Fauchet en faisait partie. En 1581 elle comprend vingt magistrats.

[6] Sur Nicolas Favyer, v. H. HAUSER, Sources de l'Histoire de France, XVIe siècle, n° 2169. Favyer a publié Figure et exposition des pourtraicts et dictions contenuz es medailles de la conspiration des rebelles, Lyon, 1573.

frère Jean, Nicolas Roland, Nicolas Coquerel [1], Germain Longuet, Jean de Riberolles, Jacques Colas [2], sont des personnages
nullement négligeables, et nous ne devons pas laisser de côté
Claude de Montperlier qui, chargé de diverses commissions importantes, envoya à la Cour un procès-verbal presque aussi
étendu que tout ce qu'a écrit Thomas Turquam.

Certes, la Cour comprenait des hommes de moindre
valeur, mais c'étaient des officiers de robe courte dont l'influence était minime.

La Cour siégeait dans l'enceinte du Palais, au-dessus de la
Chambre des Comptes, où elle occupait plusieurs pièces, une
antichambre servant de parquet aux huissiers, une chambre
pour la Cour, une pour le bureau, une autre pour faire les
essais, un greffe et un chartier [3].

Quant au règlement intérieur, nous apprenons par l'édit
de 1554 que les séances ordinaires ont lieu le matin de 8 h. à
10 h. et si les affaires ne sont pas expédiées le matin, de 2 h. à
4 h. ou de 3 h. à 5 h. suivant la saison. Les magistrats entendent la messe dite par le chapelain et entrent en habits de
magistrats. Le greffier tient un registre qui est signé par tous,
à commencer par le premier Président. Tous les Présidents,
Conseillers, le Procureur et l'Avocat du Roi doivent être présents, ou ils sont privés du droit d'épices échéant le jour de
leur absence. Il y a vacation les jours fériés et depuis la Saint-
Simon-Saint-Jude jusqu'au lendemain de la Saint-Martin. Les
Conseillers se placent dans l'ordre de leur réception, et chacun
opine à son rang. C'est le Président qui lève la séance, et il
est reconduit par les huissiers de service.

Les différentes tâches de la Cour sont distribuées par le
premier Président entre les Conseillers. Les gens du Roi se
chargent au greffe des affaires qui leur sont communiquées, et
interviennent pour faire garder les ordonnances royales. Les
arrêts en feuilles signées et paraphées par un Président et un
Conseiller à l'issue des jugements sont recueillis par le greffier
qui veille à leur enregistrement en plusieurs registres [4].

---

[1] Coquerel a publié plusieurs mémoires sur les monnaies en 1608. V. par
exemple *Discours de la perte que les Français reçoivent en la permission d'exposer
les monnoyes estrangeres; Veritable rapport des conferences tenues à Paris et
Fontainebleau pour remedier aux desordres des monnoyes* (1610), etc.
[2] Mémoires de Jacques Colas, v. B. N. fr. 18503.
[3] Inventaire du 7 août 1776 fait pour un nouveau logement à la suite de
l'incendie du Palais, Arch. Nat. Z 1B 123.
[4] Pour donner une idée des fonctions des officiers de la Cour des Monnaies,
nous renvoyons à notre livre des Documents, n⁰ˢ XIV à XXI.

Les occupations de la Cour des Monnaies

Malgré toutes les convulsions de la France en proie à la guerre civile, la Cour des Monnaies fonctionne normalement jusqu'à la journées des Barricades. Mais la crise de vie chère, la hausse de l'écu se font sentir dans les discussions de la Cour.

Cette Cour des Monnaies n'avait pas atteint sa majorité comme cour souveraine lorsque Claude Fauchet en devint Président, et pendant toute la période de sa présidence, elle eut à lutter contre les empiétements d'autres cours. Les Parlements provinciaux s'indignaient en voyant partir pour Paris des procès qui pouvaient être lucratifs; certaines provinces comme la Bourgogne, le Dauphiné, le Languedoc prétendaient que c'était contre les privilèges de leurs pays, que les habitants ne pouvaient pas être « tirés hors » de leurs provinces, et leurs Etats envoyèrent des députés à Paris pour faire des remontrances. Même la jalousie du Parlement de Paris avait été excitée par la souveraineté de la Cour des Monnaies. On s'étonne de voir Fauchet et sa compagnie si prompts à prendre la défense de leurs droits en face de la ville de Paris, en face de la Chambre des Comptes à Tours, plus tard, mais on leur pardonne quand on réfléchit que l'existence même de la Cour des Monnaies était en jeu.

L'édit de 1551 [1] établissant la souveraineté des Monnaies n'avait été ratifié par le Parlement qu'après plusieurs lettres de jussion. En 1558, le Roi permet au Parlement de « recevoir les appellations qui seroient interjetées des jugements donnés en nostre dite Cour des Monnoies en matière criminelle. » En 1570, Charles IX confirme l'édit de souveraineté. La nouvelle ordonnance débute en annonçant que la Cour des Monnaies pourra « cognoistre, juger et décider souverainement par arrest en dernier ressort et sans appel en tous cas et matières tant criminelles que civiles dont la cognoissance luy appartient. »

Mais la raison d'être de l'édit de 1570 est autre. La quantité de monnaies étrangères dans le royaume avait augmenté dans de formidables proportions. Le désordre régnait à cause de la diversité des espèces, et le Conseil du Roi voulait prendre des mesures contre les abus par la création de deux nouveaux

---

[1] V. pour les édits A. FONTANON, *Les esdicts et ordonnances des roys de France depuis S. Loys*, Paris, J. Du Puys, 1585; G. CONSTANS, *op. cit., Preuves.*

Présidents et de cinq nouveaux Conseillers. Les vacations allaient être supprimées, les magistrats seraient divisés en deux services alternatifs, la moitié étant en fonction pendant un an et l'autre l'année suivante. Les gages de tous les membres de la Cour seraient augmentés. Les fonctions des Commissaires-députés sont définies. Ils doivent d'abord veiller à ce que le droit de seigneuriage soit régulièrement acquitté par les maîtres des ateliers monétaires. Ils doivent contraindre les affineurs et les changeurs à livrer à la plus proche monnaie toutes les matières d'or, d'argent et de billon qu'ils achètent. Ils obligeront les orfèvres à observer les ordonnances relatives à leur métier, et à faire leurs travaux « de bon or et de bon argent ». Ils auront également l'œil sur les mines. L'édit leur enjoint ensuite « très expressément » de faire respecter les ordonnances « sur le cours et prix des monnoies » afin que les espèces décriées ne soient pas acceptées. Ils doivent rechercher les faux monnayeurs. Dans les procès criminels, les commissaires appelleront près d'eux les juges royaux, et dans les autres « crimes plus légers », ils pourront juger « déffinitivement ». Les Commissaires devront ordonner les réparations nécessaires dans les ateliers monétaires, faire les baux à ferme des maîtrises des monnaies.

Cet édit est ratifié par le Parlement au mois de janvier 1571, mais l'édit de 1558 reste en vigueur en ce qui concerne la juridiction de la Cour des Monnaies en matières criminelles. La Chambre des Comptes le ratifie deux mois plus tard.

Quant aux Conseillers des Monnaies eux-mêmes, ils n'en sont qu'à moitié satisfaits. Ils présentent des remontrances au Roi en décembre 1571, lui rappelant que le Parlement avait révoqué la souveraineté de la Cour en matière criminelle et suppliant Sa Majesté de ne pas augmenter leur nombre. « Quinze généraulx et deux présidens est nombre plus que suffizant tant pour expédier les affaires... que faire les chevauchées et visitations accoustumées. » Si cependant Sa Majesté veut créer de nouveaux officiers, qu'il permette à la Cour de prendre cinquante livres tournois par an pour le jugement des boîtes de chaque Monnaie, et « taxes et espices modérées ». La Cour demande ensuite juridiction privative contre les accusés du crime de fausse monnaie à Paris et ses alentours. Quant à l'augmentation des gages, ils demandent que le Roi les excuse; ils se contenteront, disent-ils, de leurs anciens gages [1].

L'augmentation des gages n'était évidemment qu'un

---

[1] Arch. Nat. Z 1B 67, f. 116.

prétexte trouvé par la royauté pour se procurer de l'argent. Avant d'avoir l'augmentation de deux cents livres tournois par an, chaque membre de la Cour devait verser la somme de quinze mille livres tournois aux mains du Trésorier des finances. La Cour commence par faire la sourde oreille, car cette contestation ne sera terminée que beaucoup plus tard, en 1576. Les membres de la Cour qui apppartiennent à « l'ancienne création » présentent une requête au Conseil privé dans laquelle ils offrent « pour subvenir aux affaires dud. sieur luy faire prest jusques à dix mille livres tournois en leur baillant assignation pour le remboursement d'icelle dedans ung an sur son espargne ou sur les receptes générales de Paris au Rouen ». Le Conseil demande treize mille livres, et promet que les Généraux seront remboursés « des deniers provenans des prouffictz et esmolumens desd. monnoies » [1]. Un extrait du registre de la Chambre des Comptes nous informe que les membres de la Cour ont tous payé la somme requise. Etrange augmentation, en effet!

Une partie très importante de l'édit, c'est-à-dire celle qui se rapporte à la division du service, n'a pas été exécutée. Nous lisons que « ayant esgard que led. esdict ne peult estre à présent exécuté pour le regard des chevaulchées y mentionnées au moyen des troubles qui sont en plusieurs provinces et qu'il n'y a fonds suffisans », la Cour a ordonné « que led. département ne sera faict quant à présent ains que lesd. présidens et conseillers feront séance continuelle en lad. court comme ilz ont faict cy-devant ». Les congés pourront être prolongés, « et ne sera donné congé plus qu'à dix à la foys ne pour moindre tems que de quinze jours » [2].

La Cour des Monnaies avait à soutenir des luttes continuelles contre le Prévôt des marchands et les Echevins de la Ville de Paris à l'occasion des cérémonies publiques. La Cour était invitée aux cérémonies par le Grand Maître des cérémo-

---

[1] Arch. Nat. Z 1B 70, f. 100.

[2] G. Constans rappelle d'autres déclarations royales sur la souveraineté des Monnaies que nous pouvons citer en quelques lignes. (V. *op. cit.*, *Preuves*.) « 7 juillet 1574 : Arrest du Conseil faisant defenses à tous les officiers de la chancellerie de signer ny sceller aucuns reliefs d'appel, ny lettres contraires aux Edits de souveraineté de la Cour. Dernier juillet 1577 : Lettres patentes d'attribution de juridiction à la cour des monnoyes pour faire et parfaire le proces aux prevenus de fausse monnoie estans au ressort du Parlement de Paris. »

« 9 juin 1593 : Lettres patentes portant defenses au Parlement de Normandie et autres Parlemens de prendre connoissance de la fabrication des monnoyes, jugemens des boestes et attribution d'icelle en la seule cour des monnoies. »

« 15 decembre 1594 : Lettres patentes portant attribution de jurisdiction privative à la cour des monnoyes et à ses deputez sur les maistres, officiers et fabrication des monnoyes, et defenses à tous lieutenans du Roy, cours de Parlemens, Chambre des Comptes et tresoriers de France d'en prendre connoissance. »

nies en personne qui venait lire les lettres d'invitation sous forme de lettres de cachet. Les officiers devaient se rendre au lieu désigné en habits de magistrats.

Pendant la période qui nous occupe, il y eut plusieurs cérémonies. On sait que Charles IX épousa le 20 novembre 1570 Elisabeth d'Autriche. Le couple royal et sa suite alla passer l'hiver à Villers-Cotterets et ne fut de retour que le 6 mars 1571. Ce jour-là le Roi et la Reine « firent une joyeuse et triumphante entrée en sa bonne ville et cité de Paris » [1] à laquelle la Cour des Monnaies assiste, « les deux présidens portans robbes longues de satin noir, et lesd. généraux de damars ou taffetas noir. Partie desquels de robbe longue et le reste de robbe courte, accompaignez des principaux officiers de la Monnoie et changeurs de lad. ville ». Dans ce cortège, la Cour des Monnaies avait pris rang après les Conseillers du Châtelet, quoiqu'elle eût droit à un rang supérieur.

Le lendemain, 7 mars, on alla à Saint-Denis « pour remettre les corps saints ». La Cour des Monnaies [2] allait prendre rang immédiatement après le Parlement, la Chambre des Comptes et la Cour des Aides, mais « l'entreprise » de la Cour des Monnaies était trop audacieuse pour le corps de la ville qui envoya son procureur, Me Claude Perrot (parent du reste de Claude Fauchet) faire des remontrances. La Cour tint bon. On appela le sieur de Chemant, Grand-Maître des cérémonies qui alla en parler au Roi, lequel ordonna que le corps de la ville allât devant la Cour des Monnaies.

Aujourd'hui nous avons de la peine à comprendre l'importance qu'on attachait autrefois à ces questions de préséance, mais dans cette circonstance, la Cour des Monnaies avait raison. En 1557, Henri II avait réglé les rangs des diverses compagnies. Auparavant, les membres de la Chambre des Monnaies étaient mêlés à ceux de la Chambre des Comptes et le restèrent même après leur séparation [3]. A partir de 1557, la Cour des Monnaies devrait prendre place immédiatement après le Parlement, la Chambre des Comptes et la Cour des Aides. Devaient venir ensuite le Prévôt de Paris et les officiers du Châtelet, le Prévôt de Marchands, les Echevins et officiers du corps de la ville. Malgré ce règlement, des conflits de préséance se produisirent, comme nous venons de le voir, et

---

[1] V. *Bref et sommaire recueil de ce qui a esté faict et de l'ordre tenu à la joyeuse et triumphante entrée...* A Paris, de l'imprimerie de Denis du Pré... 1572.
[2] *Registre des Délibérations du Bureau de la Ville*, t. 6, p. 291.
[3] La Chambre des Comptes et la Chambre des Monnaies avaient autrefois formé un seul corps.

en 1575, le jour de l'entrée du roi de Pologne à Paris, il fut interdit à la Cour des Monnaies d'y assister de peur d'un scandale public.

Ces cortèges furent très fréquents pendant tout le xvi⁰ siècle. Le registre des ordonnances de la Cour des Monnaies contient les procès-verbaux de deux processions qui eurent lieu, l'une le 7 septembre 1569 [1] à l'église des Augustins « pour prier Dieu pour le repos de ce royaume... à laquelle ont assisté Monsieur le Lieur, premier président, Fauchet, second président... », l'autre le 15 septembre 1569 à l'église Saint-Martin « partant de la Sainte Chappelle du Pallais pour prier Dieu pour le repos publicq et estat du royaume ». Les membres du cortège « sont passez par la salle des Mirouers, descendus par les grandz degrés du Pallais, passez par sur le Pont au Change et gaigne la rue Sainct Martin ». « A esté célébré une grande messe », à laquelle ont assisté les deux Présidents et tous les Conseillers « et grant nombre des monnoyeurs ».

La Cour assista également, en août 1572, « aux cérémonies pompes et resjouissances publiques » données a l'occasion du mariage de Henri de Navarre et de Marguerite de Valois. Le menu du banquet a été conservé dans les archives de la Cour [2] et on peut voir que toutes les cours souveraines furent magnifiquement traitées au souper royal qui eut lieu dans la grande salle du Palais.

La Cour fut présente aussi aux fêtes somptueuses données en août 1573 en l'honneur des ambassadeurs polonais venus en France chercher leur nouveau roi. Fauchet rappelle cet événement dans ses *Origines* : « Me souvient que la ville de Paris fit par le commandement du feu roi Charles pour l'eslection de Henry duc d'Anjou à roy de Pologne, l'on fit les armoiries de Pologne de blanc et noir, par faute d'en sçavoir les blasons et couleurs. »

Le 3 juillet 1574 les officiers des Monnaies allèrent à Vincennes saluer « le corps mort du Roy qui estoit en effigie en son lit d'honneur ». A ce moment-là, Fauchet était à Troyes.

La présence de la Cour fut nécessaire aux funérailles du duc d'Anjou [3] au mois de juin 1584.

---

[1] Arch. Nat. Z 1B 67, f. 53.
[2] Arch. Nat. Z 1B 607, le 18 août 1572.
[3] V. Document n° XXXV, où nous reproduisons le menu du banquet qui fut offert aux officiers.

L'Assemblée de Saint-Germain-des-Prés

Les Commissions de Claude Fauchet

Pendant les années que Fauchet reste à la Cour des Monnaies, sa situation éminente l'oblige à prendre une part importante à toutes les activités de cette Cour. Il est souvent désigné pour porter les remontrances au Roi sur des questions touchant les monnaies et l'organisation de la juridiction [1]. Il est en partie responsable pour toutes les mesures prises par la Cour afin de lutter contre la crise monétaire et faire respecter les édits [2]. Selon un manuscrit de la Bibliothèque nationale [3], il a mis par écrit ses pensées sur la principale question débattue à l'Assemblée de Saint-Germain-des-Prés en 1577, savoir si on allait

---

[1] 1569 : remontrances sur la destitution des officiers protestants et la refonte à l'étranger de monnaies françaises converties en espèces étrangères, Arch. Nat. Z 1B 65, 311 v°, et Z 1B 67, 52.

Pour la période 1581-1599, mentionnons :

Les remontrances sur le logement assigné dans les Hôtels des Monnaies aux titulaires des offices héréditaires nouvellement créés, 1581, G. Constans, *Preuves*, p. 317;

Les monnaies du roi de Navarre, 1582, Z 1B 71, 201 v°;

Les liards contrefaits fabriqués en Piémont, 1583, Z 1B 72, 34;

Les monnaies rognées, etc. Z 1B 72, 21 et 41.

Le rétablissement de la Monnaie de Marseille, 1586, Z 1B 72, 159 v°;

Une provision pour l'exercice en robe courte d'un office de robe longue, Z 1B 72, 242 v°. Voir plus loin;

La création de six nouveaux offices de conseillers, 1588, Z 1B 72, 254 v°.

[2] Pour cette période les édits sur les monnaies sont très nombreux (voir Fontanon, *op. cit.*). Ils ont tous plus ou moins le même caractère. Ils interdisent le cours de certaines espèces étrangères, ils en permettent d'autres, ils fixent la valeur des pièces rognées et ils arrêtent celle de l'écu par rapport au sol. La Cour des Monnaies joue un rôle prépondérant dans la rédaction, la modification et l'exécution des édits. Si la royauté contrevient ses propres édits par des permissions spéciales, la Cour des Monnaies est prête à faire des remontrances. Elle se dresse comme la conscience du royaume, conseillant une monnaie forte et droite.

L'édit de 1577, qui ordonnait de compter par écus suivait pas à pas les mémoires dressés par la Cour des Monnaies et présentés aux Etats de Blois en 1576. La Cour conseille de mettre l'écu à 60 sols, de décrier toutes les espèces d'or et d'argent étrangères et de compter par écus et non par livres. Les mémoires se retrouvent non seulement dans les archives de la Cour des Monnaies, Arch. Nat. Z 1B 70, 132 r°, mais aussi à la B. N. ms. fr. 18503, f. 69. Notons ici que la Cour des Monnaies n'a pas précisément conseillé de ramener l'écu à 50 sols en 1576, comme on l'a affirmé. Voici les paroles exactes des mémoires présentés par F. du Lyon et M. Dam : « Et combien que vostre dicte cour soit d'advis ramener vostre escu à 50 sols, (qui est le prix qu'il valloit auparavant les troubles) lorsque l'estat de voz affaires et commodité de vos subjects le pourroit porter, ayans trouvé bien raisonnable que la paix qu'il pleu à Dieu nous donner ramène à son entier les desordres et mauvais mesnaiges advenuz par le moien desdictes troubles, neantmoings elle a jugé meilleur, (soubs vostre bon plaisir) arrester pour le present le prix dudict escu par provision et tollerance à 60 solz, suivant vostre ordonnance derniere, attendant la reduction dudict escu si bas quand commodement elle pourra estre faicte. » L'écu à 50 sols, c'est un pieux souhait. Voir Paul Harsin, *Les Doctrines monétaires et financières en France*, Paris, 1928, p. 47. Sur la crise monétaire, voir H. Hauser, édit. *Response de Jean Bodin à M. de Malestroict*, Paris, 1932, *Préface*.

[3] Document n° XXXI.

compter par écus ou par livres. François Garrault [1] n'est pas
le seul à avoir une opinion personnelle, bien qu'il ait publié
plusieurs brochures sur la question.

Garrault [2] soutenait que le rapport entre l'or et l'argent
n'avait point varié depuis cent ans, étant approximativement
dans la proportion de 11 1/2 et 12 à 1. Il arrivait à cette conclusion : « Par ces exemples et familières démonstrations on
voit clairement que ne faut considérer le nombre des livres
qui interviennent es ventes et achapts, mais la qualité et la
quantité des espèces ». Il croyait comme M. de Malestroict [3],
que la diminution de la valeur réelle de la monnaie de compte
était la seule cause de la cherté, et il préconise comme remède
l'abandon de la monnaie de compte et le recours exclusif à la
monnaie métallique : « Pour pourvoir au surhaussement des
monnoyes et revenir à la forte il est expédient compter par
escuz et diminutions par parties correspondantes, et oster le
compte à sols et livres qui est imaginaire. »

Le discours de Fauchet montre qu'il a des idées aussi nettes
que ses collègues sur les bienfaits de la stabilisation. Il attire
l'attention sur les résultats néfastes des guerres civiles et il
est aussi éclairé que Garrault sur le fait que seules certaines
classes souffrent de la dépréciation de la monnaie de compte.
Il sait bien aussi que le rapport entre l'or et l'argent n'a pas
beaucoup varié, mais il n'entre pas dans les détails comme son
collègue. Somme toute, son discours est celui d'un bon fonctionnaire des finances.

L'opinion qui ralliait la majorité des suffrages, celle qui
entendait maintenir le nom de livres tournois et, pour éviter la
confusion, frapper des livres réelles, ne fut pas suivie par le
Roi. La victoire alla aux techniciens de la Cour des Monnaies [4].

---

[1] Voir p. 34.

[2] L'opinion de Garrault se trouve dans ses *Paradoxes* (1578).

[3] Voir la *Response de Jean Bodin à M. de Malestroict*.

[4] V. P. Harsin, *op cit.*, p. 47; F. Garrault, *Recueil des principaux advis
donnez es assemblées faictes par le commandement du roi.*

Pour la répercussion de l'édit sur le peuple, v. P. de l'Estoile : « Septembre 1577 : en ce mois de septembre, les escus sols, nonobstant l'ordonnance du
roy, se mettoient à Paris pour 4 livres 5 sols : le teston pour 22 sols. A Orléans
et autres villes du roiaume, l'escu se mettoit pour cinq et six livres, et le teston
pour 30 et 35 sols : et ce, à cause du peu d'argent et d'or qu'on disoit qu'il y
avoit en France mais principalement à cause de la disette de la monnoie dont on
ne pouvoit recouvrir en façon que ce fût. »

V. aussi E. Henry et C. Loriquet, *Journal ou Mémoires de Jean Pussot*,
Reims, 1858, p. 14 : « Et tost après le premier jour de l'an 1578, (les monnoyes)
furent décriées : de sorte que l'escu vallant C solz fut mis à LX, le teston
vallent XXVII solz fut mis à son tau de XX solz : les ducats poulonnois, hongris
et tous autres qui estoient à VI 1. pièce furent mis à LXII solz : la philippedalle
qui estoit à IV livres V solz fut mise à XLV et ainsi les autres espèces. Et
portoit l'ordonnance qu'il falloit sommer, priser, esvaluer toutes sommes par

Le zèle de la Cour des Monnaies se déploya dans une autre direction. Malgré les guerres civiles, de nombreuses « chevauchées » [1] sont faites par les conseillers.

Les commissions de Claude Fauchet doivent nous retenir particulièrement. Le 3 mars 1570, celui-ci et Olivier Aymery, un des conseillers de la Cour reçoivent des lettres patentes du Roi [2] et, le 15 juin, une commission spéciale de la Cour « pour faire des rapports sur les pièces de billon ayant cours es pais de Champaigne et Bourgoigne ». Les deux officiers devaient porter au Conseil l'avis de la Cour sur les « moyens de chasser » ces pièces qui circulaient dans les provinces avoisinant les pays de domination espagnole.

Les deux magistrats quittèrent Paris le 21 juin. Ils arrivèrent à Gaillon et nous possédons une lettre expédiée par eux à leurs « frères » de la Cour [3].

Nous voyons par cette lettre que les deux magistrats s'attendaient à aller à Rouen et, deux jours plus tard, ils reçoivent une autre commission du Roi leur enjoignant de se rendre dans cette ville. Ils « expédiaient » sans doute le bail de la Monnaie rouennaise, mais le principal objet de leur visite paraît avoir été l'interrogatoire des officiers qui avaient « naguère » recueilli les réponses de plusieurs personnes « qui auroient esté executez à mort pour le crime de faulse monnoie » [4]. Les deux magistrats devaient voir et faire des extraits des procédures criminelles. Ces affaires terminées, ils retournèrent au Conseil qui siégeait alors à Saint-Germain-en-Laye. Ils déposèrent leur rapport et furent de retour à Paris le 1er août. Toute la Cour fut alors commise pour rechercher diligemment tous les complices des condamnés.

Une commission de cette sorte ne pouvait être vue d'un bon œil par le Parlement de Paris, qui considérait tous les procès criminels et particulièrement ceux de Paris même, comme étant de son ressort. Evidemment, il arrivait parfois à la Cour des Monnaies d'avoir des attributions véritablement souveraines.

Le succès de la commission dont avaient été chargés Fauchet et Aymery en 1570 décida le Roi à les envoyer, en avril

---

escus, demy escus, quart d'escus, tiers et emblable, avec quelques solz comme il pouvoit rester de quelque somme que ce fût. »
[1] Dans les remontrances présentées aux Etats de Blois en 1588 (Z 1B 72, f. 267 r°) la Cour des Monnaies note qu'elle a cessé depuis dix ans de faire ses chevauchées. Les visites n'ont pas entièrement cessé, mais elles ont été moins nombreuses pendant cette période.
[2] Sur les commissions de Fauchet à Rouen. V. Documents n°s XXII à XXV.
[3] Document n° XXII.
[4] Document n° XXIII.

1571, avec Thomas Turquam, « pour faire garder l'esdit et aultres ordonnances et reiglements concernans le faict des monnoies ». Comme les commissaires de l'année précédente, la nouvelle commission devait se transporter à Rouen et on leur donna plein pouvoir de juger sur les lieux tous les procès qu'ils instruiraient. Lorsque les lettres patentes furent apportées à la Cour, celle-ci refusa de les entériner [1]. Les commissions n'avaient pas été délibérées en plein bureau; elles étaient contraires au nouvel édit qui comportait la division du service. Les mêmes officiers avaient été désignés deux années de suite, et pour aller dans le même pays. Et ils devaient juger « sur les lieux », — ce qui était « directement contre les ordonnances tant anciennes que modernes ». D'ailleurs le désordre dans le pays rouennais n'était pas si grand que celui qui était en Bourgogne. Somme toute, « la majesté dud. sieur » avait été « circonvenue » en décernant les commissions, et au lieu de les enregistrer, la Cour commet le premier Président, Jean Le Lieur, et deux Conseillers Hilaire Dam et Claude de Montperlier pour aller supplier le Roi de les révoquer. Outre ces remontrances que nous venons d'exposer, nous possédons la réponse du Conseil privé. Les commissions devaient « sortir leur effect » mais sans préjudicier « aux ordonnances cy-devant faictes » sur les monnaies et sur les chevauchées [2].

Les commissaires partirent probablement dans les premiers jours de juin [3] pour se rendre aux pays « de leurs départements » et Fauchet fut absent de Paris tout l'été. Une lettre écrite sur du papier aujourd'hui fané et déchiré ayant les bords en lambeaux, est envoyée par lui de Rouen le 31 juillet. Il semble avoir fait « des visitations sus » les orfèvres, instruit des procès, assisté des « conseillers du lieu ». Il est longuement question dans cette lettre du nombre de carats dans les ouvrages des marchands, des règlements que ces derniers ignoraient, d'une demande faite par le Président à ses confrères de lui envoyer une copie du règlement « collationné à l'original » [4].

Il est évident, d'après cette lettre, que Fauchet n'est pas resté à Rouen pendant toute la durée de sa commission, mais les renseignements à ce sujet nous font complètement défaut.

---

[1] Document n° XXVI.
[2] Document n° XXVII.
[3] Fauchet ne signe pas les registres de présence après le 2 juin (Z 1B 191).
[4] Z 1B 641.

La troisième commission de Fauchet a lieu deux années plus tard. Au courant de l'été 1573, le Roi l'envoie à Troyes, et il est déjà dans cette ville lorsque la Cour des Monnaies se rassemble à la Saint-Martin [1].

La commission lui est adressée « pour le descry des espèces de billon étranger qui s'exposent es pays de Champaigne et Brye ». Il devait faire exécuter les ordonnances, et le décri en question devait entrer en vigueur à partir du 16 janvier 1574, et pour la commodité du peuple qui devait changer l'argent décrié contre de bonnes espèces, des bureaux spéciaux « garnis de fonds » furent établis à Troyes, à Châlons, à Reims, à Sens et à Provins. Toute une organisation spéciale devait commencer à fonctionner [2]. Les maires et échevins sont sommés de nommer des personnes notables qui recevront des fonds des receveurs généraux pour pouvoir ensuite payer « les espèces décriées en monnaie royale ». Une fois les espèces décriées recueillies dans les bureaux, les personnes notables devaient les porter à la Monnaie de Troyes « sans faire aucun triage » et lorsque les espèces décriées auront été converties en bonnes espèces sonnantes, ces personnages les rendront le 8 avril aux receveurs généraux. Des certificats mentionnant la tare trouvée à la fonte seront fournis par le commissaire et les gardes.

Le 2 décembre, le maître particulier de la Monnaie de Troyes, Jean Du Rieu, reçoit des lettres patentes au nom du Roi lui ordonnant de fournir les sommes nécessaires pour l'exécution de la commission et indiquant que tout l'argent qu'il dépensera lui sera « alloué et couché en ses estats de l'année 1574 » [3]. Les dépenses du maître nous donnent des renseignements sur le travail du commissaire-député qui, lui, signe les mandements. Voici ce que nous apprenons par les comptes. Les ordonnances sur le décri sont publiées à Troyes. Certaines personnes font le voyage « es ville de Champaigne et aultres lieulx pour faire establir les bureaulx ordonnés par le roy pour l'exécution dud. descry ». Le commissaire demande au maître de la Monnaie dix-sept livres dix deniers tournois en espèces décriées pour les envoyer à la Cour des Monnaies qui, à son tour, en fait l'essai. Au mois de juin, Fauchet expédie un messager, un certain Pierre Bourguignon, au Roi et au Conseil privé pour remettre un rapport sur le progrès de son travail.

---

[1] Document n° XXVIII.

[2] *Ibid.* Déjà en 1564 un édit avait décrié ce billon mais les édits existaient sans être appliqués. Il y a plusieurs allusions à ce billon étranger. V. Z 1B 69. f. 42 v°.

[3] Document n° XXIX.
Le début de la requête de Jehan du Rieu donne un résumé de ses dépenses.

Le greffier du Président fait toute une série « d'exploits ». L'Hôtel des Monnaies est réparé, des outils neufs sont acquis, mais le maître a toutes sortes de déboires avec les ouvriers et les monnayeurs. D'abord les ouvriers veulent garder pour eux les déchets de leur travail, mais du Rieu, dans un procès que Fauchet expédie pour être jugé à la Cour des Monnaies, obtient un arrêt le 20 février 1574 contre ses ouvriers.

Ensuite du Rieu a un autre procès avec certains ouvriers, procès qui n'est terminé qu'en 1578 [1].

Le tableau évoqué par ce procès nous fait connaître l'organisation compliquée qu'exigeait l'œuvre de la commission. Le 10 mars 1574 la Cour enjoint au prévôt des ouvriers et monnayeurs de Paris de faire assembler six compagnons ouvriers et quatre monnayeurs « pour aller en la monnoie de Troyes pour le service du roi et du public ». Les ouvriers choisis devaient partir dans huit jours et « à chacun serait baillé par advance la somme de huit livres tournois par led. du Rieu » … laquelle somme lui serait remboursée. Mais du Rieu n'était pas à Paris, et les ouvriers s'adressèrent « à mondict sieur le président Fauchet », qui leur donna permission de prendre cet argent chez « sire Joseph Monnot, comme amy dud. sieur ». Le mandement de Fauchet signifie que la somme donnée par Monnot lui sera remboursée par du Rieu. Monnot leur donne la somme nécessaire, qu'ils emploient, paraît-il pour « la voiture de leurs ustensiles et outils qu'ils ont fait venir ». Ils se transportent à la ville de Troyes, et comme une des fournaises n'est pas encore prête [2] et que les ouvriers doivent vivre en attendant, d'autres sommes leur sont « baillées » par le maître de la Monnaie et cela à plusieurs reprises, le tout montant à 80 livres 10 sols tournois. La Cour cependant ne veut rien accorder à du Rieu pour cette somme qu'il avait déboursée et elle ordonne « que les mandements et quittances en vertu desquels il a payé icelle somme lui seroient rendus et exécutoires à lui délivré pour recouvrer icelle somme desd. défendans et opposans », c'est-à-dire des ouvriers. Du Rieu essaie vainement de se faire rembourser par les ouvriers, et il veut même faire saisir « certains bien meubles » qui leur appartiennent. Après plusieurs remises de l'affaire par la Cour, celle-ci décide [2] enfin que du Rieu devra se faire payer par son successeur à la Monnaie de Troyes [3].

---

[1] Z IB 435, Z IB 16, 17.
[2] *Ibid.* « La somme de six livres tournoys pour deux jours qu'ilz ont séjourné en lad. ville, attendans que la fournaze fust acheve. »
[3] V. Arch. Nat. Z IB 435, et Z IB 17.

On aimerait à savoir plus précisément qui a tort ou qui a raison dans cette affaire. La Cour dut céder aux ouvriers, et comme du Rieu affirme que l'argent qu'il avait déboursé et tout le travail qu'il avait exécuté « avoient été faict par ordonnance de lad. Cour pour le service du roy et du public, comme par motz exprès est porté par les arrestz d'icelle » le tribunal ne pouvait lui demander de payer. Les dépenses évidemment étaient élevées, — du Rieu demande pour toutes des dépenses 952 livres tournois — et, sans doute, l'arrêt de la Cour était le seul possible dans ces circonstances.

Nous avons la bonne fortune de pouvoir reconstituer par les mémoires de Claude Haton [1], pauvre curé de village, l'effet du décri sur les habitants de Troyes et des environs. Ces mémoires nous permettent également de contrôler l'exactitude des documents de la Cour des Monnaies.

Il nous dit qu'au mois de février 1574, les monnaies des « pays étranges » furent décriées, et que certains marchands furent nommés commissaires pour changer l'argent. C'étaient les pauvres qui obéissaient à l'édit, mais les riches qui avaient aussi de l'argent français, ne changeaient pas leurs pièces étrangères, mais les donnaient aux marchands qui trafiquaient avec l'étranger. L'édit ne fut gardé que six semaines, et l'on recommença de plus bel à faire circuler les pièces défendues.

Claude Haton fait une description assez sombre de l'effet de la commission de Fauchet, et l'édit du 28 septembre 1577, venant à parler des commissions spéciales laisse une même impression de futilité [2], et indique que le gouvernement a gardé le souvenir de frais énormes et de résultats infimes. Pourtant certains Généraux des Monnaies, envisageant vers la fin du siècle toute cette période, semblent constater une amélioration après 1577 [3]. Evidemment le mal était trop profond et trop répandu pour être déraciné par une commission de

---

[1] C. HATON, *Mémoires. Collection des Documents inédits sur l'Histoire de France*, 1857, t. 2, p. 748. Voir livre des documents, n° XXX.

[2] Edit du 28 septembre 1577, parlant des édits précédents sur le décri du billon étranger, « pour l'exécution desquels édits nous aurions par plusieurs fois envoyé à grands frais nos commissaires esdites provinces (Bourgogne, Champagne et Brye) qui en estoient les plus chargées : lesquelles néanmoins quelque diligence et labeur qu'ils y aient employé, ne nous auroient pu faire obéir en chose si sainte, bonne et profitable ».

[3] V. le discours que Claude Fauchet a prononcé à Saint-Germain-des-Prés Document XXXI. Fauchet remarque dans une note ajoutée plus tard que le cours de l'écu était si incertain que nul ne savait ce qu'il avait « vaillant ».

Les remontrances que la Cour des Monnaies présente au Roi en 1584 à Saint-Germain-en-Laye (Z 1B 72) parlent de « la confusion de laquelle nous sortîmes l'an 1577 ». V. plus loin.

durée limitée, et le progrès tant souhaité ne sera réalisé que beaucoup plus tard, après l'avènement de l'énergique Henri IV.

Vie privée (1569-1581)

De 1569 à 1581, la vie de Fauchet s'écoula entre le Palais, « la maison assise sur le quay de la rivière de Seyne », les imprimeries, les « librairies » de ses amis, et les chevauchées à Rouen, à Fontainebleau, à Troyes et sans doute en d'autres villes.

En 1571 [1], lui et sa femme, Jeanne de Morel, constituèrent une rente annuelle de vingt-cinq écus sol à une certaine Marguerite Maire, « veuve de feu Adrian de Caigny », en hypothéquant « tous et chacun des biens dud. sieur Président ». En 1575, il hypothéqua ses biens une seconde fois, empruntant à René Billot, « secrétaire de la Chambre du Roy demeurant à Blois » 3.250 livres tournois. Trois ans plus tard, Fauchet rend la plus grande partie de cet argent, mais, comme il reste encore une partie de la dette, Fauchet constitue à Billot une rente annuelle de quatre-vingt-trois écus un tiers d'écu d'or au soleil.

Dans un des actes [2] qui concerne ces dettes, nous trouvons une énumération des biens de Fauchet et de sa femme. Nous ne savons malheureusement pas à quelle époque toutes ces propriétés furent acquises. Outre sa maison de Paris, Fauchet possède les terres de Launay [3] et de Béconcelles, une ferme au village de la Chesne et une autre terre à Malassise au village de « Gannetz pres Saint-Clair ».

Une partie de ces terres appartenait à Jeanne de Morel. La Grand'Maison devint plus tard l'habitation habituelle du fils de Claude Fauchet [4].

De cette énumération on peut conclure que Fauchet disposait de ressources sérieuses, même s'il dut faire un emprunt

---

[1] V. Arch. Nat., Minutier central XC (Etude Jarriand), 147, 127, 140. Documents nos V, VI, VII, VIII.

[2] Ibid., 147. Document no VIII.

[3] Ce fief est mentionné dans Arch. Nat. P 773/8 : « declaration du revenu temporel apartenant a la fabricque de l'eglise St Pierre de Beconcelles » — déclare qu'il « n'y a aucuns francs fiefs sinon ung fief appellé Beconcelles qui appartient à monsieur Faulchet premier president en la Court des monnoyes ». Date 19 nov. 1594. Fauchet acquit ce fief de la famille Brosset. V. Arch. Nat. T* 155 et cf. le contrat de mariage de Hélène Brosset, plus loin. V. aussi Arch. Nat. Y 91 f. 15 vo.

[4] Une déclaration du 27 oct. 1609 (Arch. Nat. P 773/8) énumérant les prés qui appartiennent à l'église fait plusieurs mentions des « bouts » qui voisinent la terre « du sieur Faulchet, sieur de Launay », ou simplement « sieur de Launay » dans la paroisse de Saint-Pierre-de-Plaisir.

considérable à René Billot. Une note dans un acte postérieur nous apprend que cet argent avait servi à acheter sa charge à la Cour des Monnaies [1], et l'emprunt forcé que le Roi fit en 1576 n'était pas de nature à le tirer de ses embarras financiers. Pourtant jusqu'aux troubles de la Ligue, sa situation semble avoir été prospère. Il ne laissait pas ses terres en friche [2], mais les faisait cultiver ou bien les donnait à bail; même si ses charges étaient lourdes, il avait de quoi y faire face.

Aucun événement important ne vint troubler la vie paisible des époux Fauchet. Le Président et sa femme figurent comme parrain et marraine à deux baptêmes [3]. En 1572, Fauchet sert de témoin au mariage de son ami Jehan Godefroy « secrétaire interprète du Roy en la langue germanique » et remplit le même office lorsque celui-ci fait son testament [4].

A une date postérieure à 1578 et avant 1582 — nous ne possédons pas de précisions sur ce point — Fauchet perdit sa femme [5]. L'année 1580 fut marquée par une absence prolongée de Fauchet de la Cour des Monnaies. Pierre de l'Estoile [6] nous informe que la peste sévissait cette année-là, « persécutant tout le royaume de France, tant que l'année dura, n'en échappant quasi personne d'une ville, village ou maison ». Fauchet était-il malade [7] ou préparait-il son *Recueil*? Nous l'ignorons. Mais c'est peut-être la peste qui le priva de sa compagne.

---

[1] Document n° XIII.
[2] Arch. Nat. Minutier central XC, 139 : « Fut present... Claude Fauchet... lequel recognut confessa et confesse avoir baillé et délaissé baille et délaisse à tiltre de loier pour pris d'argent et moisson de grain du jour sainct martin d'iver prochain venant... à Symon Troges, laboureur à Richebourg... »
[3] B. N. manuscrit fr. 32838, Saint-Gervais, registre de baptêmes, pp. 40 et 44.
[4] Contrat de mariage, Arch. Nat. Y 113, f. 135. Testament, Y 115, f. 16.
[5] Elle vivait encore en 1578. V. B. N., pièces originales, 1102, Fauchet.
[6] P. DE L'ESTOILE, *Mémoires-Journaux*, éd. Brunet, t. 1er, p. 361.
[7] Les registres de présence (Arch. Nat. Z 1B 193) disent simplement : « La Court a donné congé à M. le président Fauchet ».

CHAPITRE III

Vie publique et privée (1581-1588)

Fauchet premier président en 1581; apporte diverses remontrances de la Cour au roi, et assiste à l'assemblée de Saint-Germain-en-Laye en 1584.

Fauchet épouse Didière Bégat en 1582, et se transporte à la rue de Grenelle. Anoblissement de Fauchet en 1586. Mariage de sa fille; mort de sa femme en 1587; inventaire des meubles, etc. Mariage de son fils.

Amis de Claude Fauchet : parents, les de Thou, les Saintyon, les Perrot; les Gohory. Jacques Gohory parle de Fauchet dans une préface.

Les relations du Président avec Jean Bodin, Papire Masson, Antoine Matharel, Estienne Pasquier, Antoine Loisel, Girard du Haillan, Vaillant de Guélis, J.-J. Scaliger, Pierre Pithou, Nicolas Lefèvre, Pierre Ayrault, Jean-Antoine de Baïf, Jacopo Corbinelli, Filippo Pigafetta.

Protecteurs, les rois, le duc de Bouillon, Gilles de Souvray.

Fauchet, premier Président avant la Ligue

Il nous faut cependant retourner à la Cour des Monnaies et essayer de nous représenter la marche des événements au début de l'année 1581.

Le premier Président, François du Lyon, commençait sans doute à parler de résigner sa charge. La nouvelle s'en répandit bientôt et les amis du jeune Odet de Turnèbe [1], âgé de vingt-huit ans, s'employèrent pour lui obtenir une situation aussi

---

[1] V. sur Odet de Turnèbe, troisième fils d'Adrien Turnèbe, E. PICOT, *Les Français italianisants*, t. 2, p. 145; R. RADOUANT, *Guillaume du Vair*, p. 49; MÉNAGE, *Vita Petri Aerodii*, Paris, 1675, p. 189; FOURNIER, *Le Théâtre français au XVe et au XVIe siècle*, Paris, s. d., pp. 90-91; LA CROIX DU MAINE, *Bibliothèque françoise*, éd. Rigoley de Juvigny, Paris, 1773, t. 2, p. 203, dit qu'Odet de Turnèbe était le fils aîné d'Adrien. Voici comment La Croix du Maine s'exprime : « Odet Turnèbe ... fut premièrement Avocat en la Cour de Parlement, et enfin il fut pourvû de l'état de premier Président en la Cour des Monnoyes à Paris, *à la poursuite duquel état* il mourut d'une fièvre chaude, l'an 1581, âgé de vingt-huit ans, huit mois et vingt-huit jours. » (C'est nous qui soulignons.)

Voir aussi l'abbé GOUJET, *Bibl. franç.*, t. 13, p. 270, où l'on trouve les mêmes renseignements, tirés du *Tombeau* du jeune Turnèbe.

enviée. Le premier Président n'était pas payé plus que les autres présidents, mais il avait plus d'honneurs. C'était toujours lui, accompagné de deux ou trois membres de la Cour qui portait les avis au Conseil, et, aux séances de la Cour il avait le droit de rester assis au bureau excepté devant le Roi et le Chancelier.

Turnèbe, avocat au Parlement, était connu surtout pour avoir écrit une comédie, mais il avait aussi quelques travaux d'érudition à son actif; il avait eu des succès mondains et il était le fils du grand Turnèbe.

Bien que ne remplissant pas les conditions d'âge et de service dans une cour souveraine, Odet de Turnèbe fut pourvu de lettres de provision pour la charge de premier Président. Il fallut, pour lui, bouleverser les règlements. Nous ignorons quelle pouvait être l'impression de ces magistrats pour la plupart au moins quadragénaires en présence de ce jeune candidat. Celui-ci cependant ne devait jamais occuper la charge, et ses lettres n'ont pas été conservées dans les documents de la Cour. Il mourut le 20 juillet 1581.

Quatre jours plus tard, le 24 juillet, Claude Fauchet reçoit des lettres de provision à Saint-Maur-des-Fossés [1].

Le cérémonial de réception pour l'office de premier Président est exactement semblable à celui pour l'office de second Président que nous avons déjà décrit. Le curé de Saint-Germain-l'Auxerrois, Louis Bonneau, un des prêtres de Saint-Germain, Guillaume Aurenge, un avocat au Parlement, René Marceau, témoignent en faveur de Fauchet, — nous savons déjà qu'il était paroissien de Saint-Germain. Marceau le connaissait depuis sa jeunesse « et incontinent après son retour des Universitez avec lequel dès lors il commença à fréquenter pour estre de mesme aage et estat et hantant le barreau ensemblement ». On ne fait pas attendre le nouveau Président, il est reçu le 8 août [2] et le Conseil d'Etat permet à Fauchet de résigner « l'estat de second Président à personne capable sans pour ce paier finances et ce dedans le temps de six mois ». En effet,

---

[1] Document n° XXXII.
[2] Arch. Nat., Z 1B 193 : « Ce jour je me suis desmis de l'exercice de l'estat de premier président et ay prins congé de la compagnie et Mᵉ Claude Fauchet a presanté ses letres de provision dud. estat. » Du Lyon.
Voici les signatures du registre de présence (Z 1B 193, Arch. Nat.) : « Du douziesme jour d'aoust, 1581 : Messieurs Fauchet, Leclerc, presidents; Longuet, Dam, Monperlier, Lefevre, Rolland, Baudry, de Riberolles, Des Jardins, de Rieux, Monet, Garault, Colas, Hac, Benoist, Becquet, de Varade, de Hubault, Favier, Conseillers. C. Fauchet.
Ce jour Monsr Mᵉ Claude Fauchet fut receu en l'office de premier president en la Court de céans à la resignation de Mᵉ Françoys du Lyon. »

la charge de second Président fut obtenue, au début de l'année 1582, par Jehan Gilles, avocat au Parlement que nous rencontrerons quelquefois comme remplaçant de Fauchet.

Les années entre 1581 et 1588 ne sont marquées par aucun grand événement à la Cour des Monnaies. D'un côté, des particuliers continuent à envoyer des mémoires proposant des réformes de monnaies, comme par exemple, ceux de l'année 1582 d'un certain Antoine Vassanges [1] qui voulait donner cours « à toutes espèces de monnaies étrangères », mémoires que la Cour considéra comme « très pernicieux ». Il y avait aussi ceux de Jacques Colas, l'ancien Général [2].

D'un autre côté, le travail ordinaire continue sans changement. Comme premier Président, Claude Fauchet est toujours délégué, lorsqu'il s'agit de faire des rapports ou des remontrances au Conseil.

En novembre 1583, Henri III convoqua à Saint-Germain-en-Laye une assemblée « de princes et seigneurs » [3]. Les conseillers des Monnaies firent plusieurs voyages pour assister aux réunions. Fauchet et Roland, un des conseillers, y allèrent le 26 novembre et y demeurèrent une douzaine de jours. Hilaire Dam y passa douze jours en décembre, mais le principal voyage eut lieu à la fin de janvier 1584 et ce voyage attire immédiatement l'attention du biographe de Fauchet, qui se souvient de la note que le Président a écrite au début de son *Origine des Dignitez et Magistrats* : « Ce premier livre fut présenté au feu Roy, lorsqu'il tenoit audit an mil cinq cens quatre vingts et quatre, une forme d'Estats de seigneurs assemblez à Saint-Germain-en-Laye. » Nous relatons ailleurs [4] les circonstances qui avaient amené Fauchet à écrire son traité. Qu'il suffise de dire pour le moment que nous avons eu le bonheur de retrouver le mandement du Roi [5] ordonnant à Fauchet de se rendre à Saint-Germain. A ce moment, Henri III se com-

---

[1] Arch. Nat. Z 1B 379.

[2] B. N. manuscrit fr. 18503, où l'on trouve le texte des mémoires. Cf. Arch. Nat. Z 1B 72, f. 179. Lorsque Colas présente ses mémoires, certains officiers entre lesquels Fauchet sont délégués pour les lire.

En 1566, un certain Jacques Colas, « controlleur et garde de la monnoye de Paris » avait écrit un mémoire qui est actuellement conservé dans la Bibl. Rosanbo. Voir L. DE ROSANBO, *Pierre Pithou* (*Revue du* xvie *siècle*, t. 16 p. 311).

[3] Arch. Nat. Z 1B 72, f. 10 r°. Cf. A. FONTANON, *op. cit.* Chronologie 1583. « Articles et propositions lesquelles le Roy a voulu estre deliberées par les Princes trouvez en l'assemblée pour ce faicte à St Germain en Laye au mois de Novembre 1583. Avec les advis desdits Princes et Seigneurs qui ont esté departis en la Chambre où presidoit monsieur le Cardinal de Vendosme, excepté sur les trois chapitres de l'Eglise, de la Noblesse et de la justice, sur lesquels chacun a opiné de vive voix, et dont pour ceste occasion les advis n'ont peu estre icy recueillis avec les autres. »

[4] Voir p. 323.

[5] Document n° XXXIII.

promet par des dévotions exagérées et de bruyantes mascarades et il dilapide pour ses favoris des sommes énormes. Sa popularité va diminuant de jour en jour. Il faut cependant lui reconnaître de la bonne volonté, malheureusement sans esprit de suite. Il envisage une nouvelle réforme des monnaies.

Nous apprenons par le procès-verbal [1] du voyage que Fauchet était accompagné de Gilles et des deux conseillers de Riberolles et Desjardins. Ils furent de retour le 4 février, jour où ils déposèrent leur rapport au greffe.

Une copie de leurs remontrances est conservée dans le registre des édits [2]. Le Roi et le Conseil d'Etat eurent alors à discuter sur les 34 articles auxquels avaient abouti les délibérations de la Cour. Après quelques articles de préambule où l'on rappelle le désordre de 1577, les remontrances continuent par l'historique des événements. En 1581 « ce mal de rognement » devint si grand que la Cour envoya un commissaire à Blois « solliciter Sa Majestté de faire advertir le peuple par ses lettres patentes de ne prendre lesd. monnoies rongées [3], user du tresbucher et refuzer telles espèces altérées de leur bonté. » Ni Sa Majesté ni le Conseil n'avaient écouté ces remontrances, le peuple continua à user des pièces rognées « et d'ici un an le mal sera encore pire qu'à présent ». Sa Majesté avait promis de faire garder le vingt et unième article de l'édit de 1577 « qui enjoint de poiser les espèces ». On proposa un autre remède, à savoir, fabriquer des espèces « crénelées », mais la Cour voudrait « faire preuve » et examiner cette nouvelle forme, « laquelle ne faillira de la preuve si elle est utile ». La malice des billonneurs ne s'arrêtera pas si facilement car ces gens possèdent « des eaux » qui font fondre partie des pièces. La Cour a expérimenté avec « les eaux » saisies sur les faux monnayeurs, et elle connaît leur efficacité [4]. Contre cette

---

[1] « Remonstrances faictes au conseil d'estat du roy tenu à St Germain en Laye le samedi 28e jr de janvier 1584 par nous Claude Fauchet, premier president, Jehan Gilles president, Jehan de Riberolles et Pierre Desjardins, conseillers et gnaulx en la court des monnoies, mandez par ledit sieur pour s'y trouver aud. conseil et adviser au desordre pnt des monnoies. » Document n° XXXIV.

[2] *ibid.*

[3] Le mot « rogné » est ainsi écrit.

[4] ART. XIV : « Ainsi que ce jeudi 25e jour de janvier lad. court a experimenté en faisant faire espreuve d'une eaue saisie sur des faulx monnoieurs dedans laquelle ayant esté mis ung demy escu il s'est en moing de demy quart d'heure dyminué de quatre grains et demy et depuis reiterant tel lavement il s'est encores diminué jusques a autres cinq grains, de manière que telle crenelure ne servira de rien a remeddier a la malice des rongneurs, qui n'ont plus fort ennemy et correcteur que le poidz du trebuchet. » Claude BOUTEROUE, *Recherches curieuses des Monnoyes de France*, Paris, 1665, petit-neveu de Claude Fauchet, dit que son grand-oncle était en faveur du grènetis (*op. cit.*, p. 162, dans ses *Observations* sur p. 98): « Crenelée : cette mesme invention fut proposee en 1584 par M. Fauchet, premier President en la Cour des Monnoyes pour empescher

malice le grènetis ne servira de rien, il n'y a que le trébuchet qui soit de quelque utilité.

Les mémoires touchent ensuite à une autre question, la rareté de l'or et le remède préconisé auprès du Roi, c'est-à-dire permettre l'emploi de pièces étrangères. La Cour condamne cette méthode.

Les quelques articles [1] qui suivent expliquent et exécutent ce règlement envers les étrangers.

Après ces considérations plus ou moins techniques on arrive avec l'article XXIX à des développements plus généraux : l'or n'est pas absolument nécessaire à l'homme, car Midas entouré d'or mourait de faim.

L'article suivant insiste sur la nécessité de garder le rapport fixe entre l'or et l'argent et de ne pas permettre aux orfèvres de les acheter à un prix qui diffère de celui offert par les maîtres des Monnaies. Mais on revient vite au trébuchet, à l'édit de 1577, à l'usage d'espèces étrangères et on conclut que « tout prince doit tenir pour maxime certaine en faict de monnoie que le cours des espèces de l'estranger pour plus que le fin donne occasion de transporter la sienne ». Il faut empêcher les sujets de se rendre « taillables d'un autre prince ». La conclusion rappelle les principales idées des conseillers, — il faut ordonner l'usage du trébuchet, il ne faut pas payer l'or et l'argent étrangers à plus haut prix que le fin qu'ils contiennent. Il faut interdire l'usage de la monnaie étrangère.

Nous nous sommes arrêté quelque peu à l'examen de ces remontrances, car on peut être certain qu'elles représentent bien non seulement l'opinion de la Cour en général mais aussi celle de son premier Président. Ces magistrats étaient parfaitement au courant des arrivages d'or et d'argent « des terres neuves ». Ils ne voulaient pas payer les lingots trop cher. S'ils n'ont peut-être pas deviné tous les effets de l'augmentation du stock métallique en Europe, un de ces effets au moins ne leur échappe pas, c'est-à-dire la rareté de l'or en France. Les remontrances soulignent une des idées fondamentales de la Cour : la nécessité d'avoir une bonne monnaie.

Il y a un autre point à noter. Depuis 1577, une amélioration s'est produite. Si la Cour des Monnaies s'occupe presque

---

la rogneure, mais on ne s'en servit pas, parce qu'on reconnut que pour rogner les espèces ou plûtost pour les diminuer on se servoit d'une eaue forte qui pouvoit tirer cinq grains en un quart d'heure sans les difformer. Registre T fol. 43. » Bouteroue a eu recours aux mêmes registres que nous, car la cote ancienne est bien T. Je ne sais pas comment il savait que c'est Fauchet qui avait proposé le grènetis, à moins que ce ne soit une tradition de famille.
[1] Article XXIV.

uniquement dans ces articles des rogneurs, c'est qu'elle n'a plus besoin de se consacrer au surhaussement de l'écu. « L'obéissance » du peuple à l'édit de 1577 paraît « ung miracle » à la Cour des Monnaies elle-même, et l'impression générale laissée par ces articles, c'est que tout le monde est convaincu du progrès. Si l'on permet aux orfèvres de payer leur or plus cher que les maîtres des Monnaies « la mesme confusion de laquelle nous *sortismes* l'an 1577 s'ensuivra ». Ils sont donc « sortis » de cette confusion, et il ne faut pas prendre une vue trop sombre des résultats de l'édit de 1577.

Les remontrances faites à Saint-Germain-en-Laye en 1584 furent écoutées. L'année 1586 voit une ordonnance [1] « sur le descry des espèces légères et rongnées », une « déclaration » sur cette ordonnance, et des lettres patentes « portant défenses de transporter hors le Royaume de France ou esloigner de la plus prochaine monnoie les espèces rongnées et descriées, ny autres espèces d'or, d'argent et billon ». L'ordonnance du 23 septembre souligne aussi l'amélioration. « Plusieurs billonneurs et autres malignes personnes qui ont grand maniement de deniers se voyans privez du gaing illicite qu'ils avoient accoustumé faire sur le surhaussement des espèces, arresté par le compte à escus » ont trouvé un nouveau moyen de faire détériorer les espèces. Il est évident que les articles de cet édit ont été autant discutés que tous les édits précédents, car on y fait allusion à l'avis de tous les notables « assemblés et ouis en nostre Conseil d'Estat ». Cet édit contient la défense de se servir de toutes les pièces d'argent « qui se trouveront visiblement rongnées », mais tolère celles qui seront « légères de deux, trois, quatre, cinq ou six grains ». La déclaration a pour but aussi d'annoncer que la fabrication des francs d'argent va cesser, parce que leur grandeur « et espoisseur facilite le rognement ». Par contre, sept Monnaies de France vont faire une fabrication spéciale de douzains.

La déclaration de novembre 1587 institue une sorte de douane à la frontière pour « visiter les balles et voictures » et voir si elles ne contiennent pas d'espèces rognées.

Ces déclarations du Gouvernement attribuent « l'enchérissement de tous vivres » d'abord à la dépréciation de l'argent causée par les billonneurs, et aussi aux marchands « les plus adviséz » qui ont « survendu et survendent » leurs denrées et marchandises « à proportion que lesd. espèces qu'ils reçoivent

---

[1] Voir Fontanon, *op. cit.*, t. 2, 216, 217, 218, 219, 220, 221, 222, 223.

sont rognées ». Notons aussi que cet édit ressemble à tous les autres en ce qu'il tolère les espèces légères tout en les décriant.

La royauté était à court d'argent et un moyen efficace était d'augmenter le nombre des officiers [1] des cours souveraines en nommant des personnes riches de robe courte, parce que ces derniers étaient à même de payer leur charge à un prix très élevé. En février 1588, Fauchet et deux conseillers protestent contre la réception d'Edmond de Croisettes « de robbe courte et non gradué ». On peut comprendre que dans une Cour où tous les magistrats avaient besoin de connaissances techniques, non seulement de droit mais aussi des monnaies, un membre inutile, qui aurait tout à apprendre, et qui mangerait les épices des autres, ne pouvait être favorablement accueilli. En général, les remontrances de la Cour ne faisaient que retarder la réception de l'officier en question. Me Edmond réussit à obtenir des lettres de jussion et il fut reçu; mais il dut passer six mois sans ouvrir la bouche.

Au mois d'avril 1588, une autre tentative du Roi qui essaya de créer six nouveaux Généraux est remise par la Cour à une date indéterminée « jusques ad ce que lesd. lettres aient été vérifiées en la Court du Parlement ». On constate que parfois les magistrats des Cours souveraines forment un corps solidaire contre lequel le Roi a tort de se heurter. A d'autres moments la jalousie des Cours entre elles donne à la royauté un pouvoir dont elle sait tirer tout le profit possible.

Vie privée (1581-1588)

Le 3 septembre 1582, à l'église Saint-Eustache, Claude Fauchet épousa damoiselle Didière Bégat [2], veuve de feu noble homme Simon Basdoux, « luy vivant conseiller trésorier et receveur général des maison et finances de la Royne Elizabeth, douairière de France [3]. » Basdoux paraît avoir été de Blois, et

---

[1] Pendant les années 1585, 86, et années suivantes le Roi essaie à plusieurs reprises d'augmenter le nombre de magistrats dans la Cour des Monnaies. V. registres Z 1B 71, 72, etc. Arch. Nat. Le Roi s'efforce aussi de créer de nouvelles charges de présidents, de conseillers, etc., au Grand Conseil auprès de toutes les juridictions. V. R. RADOUANT, Guillaume du Vair, pp. 88, 89.

[2] Document n° IX. B. N. fr. 32587, Saint-Eustache, Registre de mariages, p. 401 : « 1582, 3 sept. N. H. Claude Fauchet avec Dlle Didière Bégat. »

[3] Arch. Nat. Y 100, f. 2 v°, contient des détails sur la fortune des Basdoux et de Didière Bégat. V. aussi Arch. Nat. Minutier central, XC, Inventaire 154, — inventaire que Fauchet fait faire en 1583 de tous les meubles, etc., dans la maison de la rue de Grenelle « au nom et comme tuteur et curateur par justice

sa famille y habitait même lorsque Didière était devenue « Madame la présidente Fauchet ». Un fils, appelé lui aussi Simon Basdoux, était issu de ce mariage. Le 16 septembre 1586, Fauchet et sa femme achèteront pour lui une charge de correcteur en la Chambre des Comptes [1].

Les Basdoux semblent avoir possédé de la fortune, Didière Bégat elle-même jouissait d'une certaine aisance. Avant son mariage avec Fauchet, elle paraît dans plusieurs actes comme « achepteresse de rentes » [2]. Elle acheta notamment à son beau-frère Nicolas Basdoux « deux parts et portions et demye en une maison contenant deux corps d'hostel, courtz, jardin, hostel derrière applicqué à gallerie, chambre et grenier dessus, estable, cave et autres appartenances... assize à Paris, rue de Grenelles » [3]. C'est précisément dans cette maison que Fauchet habita durant les cinq années de son second mariage.

Le contrat fut fait le dimanche 2 septembre; on peut le résumer en disant qu'il ne changeait pas beaucoup leur situation réciproque. Didière va « emmeubler » Fauchet jusqu'à la somme de mille écus, et de son côté, celui-ci promet une rente annuelle à sa femme de cinquante écus.

Avant de quitter la maison qu'il habitait au cloître Saint-Germain, les biens appartenant à Fauchet et à Jeanne de Morel furent inventoriés et un partage eut lieu entre le Président et ses deux enfants Archambault et Nicole [4]. Ceux-ci semblent toutefois avoir accompagné leur père rue de Grenelle, quoique

---

de la personne et biens de Symon Basdoux filz de feu noble homme Me Simon Basdoux... et de Dlle Didière Bégat sa veuve et femme du sieur Fauchet... » Il paraît que les Basdoux avaient été marchands à Blois.

[1] Arch. Nat. Minutier central, XC, Etude Jarriand, 147. Ils « vendent cèdent et transportent » à Me Philippes de Cressé « trente trois escuz un tiers de rente annuelle » pour « l'estat et office de correcteur en la chambre des comptes ».

[2] Arch. Nat., Minutier central XC, Etude Jarriand, 137. Elle achète « trente et ung tiers de rente annuelle à Joseph de Preney gentilhomme ordinaire de la chambre du Roy et à noble homme Jehan le Tellier tailleur et vallet de chambre ordinaire du Roy ».

[3] Arch. Nat. Minutier central, XC, Etude Jarriand, 137 : « Fut present en sa personne Noble homme Me Nicolas Basdoux, conseiller notaire et secretaire du roy, maison et couronne de France, demeurant à Blois... lequel... confesse avroi vendu, céddé, transporté et délaissé... à Dlle Didière Bégat... Achepteresse et acquesteresse tant pour elle que pour Simon Basdoux son fils escuyer duquel elle est tutrice et a la garde noble... »

La rue de Grenelle continuait la rue de la Platrière, aujourd'hui rue Jean-Jacques Rousseau.

[4] Arch. Nat., Minutier central, XC, Etude Jarriand, 144 : « Furent pnts noble homme Me Claude Fauchet...et Archambault Fauchet escuyer...et damoiselle Nicolle Fauchet enffans de luy et de feue Dlle Jehanne de Morel, jadiz sa femme, lesquels partis ont recogneu et confessé... avoyr faict partaige et lotz... des meubles ustensiles d'hostel bagues joyaux et vaisselles d'argent... contenuz en l'inventaire (faict) le 27e jour d'aoust l'an 1582 et aux jours ensuivants. » L'inventaire n'a pas été conservé, que je sache.

comme nous le verrons, Archambault fût bientôt envoyé en Italie.

Fauchet prend soin d'établir un état des meubles de la rue de Grenelle « au nom et comme tuteur et curateur par justice de la personne et biens de Simon Basdoux, filz... » [1].

En 1583 et 1586, Fauchet est cité comme témoin à deux mariages, celui de Hélène Brosset et Térence Vally, écuyer [2], et celui de François Le Fèvre et Louise de Saintyon [3]. Le père de Hélène Brosset, Jean Brosset, avait été autrefois seigneur de Launay, titre que Fauchet acquit à une date indéterminée. Dans le contrat de mariage de la jeune fille, celui-ci est appelé « cousin paternel » et « subrogé-tuteur ».

Quant aux Saintyon, rappelons-nous que Louis de Saintyon, avocat au Parlement, était voisin de Nicole Fauchet (père de Claude Fauchet) à la place Maubert. Il épousa Louise Le Court, et comme Jeanne Lourdel (demi-sœur de Claude Fauchet) se maria avec un certain Nicolas Le Court, procureur, nous devons penser que Nicolas Le Court et Louise Le Court étaient frère et sœur. Claude Fauchet est appelé « grand-oncle maternel de la future épouse » dans le contrat de mariage. Détail intéressant, Louis de Saintyon habitait lui aussi la rue de Grenelle en 1586. Le futur époux, François Le Fèvre, avocat au Parlement, avait une cousine, Claude Le Fèvre « fille à marier » mentionnée dans le contrat de François Le Fèvre. On notera que l'année suivante, en décembre 1587, cette jeune personne devient la femme de Simon Basdoux [4].

En février 1586, Claude Fauchet « sieur de La Haye et de Béconcelle » fut annobli par Henri III [5]. On sait que pendant le XVIe siècle les moyens légaux d'anoblissement étaient l'ac-

---

[1] Arch. Nat., Minutier central, XC, Etude Jarriand, 154. Nous y avons déjà fait allusion. Comme nous reproduisons l'inventaire fait à la mort de Didière Bégat, nous n'avons pas copié celui-ci. Il contient des détails sur les propriétés des Basdoux, qui ne nous intéressent pas directement.

[2] Arch. Nat., Y 125, f. 16 v° et suiv. Les témoins pour le marié sont Me Moderic de Vyc, « conseiller du Roy et M^e des requestes ordinaires de son hostel », Messire Léon Lescot, seigneur de « Claigny », conseiller du roi en sa cour de Parlement et aumônier ordinaire de sa Majesté, abbé de Clermont; pour la mariée Claude Fauchet... et noble homme Louis de Saintyon, conseiller et maître des requêtes de la Reine mère du Roy et aussi cousin paternel... »

[3] Arch. Nat., Y 127, f. 339 r°. Les témoins pour la mariée sont le président Augustin de Thou et Claude Fauchet.

Mentionnons un autre mariage où se trouve toute la famille de la rue de Grenelle, celui d'une servante de Didière Bégat, Marguerite Mestier, « ladicte Marguerite Mestier à pnt demourant au service de noble homme Monsieur Me Claude Fauchet ». Didière fait un cadeau à sa domestique de cent écus. V. Arch. Nat., Minutier central XC, Etude Jarriand, 142.

[4] B. N. fr. 32587, p. 402 : « 29 décembre Mge de N. H. Simon Bardou (sic) avec D^{lle} Claude le Febvre. »

[5] Arch. Nat. Z 1A 531. Nous reproduisons les lettres, Document n° X.

quisition d'un fief, les lettres royales et la possession d'une charge [1]. Fauchet détenait déjà les deux tiers des titres nécessaires, car il possédait la charge et plusieurs fermes comme on l'a vu plus haut. Voici enfin les lettres royales que nous reproduisons ailleurs.

Dans ces lettres plusieurs points sont à noter. Le Roi a été « deuement adverti » et il a « plusieurs fois veu » en sa présence « la fidélité et bonne diligence » que Fauchet avait déployées dans son service. Le Roi connaissait Fauchet personnellement. Ces lettres de noblesse lui furent offertes pour une autre raison. « Les louables estudes » et la publication « de plusieurs œuvres imprimez et mises en lumière avec le singulier contentement de nos subjects de tous estats » méritent une récompense. Comme nobles Fauchet et ses enfants prendront le titre d'écuyer et ils jouiront de tous les « honneurs, privilèges, franchises, exemptions, etc. » dont jouissent les nobles d'ancienne race. Ils pourront acquérir des fiefs et posséder des terres comme nobles. Comme nobles aussi, ils pourront porter les armoiries [2] « telles qu'elles sont cy empreintes » (sur un écu azur on voit trois chevrons bretessés, et au-dessus un casque de face; derrière l'écu, on voit deux râteaux croisés). La conclusion des lettres parle des finances à payer qui paraissent avoir été nulles, excepté une taxe de vingt écus.

Fauchet a adopté une devise qui « chante » [3] deux râteaux croisés. Cette devise « sparsa et neglecta coegi » est traduite ainsi :

> Ce qui estoit espars et délaissé
> Ha ce Fauchet aux François amassé.

Quels étaient les avantages réels de la noblesse? Elle était exempte de la taille personnelle, et elle avait le droit de percevoir sur les paysans certaines taxes justifiées à l'origine par les services rendus, d'abord le champart, droit de prélèvement sur les récoltes, ensuite les péages et les banalités, taxes perçues pour l'usage du pont et de la route, du moulin, du four, du pressoir que le seigneur autrefois était seul assez riche pour faire construire. Fauchet lui-même, comme officier des Mon-

---

[1] V. L. ROMIER, *Le Royaume de Catherine de Médicis*, Paris, 1922, 2 vol.
[2] Pour les armoiries de Fauchet, v. B. N., P. O. 1102. (fr. 27586). Cf. Nouv. acq. fr. 8485, f. 142 v° : « Claude Fauchet, Sr de la Haye et de Beconcelles, premier president en la cour des monnoyes... 1586... d'azur à trois cremillières d'or à six dents chacune, trois de chaque côté en forme de chevrons. »
[3] Nous y faisons allusion ailleurs. V. p. 377.
V. Antiquitez, f. 514 r° : « Car toutes Armoiries qui chantent (c'est-à-dire remarquent et nomment le nom de ceux qui les portent) ne sont pas armes de vilain, ainsi que plusieurs cuident. »

naies, était exempt de la taille et les privilèges qu'il acquiert
en 1586 seront surtout utiles à sa postérité. Les privilèges honorifiques tels que charges de cour, commandement aux armées,
ambassades, étaient le monopole de la grande noblesse. Nous
verrons qu'Archambault Fauchet servit dans les armées de
Henri III et de Henri IV.

Au mois de juin 1587, Claude Fauchet maria sa fille Nicole
à Jean Vialard [1] (ou Vialart), écuyer, seigneur d'Orvilliers,
deuxième fils de Michel Vialard et de Lamberte Hotman.
Michel appartenait à une famille de parlementaires, avait été
« lieutenant général de la conservation des privilèges de l'université » au Châtelet entre les années 1545 et 1553, et ensuite
Président au Parlement de Rouen. Il était fort riche, possédant
les seigneuries de Herses ou Erche, de Gressey, de Civry-la-
Forêt. Le fils aîné de Michel Vialard, Félix, avocat au Parlement, devint plus tard maître des requêtes de l'hôtel du Roi.

Ce mariage fut suivi de la naissance de deux fils, Archambault et Charles, mais ni l'un ni l'autre ne paraissent avoir été
aussi distingués que leurs cousins.

En décembre 1587, Fauchet perdit sa femme. Nous ne possédons aucun renseignement sur la maladie qui l'a emportée,

---

[1] Arch. Nat. Y 129, f. 215 et suiv., et Minutier central, XC, Etude Jarriand,
147; B. N. fr. 32587, Sainte-Eustache, registre de mariages, p. 402. « 1587,
14 juin, Fiançailles de N. H. Jean Vialart avec D^{lle} Nicole Fauchet, mariée
ailleurs. »
Sur les Vialard, v. B. N., P. O. 2980. E. Grave, *A travers l'Armorial de Montfort*, Versailles, 1907, extrait du *Bulletin de la Conférence des Sociétés savantes de
Seine-et-Oise*, p. 7, « Parmi les Vialard, outre Michel, ambassadeur en Suisse
mort à Soleure en 1634... Antoine, archevêque de Bourges en 1575, Charles
d'abord évêque d'Avranches puis aussi archevêque de Bourges, mort en 1644,
et son neveu Félix Vialard, évêque de Châlons. Charles est l'auteur d'une
Histoire du Cardinal de Richelieu. »
Divers Vialard de la même famille sont mentionnés par R. Delachenal,
Histoire des Avocats, Paris, 1885; P. de l'Estoile, *Mémoires-Journaux*, t. 1er,
pp. 156-7; *Pasquier ou Dialogue des Advocats* par Antoine Loisel dans *Lettres
sur la Profession d'Avocat* par M. Camus, t. 1er, pp. 269 et 313.
Nicole Fauchet paraît comme procuratrice de son mari, B. N., P. O. 2980,
dossier 66231, Vialard.
V. aussi aux Archives de Seine-et-Oise, A. de Dion, *Documents sur Montfort*,
p. 320 : « Vialart, deuxième branche, IV Jean, second fils de Michel, Sr d'Orvilliers, 1589, parrain de son neveu, Jean, fils de Félix. 1601, Noelle Fauchet,
femme de Jean de Vialart, Sr d'Orvilliers, est marraine à Houdan. V. **Archambaut**, Sr d'Orvilliers mort avant 1666... »
Voir aussi E. Grave, *Supplément au Nobiliaire et Armorial du comté de
Montfort-l'Amaury*, Versailles, 1906, p. 198 : « Vialart, Viallard, ou Vialard ou
Vialar (avec ou sans *de*). Famille originaire d'Issoire... 1555 Michel acquit un
tiers de Civry-la-Forêt... 1598, Jean, écuyer, Sr d'Orvilliers et de Meurcent et
Beconcelles, marié à Nicole Fauchet, fille de Claude, l'historien, demeurant à
Orvilliers près Houdan en 1604. Jean mourut à 67 ans, et son fils Charles était
mort avant lui en 1622. »
Voir aussi, A. de Dion, *Nobiliaire*, p. 460, « Felix, Jean, Denis, fils de Michel
Vialart. II Jean, Sr d'Orvilliers, dont Archambaut, dont Etienne, Sr d'Orvilliers,
dont Véronique d'Abra de Raconis était veuve en 1700. »

mais nous avons retrouvé l'inventaire que Fauchet fit dresser après sa mort et que nous reproduisons ailleurs [1]. On remarquera que la maison nourrissait trois domestiques, et un clerc « clerc dud. sieur Président » François Richard. Les meubles sont nombreux. La principale pièce est évidemment la « salle » tendue de tapisseries « fort vieilles », et la principale chambre donnait sur la rue. Il y a des tableaux, « La nativité de Notre Seigneur », « Notre Dame », « une Vénus ». La défunte possédait de nombreuses robes, « cotillons », « cottes », manteaux, capes, capuchons. « L'estude » de monsieur était située au-dessus de la salle, et contenait une table couverte d'un tapis vert, trois chaises dont deux de cuir, un petit « contoir », fermant à clef. Les murs sont garnis de tableaux et de livres. Le Président a-t-il arrangé ses livres dans l'ordre qu'il suggère dans son cahier [2] ? — grammaires grecque, latine, française, — poésie grecque, latine, française, italienne, rhétorique grecque, latine, histoire, sciences naturelles, médecine, mathématiques, géométrie, « jus civile cum interpretibus, jus canonicum », théologie. Nous n'en savons rien, et c'est bien dommage. Si ses livres avaient été inventoriés, quel mal cette liste nous aurait-elle évité !

La conclusion de l'inventaire nous fournit quelques renseignements sur l'état des finances du Président. Parmi ses dettes, notons qu'il doit trois cents écus à sa fille et huit cents livres à ses deux enfants. Ceux-ci réclament la moitié « des arrérages des rentes » provenant de la fortune de leur mère parce que c'est en partie avec l'argent de Jeanne de Morel que Fauchet avait payé sa charge de Président. En effet Jeanne de Morel était présente lorsque son mari faisait des emprunts au début de sa carrière. L'inventaire laisse l'impression d'une maison riche. Nous aurions voulu le comparer à celui de la maison du « quai de la rivière de Seyne » mais celui-ci a malheureusement disparu.

Après la mort de sa seconde femme, Fauchet retourna à son ancien hôtel. Simon Basdoux se maria peu de temps après la mort de sa mère, et Archambault Fauchet [3], convola en octobre 1588. Il épousa Judicq de Meneau (ou Menuau), fille de François de Meneau [4], écuyer, sieur de Villiers-cul-de-sac,

---

[1] Document n° XIII.
[2] B. N. fr. 24726, f. 106 r°.
[3] Document n° XII.
[4] Sur Menuau ou Meneau, v. *Dossiers bleus*, 442, dossier 11892, Menuau, et Cab. d'Hozier, 235. Voici l'histoire qu'on trouve : « René Menuau, Sr de Villiers, estoit de Loudun, fils d'un pere assez riche selon sa condition, qui l'entretint aux Estudes pour l'avancer dans le Palais; comme il eut 15 ou

« commissaire ordinaire des guerres, conseiller et maistre
d'hostel ordinaire de feu Monsieur filz de France, frère unique
du Roy » et de feue damoiselle Robine Richard. Claude Fauchet est mentionné dans le contrat que nous transcrivons ailleurs.

François de Meneau promet de donner à sa fille une dot
de quatre mille écus et « trois bonnes robes de soie, cottes,
chapperons et aultres habitz selon que l'estat et quallité des
parties le requiert et méritte ». Trois mille écus doivent être
employés « en fondz et heritaiges ». Le futur époux fait donation à sa future épouse « d'une maison branche ... court, jardins, terres labourables... assize au hameau de la Chesne en
la paroisse de Plaisir appellé la Grande Maison ». Une note
ajoutée au contrat nous informe que la dot fut payée et « les
bonnes robes de soie » données le 17 novembre 1588.

Nous mentionnons ailleurs que c'est le château de Villiers-
cul-de-sac qui servit d'asile à Fauchet attaqué par les Ligueurs.
A la mort du châtelain, en 1593, Fauchet intervint pour empêcher des disputes et nourrir « paix et amityé » entre les héritiers Meneau qui allaient « entrer en grand involution de pro-
cèz » [1]. L'année suivante, 1594, Claude Fauchet est un des
témoins au mariage du beau-frère d'Archambault avec Louise
de Bellièvre, fille de Pompone de Bellièvre [2].

---

16 ans, son pere l'envoya à Paris chez un procureur de Parlement, où il fut
clerc, mais il manioit aussy souvent les cartes et les dez que les papiers et
devint sy bon joueur qu'il fut receu dans les meilleures compagnies. Et quittant
tout à fait l'escritoire jouoit souvent avec les princes et plus grandz seigneurs.
Il luy arriva de jouant avec monsieur le duc de Nevers il luy gaigna une
somme notable et comme ils eurent mis la partie au lendemain, lassez du jeu
qu'ils estoient, de Villiers, qui se voyoit riche, prit resolution de prandre
une charge chez Monsieur le Duc d'Anjou frere du roy, et ne jouer plus.
Ce qu'il fit et pour ce qu'il estoit homme de bon esprit, fut employé par son
maistre, qui l'envoya plusieurs fois en Angleterre, et fut un des cinq qui
l'accompagnerent au voyage qu'il fit pour rechercher la Royne en mariage.
Au retour il fut trouver M. de Nevers il sceut n'estre plus en sy grande collere
contre luy pour le remercier de ce qu'il avoit esté cause de sa fortune, et luy
offrit son bien et sa vie. Il fut fort bien receu et depuis demeura dans ses bonnes
graces. Monsieur d'Anjou l'aima tellement que s'il eust vescu il eut fait une
grande fortune. Il se maria avec une femme riche et de bon lieu, dont sont
sortis des enfans alliez aux meilleures maisons de Paris. Il mourut en sa maison
de Villiers pres de Monfort. »

A. DE DION, *Nobiliaire de Montfort*, p. 312, écrit une notice sur Meneau
d'après les hommages. « 1564, François de Meneau, ayant acquis par échange
la seigneurie de Villiers-Cul-de-Sac en fait hommage au roy. (P XVII, 123, aux
Arch. Nat.) Par contrat du 7 avril, 1581, insinué à Montfort le 27 avril et enregistré à la Cour des Comptes le 17 mai, le duc d'Anjou lui cède pour engagement
à charge de rachat perpétuel pour une somme de 4333 écus soleil un tiers, la
châtellenie de Neaufle... »

Voir aussi B. N. P. O. 1926, dossier 44350, de Menuau. On y trouve une
table généalogique, et des extraits des « registres du Tabellionne Royal de
Neaufle-le-Chastel » faits à la mort de François de Meneau. On les trouve aussi
aux Arch. Nat. M 469, dossier XIX.

[1] Arch. Nat. M 469, dossier XIX.

[2] Sur Pompone de Bellièvre, voir son éloge par P. MASSON, *Amplissimt*

Les relations des Fauchet aves les Vialard semblent avoir été cordiales à en juger par le prénom du fils aîné de Nicole. Archambault Fauchet et sa jeune femme s'installèrent à la Chêne, paroisse de Plaisir, et un fils, François [1], leur naquit.

Les amis de Fauchet

On pourrait classer les amis de Claude Fauchet en trois catégories : parents, érudits, protecteurs, que l'on ne saurait toutefois séparer par des cloisons étanches. Il appartenait par sa naissance à une famille de riches parlementaires, comptant, comme nous l'avons vu, les de Thou parmi ses cousins. Mais, chose curieuse, quoiqu'il ait rencontré ces de Thou à des cérémonies de famille, il n'en parle pas dans ses œuvres. Les de Thou, de leur côté, ne mentionnent pas Fauchet. Celui-ci ne contribue pas au « Tombeau » de Christophe de Thou, mort en 1582 [2]. Certes, Claude Fauchet ne se pique pas d'être poète, mais parmi les auteurs qui célèbrent les vertus du défunt on trouve bon nombre des amis du Président, Nicolas Perrot, Vaillant de Guélis, Pierre Pithou, et Antoine Loisel. Je pense donc que tout en entretenant des relations courtoises, Fauchet et les de Thou n'étaient sans doute pas d'intimes amis.

Les autres parents ou alliés par mariage dont les noms se rencontrent dans les papiers de famille appartiennent tous au monde du Palais; Louis de Saintyon, François Le Fèvre, Nicolas Loisel et François Gohory sont des avocats.

Jacques Gohory [3], historien, naturaliste, poète, auteur de

---

clarissimique viri D. Pomponii Bellevrii Cancellarii Regni Franciae Elogium, Papirio Massono Advocato in Senatu Parisiensi et Regia Autore, Paris, Mettayer, 1607; E. Rott, *Les Missions diplomatiques de Pomponne de Bellièvre en Suisse et aux Grisons,* 1560-74, dans *Histoire de la Représentation diplomatique de la France* (1900-2); J. Nouaillac, *Villeroy,* Paris, 1909.
    Voir Les papiers de Bellièvre à la B. N. manuscrits, fr. 15890-15911. Cf. P. Ronzy, *Papire Masson, passim.*
    [1] Arch. Nat. Y 173, f. 389 : « François Faulchet, écuyer, sieur de Laulnay, demeurant à la Chaine paroisse de Plaisir... »
    V. également Arch. Seine-et-Oise, A. de Dion, *Documents sur Montfort,* t. 9, pp. 225, 314; A. de Dion, *Nobiliaire de Montfort,* Rambouillet, 1881, p. 204; B. N. P. O. 1102, dossier 25395, et Cabinet d'Hozier, 134, Fauchet, dossier 3453; Arch. Nat. Y 162, f. 394; Arch. Nat. Minutier central XC, Etude Jarriand, 161.
    [2] Si Fauchet a écrit quelque chose, Jacques-Auguste de Thou ne le juge pas digne de figurer au *Tombeau.*
    V. *Amplissimi Christophori Thuani Tumulus.* In Jac. Aug. Thuani Aemerii pietatem. Lutetiae, 1583, in-4°, et cf. R. Radouant, *G. du Vair,* p. 69.
    [3] Sur Gohory, voir La Croix du Maine et du Verdier; l'abbé Goujet; supplément au *Dictionnaire* de Moréri; Michaud, etc.
    A. Lefranc, *Histoire du Collège de France,* 1893, p. 223; C. Malingre, *Antiquitez,* p. 213; A. Tilley, *Literature of the French Renaissance,* t. 1er, p. 91; J. du Bellay, *Regrets,* sonnet 72, voir édition H. Chamard; O. de Magny, *Soupirs* 51, 82, 132, 133.
    Arch. Nat. Y 123, f. 238 v°, Y 116, f. 55; B. N. manuscrits P. O. 1349 manuscrit lat. 8139, f. 42 r°.

nombreuses publications, semble avoir également suivi la profession d'avocat. Il est connu comme traducteur de certains livres de Tite-Live, des Discours de Machiavel sur cet historien et de trois livres de l'*Amadis* (10, 11, 13). Il a continué l'histoire de France de Paul-Emile, et il a reçu l'argent de la Fondation Ramus pour exécuter ce travail. Il s'intéressait aux antiquités, à la poésie, non seulement du moyen âge mais contemporaine. Joachim du Bellay lui envoie un sonnet et Olivier de Magny plusieurs. Ses relations avec son parent Fauchet semblent avoir été cordiales. Il nomme Claude Fauchet et le conseiller Perrot — c'est-à-dire Nicolas Perrot — tuteur de ses enfants naturels qu'il fait légitimer et aussi exécuteur du testament qu'il fait le 25 mai 1572 [1].

Ces deux noms, Fauchet et Perrot, se rencontrent dans la préface d'une des œuvres de Gohory, la *Fontaine périlleuse* [2]. « Le prudent et docte » conseiller Perrot et le « sçavant » Claude Fauchet, Président des Monnaies, « ses bons parens » ont eu « une dispute conviviale » avec Gohory sur la signification du mot « bonace » que le Président et le conseiller « tiennent en signifiance de *calme* ». Gohory, citant un passage de Jules César, se permet de ne pas être de leur avis. L'épithète « conviviale » employée pour décrire leur discussion nous fait pénétrer dans l'intimité de ces trois érudits. L'influence d'un parent tel que Gohory n'est peut-être pas étrangère aux curiosités intellectuelles de Claude Fauchet. Le traducteur de Tacite, le lecteur assidu des romans du moyen âge, le philologue, l'historien — tous ces côtés du génie de Fauchet se trouvent déjà ébauchés en quelque sorte chez son parent, Jacques Gohory.

Pendant les années qui précèdent les troubles de la Ligue, le cercle des amis de Fauchet est large. Jean Bodin [3], ayant

---

[1] « Je Jacques Gohory advocat en parlement... faiz et ordonne mon testament et dernière volonté telle que s'ensuit... je prie mes parens de voulloir eslire Monsieur Mᵉ Claude Fauchet president des monnoyes et maistre Parot conseiller en la court tuteur à Paul mon filz naturel legitimé par le Roy, à Sylvie ma fille naturelle lesquelz je prie vouloir estre pareillement executeurs de ma pnte disposition. » Sa fille fut légitimée le 28 août 1575, comme on voit à la fin du testament. Arch. Nat. Y 123, f. 238 v⁰.

Le « conseiller Parot » est Nicolas Perrot, frère de François, que nous avons déjà rencontré comme poète humaniste et auquel E. Pasquier adressa des poésies latines.

[2] *Livre de la Fontaine perilleuse, avec la chartre d'amours : autrement intitulé, le songe du verger, œuvre tres excellent de poësie antique contenant la Steganographie des mysteres secrets de la science numerale.* Avec commentaire de I.G.P. A Paris, pour Jean Ruelle, libraire, demeurant rue sainct Jacques à l'enseigne S. Hierosme, 1572, p. 35.

[3] Sur Bodin, voir R. Chauviré, *Jean Bodin*, Paris, 1914 (avec bibliographie); Ménage, *Vita Petri Aerodii*; H. Hauser, éd. *La Response de Jean Bodin à M. de*

Fig. 4.

Plan des alentours de Saint-Germain-l'Auxerrois au XVIe siècle. (V. Procès-verbaux de
la Commission du Vieux-Paris, année 1921, à la suite du P. V. du 26 novembre.)

quitté sa chaire à Toulouse, arrive dans la capitale en 1561. Son succès comme avocat ne correspond pas à son mérite, et il abandonne cette carrière pour entrer au service du Roi. L'année 1567 le voit nommé substitut du procureur général aux Grands Jours de Poitiers. Vers cette époque, il dut faire la connaissance de Fauchet, car il parle de lui, comme nous l'avons vu, dans sa *Response à M. de Malestroit*, qui est de 1568, l'appelant « un fidèle registre de belles antiquités » [1]. Huit ans plus tard, Bodin a l'occasion de citer le nom de Fauchet à propos des Serments de Strasbourg : « Monsieur le président Fauchet, homme bien entendu et mesmement en noz antiquitez » [2] lui a montré, dit-il, les Serments en « Guytard ». Dans l'édition latine de la *République*, 1586, Bodin ajoute que c'est Fauchet qui lui a donné les Serments « pour qu'il les décrive » : « quae foedera Claudius re ac nomine Facetus antiquitatum nostrarum peritissimus, Praeses Curiae monetalis, describenda mihi dedit ad hunc modum [3]. » Cette réputation faite au Président par un homme de l'intelligence de Bodin [4] est utile pour nous faire comprendre l'estime que Fauchet avait acquise parmi l'élite intellectuelle de son temps.

Quant à Bodin, ses diverses curiosités n'étaient pas sans lui attirer un certain renom de mauvais aloi, ce qui est très facile à comprendre à une époque encore tout imprégnée des superstitions du moyen âge. On lit dans les *Pithoeana* [5] : « Bodin était sorcier, comme m'a raconté M. le président Fauchet, qu'un jour ils parloient d'aller ensemble, un escabeau se remua, et Bodin dit : C'est mon bon ange qui dit qu'il n'y fait pas bon pour moi. » Bodin croyait à la sorcellerie, comme le prouve sa *Démonomanie des Sorciers*, publiée en 1580, et Fauchet avait fait part à Pithou de cette petite histoire touchant l'escabeau, du moins si nous devons ajouter foi aux *Pithoeana*.

Malestroit, Paris, 1932; H. Hauser, *De quelques Points de la Bibliographie et de la Chronologie de J. Bodin*, dans *Mélanges G. Prato*, Turin, 1930; H. Hauser, *Un précurseur, J. Bodin, Angevin*, dans *Annales d'Histoire économique et sociale*, juillet 1931; H. Busson, *Les Sources et le Développement du Rationalisme*, Paris, 1922; A. Garosci, *Jean Bodin; politica e diretto nel rinascimento francese*, Milan, 1934.

[1] Voir édition Hauser, p. 8.
[2] *Six livres de la Republique*, Paris, 1576, p. 118.
[3] Lib. V. c. VI, p. 612, Lugduni, 1586.
[4] J. A. de Thou parle de « l'incroyable abondance des choses curieuses » que « l'excellente mémoire » de Bodin lui « fournissait sur-le-champ », cité par H. Hauser, éd. *Response de J. Bodin*, p. xxxvi. Ménage disait que Bodin « avait une grande lecture et il se souvenait de tout ce qu'il avait lu ». V. H. Hauser, *op cit.*, p. xxxvii.
[5] *Pithoeana*, p. 500. V. également *Patiniana*, éd. La Haye, 1748, pp. 3, 4, 5.
Voir *La Bibliothèque françoise* de La Croix du Maine, éd. de Rigoley de Juvigny, t. 1er, p. 454 : « Son livre de la Démonomanie avoit fait croire au bon Président Fauchet qu'il étoit sorcier. *Pithoeana.* » Note de Falconnet.

Vers la même époque, 1575, Fauchet était en relations avec Papire Masson [1], qu'il appelle « sçavant annaliste » et « diligent et curieux Autheur de ce temps ». Masson emprunte plusieurs manuscrits à la riche bibliothèque du Président, des chroniques, et, — ce qui n'a rien d'étonnant étant donné la crise monétaire — le *De Moneta* de N. Oresme.

Le nom de Masson prononcé pendant ces annnées, suggère immédiatement celui de Antoine Matharel [2] avec lequel il collaborait pour réfuter *La Franco-Gallia* de François Hotman. Dans son *Recueil*, Fauchet a glissé un mot sur « la Succession héréditaire de nos rois (mal à propos pour la paix de nous et de ceux qui viendront après nous, débatue depuis peu de temps) », mais il est encore plus lié avec Matharel que ne le laisseraient supposer ces mots. Nous faisons allusion ailleurs au Chansonnier que Fauchet avait emprunté à « Monsieur Matharel, advocat en Parlement bien estimé » [3]. Evidemment ce dernier, quoi qu'il ne fût pas homme d'étude, était capable de s'intéresser à la vieille poésie. On serait tenté d'imaginer que lorsque Matharel eut à combattre les théories de Hotman, il recourut non seulement aux lumières de Papire Masson, mais aussi à celles de Claude Fauchet.

Un autre ami mentionné dans le *Recueil* est « Mᵉ Estienne Pasquier, éloquent advocat en la cour de Parlement » [4]. Fauchet et Pasquier ont dû se connaître de très bonne heure, car Louis Le Caron les a présentés, comme nous l'avons vu, dans le même dialogue en 1556. Ils avaient un certain nombre d'amis communs, Loisel et Pithou en particulier, et leurs relations semblent avoir toujours été amicales. Pasquier a prêté deux ou trois manuscrits à Fauchet, la *Bible Guiot* [4] et un recueil de chansons [5]. Pasquier a parlé plus d'une fois et toujours avec

---

[1] Voir la thèse de M. P. Ronzy, *Papire Masson*, Paris, 1924, p. 235. Cf. Fauchet, *Antiquitez*, f. 211 v°, 345 r°. V. plus loin p. 218

[2] V. P. Ronzy, *op. cit.*, p. 172, notice sur Matharel. V. *Ad Fran. Hotomani Franco-Galliam Antonii Matharelli Reginae matris a rebus procurandis primarii Responsio*, 1575. L'exemplaire B. N. 8° Le 4 12 contient une note manuscrite sur Matharel (exemplaire qui provient du legs Grégoire). Voir A. Loisel, *Pasquier ou Dialogue des Advocats du Parlement de Paris (Divers opuscules tirez des Mémoires de M. Loisel par C. Joly*, 1652, p. 130.) V. aussi Baguenault de Puchesse et H. de La Ferrière, *Lettres de Catherine de Médicis*, t. 10, supplément, p. 496, note. B. N. Cinq Cents de Colberts, Ms 4 pp. 90-91.

[3] *Recueil*, p. 183, v. p. 186.

[4] *Recueil*, p. 151.

[5] B. N. 24726, f. 104 r°.
Fauchet avait le manuscrit B. N. fr. 24365 du *Roman d'Alexandre* entre les mains. Pasquier donne le nom *Li Cors* tout comme Fauchet. (V. Pasquier, *Recherches de la France*, liv. 7, chap. 3.) Il a emprunté la forme du nom à Fauchet, ou bien il a eu le même manuscrit que Fauchet entre les mains. Voir ce qu'en dit Miss M. J. Moore, *Estienne Pasquier Historien de la Poésie et de la Langue françaises*, Poitiers, 1934, p. 41. Paul Meyer, *Alexandre le Grand dans*

bienveillance, du Président [1], et c'est aux bons offices de Pasquier, paraît-il, que Fauchet devait son rétablissement dans ses fonctions de Président de la Cour des Monnaies à Tours pendant les troubles de la Ligue. En deux occasions Pasquier critiqua le Président, d'abord il trouvait mauvaise sa traduction de Tacite, ensuite il ne voulait pas que Fauchet eût une préséance sur les maîtres des Comptes à Tours [2]. On aimerait à savoir exactement ce que ces deux hommes pensaient l'un de l'autre. En parcourant les *Veilles et Observations* de Fauchet de 1555-1556, on voit que Fauchet a déjà rédigé des chapitres sur les Bourgeois de Calais, sur le mot « corfeu », sur le jeune homme merveilleux, sur l'origine de la langue française, tous sujets que Pasquier traita plus tard [3]. Les recherches de Fauchet sont donc personnelles, mais il se peut qu'il y ait eu au Palais de doctes entretiens qui ont stimulé les deux érudits. D'autre part, il est certain qu'en ce qui concerne les sources de l'histoire de France, Fauchet a des connaissances plus solides que le superficiel et subtil Pasquier. A plus forte raison, doit-on dire que leur connaissance de la vieille littérature ne saurait être comparée. Une récente étude [4] a montré que Pasquier s'est servi directement de Fauchet dans son histoire de la langue et de la poésie françaises, mais l'avocat, trop confiant, ne prête qu'une attention superficielle aux notices de son ami.

Les lectures de Fauchet sont immenses, celles de Pasquier bien moins étendues. Laissant de côté le charme du style de Pasquier et l'originalité des jugements qu'il a portés sur les institutions, nous devons constater que Fauchet est certainement plus érudit que son ami. Mais le Président a su conserver la bienveillance de Pasquier, — capable à l'occasion de se montrer peu indulgent pour les personnes qu'il n'aimait pas [5]. Tout concourt à prouver que Fauchet n'avait aucune prétention, qu'il était même trop modeste. C'était un critique sévère

---

la Littérature française du Moyen Age, Paris, 1886, note que *Li Cors* vient du manuscrit B. N. fr. 24365. V. plus loin.

[1] Voir par exemple l'épigraphe de notre livre, et cf. *Recherches de la France*, liv. 3, chap. 7, à propos du roi d'Yvetot : « Le president Fauchet plus judicieux que les autres en ses *Antiquitez françoises...* » Un autre passage de Pasquier, *op. cit.*, liv. VII, 2, est le suivant : « Plusieurs autres en eusmes nous dont Maistre Claude Fauchet premier president aux Monnoyes, par un Livre particulier, fit un recueil, auquel le calcul se monte à cent vingt et sept, vray qu'il mist plusieurs au rang des Poètes, qui ne firent jamais plus de vingt ou trente lignes. » Miss Moore suppose que Pasquier est jaloux du chiffre élevé auquel monte la liste des poètes. C'est bien probable.

[2] Voir plus loin, pp. 88 et 253.

[3] Voir *Recherches* VI, ch. 46, IV, ch. 18, VI, ch. 40, VIII, ch. 1 et 2.

[4] Voir Miss M. J. Moore, *op. cit.*, pp. 32, 36, etc.

[5] Jean-Antoine de Baïf, par exemple. Voir *Recherches*, liv. VII, 2. AUGÉ-CHIQUET, *J.-A. de Baïf*, Paris, 1909, p. 329. Nous comptons faire paraître sous peu un article sur « Pasquier et Fauchet ».

vis-à-vis de lui-même, et les jugements qu'il a portés sur ses ouvrages ont été répétés par tous ses biographes, qui, il n'y a pas à en douter, n'ont lu que les préfaces de Fauchet lui-même. Je pense donc que si Fauchet a su retenir l'amitié de Pasquier, c'est moins par ses qualités positives de droiture intellectuelle et d'activité inlassable que par son absence de prétentions.

Pasquier parle dans ses *Recherches* de « son singulier ami », Antoine Loisel, « advocat au Parlement » et bon nombre des lettres de Pasquier lui sont adressées. Loisel, si nous devons croire la préface de l'édition des *Vers de la Mort* de Helinand [1], était aussi l'ami de Fauchet. Cette édition ne porte pas de date, mais elle doit appartenir aux années, qui suivent la publication du *Recueil*. C'est le Président qui lui avait prêté le manuscrit des *Vers* (actuellement B. N. fr. 1593) et Loisel s'exprime ainsi dans la dédicace qu'il en a faite à Fauchet :

Monsieur, comme ce n'estoit pas sans cause que j'avois prié et vous et autres de vos amis, curieux de l'antiquité françoise, de rechercher des vers de Hélinand, et singulièrement ceux qu'il avoit composés de la Mort : aussi estoit-il bien raisonnable que l'heur et l'honneur de la rencontre d'iceux vous fust rendu : à vous, dy-je, qui estes le père et restaurateur de tant d'anciens poëtes françois. Je vous renvoie, donques, vos vers, qui sont vrayment ceux que je cherchoy : et les vous renvoye plus corrects qu'ils n'estoient, vous en délaissant néantmoins le dernier et souverain jugement...

Ayant parlé de la vie de Hélinand, Loisel conclut ainsi sa dédicace :

Mais à fin de n'entrer point plus avant en ce discours, je vous priray, recevant et reprenant cecy qui est vostre ne vous point lasser d'embellir et enrichir nostre langue pour, à vostre exemple, inciter les autres de rapporter en commun ce qu'ils ont de bon chez eux, ou qui se pourrra rencontrer ailleurs.

Loisel s'occupait des antiquités du Beauvaisis et nous avons ici un témoignage que le travail de Fauchet comme antiquaire lui était connu.

C'était Fauchet qui possédait les vers cherchés par Loisel : en effet sa bibliothèque commençait à être connue avant 1576, année où l'historiographe Girard du Haillan le mentionne dans la préface de l'*Histoire générale des rois de*

---

[1] *Vers de la Mort par Dans Helyhand Religieux en l'Abbaye de Froidmont Diocese de Beauvais en l'an 1200*, s.l.n.d., in-8°.
Sur Loisel, voir les dictionnaires biographiques.
Voir aussi R. Radouant, *G. du Vair*, et P. Ronzy, *Papire Masson*, *passim*.

France [1]. Du Haillan lui avait peut-être emprunté des chroniques. Un autre savant qui était en rapport avec le Président fut Germain Vaillant de Guélis, abbé de Pimpont [2]. Comme nous le dirons, Fauchet prit note de certains livres « baillez à M. Vaillant » dans son cahier rédigé entre les années 1555 et 1556. Mais la note dont nous parlons porte la date du 21 mars 1570, et la liste des livres est la suivante :

> Conan, 2 volumes.
> Pandectes de Bude.
> Du Molin sur les Coustumes.
> Tite-Live.
> Diodore Sicilien.
> Bible latine [3].

L'abbé de Pimpont, « conseiller du roy en sa court de Parlement », esprit actif, commentateur de Virgile, entretenait des relations amicales avec tous les auteurs de quelque mérite, correspondait avec J.-J. Scaliger [4], discutait avec Amadis Jamyn [5], et ne manquait pas d'apporter son tribut de vers latins à leurs nouvelles publications. Evidemment Fauchet savait apprécier le commerce de ce parlementaire ecclésiastique en mettant les ressources de sa bibliothèque à sa disposition.

Fauchet eut l'occasion de fréquenter l'érudit que nous

---

[1] V. sur du Haillan, Augustin THIERRY, *Lettres sur l'Histoire de France. Dix ans d'Etudes historiques*, nouv. édit. GARNIER, *Notes sur quatorze Historiens antérieurs à Mézeray.* Cf. P. RONZY, *Papire Masson*, p. 231, etc.

Voici la citation exacte : « Si Jean de Saint André Chanoine de nostre Dame de Paris, Claude Fauchet, président des Monnoyes, Charles de la Mothe... Loys le Roy dit Regius... René Chopin... Estienne Pasquier... Jean Bodin... André Thevet... et Papirius Masson... tous doctes, rares et excellens personnages, chacun en sa profession et qui ont leurs testes et leurs librairies remplies de tant de belles choses appartenantes à l'Histoire de France vouloient employer le temps à l'escrire, en peu d'années nous la verrions le mieux escrite qu'autre qui fut onc et pourrions esperer qu'en bien dire en belles choses et en beaux exemples elle ne devroit rien aux Grecques ny aux Romains. »

[2] Pierre de Nolhac écrit une notice intéressante sur Germain Vaillant de Guélis dans *Ronsard et l'Humanisme*, pp. 157, 158, où il rassemble des allusions à ce savant.

Cf. T. GRAUR, *Amadis Jamyn*, p. 153; R. RADOUANT, *Guillaume du Vair*, p. 70.

[3] De cette liste le seul nom à peu près inconnu de nos jours est celui de Conan. En 1508 Guillaume Budé avait publié *Annotationes Guillielmi Budei parisiensis secretarii regii in quattuor et viginti Pandectarum Libros ad Joannem Deganaium cancellarium Franciae*, Paris, Jose Bade. Du Molin, c'est le jurisconsulte Charles du Moulin, v. p. 360.

Suivent les historiens Tite-Live et Diodore de Sicile et une Bible latine.

François Conan est un de ces écrivains qui croyaient que les Francs étaient sortis d'une colonie gauloise qui après avoir erré plusieurs siècles revint dans sa première patrie. V. E. DU MERIL, *Mélanges archéologiques et littéraires*, Paris, 1850, p. 2, note. S'écrit Connan; F. Connan a décrit des commentaires sur le droit civil. V. notre livre de documents.

[4] *Josephi Scaligeri Epistolae*, Leyde, 1627, lib. 1, p. 141.

[5] T. GRAUR, *A. Jamyn*, p. 153.

venons de mentionner, J.-J. Scaliger[1]. La date de ces fré-
quentations est incertaine, mais paraît se placer en 1583, année
de la publication du *De Emendatione temporum*. S'il y a eu
une correspondance échangée entre Scaliger et Fauchet, rien
n'en a subsisté, mais quelques allusions dans les *Antiquitez*,
une autre dans les *Secunda Scaligerana* ne laissent aucun
doute à ce sujet.

Fauchet a consulté Scaliger sur les dates des invasions
arabes, et sur quelques dérivations de mots peu usités[2].
Citons les appréciations de Fauchet sur cet érudit. Il l'appelle,
par exemple, « homme de sçavoir », — « le sieur de la Scale,
gentilhomme que son excellent sçavoir rend non moins illustre que la noblesse de sa maison... » Allusion aux prétentions
nobiliaires de Jules-César Scaliger, se disant descendant de
la maison princière della Scala et que son fils continuait à
afficher. En réalité, Scaliger descendait de Benedetto Bordoni,
peintre en miniature, géographe et astronome qui avait
surnom « della Scala », parce qu'il avait enseigné sous l'enseigne de l'échelle ou dans la rue de l'Echelle.

Les autres mentions présentent Scaliger énonçant des
affirmations que Fauchet accepte pour vraies : « M'a le susdit sieur de la Scale apprins », « plus véritablement dit le
seigneur de la Scale », « ledit sieur de la Scale dit que... »,
« ledit seigneur de la Scale dit que sa géographie arabique
appelle toute l'Espagne Andalouzie », « mais le seigneur de la
Scale dit qu'il ne peut avoir pris son nom des François... voilà
que c'est de communiquer avec des hommes de sçavoir ».

Ce sont évidemment des consultations de vive voix pour
la plupart, mais Scaliger avait aussi parcouru le *Recueil* de
Fauchet si nous devons ajouter foi aux *Scaligerana*[3]. Scaliger y dit que François Pithou, qui avait hérité des livres de
son frère possède un seul livre dont il lui « porte envie »,
c'est-à-dire *Sainte-Foy d'Agen*, « dont M. Fauchet cite quelques
vers »[4].

---

[1] Sur Scaliger, voir P. DE NOLHAC, *Ronsard et l'Humanisme*, p. 202; J. BERNAYS,
J.-J. Scaliger, Berlin, 1855, C. NISARD, *Le Triumvirat littéraire du xvie siècle,
J Lipse, J. Scaliger, I. Casaubon*, Paris, 1852; EGGER; *L'Hellénisme en France*,
Paris, 1869; G. COHEN, *Ecrivains français en Hollande*, Paris, 1920; R. CALDERINI,
J. Corbinelli..., Milan, 1914. Voir aussi NICERON, t. 23.
    Nous avons consulté les lettres latines et les lettres françaises. TAMIZEY DE
LARROQUE, *Lettres françaises inédites de Jos. Scaliger*, Agen et Paris, 1881; *Jos.
Scaligeri epist. omnes quae reperiri potuerunt*, Leyde, 1627. *Lettres françoises
écrites à Joseph Scaliger*, imprimées en 1624, à Harderwick par les soins de
Jacques de Rèves.
[2] Fauchet parle de Scaliger dans ses *Œuvres*, f. 159 v°, 169 v°, 179 v°, 182 r°,
186 v°, 187 v°, 214 r°.
[3] *Secunda Scaligerana*, Amsterdam, 1695; Leyde, 1665, p. 506.
[4] *Recueil*, p. 67, où Fauchet cite quelques vers de Sainte-Foy d'Agen dans un

Fauchet avait l'habitude de consulter Pierre Pithou [1] lorsqu'il travaillait à élucider quelque point d'histoire. Il connaissait Pithou depuis sa jeunesse. Nous venons de rappeler que Pithou lui avait prêté *Sainte-Foy d'Agen*, et c'était « M. Pithou, sieur de Savoye, très sçavant advocat en la cour de Parlement » qui affirmait que les lettres ajoutées à l'alphabet par Chilpéric étaient des lettres hébraïques. Une lettre de Fauchet à Pithou — que nous devrions appeler plutôt une liste de questions historiques — a été conservée à la Bibliothèque nationale [2]. Elle débute ainsi : « Monsieur, je vous envoie des doubtes que j'ai trouvés en l'histoire de France que je vous prie m'esclaircir. La première est... » Suit une liste de vingt-quatre questions numérotées, et la lettre se termine : « Voilà, Monsieur, ce que pour le présent j'ai tiré en lisant : le reste je vous le demanderai. » Cette épître a été expédiée de la ferme de Fauchet à Béconcelles par un porteur qui devait sans doute rapporter la réponse. Fauchet signe : « Vostre bon ami à vous servir. »

Ailleurs, nous avons la preuve que Fauchet était prêt à lui rendre service. Il avait montré à Pithou « un ancien registre des monnoies » [3] et c'est Fauchet qui prêtait à Pithou un ancien exemplaire de Quintilien [4] que Pithou publia. Il remercie ainsi Fauchet : *Vetustissimi exemplaris quod Cl. Falceti Monetariae curiae Praesidis, viri candore humanitate & rerum nostrarum cognitione inter paucos numerandi, beneficio lubens merito acceptum refero.* On remarquera que Fauchet a impressionné le savant Pithou, dont J.-A. de Thou a loué « le discernement admirable », par sa connaissance des antiquités françaises. Le mot « candor » appliqué à Fauchet par Pithou, « le candidus judex » que nous verrons bientôt employé par Baïf pour le désigner, le « sans fard et hypocrisie » que Pasquier a utilisé pour le décrire, ces épithètes indiquent un homme sincère, équitable, bienveillant;

---

manuscrit qu'il avait emprunté à Pierre Pithou. Le manuscrit est actuellement à Leyde, *Is. Vossii codex Latinus* oct. n° 60.

[1] Pithou était également l'ami d'autres amis de Claude Fauchet, par exemple, d'Antoine Loisel. Sur Pithou, voir surtout L. DE ROSANBO, *Pierre Pithou, Revue du XVIe siècle*, 1928, 1929 (notes bibliographiques). Voir aussi E. GEORGES, *Les Illustres Champenois*, Troyes, 1849; GROSLEY, *Vie de Pierre Pithou*, Paris, 1756; J.-A. DE THOU, *Mémoires*, année 1596.

[2] B. N. manuscrit Dupuy, 490.

[3] Voir les articles de L. de Rosanbo.

[4] *M. Fab. Quintiliani Declamationes... Lutetiae, Apud Mamertum Patissonium*, MDLXXX. (B. N. X 17742, in-8°.)

Pierre Pithou fut appelé en 1570 à rédiger les coutumes de Sedan par le duc de Bouillon. Cette famille devait protéger C. Fauchet vers la fin de sa vie. Voir, p. 111.

la concordance des amis du Président à ce sujet est remarquable.

Enfin, des notes sur le manuscrit 163 de la Bibliothèque municipale de Berne (*Historia Hierosolymitana*), confirme les relations des deux érudits. On trouve en bas du premier feuillet :

— « C'est a moi Claude Fauchet par le don que m'en a fait M. de Roissi, le 20 mars 1583. » (Ecriture de Fauchet.)

— « J'ay achete ce livre sur le pont Saint Michel de (*blanc*) libraire en Aout 1593... » (Autre écriture, celle de Pithou.)

— « Monsieur Pithou, mon bon ami, me l'a rendu pour le pris l'an 1594, quand je retourne a Paris. Ledit sieur de Roissi en a ung pareil. » (Ecriture de Fauchet.)

Nous n'avons pas beaucoup de détails sur les relations de Fauchet avec Nicolas Lefèvre [1], ami de Pithou. Une note de la main de Fauchet sur un manuscrit (B. N. ms. fr. 401) nous informe que Lefèvre prêtait des livres à Fauchet : « C'est à Monsieur Lefèvre, précepteur de Monseigneur le prince de Condé qui me l'a presté le 21 décembre 1600 : C. Fauchet. » Un autre manuscrit, le Reg. 791 de la Bibliothèque du Vatican, qui a appartenu au Président, porte une autre note indiquant ces rapports : « Faut voir la cronique de Normandie qu'a Monsieur de Roissi [2], in-folio, celle de M. Lefèvre que j'ai cotée. »

Pierre Ayrault [3], grand-père de Ménage, éloquent et érudit lieutenant criminel à Angers, auteur de plusieurs ouvrages de droit, donna à Fauchet le 27 octobre 1592, le manuscrit de l'*Arbre des Batailles* (B. N. ms. fr. 674) et le Président l'utilisa sans doute lorsqu'il prépara ses *Origines*.

Fauchet fit-il partie de l'Académie de Musique et de poésie de J.-A. de Baïf sous Charles IX [4] ? Nous lisons que les « Audi-

---

[1] Sur Nicolas Lefèvre, ami de Papire Masson et de Pierre Pithou, et de tous les érudits du temps, voir Michaud; c'était un jurisconsulte. Il fréquenta le barreau, fut ensuite pourvu d'une charge de conseiller des eaux et forêts, et après l'avènement de Henri IV devint précepteur du prince de Condé, et plus tard du jeune Louis XIII.
V. *Nicolai Fabri, Ludovici XIII... consiliarii ac praeceptoris opuscula cum ejusdem Fabri vita scriptore Fr. Balbo... Parisiis*, 1614. Balbus-Le Bègue était général à la Cour des Monnaies, et neveu de Le Fèvre.
Cf. R. Radouant, G. du Vair et P. Ronzy, *Papire Masson, passim.*
Voir aussi *Discours funebre sur le trespas de M. Nicolas Le Fevre... par un Religieux feuillantin, son ami*, Paris, 1612.
[2] Henri de Mesmes.
[3] Sur Pierre Ayrault, voir sa vie par Ménage, *Vita Petri Aerodii*, Paris, 1675, Michaud. E. Pasquier correspondait avec lui. V. plus loin, p. 87.
Un autre érudit qui donna un manuscrit à Fauchet est « M. d'Amberviller, lieutenant du bailli de l'evesché de Metz », le 4 août 1600. V. Bibl. Vat., Ottob. 909
[4] E. Frémy, *l'Académie des derniers Valois*, Paris, 1887, p. 38.

teurs étaient soit des lettrés, soit des gens du monde dont on se
proposait de former le goût pour les mettre en état de devenir
eux-mêmes poètes, compositeurs ou du moins de contribuer
avec une compétence suffisante à l'extension de l'œuvre de
réforme littéraire et artistique ». Nous n'avons aucun renseignement précis à ce sujet. Toujours est-il que Baïf fait état
en 1577 [1] de l'approbation de Fauchet à qui il lit ses vers mesu-
rés et ses vers d'humaniste :

> Falcete docte, carminum ô tu candide
> Judex meorum...
> Idem meorum carminum ô tu candide
> Falcete Judex, quae modis Graecanicis
> Scripsi et latinis...

Baïf demande à Fauchet pourquoi ses vers n'ont pas de
faveur; il s'en plaint :

> Falcete apud te nunc queror quod gratia
> Non ulla digna pro meis laboribus
> Vivo videntique aut habetur aut datur.

L'érudition plaisait toujours à Fauchet et les tentatives
de Baïf qui recherchait volontiers des sentiers ignorés, devaient
trouver l'appui de celui-ci. Dans son *Recueil* [2], Fauchet attire
l'attention sur l'emploi de la lettre K par les poètes au moyen
âge, et ajoute :

> ce qui sera dit comme en passant, et pour tousjours aider ceux qui
> travaillent à embellir nostre langue Françoise : et conformer
> l'escriture à la prononciation ou réformer la poésie françoise selon
> l'art pratiqué en la mesure des syllabes et pieds par les Grecs et
> Romains : comme fait Jean Antoine de Baïf, poëte François
> tressçavant es langues grecque et latine.

L'amitié de Fauchet et de Baïf n'est pas difficile à expliquer, puisqu'ils faisaient partie tous deux du cercle de Henri
de Mesmes et de Michel de l'Hospital.

Nous ignorons si Fauchet fut invité à assister aux réunions
de l'Académie du Palais en 1576. On supposerait *a priori* qu'il
dût y avoir sa place « parmi les plus doctes hommes que le
Roy pouvoit trouver » [3] signalés par d'Aubigné; mais nous ne
pouvons que faire des conjectures à ce sujet.

En mentionnant le Chancelier de l'Hospital et Baïf, nous

---

[1] J.-A. DE BAÏF, *Carmina*, lib. 1, f. 17.
[2] *Recueil*, p. 78.
[3] Voir E. FRÉMY, *op. cit.*, p. 144.

sommes amenés à parler d'un homme qui fut lié avec les meilleurs esprits du temps et qui eut, comme nous le croyons, une influence sur les productions de Fauchet. Nous voulons parler de Jacopo Corbinelli [1].

Ayant été compromis dans la conspiration de Pandolfo Fuccio, Corbinelli s'était réfugié en France où Catherine de Médicis le donna à son fils, le duc d'Anjou comme un homme de belles lettres et de bon conseil. Michel de l'Hospital lui accorda son amitié, disant : « Je ne voudrais vivre qu'avec vous, n'entretenir mon cœur que de votre amitié, si la raison, nos occupations si différentes, le temps enfin me le permettaient [2]. » Plus tard, Corbinelli devint lecteur ordinaire de la Chambre du roi Henri III [2], « qui se faisait lire Polybe, Tacite et les *Discours du Prince* de Machiavel », mais d'après Bayle, « il ne flattoit point son maistre en courtisan faible et intéressé, et faisoit sa cour sans bassesse. On le regardoit comme un homme du caractère des anciens Romains, plein de droiture et incapable de la moindre lâcheté ». Jacques-Auguste de Thou, qui le connaissait, disait « que c'était un fort bel esprit » [3].

Corbinelli fit imprimer plusieurs œuvres italiennes à ses frais [4], entre autres le traité *De Vulgari Eloquentia* de Dante que Fauchet avait certainement lu avant d'écrire son *Recueil* [5]. Ce traité était précédé d'une épître de J.-A. de Baïf au Roi, où le poète vante le travail de ceux qui polissent la langue. Répétant les idées de Dante, c'est la langue, dit-il,

> C'est la distincte voix qui fait que l'homme excelle
> Dessus les animaux car la raison sans elle
> Inutile dans nous, sans bonheur croupiroit [5].

Corbinelli échangea pendant plusieurs années une correspondance suivie avec le savant italien de Padoue, Gianvincenzo Pinelli [6]. Ce dernier s'intéressait à l'étude du français

---

[1] Sur Corbinelli, voir E. FRÉMY, *op. cit.*, pp. 38, 123 et suiv.; CRESCINI, *Lettere di Jacopo Corbinelli, Contributo alla storia degli studi romanzi* dans *Giornale storico lett. ital.* II, 303-333; P. RAJNA, *Jacopo Corbinelli e la strage di S. Bartolomeo* dans *Arch. stor. ital.*, série V, t. 21, pp. 54-103; E. DUPRÉ-LASALE, *Michel de l'Hospital*, 1875-1899, 2 vol. R. CALDERINI DE MARCHI, *Jacopo Corbinelli et les Erudits français* (avec bibliographie), Milano, 1914.
     Corbinelli avait des relations avec Scaliger, Baïf, Pithou, pour ne mentionner que quelques amis de Claude Fauchet.
   [2] Cf. E. FRÉMY, *op cit.*, pp. 124 suiv.
   [3] *Thuana*, Cologne, 1691, cité par FRÉMY, *op. cit.*, p. 123.
   [4] Le *Corbaccio* de Boccace, avec des notes, 1569; la *Bella Mano* de Juste de Conti avec d'autres poésies, Paris, 1588-95; l'*Ethique* d'Aristote aussi, Lyon, 1568. Lorsqu'il vient à parler de Dante et de Boccace dans son *Recueil*, p. 47, Fauchet met en marge les titres, *De vulgari eloquio* et le *Corbaccio*.
   [5] Cf. *Recueil*, liv. 1er, chap. 1er.
   [6] CRESCINI, article cité, p. 303.
     Sur Pinelli voir P. GUALDO, *Vita J.-V. Pinelli*, Augustae Vindelicorum, 1607;

et du provençal, et en juillet 1581 Fauchet lui envoie, par
l'intermédiaire de Corbinelli, un exemplaire de son *Recueil*
qu'il vient de publier.

Pinelli demande dans une lettre adressée à Dupuy quelle
est la différence entre le catalan, le limousin et le provençal.
Dupuy a recours à Corbinelli, qui a recours à Fauchet. Celui-
ci ne peut résoudre la question : « Je ne pense point avoir
jamais veu livre en limosin. Il me souvient en avoir veu escrit
à Befrers avant l'an 1300, mais je ne sçai si c'est en provençal ou catalan. Monsieur, vous présumez trop de mes forces,
pensant que je sois suffisant pour monstrer la différence des
langues provençale, limosine et catalane comme me mandez
par vostre lettre. Il y fauldroit longuement penser et avoir
des livres de ces langues [1] ». Corbinelli interroge ensuite Scaliger et se trouve ainsi à même d'envoyer des renseignements
à son ami.

Nous pouvons glaner dans cette correspondance d'autres
faits particuliers de la vie de Fauchet. En 1582, Corbinelli fait
savoir à Pinelli qu'il lui envoie deux paquets de livres par
l'intermédiaire du fils de M. Fauchet, et trois années plus tard,
il lui écrit qu'il a suggéré à Fauchet l'idée de faire un dictionnaire : « Io gli (al. Fauchet) ho messo nel capo che facci un
Dittionario franzeze ... perche lui ha la raccolta delle voci de
libri antichi [2]. » Nous ignorons si Fauchet et son ami ont commencé ce dictionnaire, en tout cas rien ne nous en est parvenu.
Les guerres civiles, les circonstances de sa vie privée, la perte
de sa bibliothèque, tout a concouru à empêcher Fauchet de
compléter ce travail si tant est qu'il l'ait jamais commencé.

Une autre correspondance de la même époque, celle de
Filippo Pigafetta [3] dont Fauchet a écrit le nom sur la feuille de

---

R. Calderini, *op. cit.*; P. de Nolhac, *op. cit.* et *Bibliothèque de Fulvio Orsini*,
passim. Voir la bibliographie de R. Calderini. Cf. G. Maugain, *Ronsard et l'Italie*,
Paris, 1926.

La correspondance de Pinelli avec divers érudits français est conservée à
Paris, à la B. N., et à Milan, Bibl. Ambrosiana (Cod. T 167).

[1] Voir V. Crescini, article cité, p. 303 suiv. La discussion date des années qui
précèdent l'envoi du *Recueil*.

[2] Crescini, article cité, p. 318. Corbinelli voulait évidemment collaborer avec
Fauchet. « Io gli ho messo nel capo che facci un Dittionario Franzese, come fa
il Salviati l'Italiano, perchè lui ha la raccolta delle voci de' libri antichi, che come
io le veggo mi par subito d'haver l'equivalente che corrisponda spesse volte
col suono. »

[3] Sur Pigafetta, voir G. Lumbroso, *Memorie italiane del buon tempo antico*,
Turin, 1889, p. 155 suiv.; T. Tasso, *Opere*, *éd. Rosini*, t. 23, p. 83 suiv.; E. Frémy,
Essai sur les Diplomates du temps de la Ligue, Paris, 1873, p. 304; *Opere di
M. Sp. Speroni*... in Venezia MDCCXL, t. 5, p. 370; Burmann, *Sylloges epist.* t. 2,
p 60. Cf. P. de Nolhac, *Ronsard et l'Humanisme*, Paris, 1921, p. 231, et
G. Maugain *Ronsard en Italie*, Paris, 1926, p. 57.

garde de ses *Veilles et Observations*, vient compléter nos renseignements sur le voyage d'Archambault Fauchet en 1582, et sur
le milieu franco-italien où le Président a vécu pendant ces
années-là.

La vie de ce diplomate italien ressemble à un véritable
roman d'aventures. Chargé de missions diplomatiques dans
des pays lointains, il avait voyagé en Hongrie, Croatie, Pologne, et une mission en Perse lui fut une occasion de par-
courir une partie de l'Orient. Il s'était aussi rendu célèbre par
des actions d'éclat dans les armées et essuya un naufrage en
se rendant d'Italie en Grèce. En plus de tout cela, c'était un
auteur de quelque mérite.

Ce qui nous intéresse particulièrement, ce sont deux
lettres qu'il adressa de Paris, l'une à Sperone Speroni dont
nous avons déjà fait mention; l'autre à ce même Pinelli, correspondant de Corbinelli.

Clar. sig. mio, Dopo sedici anni, per qualche negozio che corre, io
sono ritornato in Francia ed a Parigi... Degli amici miei vecchi ho trovati
vivi tre principalissimi : il medico Dureto, il quale fa professione di inten-
dere Ippocrate con pochissimi nella sua lingua Ionica... Gli altri due
sono Giovanni Aurato e Pietro Ronsardo, famosi poeti e i primieri di
Francia in Latino ed in Francese; coi quali ragionando diverse fiate, e
con altri letterati di questa città, che sono molti e sommi, e fra gli altri
con l'autore di questo libro, della poesia Italiana e de' poeti suoi, e di
V. S. onoratissimamente, e dicendogli che già piu di ventiquattro anni
io era amico suo; dunque, soggiunse, egli essendo amico mio già trenta
anni, vi piacerà di inviarli uno de' miei volumi, pregandolo a leggerlo,
e con ogni suo comodo scrivermene con lettera breve il suo parere. Cosi
ho consegnato il ditto libro al molto Ill. Sig. Cavalier Cortese, Ambasciatore dell' Altezza di Ferrara, stimando che presto e bene l'abbia a far
capitar in sua mano. Se vorrà con una grazioza lettera rispondere
all'autore, m'assicuro che sarà opra di cavaliere, ed io gliene sapro buon
grado; e potrà dirizzare le lettere al sudetto Signor Ambasciatore, scri-
vendo in Italiano, e la soprascritta in questa maniera : *A Mons. Mons.
Claudio Fochet, Presidente della corte delle monete, a Parigi*, con quei
titoli che convengono [1]...

On comprend que le Président tenait à l'approbation de
tous les érudits de son temps. Nous venons de voir qu'il avait
envoyé son *Recueil* à Spinelli; le voici qui l'expédie à Speroni
qu'il avait connu lors de son séjour en Italie.

Au cours de l'année 1582, Pigafetta médite d'écrire un ouvrage sur « L'Origine des vers, des rimes et des anciens poètes
provençaux, italiens, français et espagnols » où il se propose de

---

[1] *Opere di Sperone Speroni*, t. 5, p. 371. Cf. P. DE NOLHAC, *op. cit.*, p. 231.

« venger la langue, poésie et rime italiennes des injures françaises » [1]. Il est piquant de constater qu'au moment où les
Français croyaient devoir prêcher la « précellence » de la
langue française sur la langue italienne, les Italiens, de leur
côté, pensaient que leur langue avait besoin d'être vengée.

La deuxième lettre [2] envoyée par Pigafetta à Pinelli
est du 13 septembre de la même année. Elle évoque le tableau
des entretiens parisiens du xvie siècle. Pigafetta débute en disant
qu'il va quitter Paris pour un voyage en Angleterre et en
Espagne. Puis il dit qu'il ne peut pas voir Corbinelli parce
qu'il loge à l'ouest de la ville tandis que lui, Pigafetta, est à
l'est, et quand il va le voir, celui-ci est toujours sorti et le contraire est vrai lorsque Corbinelli vient voir Pigafetta. Corbinelli annonce ensuite son intention d'envoyer « quelques
belles choses faites ici » c'est-à-dire des livres. Il continue :
« J'ai parlé deux fois avec l'unique Scaliger... C'est un
monstre, il sait toutes choses, il entend l'abyssinien, le persan,
l'arabe, le chaldéen, l'hébreu le syrien et en somme toutes les
langues qui s'écrivent depuis la droite jusqu'à la gauche [3]. »
Plus loin, nous trouvons le passage qui nous concerne et qui
jette une lumière sur les occupations de Pigafetta et de Fauchet
pendant l'année 1582 :

« J'ai traduit tout le premier livre de l'Origine de la Poésie
française de Monsieur Fauchet et je l'ai revu avec lui ainsi que
le second livre. Je me suis renseigné sur les textes difficiles.
Voici le titre : *Recueil de la langue et poésie françoise, ryme et
romans. Ridotto in Italiano da Filippo Pigafetta, aggiuntivi al-
cuni discorsi del medesimo dintorno a tutte le favelle che nac-
quero dalla latina ed alla poesia, rima, bellezza e perfezione
loro.*

Le style de Pigafetta est plein de vivacité et de mouvement;
« Scaliger, ce monstre », Cujas, voilà les grandes étoiles du fir-
mament érudit de ce moment. Pigafetta a jugé que le *Recueil*
de Fauchet valait la peine d'être traduit. Son titre indique que
c'est lui l'auteur des discours sur les langues qui dérivent du

---

[1] G. LUMBROSO, *op. cit.*, pp. 155 suiv.
[2] TASSO, *Opere*, éd. Rosini, t. 23, p. 97.
[3] Il revient à Scaliger : « Ha scritto lo Scaligero sette libri della ragione
dell' anno, e saranno impressi fra quattro mesi in Parigi, ne' quali tratta accura-
tamente tutta la materia degli anni usati da tutte le nazioni del mondo, comin-
ciando ab ovo e riprende questo nuovo Calendario di Roma : opera di smisurata
fatica, e non eguale ad altre forze che alle sue. E mi ha detto che la prima opera
stampata sarà di V. S. che da lui è molto amata e riverita; e mi ha dato ordine
espresso che io la saluto e le faccia tutto cio sapere. »
Il est fort probable que c'est au moment où il fréquentait Corbinelli et
Pigafetta que Fauchet a connu Scaliger.

latin et du discours sur la poésie. Nous devrions probablement
voir Pigafetta dans l'allusion au début du chapitre VI du
Recueil, livre Ier, p. 49 : « Il est aussi difficile de monstrer l'origine de la poésie que de nommer le premier poète. C'est pour-
quoy me rapportant à ce que je sçay qu'un mien ami en a faict,
et qu'il entend publier un de ces jours, je diray seulement que
la poésie a esté estimée en Asie, Afrique et Europe. » Pigafetta
n'est pas très sûr du titre définitif de son livre. Il va examiner
minutieusement toute la question et répondra au livre de la
Precellence de la langue française [1]. Il demandera l'aide de
Pinelli, de l'historien Sigonio et d'autres amis. On cherchera
dans les vieilles histoires, dans les chroniques et « on verra
les degrés de changement qui sont survenus dans la langue
latine pour qu'elle devienne ce mauvais langage rustique ». Il
va commencer une dispute avec les Français, qui ne sera pas
indigne de ce siècle, dispute qui débutera par une provocation
au Président qui se montre prêt à accepter le défi. Voici un
renseignement sur Archambault qui est envoyé au studio de
Padoue, faisant partie de la suite de l'ambassadeur Hurault de
Maisse [2], qui a succédé à Arnaud du Ferrier à Venise. Fauchet
père s'attend à être envoyé à Marseille pour le service du Roi
et voudrait retourner en Italie, particulièrement à Padoue [3].

De tous ces projets, lesquels se sont réalisés? Claude Fauchet n'est allé dans le Midi que quinze ans plus tard. Nous
croyons qu'Archambault Fauchet s'est rendu à Padoue, mais
nos recherches sur son séjour sont demeurées sans résultat.
Quant à la traduction du *Recueil*, faite par Pigafetta, le naufrage du vaisseau *Scrova*, le 5 février 1584 l'emporta en même
temps que trente-six leçons sur Hérodote [4]. Nous ne pouvons
que regretter cette perte. La préface du livre nous aurait certainement renseigné plus amplement sur les occupations de
Fauchet pendant les années précédant la Ligue.

Pigafetta devait retourner en France en décembre 1589.

---

[1] Henri ESTIENNE, *Project du livre intitulé : De la precellence du langage
françois*, Paris, Mamert Patisson, 1579.

[2] C'est André Hurault de Maisse, successeur d'Arnault du Ferrier à Venise.
Les archives des Affaires étrangères contiennent des dépêches écrites par le Roi,
la Reine-mère, etc. que cet ambassadeur devait porter au duc de Mantoue, à la
comtesse de Mirande, au duc de Ferrare. Ces lettres sont toutes datées du mois
d'août 1582. (Arch. Affaires étrangères, Fonds politique 29 *bis*.) De Maisse dut
arriver à Venise à la fin d'octobre ou au début de novembre. Sa première dépêche
est datée du 7 novembre 1582.

[3] Cela semble indiquer que Claude Fauchet avait étudié à Padoue, ou du
moins y avait séjourné. Nous n'avons pu aller nous-même dans cette ville, mais
nous avons écrit aux bibliothécaires et aux archivistes, qui n'ont rien trouvé.
Ou peut-être est-ce simplement parce que son fils y était que Claude Fauchet
voulait y aller en 1582.

[4] LUMBROSO, *op. cit.*, p. 158.

Il vit et décrivit le siège de Paris, mais pendant ce temps
Fauchet se trouvait presque toujours « aux champs » et rien
ne nous permet de croire que le savant Italien ait jamais songé
à entreprendre une seconde traduction du *Recueil*. Le reste de
sa vie se passa loin de Fauchet. Après bien des voyages encore,
Pigafetta mourut à Vicence le 26 octobre 1604 [1].

Protecteurs

Fauchet eut très peu de protecteurs. Nous ignorons s'il fut
attaché au cardinal de Tournon. Jusqu'à présent nous ne possédons aucune preuve directe d'un mécénat du grand prélat à
l'égard de notre érudit. Il s'associa à d'autres savants pour
chanter les louanges de Michel de l'Hospital en 1564. Fauchet eut de tout temps ses entrées à la bibliothèque de Henri de
Mesmes, qui avait le culte des livres et aimait à s'entourer de
lettrés.

Si nous regardons les dédicaces et le nom de l'auteur des
livres de Fauchet, nous voyons que les deux premiers livres
des *Antiquitez* qui virent le jour en 1579, parurent d'abord
sans nom d'auteur. Fauchet voulait savoir quel jugement on
porterait sur ses livres avant d'y mettre son nom. Le *Recueil*
de 1581 est dédié à Henri III, qui s'intéressait sincèrement aux
choses de l'esprit. La traduction de Tacite, qui eut à subir la
critique de Pasquier, parut anonymement. Le livre des *Origines des Dignitez et Magistrats* fut présenté à Henri III en 1584
à Saint-Germain-en-Laye. Ce Roi fut pour Fauchet un meilleur
mécène que son successeur.

Un grand personnage, le duc de Nevers [2], a eu recours aux
lumières de Fauchet. Le 7 août 1587, le duc demanda au Président la signification de *arrière-ban* et la réponse de Fauchet
existe en manuscrit à la Bibl. Nat. (fr. 20152, f. 307). Nous
la publions parmi nos documents. Rien dans cette lettre ne
nous fait supposer des relations plus que courtoises entre eux.

On peut en dire autant de M. de Gallaup, sieur de Chas-

---

[1] Notre liste des amis de Fauchet est sans doute incomplète. Nous savons
d'après les notes du manuscrit du Vatican, Ottob. lat. 2537, que Fauchet a
emprunté un exemplaire de la *Britannia* de Camden à « M. de Tiron », c'est-
à-dire, Desportes, et un manuscrit des lettres de Gerbert et d'Abbon de Fleury
à Cujas.

[2] Louis de Gonzague, duc de Nevers, prince italien aussi bien que de la
noblesse française. Voir ses *Mémoires*. En 1590 il demanda l'abjuration de
Henri IV, et en 1593 après l'abjuration il fut envoyé en ambassade à Rome pour
demander au pape de reconnaître la validité de l'absolution donnée au Roi. V.
R. RADOUANT, *G. du Vair*, passim.

teuil. La réponse de Fauchet à la demande de Louis Gallaup [1]
qui voulait savoir « quels furent les armes et bâtons des
chevaliers » fut publiée dans les *Œuvres*. Cette réponse fut probablement écrite pendant le séjour de Fauchet dans le Midi en
1597.

Après la mort de Henri III, Fauchet chercha à s'attirer
la protection du nouveau roi Henri IV. Il lui dédia le 25 février
1593 une petite brochure de quatre pages sous le titre : *Pour
le Couronnement du Roy Henri IV, Roy de France et de
Navarre, et que pour n'estre sacré, il n'a laissé d'estre Roy et
légitime seigneur*. Nous reviendrons sur le contenu de ce petit
traité lorsque nous parlerons des écrits divers de Fauchet. Pour
le moment, nous nous bornerons à noter que le Président essaya de bonne heure de gagner la faveur royale. Les *Antiquitez* publiés en 1599, 1600 et 1601, sont dédiés au Roi. Remarquons cependant que dès 1599, sans doute même avant cette
date, Fauchet eut l'impression que Henri IV ne réserverait
pas aux lettrés l'accueil bienveillant qui avait distingué le
dernier Valois. Lorsqu'il songe à mettre au jour ses *Origines
des Dignitez et Magistrats de France*, Fauchet cherche ailleurs un protecteur. Il le trouve en la personne du duc de
Bouillon. Nous relatons plus loin l'épisode qui les concerne.

Nous voulons terminer cette liste d'amis et de protecteurs
par le nom de Gilles de Souvray ou Souvré [2]. Pendant les
troubles de la Ligue, Fauchet avait été bien accueilli par ce
« chevalier des deux Ordres, capitaine de cinquante hommes
d'armes, Gouverneur et Lieutenant général pour sa Majesté au
pais et duché de Touraine ». En 1600, lorsqu'il publie son
traité sur l'*Origine des Hérauts et Armoiries*, il se souvient
de la bonté de Souvray, de « l'humanité » avec laquelle celui-
ci avait « recueilly et assisté les personnes de valeur et de
mérite pendant leur honorable exil » . Pendant ses dernières années, Fauchet ne fut donc pas dénué d'amis quoique peu comblé des biens de ce monde.

---

[1] Voir Michaud pour une liste de ses ouvrages, et cf. Jehan DE NOSTREDAME,
Les Vies des plus Célèbres et Anciens Poètes provençaux, éd. C. Chabaneau, intro-
duction par J. Anglade, Paris, 1913; ROUX-ALPHÉRAN, *Les Rues d'Aix*, 1848; C.
DE NOSTREDAME, *Histoire de Provence*, Lyon, 1614, pp. 879 et 1065.
[2] Sur Gilles de Souvré, voir E. PASQUIER, *Lettres*, Lettre à P. Ayrault,
livre XIII, lettre XI.
J.-A. DE THOU, *Mémoires*, année 1591; BRANTÔME, t. 5, p. 359.
Cf. T. GRAUR, *Amadis Jamyn*, p. 151.

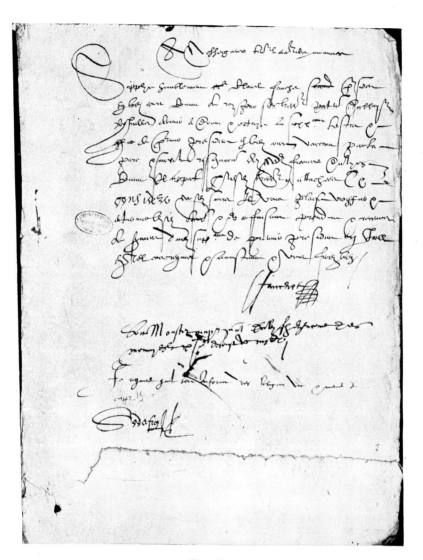

FIG. 5.

Signature de Claude Fauchet dans les documents relatifs à l'office de Premier Président.

CHAPITRE IV

Années des troubles. Séjour dans le Midi.
La retraite et la mort (1588-1602)

Projet de prendre sa retraite après la journée des barricades, se rend à Béconcelles. En janvier 1590 la Chambre des Comptes emploie les services de Leclerc et Garrault pour les affaires des monnaies. Fauchet salue le roi Henri IV à Mantes en mars 1590. Calamités : hôtel pillé, maison d'Archambault brûlée, chevaux enlevés.

Le Président chez François de Meneau; voyage à Chartres en juin 1591. Rétablissement dans son état à la Cour des Monnaies. En 1592 la Chambre des Comptes lui refuse préséance sur les maîtres. En février 1593 il offre au Roi une brochure sur le couronnement de celui-ci. Retour à Paris en 1594, cherche à se faire rembourser.

Réforme des finances par Henri IV : commissions spéciales au sujet des monnaies et des gabelles. Fabrication de monnaies légères dans le Midi pendant les troubles. Fauchet, Montperlier et Favier dans le Midi novembre 1596. Procès-verbal de Montperlier : les doctrines monétaires de la Cour. Opposition du Parlement de Toulouse aux commissaires.

Fauchet aux Etats de Béziers : janvier 1597 en Provence. Mort de Montperlier. Fauchet à Toulouse au début de 1598; revient à Paris été 1598.

Renvoi des procès au Parlement de Toulouse.

Dernières années : résignation de sa charge en juillet 1599, mais obtient « séance, entrée et voix délibérative ». Publication de ses œuvres; ses dédicaces. Relations avec Henri IV, vers satiriques. Situation matérielle du Président sur la fin de sa vie. Il a souligné ses embarras financiers dans ses préfaces. Maison saisie en 1602 après sa mort.

I

Les années des troubles (1588-1594)

Nous allons essayer de reconstituer la vie de Fauchet pendant les troubles. A partir du mois de juillet 1591, nous ne sommes pas en peine de le faire, mais pour les deux années précédentes, nous n'avons que des données très vagues.

La difficulté tient en partie à ce que les registres de présence s'arrêtent net un ou deux jours après la Journée des Barricades, c'est-à-dire en 1588, pour ne recommencer qu'en avril 1594. Nous avons consulté tous les autres registres qui subsistent encore. Quelques-uns ont probablement été détruits, et ceux qui restent présentent le plus singulier mélange, lettres de provision données par le duc de Mayenne, notes indiquant quels conseillers sont « de garde » ou « de porte » [1] à côté de documents provenant de la Chambre des Comptes « tenant la cour des Monnaies » à Tours, et le tout pêle-mêle [2].

Rappelons, en utilisant les *Mémoires de J.-A. de Thou* [3], l'état de Paris le jour des Barricades :

> Chacun s'attendant à de graves évènements se retiroit en son logis, barroit sa porte et fermoit ses fenestres. Les soldats, campés dans les rues crioient : « Mettez du linge blanc en vos licts, Messieurs et dames sur la minuict, nous irons coucher en vos maisons... »

Quand de Thou voulut retourner chez lui, il trouva toutes les rues embarrassées par des tonneaux qu'on apportait de tous côtés.

Pierre de l'Estoile [4] évoque le même tableau en disant :

> Chacun prend les armes, sort en garde par les rues et cantons, en moins de rien tend les chaisnes et fait barricades aux coins des rues : l'artizan quitte ses outils, le marchant ses traffiqs, l'Université ses livres, les procureurs leurs saqs, les advocats leurs cornettes, les présidens et les conseillers mesmes mettent la main aux halebardes : on n'oit que cris épouvantables, murmures et paroles séditieuses pour eschauffer et esfaroucher un peuple.

De Thou blâme le Roi d'avoir pris le « parti honteux de sortir de la ville ». L'absence de Henri III découragea ses partisans. Il s'établit à Chartres où il essaya de rallier ceux qui étaient encore fidèles à la monarchie.

Fauchet ne prend aucune part à la révolte de Paris [5]; il quitte la ville en mai 1588, rejoint le Roi à Chartres, Rouen et Blois et est de retour à Paris le 16 août; il y séjourne jusqu'à

---

[1] Arch. Nat. Z 1B 383 : « Charles de Lorraine, duc de Mayenne, lieutenant general du Roy... »

[2] Voir par exemple, aux Arch. Nat. Z 1B 19 « Registre des expeditions faites en la chambre des comptes transferé à Tours pour le fait des monnoies au lieu de la Cour des Monnoies rebelle au Roi » (1589-92).

[3] *Mémoires*. Collection Petitot, p. 408, cité par R. Radouant. *Guillaume du Vair*, p. 194.

[4] *Mémoires-Journaux*, éd. citée, t. 3, p. 139.

[5] Voir Document n° XXXVIII.

la fin de septembre ¹. A ce moment, il forme la résolution de prendre sa retraite et de se débarrasser de sa charge. Il fait part de son projet à Mᵉ Robert Becquet, Conseiller général de la Cour des Monnaies avec qui il conclut un accord. Le Président même va chez ses notaires ² pour qu'ils prennent note du fait qu'il « résigne sond. estat es mains du Roy nostre Sire, et de Monseigneur son chancelier... au proffit de noble homme Mᵉ Robert Becquet ».

Fauchet n'assiste pas au début des Etats-Généraux de Blois en octobre 1588, et Jehan Gilles est délégué à sa place ³. A la fin de son procès-verbal cependant ⁴, Gilles dit qu'il a des nouvelles de « l'acheminement du sieur Président avec autres conseillers et généraux députés par lad. Court ». Les conseillers font connaître à l'assemblée « les abus et désordres advenus par une trop grande tolérance et mépris de justice au faict des monnoyes. ... lesquelles remontrances et advis opérèrent ce grand règlement général contenu en l'ordonnance tenue à Blois (le 20 décembre 1588) portant le prix des espèces de poids ayant cours et le décry de celles qui

---

¹ Arch. Nat. Z 1B 382. Il est présent à la Cour le 5, 9, 10, 15, 20, 23, 28 et 30 septembre.

² Arch. Nat. Minutier central XC, Etude Jarriand 149. Fauchet voudrait constituer quelqu'un (le nom n'est pas mis) son procureur « auquel il a donné puissance de resigner ès mains du Roy nre sire ou de monseigneur son chancelier... sondit estat... »

Becquet n'a pas payé, et Fauchet croyait qu'il occupait la charge de premier Président comme ligueur. Voir nos documents pour l'interrogatoire du Président à Tours. Après le départ de Guillaume Leclerc en mai 1588, il y a un nouveau Président appelé Regin (Z 1B 256). A ce moment il y a trois Présidents à Paris, Gilles, Parent et Regin. Aucun des trois ne s'est distingué comme ligueur. N. Roland est mentionné comme ligueur par P. de l'Estoile.

³ Arch. Nat. Z 1B 382 : « La Court pour la malladye survenue à Mr Fauchet premier president a commis et commet M. J. Gilles President en lad. court pour se transporter à Bloys et assister aux estatz generaulx. » Je ne sais pas si Fauchet a été bien malade, mais on notera que son fils, Archambault, s'est marié le 17 octobre 1588.

⁴ Arch. Nat. Z 1B 72, fol. 300. Le procès-verbal de Gilles est amusant. Il voulait aller de Paris à Blois en poste, mais il est contraint de « quicter ladicte voye de la poste », et ne pouvant trouver moyen de faire porter une malle de bois où étaient ses papiers, et « autres hardes et livres » lui appartenant, il prit place dans un des coches ordinaires pour « aller de Paris à Orleans ». A Orléans il s'embarque sur la Loire. Il avait quitté Paris le mercredi 12 et il arrive à Blois le dimanche matin 16. Il assiste à l'ouverture des Etats, il essaye à plusieurs reprises d'offrir les félicitations de la Cour « au sieur garde des sceaux », et le voit enfin le 19. Il s'escrime aussi à parler à Sa Majesté; il guette son arrivée, « et de faict nous aurions trouvé moien de luy parler et presenter lesd. lettres comme nous feismes a mesme instant qu'il descendy de son carroche pour entrer par le lieu qu'on appelle communément les grandes allees du Chasteau ». Le Roi lui dit de mettre ses mémoires par écrit entre « les mains du garde des sceaux », et l'assure qu'on « advisera », et que les députés de la Cour seront « ouys » en l'assemblée générale. Gilles confie ses mémoires au garde des sceaux et quitte Blois le 31 octobre. Il arrive à Paris le 4 novembre.

La séance d'ouverture des Etats avait eu lieu le 16 octobre dans l'après-midi. V. G. Picot, *Histoire des Etats généraux*, t. 3, p. 96.

se trouveroient légères et le prix du marc d'icelles pendant six mois [1]. »

Les remontrances, qui sont conservées dans les registres [2] de la Cour des Monnaies, nous font connaître de quoi il s'agissait exactement. Le Roi par des lettres patentes, « extraordinairement vérifiées » par « deux conseillers et maîtres des requêtes » (la Cour des Monnaies ayant refusé de les ratifier) avait permis le cours de toutes les espèces d'or et d'argent fabriquées par le roi de Navarre. Or, les pièces en question étaient défectueuses, n'étant pas du même titre que celles de France et pourtant elles commençaient à remplir les coffres de Sa Majesté. A l'exemple du roi de Navarre, le duc de Montpensier et le « sieur de Sedan » profitèrent aussi du manque de sévérité de la part du gouvernement.

Une autre question agitée par les Généraux étaient celle de la fabrication des « six blancs » [3] dans diverses villes du Midi par ordre du duc de Montmorency mais « sous le nom et les armes du roi de France ». Ces nouvelles pièces étant aussi d'un titre inférieur aux bonnes pièces, toutes les meilleures pièces françaises furent fondues pour les convertir en ces pièces de valeur moindre.

Les remontrances se terminent par une prière de la Cour qui demande au Roi de soutenir sa juridiction contre les empiétements des Parlements.

De retour à Paris, Fauchet paraît avoir cherché à rendre définitifs ses accords avec Becquet. Le Président ne resta à Paris que du 13 décembre au 23, puis il partit pour sa maison de Béconcelles [4].

Au mois de janvier 1589, Henri III interdit toute juridiction à Paris [4]. Becquet cependant resta à Paris pendant toutes les années des troubles, ne cherchant pas à payer Fauchet ni à se rendre à Tours.

Après la mort des princes de Lorraine, l'exaltation était telle dans Paris qu'il fallait ou partager le deuil universel ou renoncer à paraître en public. Au mois de février 1589, Henri III adressa aux villes rebelles une suprême sommation. Puisque la justice ne pouvait pas être rendue à Paris, les offi-

---

[1] Voir Constans, op. cit., p. 286.
[2] Z 1B 72, f. 267 r° et suiv.
[3] Petite pièce d'argent valant cinq deniers.
[4] Document n° XXXIX.
[5] Arch. Nat. Z 1B 19, fol. X et cf. P. de l'Estoile, op. cit., t. 3, p. 241, 259 : « Dès le 26 janvier 1589 le roi Henri III avait interdit à la Cour de Parlement, à la Chambre des Comptes, à la Cour des Aides, au prévost de Paris et à tous les autres officiers et juges royaux de plus exercer aucune juridiction. »

ciers du Roi qui y étaient demeurés, devinrent en quelque sorte complices du gouvernement révolutionnaire. J.-A. de Thou [1] écrit à ce propos : « Alors tous les bons François songèrent à se retirer de Paris » mais la grande difficulté était que beaucoup de ces officiers [2] laissaient tous leurs biens dans la capitale et ne pouvaient s'évader sans s'exposer à la misère. C'était peut-être le cas pour Becquet. Rappelons-nous que Pierre Pithou et Nicolas Lefèvre restèrent à Paris pour veiller sur leurs livres. Ils n'avaient pas tort puisque Fauchet, lui, perdit une grande partie de sa belle bibliothèque.

Mais pour revenir à l'année 1588, au moins trois membres de la Cour des Monnaies, le Président Guillaume Leclerc, et les conseillers François Garrault et Nicolas Coquerel, au lieu de retourner à Paris après les Etats de Blois, accompagnèrent le gouvernement à Tours. A partir du 15 mai 1589 [3], la Chambre des Comptes s'occupe des affaires des monnaies, mais en janvier 1590 elle décide d'employer les services de Leclerc et Garrault [4], qui devaient assister « es jours que l'on traitera des affaires des monnoyes et donneront advis sur ce qu'il sera besoing » [5]. La décision de la Chambre fut confirmée par des lettres patentes du Roi donnant une commission spéciale à Guillaume Leclerc et à François Garrault. On y fait l'historique des événements, — l'interdiction de la justice à Paris par Henri III, les cours souveraines transférées à Tours, la fusion des Comptes et des Monnaies. La commission spéciale enjoint aux deux officiers « d'assister, délibérer et juger de tous affaires concernant le faict desd. monnoyes » [6].

C'était évidemment une belle charge pour Guillaume Leclerc et François Garrault qui équivalait en quelque sorte à l'office de premier Président. Fauchet avait eu tort de vouloir vendre sa charge à Becquet, mais il ne pouvait pas prévoir en septembre 1588 tout ce qui allait arriver à Henri III et au gouvernement.

---

[1] *Mémoires*, Collection Petitot, p. 408.
[2] Un autre conseiller de la Cour, Augustin de Varade, qui resta à Paris souffrit beaucoup. « Sa maison auroit esté remplye de garnisons, sa femme detenue prisonniere et son commis mené et retenu prisonnier en la Bastille... ses papiers prins et saisiz. » (Arch. Nat. Z 1B 538).
Becquet comme les autres officiers restés à Paris semble avoir accepté l'idée que Mayenne représentait le Roi. En novembre 1591 il fait partie d'une députation qui fait des remontrances au duc. Z 1B 73, f. 346 v°.
[3] Arch. Nat. Z 1B 19, f. 32.
[4] Document n° XXXVI.
[5] La Chambre des comptes n'a pas voulu leur donner préséance sur les maîtres. Fauchet s'est efforcé de remédier à cette situation, sans succès d'ailleurs. Voir plus loin.
[6] Document n° XXXVII.

Comment Fauchet a-t-il passé les années 1589 et 1590? Il était trop âgé pour porter les armes lui-même, mais son fils Archambault qui devait avoir alors entre vingt-cinq et trente ans, alla se joindre au parti de Henri III lorsque l'armée royale avec celle de Henri de Navarre se mit en route vers le Nord. Archambault assista au siège de Pontoise, resta dans l'armée après l'assassinat de Henri III, fut présent à la bataille d'Ivry en mars 1590. Trois jours après cette bataille, Fauchet vint saluer le roi Henri IV à Mantes où se trouvait le quartier général. En attendant, les Ligueurs incendient la ferme de Launay qui appartenait à Archambault et est située tout près de la maison du Président. Celle-ci est pillée, les chevaux enlevés et Fauchet est obligé de se réfugier chez le beau-père de son fils, François de Meneau dans son château de Villiers-cul-de-sac [1].

Après la bataille d'Ivry, Archambault est fait prisonnier et mené à Paris où le Président paie sa rançon, mille écus. Fauchet lui-même semble y avoir passé quelques jours vers la fin de janvier 1591 [2] et c'est sans doute à cause de la rançon de son fils. En attendant, il put acheter les chevaux nécessaires pour faire le voyage de Chartres et se procurer les lettres du roi Henri IV qui permirent son rétablissement à la Cour des Monnaies [3].

Pendant son séjour à Chartres, le Conseil l'employa pour « rapporter quelques expéditions des monnoyes », mais il ne resta pas longtemps dans cette ville, car il est à Tours au mois de juillet. Du 9 au 12 de ce mois, il subit un interrogatoire que l'on trouvera parmi nos documents. C'est alors que Estienne Pasquier intervint en faveur du Président et contribua à le faire rétablir dans sa charge.

A Tours, la vie des réfugiés ne fut pas dénuée de plaisirs. Les grands seigneurs et les grandes dames leur ouvrirent leurs portes. En 1600, Fauchet évoque le souvenir qu'il a gardé de la bonté du gouverneur de Touraine, Gilles de Souvray [4] qui « recueillit et assista les personnes de valeur et de mérite pen-

---

[1] Tous ces détails sont fournis par l'interrogatoire que Fauchet subit en juillet 1591, et que nous reproduisons.

[2] L'interrogatoire dit qu'il n'y avait pas été depuis le mois de mai 1588, mais nous avons trouvé sa signature dans le registre Z 1B 256. L'interrogatoire et la requête de Fauchet ne sont peut-être pas assez détaillés pour nous permettre de donner une opinion décisive. Par exemple, la requête dit simplement qu'Archambault fut « depuis mené prisonnier à Paris ». V. Document n° XXXIX.

[3] Document n° XL.

[4] Estienne Pasquier raconte l'histoire de ce personnage dans une lettre à Pierre Ayrault. Voir *Lettres*, col. 385, édition d'Amsterdam, 1723.

dant leur honorable exil » [1]. Estienne Pasquier nous fait savoir
dans une lettre à Pierre Ayrault [2], lieutenant criminel d'Angers ,qu'il avait reçu « honneur, faveur et courtoisie » de Souvray lorsqu'il était son « vassal ». Le même Pasquier fait une
description très vivante des entretiens de plusieurs « seigneurs
de marque » chez la maréchale de Retz [3] en juin 1591, et quoique Fauchet ne fût pas arrivé à Tours avant le mois de juillet,
nous pouvons prendre cette lettre comme une bonne indica-
cation de l'état d'esprit des réfugiés :

> Toute la seree se passa sur une infinité de bons et beaux propos,
> concernans la calamité de ce temps, et sur les espoirs et désespoirs que
> chacun de nous appréhendoit selon la diversité de ses opinions. Et
> comme c'est le privilège des banquets de sauter de propos à autres, qui
> n'ont aucune liaison, sans sçavoir pourquoy ni comment, aussi fismes-
> nous le semblable sans y penser, et discourusmes, tantost de nos ménages
> particuliers, tantost du fait de la Justice, puis de la commodité du labour.
> Jamais je ne vy pièces plus descousues que celles-là, ny de meilleure
> estoffe. Un habile homme en eust fait un livre tel qu'Athénée ou
> Macrobe, dans ses Saturnales. Enfin, comme le discours de l'Amour est
> l'assaisonnement des beaux-esprits, aussi ne le peusmes-nous oublier.

Il est fort probable que ce banquet auquel Pasquier assista
n'était pas un fait isolé et Fauchet put sans doute oublier parfois ses malheurs dans un milieu sympathique.

Au cours de l'hiver suivant, Fauchet fait un voyage pour
rejoindre l'armée royale établie devant Rouen. En février 1592,
il obtient du Roi des lettres patentes l'autorisant à prendre rang
immédiatement après les Présidents de la Chambre des Compt-
tes et au-dessus des maîtres des Comptes « afin que le lieu et
rang qui lui appartient luy soit réservé et conservé, sans en
cela faire aucun reffuz et difficulté soubsz quelque prétexte que
ce soit » [4].

En revenant à Tours en mai 1592, le Président fait une
autre requête verbale [4] à la Chambre « à ce qu'il pleust à lad.
Chambre que luy et les autres officiers d'icelles monnoies
seront paiez de leurs gaiges, et droictz de l'année entière auparavant que les commissaires desd. monnoies puissent recevoir

---

[1] Dédicace de l'*Origine des Chevaliers.*
[2] V. sur Pierre Ayrault, *Lettres* d'Estienne Pasquier. Son petit-fils Ménage
a écrit sa vie, *Petri Aerodii Vita*, Paris, 1675. Ayrault plaida contre les jésuites
en 1565, et écrivit des pamphlets royalistes en 1590. Voir R. RADOUANT, *Guillaume
du Vair*, pp. 11-12, 292-295; E. MOURIN, *La Réforme et la Ligue en Anjou*,
Paris, 1888, p. 101.
[3] La maréchale de Retz a été célébrée par Amadis Jamyn sous le nom
d'Artémis en 1570-1571. Voir sur cette dame la bibliographie donnée par
Mme Th. GRAUR, *Amadis Jamyn*, Paris, 1929, p. 180.
[4] Documents n°s XLI et XLII.

aucune chose de leurs taxations. » La Chambre ordonne que
Fauchet et les autres soient payés avant les commissaires mais
« seulement de quartier en quartier ». La Chambre ne pouvait,
certes, agir autrement, étant donné qu'elle avait sollicité les
services de Leclerc et Garrault. Quant à l'autre requête de Fauchet, la Chambre ne l'a pas admise. C'est ce qui apparaît clairement non seulement dans les documents de la Cour des Monnaies, mais aussi dans la lettre que Pasquier adressa au
Président à ce propos et qu'il publia plus tard [1].

Le début de cette lettre fait allusion à tous les malheurs
que Fauchet avait eu à souffrir :

> Je suis très aise qu'au milieu de nos troubles et orages soyez enfin
> surgi à bon port dedans la ville de Tours, et que Messieurs de nostre
> Chambre des Comptes ayent avec eux, et vous et quelques-uns de vostre
> compagnie pour l'exercice de vos charges, marry toutesfois que soyez
> marry d'avoir séance au-dessous des Maistres : mesme qu'en vouliez faire
> quelque instance. Et parce que sçavez combien je vous ay servy à vostre
> restablissement, je m'asseure qu'après m'avoir entendu, fermerez le pas
> à vostre nouvelle opinion. Encores que je ne la trouve point trop estrange,
> non qu'en vostre particulier je ne la pense bonne, mais pour les martels
> et tintoins que l'honneur remue en nos âmes.

Après ce préambule, Pasquier passe à une analyse des
effets de l'honneur sur l'âme humaine, pour terminer par un
résumé de l'histoire de la Cour des Monnaies qui est comme
la « fille » de la Chambre des Comptes. Le Président ne doit
pas trouver étrange qu'il ait « séance au-dessous des maîtres »
puisque tous les autres magistrats qui viennent pour quelque
raison que ce soit, dans la Chambre des Comptes sont traités
précisément de la même façon que Fauchet.

Ce raisonnement est plus spécieux que solide. La visite
accidentelle d'un magistrat appartenant à une autre compagnie n'est nullement comparable à ce contact presque journalier que les membres de la Chambre des Comptes devaient
avoir à ce moment-là avec ceux des Monnaies. Fauchet n'a pas
insisté, évidemment, mais il a dû lui être pénible de siéger
dans cette Chambre mixte au-dessous des maîtres.

Pour l'année 1593, nous n'avons pas beaucoup de renseignements sur la vie du Président. En janvier il rédigea les
quelques pages sur le couronnement du Roi qu'il offrit à celui-
ci en février [2].

Dans les premiers mois de l'année suivante, il reçut une

---

[1] Pasquier, *Lettres*, XIV, XIV.
[2] Voir plus loin, p. 363.

FIG. 6.

Page des Informations sur la bonne vie et mœurs de Claude Fauchet.

commission qui l'obligea à se rendre à Paris. Henri IV avait
sans doute gardé bon souvenir des habitants de Dieppe et de
sa victoire d'Arques en 1589, car en octobre 1592, il eut l'idée
de récompenser la fidélité de cette ville, en y transférant la Monnaie de Rouen, ville rebelle au Roi. Ses lettres patentes soulignent tous ces faits.

La Monnaie de Dieppe est alors ouverte; mais en 1594 elle
est fermée par ordre du Parlement de Rouen qui siégeait alors
à Caen. Ce Parlement en même temps s'arroge la juridiction
des Monnaies. Lorsque la nouvelle de cette « entreprise » arrive
à Tours, la Chambre des Comptes délègue Claude Fauchet
pour porter des remontrances au Roi. Il quitte Tours le
22 mars, arrive à Paris le 31 et après avoir vu le Chancelier,
ii remet ses remontrances au greffe de la Cour des Monnaies
qui allait être rétablie « au siège ancien » [1]. Le Président arrive
à Paris juste à temps pour signer les registres de présence qui
recommencent le 1er avril 1594 après l'entrée de Henri IV dans
sa capitale.

Fauchet en 1594

Après l'entrée du roi Henri IV à Paris les différentes cours
reprennent leurs fonctions. Le 28 mars le Chancelier se transporte au Parlement, où il installe deux amis de Fauchet dans
des charges importantes : Pithou devient Procureur général
et Loisel Avocat général. Ensuite il se rend aux Comptes et aux
Aides, mais il envoie aux Monnaies deux conseillers de Sa
Majesté, Claude Faucon de Ris et Geoffroy Camus de Pont-
carré [2].

Nous venons de voir que Fauchet n'arrive à Paris que le
31 mars, et il dut être un des premiers arrivés; car les membres
du Parlement de Tours ne reprirent leurs sièges que le 18 avril.
Les contemporains nous apprennent que Henri IV ne sévit
point contre les Ligueurs. Nous avons vérifié cette affirmation
en ce qui concerne la Cour des Monnaies. Une comparaison
des signatures nous montre que tous les Conseillers généraux,
ceux qui étaient restés à Paris et ceux qui étaient partis pour
Tours, ont repris leurs fonctions en même temps. Mais ceux
qui étaient restés à Paris durent prêter serment de fidélité au
nouveau Roi [3].

---

[1] Voir Arch. Nat. Z 1B 385, 11 mars 1594 et Z 1B 20, f. 318 v°. Les frais de
cette commission lui furent remboursés en 1596.
[2] Pierre DE L'ESTOILE, op cit., t. 6, pp. 194-197.
[3] Arch. Nat. Z 1B 73, f. 44 v°. Les noms qui se trouvent dans cette liste sont

Les lettres de rétablissement dans ses fonctions obtenues par le Président en 1591 lui avaient promis « ses gages, droits et pensions accoustumés tant échus que à échoir ». D'après des documents que nous avons vus, il semble avoir été payé pour le travail fait à Tours mais avoir eu des difficultés à se faire rembourser pour les années 1589, 1590 et 1591.

Il « eut assignation » sur les deniers des boîtes, mais comme les fonds manquaient, il obtint un arrêt contre les maîtres des Monnaies qui avaient des dettes envers la Cour. C'est ainsi qu'il obtint plusieurs arrêts contre Guillaume Pasnaget [1], maître de l'atelier de Rennes, mais le mauvais état du pays, mal pacifié, était tel que les arrêts ne purent être exécutés.

Dès son retour à Paris, un des premiers soucis de la Cour fut de récompenser ces officiers qui avaient souffert pendant les troubles; « récompenser » dans le sens de leur rembourser les gages qu'ils n'avaient pas touchés pendant leur absence. Plusieurs officiers, parmi lesquels Fauchet, reçurent « les menus droits » [2]. Le Président réclama aussi mil quatre cent seize écus deux tiers de gages pour les deux ans et demi, pendant lesquels il avait été absent. Après avoir poursuivi le maître de la Monnaie de Rennes, il obtint une certaine somme, du moins les poursuites faites à l'instigation de Fauchet semblent cesser après 1595 quoique Guillaume Pasnaget ait continué ses malversations pendant plusieurs années encore [2].

Un autre souci inquiétait le Président : allait-il résigner sa charge ? Il avait fait une convention avec Robert Becquet en 1588. Maintenant la paix était rétablie, et Becquet voulait sans doute prendre possession de l'office. Dès le 1er avril 1594, Fauchet se montre disposé à résigner sa charge si Becquet lui paie les « dommages et intérêts » qu'il a subis.

Tous les documents concernant cette affaire ne nous sont pas parvenus, mais nous pouvons deviner ce qui s'est passé. Les pertes que le Président avait subies pendant la guerre l'avaient complètement ruiné. Il a dû demander à Becquet de lui permettre de garder sa charge encore quelques années. En octobre 1596, ce dernier obtint « des lettres de surannation et confirmation ». Il n'occupa cependant jamais la charge car Fauchet, après avoir hésité pour savoir s'il devait résigner en faveur d'un certain Lallemant, eut enfin comme successeur

---

les suivants : de Montperlier, d'Argillière, Becquet, Gosseau, Cuvelier Collier, Longuet, Jollibois et Trudent.
[1] Arch. Nat. Z 1B 613 et 437. Document n° XLIII.
[2] *Ibid.* Z 1B 137, f. 132 v°.

Guillaume Leclerc que nous avons déjà rencontré en qualité de commissaire spécial à Tours.

Si nous avons constaté une amélioration dans les désordres des monnaies, entre 1577 et 1586, celle-ci ne fut toutefois que passagère. La confusion des choses entre les années 1588 et 1594 était telle dans le pays que toutes sortes d'abus avaient de nouveau fait leur apparition. En plus, si nous avons vu que plusieurs Généraux des Monnaies étaient partis faire des « visitations » dans différentes provinces pendant les années que nous venons d'étudier, il est certain que les chevauchées régulières n'avaient pu être accomplies par suite de l'état du pays.

Un des premiers soucis de Henri IV est de mettre un terme à tous les désordres, et dès le mois d'octobre 1594, il donne un grand nombre de commissions spéciales aux officiers des Monnaies. Ces commissions parlent vaguement « d'abus, malversations et faussetés ». Fauchet est député [1] avec les autres, mais il supplie la Cour de le décharger de la commission qu'on avait voulu lui imposer. On met le jeune second Président Jehan Gilles à sa place. Les commissaires partent dès le 1er décembre, et ils devaient être de retour au bout de quatre mois.

Nous pouvons donner un aperçu des abus en question par une remontrance qu'en 1595 fait le Procureur général du Roi à la Cour des Monnaies. Il paraît que les maîtres des Monnaies qui favorisaient le parti de la Ligue avaient commencé à fabriquer des pièces portant le nom de Carolus X et en décembre 1595 cette fabrication n'avait pas encore cessé [2].

Un édit de 1596 indique un autre mal, « l'excessive » abrication de billon, dans le Midi particulièrement. Nous aurons bientôt à revenir sur ce dernier point.

---

[1] Arch. Nat. Z 1B 73 f. 109 : « Le Court pour satisfaire au commandement faict par le roy aux deputez d'icelle qui le seroient salluer le jour de son entrée en ceste ville de Paris, comme aussy au mandement de messieurs du conseil... affin de pourvoir aux abbuz et faulcettez qui se commectent en la fabrication et exposition des monnoyes par toute la France... a députe Me Claude Fauchet (et d'autres)... pour eulx transporter es pays et monnoyes de ce royaume selon le departement à eulx... ordonné... le 3 octobre 1594. »
On peut comparer une lettre de Henri IV datée du 25 juillet 1596, *Lettres missives de Henri IV*, t. 4, p. 621, citée par Picot, *Les Etats Generaux*, t. 3, p. 259 : « Il faudra aussi adviser où se pourra recouvrer ailleurs ce qui ne se trouvera en nos finances, voulons espérer que tous nos bons subjects qui cognoistront par effect nostre ferme résolution de faire despenser et employer tous les secours qui nous sera faict et ce qui sera advisé de prendre en nos finances à la conservation de l'Estat et non ailleurs... se disposeront volontiers à nous accorder pour un temps de quelque petite partie de leurs moyens... Nostre intention est... de faire cesser tous les désordres... succedans à ceste couronne, ainsy que chacun sait, nous y avons trouvé une estresme pauvreté... nous désirons la Réformation au faict de nos finances autant qu'ayt jamais faict prince qui ayt porté ceste couronne. »
[2] Document n° XLV.

Années 1596-1598 *

Les commissions spéciales données en 1596, non seulement au sujet des monnaies mais aussi des gabelles [1], se rattachent à toutes les autres réformes que Henri IV voulait introduire dans le gouvernement du pays.

Quant à la monnaie, le mal dont le Midi souffrait tout particulièrement, paraît avoir été la fabrication des « six-blancs », à laquelle nous trouvons des allusions longtemps avant la mort de Henri III. Les remontrances présentées aux Etats de Blois en 1588 [2] contiennent un texte qui souligne cet abus, mais dès mars 1586, la Cour des Monnaies se plaint de cette fabrication de pièces faibles [3]. En 1589 [4] encore, le Procureur général de la Cour des Monnaies rappelle toute l'histoire de ces pièces. En juin 1586 la fabrication en avait été interdite, et celle des douzains « remise sus ». Le 2 décembre 1588 « toutes et chacunes des pièces de six-blancs forgées es monnaies d'Avignon, Carpentras, et autres contrefaites soubz les armes de France es villes de Montpellier, Baucaire et Béziers de l'ordonnance du duc de Montmorency auroient esté déclairées descryées et mises au feu pour billon six moys après la publication qui en a esté faicte pendant lesquelz avoit esté donné cours ausd. pièces de six-blancs ». Mais malgré toutes ces ordonnances, ces pièces continuèrent à avoir cours, et « aucuns se veullent ingérer [5] et contraindre les maistres et officiers de monnoies d'en forger, et en la fabrication d'icelles fondre et convertir les meilleures monnoies d'argent. »

Pendant les années où Henri IV se battait pour sa couronne, le mal n'avait fait qu'augmenter. De nouveaux ateliers

---

* Pour le séjour de Fauchet dans le Midi, voir aux Archives nationales Z 1b 21 *passim*; 137, f. 271 vᵒ; 44, f. 238; 250; 497; 498; 388; 389; 73, f. 396 vᵒ; 74, f. 250; 615; 643; tous documents de la Cour des Monnaies Z 1B. Voir aussi H 748/141 et H 748/19; E 3 A fol. 54 rᵒ. Arch. Nat., A la B. N. fr. 18161, f. 6 rᵒ; fr. 18164, f. 92 rᵒ. Documents nᵒ XLVI-LXXI.

[1] Les commissions sur les gabelles sont mentionnées : Dans A. FONTANON, *Les esdicts et ordonnances des Roys de France depuis S. Loys*, Paris, J. Du Puys, 1585, 4 tomes en 2 vol in-fol. à la date de mai 1596;
Dans le rapport sur les *Etats généraux du Languedoc*, Arch. Nat. H 748/141;
Dans Dom Vaissète, *Histoire générale du Languedoc* (1889), t. 11, p. 873, note.

[2] Arch. Nat. Z 1B 72, f. 267 suiv.

[3] Arch. Nat. Z 1B 71, f. 149, *Remontrances sur l'ouverture d'une monnaie à Marseille*. Il y a trop d'ateliers dans cette région, et « toutes les bonnes especes d'argent sont portées pour estre fondues et converties es pieces de six blancz defectueuses en poids et loy de 50 à 60 solz pour marc ».

[4] Z 1B 72, f. 289 rᵒ, 18 août 1589.

[5] Les Etats du pays ont ordonné cette fabrication, cf. BLANCHET et DIEUDONNÉ, *Manuel de Numismatique*, t. 2, liv. 2, ch. 1ᵉʳ, p. 138.

monétaires furent ouverts — sans lettres de provision naturellement —et le peuple y apportait les bonnes espèces pour
les faire transformer en pièces légères et « gaigner quelque
chose pour leur ayder à supporter les grandes et excecifves des-
pences qu'ils souffroient pendant les troubles » [1].

La quantité de six-blancs fabriquée finit par être dispro-
portionnée aux besoins du peuple. Le décri, que le pays avait
refusé en 1588, se fit de lui-même deux ou trois ans plus tard [2].
« Cependant, fut en ce pays et quasy par tout le royaulme un
aultre grand trouble, à cause que les pièces de six-blancs
estoient tellement en mespris que personne n'en vouloit recevoir », dit en 1593 Jean Pussot [3], qui habitait la Champagne,
et dans le Midi le peuple « les bailloit à vil prix aux étrangers
et billonneurs qui les transportoient par barques et charges de
chevaulx es villes de Savoye, Genesve, Gênes, Millan, et autres
estrangères jusques en Allemaigne » [4].

Malgré le grand édit de 1577, l'écu valait 66 sols dans le
Midi par arrêt du Parlement de Toulouse, et nous verrons
qu'une des principales craintes des magistrats locaux, auxquels
les commissaires ont à faire, est que le désir de la royauté de
rabaisser l'écu à 60 sols soit de nature à « émouvoir le peuple », « troubler le repos » ou préjudicier aux édits de pacifi-
cation [4].

Les commissions données pendant le courant de l'été
1596 à Claude Fauchet, Claude de Montperlier et Jehan Favier
envisagent surtout la recherche de ceux qui avaient fabriqué
les six-blancs. Les commissaires sont députés pour les provinces de Languedoc, Provence, Dauphiné, Lyonnais, Forez, Beau-
jolais et Auvergne, mais en fait ils se bornent à l'extrême
Midi.

Or, ces lettres [5] visent d'abord les malversations, les délits
et les crimes qui avaient été commis et fixent ensuite la manière de les juger. Le principal crime fut le billonnage dont
nous avons parlé. Ensuite, il y avait le « transport hors le
royaume » et l'introduction de pièces étrangères dans la circulation. Le travail des commissaires comprenait non seulement
l'inspection de tous les registres des officiers des Monnaies,

---

[1] Arch. Nat. H 748/19, Document n° XLIX.
[2] Arch. Nat. Z 1B 497, procès-verbal de Claude de Montpellier : « Le transport
qui a esté faict desd. pièces de sixblancs pour la grande abondance et quantité
qu'en avoit le peuple qui ne s'en pouvoit ayder durant le descry *faict de luy
mesmes.* » Document n° LIII.
[3] C. HENRY et C. LORIQUET, *Journal ou Mémoires de Jean Pussot*, Reims,
1858, p. 45.
[4] Procès-verbal de Montpellier, déjà cité.
[5] Document n° XLVI.

mais aussi de ceux des changeurs et des affineurs. Ils avaient en outre mission de contrôler les orfèvres, les joailliers et les merciers.

Quant au jugement des procès, les lettres du Roi remettent d'abord entre les mains des commissaires les procès déjà en cours, commencés par les Généraux subsidiaires ou par les juges locaux, les réservant, en cas d'appel, à la juridiction de son Conseil.

Les procès concernant les maîtres et ouvriers des ateliers monétaires devaient être référés à la Cour des Monnaies de Paris, et quant aux autres procès, les commissaires avaient le droit de jugement définitif si l'amende n'excédait pas cent écus, et quand l'amende dépassait cette somme, ils pouvaient juger définitivement sans appel s'il y avait sept autres juges présents « lieutenants ou conseillers » et à défaut de juges des plus anciens avocats. Quant aux amendes perçues, le tiers devait être accordé aux dénonciateurs, et les deux autres tiers utilisés pour les frais de justice. Tous les magistrats du royaume devaient prêter aux commissaires toute l'assistance possible sans qu'il y eût besoin de lettres de jussion ou autre déclaration de la volonté royale.

Le 30 septembre, la Cour des Monnaies enregistrait les lettres de commission, soulignant le fait que les commissaires devaient renvoyer les procès instruits contre les maîtres à la Cour des Monnaies, et ajoutant que ces renvois de procès devaient avoir lieu tous les deux mois. Amples pouvoirs, mais qui devaient nécessairement rencontrer beaucoup d'opposition dans le Midi.

Certains préliminaires durent être réglés avant le départ des commissaires. Le Roi devait être représenté par un procureur général, et cette charge échut à un certain Mᵉ Jehan Hureau, avocat en la Cour de Parlement [1].

Les commissaires voyageaient séparément, mais étaient accompagnés d'un greffier. Les documents contiennent fréquemment les noms de Mᵉ Drouin, greffier du premier Président, de Mᵉ Prieur, greffier de Montperlier. Ce dernier avait encore un autre greffier [2]. Paul Marcilly, « commis par le Roy à la réception des deniers et des amendes » était adjoint à Fauchet. Chaque commissaire a donc sa petite suite pour l'aider à affronter les périls de la route.

---

[1] Document nᵒ XLVII.

[2] Le début du procès-verbal de Montpellier, déjà mentionné, dit : « Nous Claude de Montpellier... accompagnez de Mᵉ Jehan Dupont et Claude Boutin, nos adjoinctz et greffier sommes partiz de la ville de Paris... »

Nos renseignements sur la première année de la résidence des commissaires dans le Midi sont assez complets. Un long procès-verbal de Claude de Montperlier, un rapport sur les Etats-Généraux du Languedoc, diverses lettres et divers arrêts de la Cour des Monnaies ne nous laissent pas trop dépourvus d'informations [1].

Le premier Président dut quitter Paris vers le milieu du mois d'octobre, car sa dernière signature sur les registres de la Cour des Monnaies est du 10 octobre 1596 [2]. Quelle route a-t-il suivie pour arriver à Béziers où nous le trouvons le 21 novembre? Nous l'ignorons. Mais nous sommes mieux renseigné sur les mouvements de Claude de Montperlier, qui quitta Paris le 5 octobre [3] et s'achemina par Rennes, Nantes, Bordeaux et Toulouse. La raison de ce détour est expliquée dans son procès-verbal : « pour recouvrir les pièces et ce qui nous estoit besoin. » Il était à Bordeaux le 14 novembre [4], à Toulouse le 19. Il y resta jusqu'à la fin du mois, passa ensuite à Narbonne le 1er décembre, traversa Béziers où il eut des nouvelles du Président Fauchet, et arriva à Montpellier le 3 pour conférer avec lui sur tout ce qui s'était passé depuis le début de leurs commissions [3].

Le plus jeune membre de la commission passant par Lyon dut arriver à Aix vers la même époque. Il fit de cette ville son quartier général, et nous l'y rencontrons même après le retour du premier Président à Paris.

Les Méridionaux, Parlements et Etats-Généraux, n'accueillirent pas favorablement l'arrivée des officiers parisiens. Les Parlements protestèrent, parce qu'ils voulaient juger leurs propres prévenus, le peuple parce qu'il avait le privilège d'être jugé chez lui et ne pouvait être « tiré hors dud. pays pour quelque cause que ce soit » [5]. Ils s'apprêtaient tous à défendre courageusement tous leurs privilèges.

Le Parlement de Toulouse ne voulait rien entendre à la réduction de l'écu, et Montperlier, arrivé à Toulouse le premier, lui répondit longuement, exposant des idées qui avaient été débattues dans des séances de la Cour des Monnaies [6]. La

<hr />

[1] Documents XLVI-LIX.
Les renseignements sur le séjour de Fauchet dans le Midi sont très complets. Nous les résumons ici.
[2] Arch. Nat. Z 1B 195, 614.
[3] V. son procès-verbal. Document n° LIII.
[4] Arch. Nat. Z 1B 21 : « Procès-verbal de Me Claude de Montpellier du 14e nov. par lequel auroit esté donné acte aud. Malus » (maître de la monnaie de Bordeaux).
[5] Documents nos XLVIII-LII.
[6] Les idées exposées par Montperlier sont certainement celles de la Cour.

monnaie est la mesure de toutes choses [1], et ce n'est pas à
une seule province de fixer sa valeur. Quand on se sert de
l'argent d'un certain prince, on lui paye un tribut. Celui qui
a le plus d'or et d'argent est le plus riche. Ici, on retrouve
nombre de doctrines monétaires, qui ont eu cours à travers
les âges.

Mais le discours de Montperlier, comme ceux de Fauchet plus tard aux Etats de Béziers et de Narbonne roulait principalement sur le mal d'inflation dont souffrait le pays.

La publication de la réduction de l'écu devrait avoir lieu
partout à la même date « ou approchant », et quant à l'affaiblissement des monnaies, qui avait lieu pendant les troubles,
les commissaires furent justement députés pour en rechercher « les auteurs et leurs associés qui se sont enrichis de
la ruine de leurs compatriotes et concitoyens… et de tout le
peuple de France ». Montperlier reconnaît que la matière est
compliquée par le fait que cet affaiblissement avait été publié
sur l'avis des Etats-Généraux, et confirmé par le Parlement
de Toulouse, et aussi parce que les coupables cherchaient par
tous les moyens ou d'éviter la justice ou de se faire juger par
leurs concitoyens.

Le Parlement de Toulouse ne tarda pas à donner la
réplique à Montperlier. Il déclara par arrêt du 26 novembre
qu'il ne voulait pas empêcher l'exécution des lettres de commission, mais le syndic du Languedoc présenta une requête
« à ce que défenses nous fussent faites de rechercher les habitants, maîtres et associés de lad. province pour raison desd.
excès et refonte d'espèces », et le Parlement, tout en ratifiant
les lettres de commission [2], y apporta tant de restrictions que
les commissaires eurent les mains liées.

Lorsque ce général arrive à Béziers, il ne s'attarde pas dans cette ville, « d'aultant
que le sieur président Fauchet estoit venu … et avoit remonstré en l'assemblée
desd. Estatz ce qu'il avoit en recommandation pour le service du Roy en execution
de lad. commission ». Quand les deux officiers se rencontrent à Montpellier au
début de décembre, ils reçoivent et signent « les principaulx points de *leurs*
remontrances cy-devant transcriptes faictes aux depputez dud. Parlement », avant
le départ de Fauchet pour les Etats de Narbonne (Z 1B 497).

[A] Cette idée se rencontre chez les anciens. Platon et Aristote disent que la
monnaie est la mesure de toutes choses. V. P. HARSIN, *Les Doctrines monétaires
et financières*, Paris, 1928, p. 1.

Un peu plus loin dans son procès-verbal, Montperlier expose des idées
courantes au moyen âge : « Davantage le cours d'une monnoye est la marque
de son souveraineté à laquelle le prince seul donne cours et pris dont les subjectz
font recognoissance, la recepvant au pris ordonné par sa Ma[te]. » V. P. HARSIN,
op. cit., p. 3.

[2] Confirmé par les documents des Archives départementales de la Haute-
Garonne, B. 153, fol. 25 : Arrêt du Parlement de Toulouse en date du 25 novembre 1596, enregistrant les commissions générales données à Charles (*sic*) Fauchet
président de la Cour des Monnaies de Paris et à Claude Montperlier, général
en icelle (lettres patentes du 1er juillet 1596), pour la réformation des abus
monétaires qui s'étaient produits pendant les troubles.

D'abord, ils ne doivent pas contrevenir aux édits de paci-fication, ni aux arrêts prononcés par le Parlement. Mais voici qui est plus grave encore : le Parlement de Toulouse s'attri-bue le droit de juger les procès qui seront intentés contre les maîtres et officiers des Monnaies du pays. Quant au décri de l'écu, le Parlement affirme catégoriquement « n'y avoir à pré-sent lieu de réduction du prix desd. monnoies attendu l'estat du pays » [1].

Montperlier fait ce qui lui restait à faire : il rédigea un long rapport à ses confrères de la Cour des Monnaies, sachant que dans quelques jours il pourrait conférer avec le premier Président en personne. Pendant le reste de son séjour à Toulouse, il se consacra à la partie administrative de sa mis-sion, vérifiant les registres et inspectant l'atelier monétaire. Il s'efforça aussi d'intervenir dans une affaire [2] où le Parle-ment de Toulouse avait de son propre chef jeté en prison certains officiers de la Monnaie. Il s'entretint aussi avec le duc de Joyeuse, gouverneur du pays sur les empêchements apportés à l'exécution de la commission. L'attitude du duc est loin d'être aussi belliqueuse que celle du Parlement : en fait, il s'efforce d'apaiser l'officier des Monnaies justement irrité, en lui déclarant qu'aux prochains Etats de Narbonne, qui auraient lieu le 7 décembre, lui et M. de Ventadour délibé-reraient sur la réduction de l'écu. Il demanda à Montperlier de s'y trouver aussi « pour éclaircir les difficultés qui se pourroient faire sur le faict de sa commission ».

Montperlier partit de Toulouse le 28, passa par Narbonne le 1er décembre, ensuite par Béziers où il apprit l'arrivée du premier Président et où il fit entendre au duc de Ventadour ce que le duc de Joyeuse lui avait dit à Toulouse. Il arriva ensuite à Montpellier le 3 décembre et y trouva son confrère.

Nous devons revenir un peu en arrière pour parler de la réception faite à Fauchet aux Etats tenus à Béziers. La pre-mière mention de son nom dans l'histoire des Etats-Généraux [3] est brève : Fauchet entré aux Etats y a fait connaître la raison de son voyage, et « prié les Estats s'ayder a l'execution de sa

---

[1] V. procès-verbal déjà cité.
[2] Le général subsidiaire, Me Symon Chambon, ne s'entendait pas avec les juges-gardes de la Monnaie de Toulouse. Les fonctions de ce général et des gardes étaient analogues.
[3] Document no XLVIII. Voir *Estatz generaux du pays de Languedoc*. Cf. Dom C. Devic et Dom J. Vaissete, *Histoire générale de Languedoc*, t. 11, p. 870, il y a la remarque suivante : « Le duc de Ventadour fit l'ouverture à Béziers le 11 nov. de cette année des états de son département avec le marquis de Mirepoix, le sieur de Rochemaure, maître des requêtes et un trésorier de France, de Montpellier. »

commission ». Ils attendirent qu'il fut parti pour exprimer librement leur pensée. Ils réclament protection pour leurs compatriotes contre les visiteurs de Paris, et surtout ils demandent à être jugés dans leur pays [1]. Nous verrons par la suite qu'ils ne se contentèrent pas de paroles.

Fauchet et Montperlier ayant conféré ensemble, décidèrent de souligner la nécessité immédiate de rabaisser l'écu. Avant de se séparer, les deux commissaires, après avoir fait enregistrer leurs lettres de commission au siège présidial de Montpellier, revirent ensemble les registres de plusieurs maîtres des Monnaies, qui avaient participé à l'affaiblissement des espèces.

Le 7 décembre, Montperlier quitta Montpellier pour se rendre à Avignon où il se mit immédiatement à son travail qui consistait à s'informer des noms des criminels réfugiés aux alentours. Avignon paraît être devenu le quartier général de Montperlier. C'est en quittant cette ville qu'il fit ses chevauchées dans tout le pays environnant, et il mourut à Avignon vers le mois de juin 1597.

Avant d'arriver à cette date cependant, nous devons mentionner plusieurs faits. L'intention de Fauchet en quittant son confrère à Montpellier était de se rendre à Narbonne où les Etats allaient se réunir le 15 décembre. Nous pouvons imaginer l'esprit de son discours : la répétition des idées que nous avons déjà constatées dans la bouche de Montperlier.

Il dut quitter le Languedoc vers la fin de l'année ou au début de l'année 1597 pour se rendre en Provence, car le 18 janvier nous le retrouvons à Aix [2] où il est occupé à « installer » un général provincial « en la possession et jouissance » de son état. Il semble avoir passé la première moitié de l'année à Aix, Arles et Marseille [3].

---

[1] *L'Histoire de Languedoc*, déjà citée, p. 883, cite à ce propos l'historien Mathieu, qui fournit un excellent commentaire sur ces événements : « Le roi, ayant fait expédier diverses commissions par les provinces du royaume, afin d'en tirer de l'argent pour subvenir aux nécessités de l'Etat, le plus grand profit qui en réussit fut en celle où l'on espéroit le moins. De Maysse, conseiller au conseil d'Etat, de Refuge, conseiller au Parlement furent envoyés en Languedoc, qui est le pays le plus indocile aux nouveautés, et où les oppositions sont plus libres contre les commissions du roi, car les peuples de ce pays disent toujours à sa Majesté, *Nous sommes vos sujets : mais avec nos privilèges*, et il est malaisé d'amener à la raison une multitude composée de différentes têtes... Les états de Languedoc opposoient à la volonté du roi leurs privilèges et disoient n'en pouvoir souffrir l'altération : ils se rendirent sourds à toutes les persuasions de la raison, et de la considération des affaires du roi. »

[2] Arch. Nat. Z 1B 389.

[3] Les Archives départementales des Bouches-du-Rhône conservent la note de l'enregistrement des lettres patentes. Inventaire, série B, pp. 142 et 143 : B 3339, fol. 379, Paris, 1596 11 juillet : « Lettres donnant à Claude Fauchet premier président de la Cour des Monnaies et Claude de Montperlier de la même cour

Il poursuit tranquillement la partie administrative de son travail, s'occupant également de petits procès comportant des amendes de moins de cent écus [1]. Le bail de la Monnaie d'Aix étant prêt d'expirer, Fauchet donne des ordres pour la publication à son de trompe de cette nouvelle dans toute les villes des alentours les jours de marché, et nous pouvons nous figurer le premier Président dans la sénéchaussée d'Aix les jours fixés pour l'adjudication — plusieurs samedis successifs, en février et mars 1597 — à midi sonnant, attendant « l'extinction de la chandelle » et adjugeant la Monnaie à Benoît Beau comme « plus offrant », adjudication sujette naturellement aux approbations de ses confrères de Paris (Z lb 388).

Nous l'entrevoyons à Arles en juin 1597 [2] où il établit un règlement très détaillé concernant les orfèvres, — vingt-trois articles — qui sont précieusement observés par les maîtres de ce métier longtemps encore après sa mort.

Mais ses plus grands soucis lui viennent de l'opposition du Parlement de Toulouse. A plusieurs reprises, il envoie au Conseil à Paris son messager spécial, Paul Marcilly [3]. La Cour des Monnaies par des arrêts, le Conseil par des lettres patentes, soutiennent les officiers dans le Midi. Le 27 janvier 1597 [4], la Cour des Monnaies confirme les pouvoirs des commissaires. Elle les commet pour instruire et juger les procès faits et à faire aux maîtres et officiers des Monnaies « ouvertes durant les troubles », sauf l'exécution s'il en est appelé, auquel cas les procès et les prisonniers seraient renvoyés à Paris. Quant aux procès des maîtres et officiers des ateliers ouverts par l'autorité de la Cour, ils devaient être renvoyés également à Paris.

Le 18 avril, la Cour des Monnaies élargit encore les pouvoirs de ses délégués, en leur permettant de passer à l'exécution des sentences, qui ne prononceraient que des amendes. Le 4 mai paraît la réponse du Conseil (sous la forme de nouvelles lettres patentes du Roi) à l'arrêt du Parlement de

---

commission de se transporter dans les provinces de Languedoc, Provence, Dauphiné, Lyonnais et Auvergne pour y informer et procéder contre ceux coupables d'abus, tels que fonte de toute sorte d'espèces d'or et d'argent, billonnage, introduction et transport d'espèces fausses ou étrangères. »

Ibid. B 3339, fol. 415 : note de l'enregistrement des lettres de Jean Favier. Notons que les Etats s'ouvrent à Marseille le 6 mars. Nous savons d'ailleurs par les *Œuvres* de Fauchet qu'il avait été à Marseille. Au début de sa lettre à « Monsieur de Galoup sieur de Chastoil à Aix » sur les *Armes et Bastons des Chevaliers* Fauchet dit qu'il avait fait un livre sur ce sujet : « Je l'avoy faict en un livre que j'ay perdu à Marseille. »

[1] Arch. Nat. Z 1B 498.
Il visite aussi des monuments dans le voisinage d'Aix. V. *Œuvres*, f. 17 r°.
[2] Document n° LVII.
[3] Arch. Nat. Z 1B 498.
[4] Document n° LIV.

Toulouse du 26 novembre précédent. C'est une confirmation des premières lettres de commission, mais enjoignant aux deux commissaires, Fauchet et Montperlier, d'exécuter immédiatement les jugements rendus. Les sentences prononcées par les commissaires dans les cas prévus par les lettres de commission sont « autorisées, approuvées et validées » par ces nouvelles lettres.

Malgré toutes ces confirmations de leurs pouvoirs, les Méridionaux continuent à s'opposer à l'exécution de leurs commissions. Le 9 mai 1597, dans une assemblée tenue à Pézenas, « par les députés des villes capitales des diocèses » [1], les consuls et députés de Montpellier se vantent d'avoir refusé d'obéir aux commissions du Sieur des Barreaux [2], et du « Sieur Président des Monnaies », « comme étant leurs commissions préjudiciables au pays et contre les privilèges d'iceluy » [3]. Ils décidèrent que les habitants de Montpellier « et autres qui seront en mesme peine y seront assistés par les syndics généraux dud. pays ». Ils ne se contentèrent pas d'exprimer ainsi leur antipathie, et ils envoyèrent des délégués à Paris. Le 17 mai [4], le Conseil du Roi eut à écouter les remontrances de ces délégués contre les commissions données « pour le règlement des salines, greniers à sel, etc. » et pour la « recherche des billonneurs, fabrication de monnoie et autres malversations ». Le Conseil cependant donna son appui aux commissaires : « et quand à la commission descernée aud. Fauchet et autres commissaires pour le fait desd. monnoyes, ordonne sad. Majesté qu'ils y procéderont contre les fabricateurs et expositeurs de fausse monnoye par intelligence avec lesd. fabricateurs et autres personnes, sellon la forme contenue en lad. commission... sans y comprendre les particuliers qui par la licence du temps et sans dol ni fraude se pourroient trouver coupables d'exposition de monnoye ou vente de billon contre les ordonnances. » Le gouvernement soutenait donc ses commissaires, tout en leur interdisant de rechercher les particuliers.

Le mois de juin est marqué par la mort de Claude de Montperlier et ce fut le triste devoir de Fauchet d'en annoncer la nouvelle à ses confrères [5].

---

[1] Document n° L.
[2] Des Barreaux avait reçu une commission spéciale pour les gabelles.
[3] Une note de J. R. (Joseph Roman), *Histoire générale de Languedoc*, t. 11, p. 873, a utilisé les registres du Conseil d'Etat pour donner les mêmes renseignements que nous. Ici le nom de Fauchet devient Fauchel.
[4] Arch. Nat. H 748/141. *Recueil des edicts declarations et arrests du conseil donnés à l'instance de la province de Languedoc.*
[5] Documents n°s LVIII et LIX.

Dès son retour à Paris, Fauchet se préoccupa de faire payer à la famille du défunt les émoluments qui lui étaient dus [1].

Une des phrases de Fauchet dans sa lettre sur son activité dans le Midi nous a particulièrement frappé. « Je trouve tant de traverses que je ne sçai où me tourner. » Cette phrase décrit bien l'état des luttes continuelles, qui existaient entre les commissaires et les juges locaux.

Pendant la seconde année de son séjour, Fauchet paraît avoir résidé principalement à Montpellier. La lettre sur la mort de son confrère est expédiée de cette ville, de même que diverses autres lettres qu'il envoie à Paris dans la période qui va de l'été 1597 à l'été 1598. On n'oubliera pas que tout en ayant choisi un centre, le commissaire passait une grande partie de son temps à cheval, la recherche des prévenus et des criminels nécessitant beaucoup de déplacements.

Les habitants du Midi s'opposèrent aux commissions, surtout parce que des particuliers pouvaient être « molestés ». L'arrêt du 4 mai avait interdit de les rechercher, — la lettre de Fauchet que nous venons de mentionner souligne son intention de ne sévir que contre les maîtres et leurs associés. Néanmoins la crainte des Méridionaux s'exprime encore une fois dans une « assemblée tenue par mandement de Monseigneur le duc de Ventadour » au mois de juillet à Pézenas [2], où, ayant appris que le Roi avait confirmé les commissions [3], ils prennent la résolution de supplier encore une fois Sa Majesté de les révoquer, insistant sur la clause concernant les citoyens privés.

A ce moment, Fauchet eut à lutter non seulement contre une situation défavorable dans le Midi, mais il eut aussi maille à partir avec ses confrères de Paris. Une lettre du 16 août 1597 [4] explique que les Monnaies de Montpellier et de Villeneuve sont en chômage, que la petite monnaie française manque dans le pays, tandis qu'il y a quantité de douzains du pape. Fauchet ne suggère directement aucun remède, il demande à ses confrères « de faire telle poursuite au Conseil que vous adviserez bon estre faicte pour mettre sus les monnoyes qui sont en chômage », mais il laisse entendre que ce serait « pour le soulagement du peuple » si les douzains étrangers étaient convertis en douzains aux coins et armes de France.

---

[1] Arch. Nat. Z 1B 146, f. 57 v°.
[2] Document n° LI.
[3] La commission sur les gabelles est également envisagée.
[4] Arch. Nat. Z 1B 388.

Fauchet se charge même de donner des ordres pour cette fabrication au grand mécontentement de ses confrères de Paris.

La sympathie du Président pour le pays où il résidait est évidente. Ses confrères de Paris l'ont comprise car à la réception de cette lettre le Procureur du Roi conseille « estre différé en faire remonstrances jusques à son retour ».

Le Parlement de Toulouse n'accepte pas sans regimber les divers arrêts prononcés à Paris. Un autre arrêt du Parlement de Toulouse du 26 août 1597, tout en déclarant qu'il n'empêchera pas l'exécution des commissions, pose la condition que les commissaires doivent respecter l'arrêt prononcé par lui le 26 novembre. En particulier, ce Parlement s'attribue à nouveau la juridiction des procès contre les maîtres de Narbonne.

Les Méridionaux continuent à se plaindre au Conseil [1], et Fauchet décide d'aller passer les mois de janvier et février à Toulouse [2]. Il y édicte des règlements pour les réceptions d'ouvriers et de monnayeurs de l'atelier de Toulouse, mais il est de retour à Montpellier au printemps.

Pour les derniers mois du séjour de Fauchet dans le Midi, les documents ne sont pas nombreux. Nous possédons deux lettres [3] expédiées de Montpellier les 14 et 16 mars 1598. Dans la première il se plaint du peu d'autorité dont jouit la Cour des Monnaies auprès de ces gens du Midi. Dans la seconde, nous voyons que le côté matériel de son séjour ne manqua pas de lui donner de vives inquiétudes. Il prie ses confrères de veiller à ce qu'il soit payé d'autant « qu'il me fascheroit, ajoute-t-il, que les maistres qui de bonne foi m'ont pourvu fussent molestez à mon occasion ». Nous n'avons pas la réponse immédiate de ses confrères, mais un commentaire sur cette lettre est fourni par un arrêt de la Cour daté du 27 mars 1601 [4] en faveur de Jehan Chavalier, autrefois maître de la Monnaie d'Aix, à qui Fauchet avait emprunté près de deux cents écus « pour faire les frais de sa commission ».

Nous avons mentionné les diverses occupations du Président, tant administratives que judiciaires. Nous possédons

---

[1] Document n° LXIV.
[2] Archives départementales de la Haute-Garonne, série B. 156, f. 35, Cf. G. Constans, op. cit. Preuves, p. 320, Antiquitez, f. 85 v°, où Fauchet parle des tombeaux qu'il avait vus dans une église de Toulouse.
[3] Voir Documents nos LXI et LXII.
[4] Arch. Nat. Z 1B 21.
Le même jour, 27 mars 1601, Fauchet fait rendre à Jehan Favier des « deniers doubles solz » dont il avait eu besoin dans un de ses procès.

la liste [1] des « amendes et confiscations... receues des con-
dampnations faictes par Monsieur le président Fauchet », dres-
sée par Paul Marcilly. La même liste contient les dépenses de
ce greffier, ainsi que d'un autre nommé Etienne de Laistre,
occasionnées par leurs divers voyages, voyage à Rouen « pour
trouver le Roy », voyage à Avignon pour retrouver les papiers
de feu M. de Montperlier, voyage à Toulouse pour faire enregistrer les lettres de commissions du Président, différents
voyages pour porter les dépêches de Fauchet à Favier.

Fauchet s'est occupé très activement aussi de procès criminels suivant ses lettres de commission, et la liste complète se retrouve à plusieurs reprises parmi les documents de la
Cour des Monnaies. Il n'est pas allé jusqu'au jugement définitif,
à cause des « empêchements » apportés par le Parlement de
Toulouse, et quand il fut rentré à Paris en août 1598, on igno-
rait si ce serait la Cour des Monnaies ou le Parlement qui
jugerait ces procès.

Nous ne connaissons pas les détails de son voyage de
retour, mais son premier soin en rentrant est de tenter de
faire attribuer la décision de ces cas à la Cour des Monnaies. Le 12 novembre [2], il obtient du Roi des lettres adressées
à la Cour, accordant les pouvoirs nécessaires pour faire juger
ces procès par sa propre compagnie.

Alors toute la question paraît être bien réglée. C'est la
Cour des Monnaies qui jugera les criminels en question et le
23 janvier 1599 [3], elle prononce un arrêt à cet effet, arrêt qui
est suivi d'un autre, trois jours plus tard, ordonnant aux
prévenus et accusés de comparoir « à certain jour compé-
tent » à la Cour des Monnaies. Le même jour, Guillaume
Drouin apporte les procès, registres et papiers au greffe [4], —
six procès et une quantité de « livres de recepte », de « registres carrés couverts de parchemin », de cahiers, de liasses.

L'affaire semble donc close et Fauchet tourne son attention vers les deux questions qui le préoccupaient le plus à
ce moment : il désirait d'abord se faire payer, et ensuite prendre sa retraite.

Le 15 mars, il obtient un arrêt du Conseil [5] réglant la
première question, arrêt qui nous intéresse parce qu'on y
trouve la durée exacte de l'absence de Fauchet. « Il a vacqué

[1] Arch. Nat. Z 1B 498; cf. Document n° LXVII.
[2] Document n° LXV.
[3] Arch. Nat. Z 1B 498. Cet arrêt répète ce qui avait été dit au Conseil d'Etat.
Cf. Document LXV.
[4] Arch. Nat. Z 1B 250 et 74.
[5] Document n° LXVIII.

avec ung greffier à l'exécution de lad. commission 668 journées. »

Il résigna sa charge le 21 juin 1599, ayant comme successeur Guillaume Leclerc, qui avait obtenu ses lettres de
provision le 9 juin. Ces dates sont importantes, quand on
songe au résultat des querelles débattues entre le Parlement
de Toulouse et la Cour des Monnaies au sujet du jugement
des procès criminels.

Tous les inculpés avaient été incarcérés dans les prisons
du Midi, et on comprend que les difficultés pour les transporter à Paris étaient énormes à une époque où le pays était
incomplètement pacifié. En fait, les accusés profitent du
désaccord qui se manifeste entre les magistrats. Un certain
Jehan Pons, prisonnier à Montpellier, qui avait été condamné
par Fauchet à payer dix mille écus d'amende, courait le
risque d'être enlevé et conduit aux galères. C'était évidemment la justice telle que la comprenaient les juges locaux,
justice qui, de l'avis de la Cour des Monnaies, ferait perdre
une grosse somme d'argent au Roi. La Cour essaie de remédier à ce danger en prononçant un arrêt, faisant « déffences
à toutes personnes... d'enlever des prisons dud. Montpellier
led. Jehan Pons ». Mais la Cour des Monnaies est trop éloi-
gnée pour faire valoir ses décisions, et nous ignorons ce qu'il
advint de Jehan Pons.

Il est certain que l'hostilité des Méridionaux continue
à être aussi acharnée qu'au début du séjour des commissaires,
et les Languedociens ne cessent pas d'assiéger de pétitions
le Conseil d'Etat. Fauchet avait déjà pris sa retraite et s'était
retiré dans sa maison « des champs » lorsqu'une nouvelle
tentative fut faite par le Parlement de Toulouse pour que le
jugement de ces procès lui fût attribué. Elle ne rencontre pas
la même opposition que les tentatives précédentes, et le 26
octobre 1599 la connaissance de ces procès instruits en Languedoc contre les faux-monnayeurs et billonneurs par Fauchet est renvoyée au Parlement de Toulouse [1]. Cet arrêt contredit catégoriquement celui du 12 novembre précédent. La
Cour des Monnaies ne se tient pas immédiatement pour battue; elle essaie d'abord de conserver sa souveraineté en
matière de procès concernant les officiers des Monnaies, et

---

[1] Document n° LXIX.
    Cf. Arch. Nat. Z 1B 74, f. 250 et suiv. V. aussi Arch. départementales de la
Haute-Garonne, B 182, fol. 198 : Arrêt du Parlement de Toulouse du 13 juillet 1600, enregistrant des lettres du 26 octobre 1599 qui renvoient au Parlement
les instances engagées « par le sieur de Fauchet » contre les faux monnayeurs.

le 23 janvier 1601, le Procureur de la Cour, Denis Godefroy, remontre au Conseil que dès l'année 1555, la connaissance et le jugement des procès faits aux officiers des Monnaies avaient été attribués à la Cour. Mais la décision du Conseil est contraire aux intérêts de la Cour des Monnaies, et le jugement définitif des procès instruits par Fauchet reviendra aux Toulousains. Le greffier des Monnaies, Pierre Naberat, est chargé de remettre les procédures qui sont au greffe de la Cour « es mains de celuy à qui il lui sera ordonné par led. Parlement ». Des lettres patentes du Roi adressées au Parlement renforcent cette décision, et le 29 mars un autre arrêt du Conseil permet au Procureur général du Parlement de réclamer les documents au greffier des Monnaies qui, en cas de refus, peut être « contraint à ce faire par emprisonnement de sa personne ». Un procès-verbal de « l'huissier ordinaire du roy et de son grand Conseil » relatant comment il a reçu les documents des mains de Pierre Naberat clôt cette longue querelle [1].

Ainsi se termine cette dispute qui, dans des cas semblables, devait toujours recommencer. Evidemment la décision de renvoyer les procès à Toulouse n'était pas juste, mais pratiquement la souveraineté de la Cour des Monnaies n'était pas réalisable.

Sous l'ancien régime, les magistrats étaient trop nombreux et jaloux les uns des autres, les distances trop grandes. Une des premières réformes de la Révolution sera de réduire le nombre des cours de justice.

Dernières années

Les divers documents qui font allusion à la retraite de Fauchet ne révèlent rien d'anormal dans cet événement. Il ne savait pas au juste qui allait lui succéder dans sa charge. Il avait différé sa retraite jusqu'à son retour du Midi.

Nous ignorons combien Guillaume Leclerc a payé sa charge, car nous devons supposer qu'il dut la payer comme les autres officiers. Les lettres de provision [2] du successeur de Fauchet sont conçues dans les termes habituels : « Sur la requeste présentée par Me Guillaume Leclerc... afin d'estre receu en l'estat et office de premier président... dont il auroit

---

[1] Voir Document n° LXXI.
[2] Arch. Nat. Z 1B 559, 21 juin 1599.

esté pourvu par le Roy par la résignation de Mᵉ Claude Fauchet, dernier possesseur d'icelui. » Ces documents mentionnent aussi « l'état que possédoit Mᵉ Claude Fauchet vacant par
la pure et simple résignation qu'il en a ce jourd'huy faict
en nos mains ». C'est dire que la retraite de Fauchet était
parfaitement honorable, et les biographes [1] qui ont dit que sa
charge fut vendue « pour payer ses dettes » ont faussé l'histoire. Nous essayerons bientôt d'expliquer comment l'on est
arrivé à méconnaître ainsi les dernières années de notre
érudit.

La considération dont jouissait Fauchet se montre dans
les lettres qui lui furent accordées en août 1599 pour confirmer ses titres de noblesse. Ces lettres sont intéressantes du
fait qu'elles mentionnent les travaux littéraires de Fauchet.
Le feu roi Henri III avait rendu un « digne tesmoignage »
des « louables estudes » de Fauchet, qui avait fait imprimer
« plusieurs siens œuvres au bien et ediffication du publicq » [2].

Une étude approfondie des archives de la Cour des Monnaies nous convainc de l'exactitude scrupuleuse que Fauchet
a toujours mise à remplir ses devoirs. D'innombrables signatures, ses Mémoires sur le désordre des Monnaies de l'année 1577, les commissions spéciales qui lui ont été octroyées,
témoignent de l'intérêt qu'il portait à sa profession. Ses biographes se trompent quand ils supposent qu'il « n'exerça
presque point » sa charge [3]. En réalité Fauchet est avant
tout magistrat. Sa charge tenait évidemment une place prépondérante dans sa vie. Il publia très peu avant de prendre
sa retraite, et quoi qu'il ait travaillé sur les « antiquailles »
depuis son retour d'Italie, il n'eut jamais assez de loisirs
pour mettre ses travaux au point.

Rien ne peut mieux révéler son attitude que la requête
verbale qu'il présenta à la Cour en janvier 1600 [4] « à ce qu'il
lui fut donné entrée, séance et voix délibérative en icelle, à la
charge de ne participer à aucuns droits, épices ou autres
émoluments ». Les registres reproduisent la substance des
paroles du Président lui-même et fournissent la meilleure
réponse aux dénigrements de ses biographes.

Comme les registres de présence manquent pour la

---

[1] Voir H. SAUVAL, *Histoire et Recherches des Antiquités de la Ville de Paris*,
1724, t. Iᵉʳ, p. 321.
[2] Document nº XI.
[3] SAUVAL, *op. cit.*
[4] Il alla à la Cour le 12 janvier, et le 14 on lui accorda ce qu'il avait
demandé. Documents nᵒˢ LXXIV et LXXV.

période de 1597 à 1608, nous ignorons si le Président utilisa
régulièrement cette permission. Il est certainement revenu à
la Cour à plusieurs reprises car son nom se retrouve parfois,
lorsqu'il s'agit de procès datant des années de sa présidence.
Mais nous pensons que l'état de sa santé et sa résidence probable à Béconcelles l'ont empêché de profiter souvent de cette
autorisation.

En effet, pendant toute la durée de sa magistrature, il
avait vraisemblablement passé une partie de l'année, ses grandes vacances, dans une de ses fermes. Rien de plus naturel que
de supposer qu'en prenant sa retraite il prolongeait simplement son séjour à la campagne. Son fils et sa fille s'y étaient
établis. Il pouvait ainsi jouir de leur présence et s'intéresser
sans doute à ses petits-enfants.

Il prit sa retraite avant le mois de juin 1599 et mourut,
d'après tous les renseignements que nous avons pu glaner, en
janvier 1602. Cette courte période fut consacrée à la publication
de ses « œuvres » — les *Antiquitez*, les *Origines*, et certains
petits traités. Nous pouvons conjecturer que tous ces ouvrages
existaient déjà en manuscrit, mais il revit une grande partie des
Antiquitez, et il y insérait de temps à autre certains compli-
ments au roi Henri IV, travail qu'il dut nécessairement mettre
au point après 1589 et plus probablement après 1599.

Si nous voulons savoir quelles sortes de pensées occupaient
l'esprit du Président pendant ses dernières années, il faut les
chercher dans les dédicaces, les préfaces et les additions faites
aux *Antiquitez*, additions que Fauchet prend soin de signaler
lui-même. Ces pages ne sont pas nombreuses, mais elles constituent le seul moyen de connaître son état d'esprit à ce moment. Il consigna ses réflexions sur la meilleure forme de
gouvernement dans le dernier chapitre du livre V des *Antiquitez*, sur l'origine de la royauté, sur les devoirs personnels
du Roi, sur la nécessité d'accorder les charges importantes au
mérite plutôt qu'à la noblesse — toutes considérations auxquelles nous faisons allusion plus loin.

Les dédicaces au roi Henri IV soulèvent toute la question
des relations de notre érudit avec ce monarque. Le principal
sentiment de Fauchet patriote paraît avoir été une immense
gratitude pour ce Roi qui avait mis fin aux guerres civiles. Dans
l'épître de 1599, le Président parle des « miraculeuses victoires » de la « triomphante paix » que ce souverain a donnée
au pays. Le ton de celle de 1601 s'élève encore davantage et
« cette dernière victoire nette de sang » permet à Fauchet de
comparer Henri IV à Jules César, qui « vint, vit et vainquit ».

Mais il est évident, qu'en 1599, Fauchet considère l'œuvre de guerre comme la moitié de la tâche de la monarchie. D'abord il faut que quelqu'un décrive les grands exploits des guerriers, et ici Fauchet se montre imbu des idées de Ronsard sur la mission, non des poètes cette fois, mais de l'historien. Pour que ce devoir soit rempli comme il convient, le Roi doit se montrer généreux envers tous les « bons esprits », c'est-à-dire, les gens de lettres. Le Président eût souhaité voir Henri IV devenir un autre François Ier, « plus justement surnommé le Grand pour l'affection qu'il portait aux lettres que pour l'excellence des magnifiques ouvrages et bastimens par luy entrepris, ou l'estendue de son royaume ». Ce n'est pas que le Président compte écrire lui-même l'histoire contemporaine, mais si le Roi peut être incité à doter tant de beaux esprits qui se trouvent aujourd'hui dans le royaume, Fauchet espère ne pas être oublié.

La dédicace des *Origines des Dignitéz* de janvier 1600 au duc de Bouillon nous livre le précieux renseignement que celui-ci avait essayé de stimuler la libéralité du Roi envers le Président. Pierre de l'Estoile vient confirmer ce petit fait en reproduisant les vers attribués au Président.

Cet écrivain souligne l'avarice du Roi, notant souvent que Sa Majesté était beaucoup plus disposée à demander de l'argent qu'à en donner. Voici ce qu'il dit de Fauchet (mars 1600) :

Quelque temps auparavant, comme il estoit à St. Germain, le président Fauchet y estant allé trouver sa Majesté, pour lui présenter ung de ses livres et lui demander quelque récompense de ses labeurs (comme il méritoit bien), le paia semblablement d'une gausserie : car aiant dit au duc de Bou... [1] qu'il s'estoit souvenu de lui, lui alla monstrer dans le coing d'une grotte led. président qui estoit ung des quatre Vents, représentés là pour souffler en enflant les joues. Dont le pauvre président, s'en revenchant sur le papier, fist les vers suivants qui ont été assez communs à Paris et partout :

> J'ay trouvé dedans St. Germain
> De mes longs travaux le salaire,
> Le roy de pierre m'a fait faire,
> Tant il est courtois et humain.
> S'il pouvoit aussi bien de faim
> Me préserver que mon image,
> Oh que j'aurois fait bon voyage !

---

[1] Evidemment le duc de Bouillon à qui Fauchet dédia les *Origines des dignitez et magistrats*. La dédicace de cet ouvrage nous renseigne sur le fait qu'un « singulier ami » du Président lui avait conseillé de dédier son livre à ce personnage, qui s'était montré « le vray Maecenas et Protecteur des Muses » en la personne du Président lui-même et de son neveu, « le docteur Godefroy », c'est-à-dire, Denis Godefroy, jurisconsulte et professeur de droit.

J'y retourneroy dès demain.
Corneille Tacite, Saluste et toy
Qui jadis honoras Padoue
Venez ici tous comme moy
Dedans un coin faire la moue.

Ces vers sont également cités dans un recueil manuscrit de poésies du xvie siècle [1]. L'incident qu'ils racontent était connu de Mornac [2] qui, au début du xviie siècle commémora les magistrats du siècle précédent. Sont-ils authentiques? Nous l'ignorons. Pierre de l'Estoile est assez exact, et nous savons que dans sa jeunesse, Fauchet avait été capable de tourner un compliment en vers. Certes, ces « vers satyriques » contredisent quelque peu ses habitudes de fidélité envers la monarchie, mais lui qui avait toujours joui de l'estime très marquée du Valois, dut trouver l'accueil de Henri IV bien froid.

Certains biographes [3] prétendent que le Roi ayant vu les vers, et piqué au vif, avait accordé une pension au Président à titre d'historiographe royal. Nous avons cherché à vérifier ce fait mais pour le règne de Henri IV. Quatre registres [4] seulement ont été conservés et précisément le registre manque pour les années où l'on aurait peut-être pu trouver le nom de Fauchet dans la « Maison du Roy », s'il avait joui d'une pension royale.

Mais la question se pose, et nous ne pouvons l'éviter, de savoir quelle a été la situation matérielle de Fauchet sur la fin de sa vie. Après la mort de sa seconde femme, il alla de nouveau habiter la maison qu'il possédait sur les quais. L'occupa-t-il entièrement ou seulement en partie? Son fils et sa fille étaient mariés, comme nous l'avons vu, et si de ce fait se trouvant seul, il ne garda qu'une ou deux pièces de sa maison, cela pourrait expliquer l'origine de l'histoire rapportée par Sauval, suivant qui le Président est mort dans un grenier.

---

[1] Pierre DE L'ESTOILE, t. 7, p. 213. Voir B. N. fr. 884, f. 303 v°, et fr. 4897, f. 79; Bibl. de l'Institut, Coll. Godefroy, 216, fol. 265, qui indique la date du 18 septembre, 1599. Les auteurs des *Bibliographies générales* des siècles suivants répètent cette histoire.

[2] *Feriae forenses*, Paris, 1619, p. 71.

[3] Bibliothèque de Lelong, t. 2, n° 15640 : « Le Roi le fit coucher sur son estat, à six cens écus de gages avec le titre de son Historiographe. » Fait qu'on retrouve dans d'autres biographies.

[4] Les registres qui existent aux Arch. Nat. sont numérotés, KK 150-153. 150 pour l'année 1593, 151 pour 1608, 152 pour 1609, et 153 pour 1610. Les autres furent détruits à la Révolution.

Nous avons également cherché à la B. N. ms. fr. 14127, *Recherches sur les auteurs qui ont écrit de l'histoire de France, par commission des Princes, sous le regne de qui ils vivoient*. Extrait des *Registres de l'Epargne à la Chambre des Comptes*. On y trouve quelques noms connus, mais Fauchet n'y figure pas.

Un autre fait important quand on envisage sa situation financière, c'est qu'il a souligné lui-même sa misère dans la préface des *Origines* : « Vous (le duc de Bouillon) essayastes d'exciter la libéralité de Sa Majesté, pour soulager ma vieillesse (quasi chargée en ces derniers ans) et de plusieurs affaires domestiques, que ma seule ardeur au service de nos Roys et à l'honneur de ma patrie a contractées en ma maison. » Nous croyons, pour notre part, que ces mots se rapportent tout simplement aux pertes qu'il avait subies pendant les troubles.

Il est certain aussi que ses enfants n'étaient pas riches. Archambault et Nicole sont obligés de céder certaines rentes qu'ils avaient héritées de leur mère, — et plus tard de leur père — pour payer leurs dettes à des marchands [1]. Notons aussi qu'après la mort du Président, Archambault se trouva hors d'état de conserver une habitation à Paris. La maison du quai fut « saizie sur Claude et Archambault Fauchet » et vendue en avril 1602 [2]. Si l'on se souvient du brillant train de vie mené par la famille du Président avant les troubles, alors que ce dernier possédait un hôtel à Paris et plusieurs fermes à la campagne, on comprendra sans difficulté que la vie restreinte de ces dernières années dut lui être pénible et frappa peut-être ses contemporains.

Aucun renseignement précis sur sa mort ne nous est parvenu. Pierre de l'Estoile [3] la place vers le 10 janvier 1602. Voici la notice : « Monsieur Jourdain, conseiller en la Grand Chambre... Monsieur de Maspairrant, président en la Cour des Aydes... moururent en ce mois à Paris, et le président Fauchet, homme docte, aux champs, près Paris, aagé de soixante treize ans. »

Nous ne connaissons même pas la date exacte de sa mort, mais l'affirmation de Pierre de l'Estoile est confirmée par un document de la Cour des Monnaies se rapportant au travail de Fauchet à Montpellier. Le Président y avait installé, comme essayeur de la Monnaie, un certain Jacques Du Pont. Ce fait est rappelé le 24 janvier 1602 où nous trouvons les mots : « Jacques Du Pont commis à la dite charge d'essayeur par feu Me Claude Fauchet, vivant conseiller du Roy et premier Président

---

[1] Arch. Nat. Y 162, f. 394 v°, année 1622. Voir aussi Minutier central, XC, Etude Jarriand 161, plusieurs documents pour les années 1598, 1599.

[2] Document n° VI. Ce sont les héritiers de René Billot qui font saisir la maison. Une note est écrite en marge du registre à côté du contrat qui enregistrait l'emprunt fait par Fauchet en 1575.

Cette note prouve que la maison fut saisie à la mort du Président. Elle signifie que Archambault n'avait pas les moyens de la garder.

[3] P. DE L'ESTOILE, *op. cit.*, t. 8, p. 10.

en lad. Court [1]. » C'est la première fois qu'un document de la
Cour fait mention du décès de Fauchet.

D'autre part, les deux lettres de l'imprimeur Jérémie
Périer qui précèdent les livres VIII à XII des *Antiquitez*, et qui
sont datées de Paris le 15 avril 1602, rappellent que le Président est mort, mais indiquent aussi que ce décès est tout récent.
La première lettre adressée au Roi débute ainsi : « L'excellence
de l'œuvre que le feu sieur président Fauchet me laissa sur la
presse lors que le commun destin l'appella, me forclost de
toute excuse légitime pour m'en descharger honnestement »,
et la deuxième dit au lecteur : « Vous jouyrez de ce labeur
que feu Monsieur le Président Fauchet m'avoit commis à vous
faire voir, ou vous trouverez que son intention a esté aussi
bien suyvie que s'il y eust esté présent, ores que son escriture
en soit un peu difficile, me l'ayant particulièrement demons-
trée [2]. » Donc, c'était le Président en personne qui avait
apporté son dernier manuscrit chez son imprimeur et lui avait
débrouillé les obscurités de son écriture. Aucun de ces divers
faits ne contredit la date de janvier 1602.

On dit que le Président fut inhumé à Saint-Germain-l'Auxerrois [3] mais, toutes nos recherches pour retrouver son épitaphe sont restées vaines. Il était redevenu paroissien de Saint-
Germain en 1587 et il y a bien des chances pour qu'il y ait été
enterré. Cette église a beaucoup souffert pendant la Révolution,
et aucune trace des tombeaux du xviᵉ siècle ne subsiste aujour-
d'hui.

---

[1] Arch. Nat. Z 1B 559.

[2] Les cahiers qui contiennent les livres XI et XII sont actuellement à la
B. N. Ces deux livres sont écrits par un copiste. V. p. 316.

[3] Lebeuf, *Histoire de la Ville et de tout le Diocèse de Paris*, 1889-1890,
t. 1ᵉʳ, p. 32 : « Les plus célèbres personnages qui ont été inhumés à Saint-
Germain-l'Auxerrois depuis deux siècles ou environ sont François Olivier, chancelier de France, décédé en 1560, ...le savant Claude Fauchet premier président
de la Cour des Monnaies, mort en 1603. »

Nous avons cherché à la B. N. manuscrit fr. 8214, *Tombeaux des personnes
illustres, nobles, célèbres et autres inhumées dans les Eglises de la ville et
faubourg de Paris* sans rien trouver sur Fauchet. On y trouve les Perrot, ses
cousins.

Nous avons également cherché dans les épitaphiers manuscrits de la Bibliothèque de la ville de Paris, qui nous ont été communiqués par M. Stiegel,
bibliothécaire, mais sans succès.

DEUXIÈME PARTIE

FAUCHET, HISTORIEN
DE LA LITTÉRATURE FRANÇAISE

CHAPITRE PREMIER

Le Recueil, livre premier [1]

Publication du *Recueil,* dédicace à Henri III.
 Résumé des cinq chapitres sur l'histoire de la langue. Fauchet juge
la langue un mélange « du romain et du gaulois ». Son opinion est
fondée sur ses lectures personnelles, mais elle a pu être influencée
par l'*Ercolano* de Benedetto Varchi.
Les trois chapitres sur l'histoire de la poésie.
 Définition du rythme d'après les traités des anciens. Fauchet ne s'est
pas rendu compte de la transformation de l'accent latin.
 Définitions de la rime. La poésie latine rimée. Que les Français ont
montré l'usage de la rime au reste de l'Europe. Les idées de Fauchet
sur les jongleurs.
 Fauchet ne doit rien à ses prédécesseurs français, mais il a pu être
influencé par la lecture de l'*Ercolano.*

  *Le Recueil de l'origine de la langue et poesie françoise,
ryme et romans, plus les noms et sommaire des œuvres de
CXXVII poetes françois vivans avant l'an 1300* parut chez Mamert Patisson « au logis de Robert Estienne » au mois de juin
1581. Comme le titre l'indique, ce livre est divisé en deux parties, et le tout est précédé d'une dédicace au roi Henri III. Cette
dédicace ne manque pas d'intérêt pour celui qui étudie la
Renaissance. Ici nous retrouvons cette passion pour les anciens
qui caractérise la période — « l'antiquité est tellement recom-
mandée à l'endroict des hommes » — ainsi qu'une déclaration
curieuse pour le temps : la haute naissance de certains écrivains du moyen âge, pouvait recommander leur poésie au roi.

  Fauchet indique son but en des termes précis. « Ce
Recueil... fait pour la gloire du nom François. » Cette affirmation rattache son livre à toutes les histoires [2], plus ou moins

---

[1] Pour la bibliographie, voir notre édition du *Recueil,* livre Ier.
[2] Jean Lemaire de Belges, *Illustrations de Gaule et singularitez de Troye*
(1509-1513).

véridiques de la Gaule antique, où l'on vantait la bravoure des Francs et la grandeur de leurs exploits. Fauchet lutte contre un double courant antifrançais : il n'écrit pas en latin, il cherche à « illustrer » sa langue maternelle. En tirant de la « prison d'oubli » les poètes français du moyen âge, il prétend montrer à l'Italie qu'elle a tort de mépriser la France.

La dédicace se termine en exprimant l'espoir que la paix [1] obtenue par les victoires sur les ennemis sera durable. La France alors serait aussi glorieuse que du temps de François 1er « ayant un Roy ami des lettres et doué de la plus rare eloquence qu'on puisse remarquer depuis plusieurs siècles ».

C'est sans doute à son voyage en Italie et à sa rencontre avec Speroni que nous devons rattacher l'intérêt témoigné par Fauchet à cette question de l'origine de la langue. Mais ce sont certainement les entretiens du Palais aux environs des années 1555 et 1556 — les réunions entre jeunes poètes et jeunes avocats qui ont encouragé cet intérêt. A cette époque le jeune Fauchet lisait tous les historiens qu'il trouvait à sa portée. Nous pouvons même entrevoir que ses immenses lectures faisaient déjà de lui un redoutable adversaire dans une discussion :

Je me suis maintefois trouvé en compaignie en laquelle plusieurs disoient que la langue françoise ne fut jamais en tel pris qu'elle est maintenant. Il advint que je di qu'elle avoit eu plus d'estendue, et cogneue de plus de gens : ce que plusieurs ne voulloient croire, tant que je fus contraint amener mes pleges, autrement l'on ne m'eut rien accreu.

C'est ainsi que débute le chapitre du cahier des *Veilles* intitulé *L'estendue de nostre langue avoir esté plus grande qu'elle n'est maintenant*. Nous avons ici la première rédaction du chapitre V du *Recueil*, rédaction plus ample où les « pleges » sont généralement cités en entier et où le jeune lettré trouve l'occasion de glisser un compliment au roi Henri II, à propos de ses victoires.

Jean BOUCHET, *Anciennes et modernes genealogies des roys de France* (1527) contient des louanges de la langue, de la littérature, montrant que le latin est « deffait ». Geofroy TORY, *Champfleury* (1529).

Guillaume LE ROUILLÉ D'ALENÇON, *Recueil de l'antique préexcellence de Gaule et des Gauloys* (1546) « chacune personne de bon cœur se met en devoir pour la deffence d'icelle Republique » et il montre que le « peuple des Gauloys a esté anciennement le plus noble, le plus hardy et le plus saige ».

Guillaume DE BELLAY, seigneur de Langey, *Epitome de l'antiquité des Gaules et de France* (publié 1556) accepte l'origine troyenne, de même que Ronsard dans la *Franciade*.

Mentionnons aussi tous ceux qui disaient que les Grecs avaient pris l'alphabet aux Gaulois, Ramus, Lefèvre de la Boderie, etc.

Voir H. CHAMARD, éd., *Deffense et Illustration de la Langue françoyse*, p. 59.
[1] Il s'agit de la paix de Fleix, novembre 1580.

Mais ce chapitre contient déjà en germe toute l'histoire de la langue française, et les cinq chapitres que Fauchet écrit en 1581 ne sont pour une grande part que le développement d'idées qu'il a depuis 25 ans.

Dans les quatre premiers chapitres Fauchet adopte un plan simple, qui est celui qu'indique la chronologie du sujet.

Avec Fauchet cependant il ne faut pas s'attendre à un développement rigoureux. Ces chapitres n'ont-ils pas été composés à différentes époques, ce qui expliquerait le manque d'ordre et les redites— peu nombreuses, il est vrai — qui s'y rencontrent. En voici les titres :

   I. *Pourquoy la parolle est propre à l'homme : si la langue Hebraique est la premiere de toutes autres langues : & la principale occasion de decouvrir et peupler le monde.*
  II. *Aucunes causes du changement des langues : & ou l'on pourroit trouver les traces de l'ancienne langue gauloise.*
 III. *De quelle langue ont usé les Gaulois depuis la venue des Romains et François. Pourquoy les François-Germains ne planterent leur langue en la Gaule : & quand ils commencerent d'escrire en leur langue.*
  IV. *Quelle estoit la langue appelee Romande. Des Romans : quand ils commencerent d'avoir cours : & de la langue Galonne ou Wallonne & celle que maintenant nous appelons Françoise.*

Le cinquième chapitre qui reproduit celui du cahier essaie de résumer toute la question. Il a pour titre : *Que la langue Françoise a esté cogneue, prisee et parlee de plus de gens qu'elle n'est a present.*

Dans la première moitié du livre Ier de son *Recueil*, Fauchet aborde la question de l'origine de la langue française. A une époque où l'on commençait communément l'histoire d'un peuple au déluge, il n'est pas étonnant de voir Fauchet remonter à la première langue parlée par les hommes et rassembler les textes de la Bible et des anciens — saint Augustin, Théodoret [1], Hérodote, Diodore de Sicile, — qui s'y rapportent. Il ne se prononce en faveur d'aucune des hypothèses formulées au XVIe siècle : « Quant à vouloir rechercher quelle fut la langue de nos premiers peres, je pense que ce seroit une trop pénible

---

[1] Sur Théodoret, voir A. MOLINIER, *Sources de l'Histoire de France*, t. 1er, n° 127. Thédoret a écrit une histoire ecclésiastique en grec (457).
   L'Histoire ecclésiastique de Théodoret, avait été publiée avec les histoires d'Eusèbe, de Socrate, de Sozomène et d'Evagré, par Robert Estienne, en 1544, in-f°.

et encore plus vaine curiosité. » La première langue amène
Fauchet à parler de l'invention de l'alphabet. Il rappelle les
noms de Cadmus, et d'Evander, cités par « les Grecs et les
Latins », et puis il passe rapidement à la langue parlée en
Gaule. Il rapporte les textes de Strabon, de saint Jérôme, de
Jules César et de Tacite pour arriver à se demander où l'on
pourrait trouver les traces de cette ancienne langue gauloise
après tant de conquêtes.

Quelles sont les causes qui peuvent modifier une langue ?
Selon le Président, elles sont deux, à savoir, un changement
dans la prononciation et la conquête et l'envahissement. Fauchet voit très bien que la conquête produit des effets différents
suivant que le vainqueur possède une civilisation et une langue plus développées que celles du vaincu, ou que la race con-
quise a cette supériorité de culture intellectuelle sur la race
conquérante. Fauchet a très bien noté la différence qu'il y a
entre la conquête de la Gaule par les Romains et la conquête
du même pays par les Francs, et il s'est demandé si l'on
peut trouver facilement des traces de l'ancienne langue gauloise sous la double couche romaine et germanique. Faut-il
chercher cette langue chez les Bretons bretonnants ? Même si
les quelques mots gaulois que nous connaissons par Jules
César, Suétone et Festus sont des mots qui existent encore en
breton, on ne peut en tirer la conclusion, dit Fauchet, que
tous les autres mots bretons appartiennent à cette ancienne
langue gauloise, car la Basse-Bretagne a été également con-
quise par les habitants de la Grande-Bretagne. Fauchet attribue
une grande importance à ces invasions, et il conclut avec la
réserve qui lui est habituelle que « la force, meslange et fre-
quentation de divers peuples ayant esteinte ceste ancienne langue, il fault en divers lieux de France chercher les traces de
son antiquité... chacune province peult fournir de quelque mot,
& les derniers vaincus plus que les autres. »

Le troisième chapitre du *Recueil* pose nettement la question des origines : « De quelle langue ont usé les Gaulois » après
leur conquête par les Romains et par les Francs ? Les Romains
ont planté leur langue en Gaule, mais après la conquête fran-
que, les habitants de la Gaule se servent d'une langue « qu'on
doit appeler romand [1] plustost que françois », puisque « la plus

---

[1] Les trois formes *romain* (pp. 14, 27, 32), *roman* (27, 30) et *romand* (13,
26), se rencontrent chez Fauchet. Pour lui *romain* n'est pas clair. Il sent le besoin
d'ajouter *rustic* ou *vulgaire*. La forme *roman* qu'il a trouvé dans les poèmes du
moyen âge désigne : 1° la langue et 2° les poèmes. Il se sert de la forme *romand*
et il dit *langue romande* pour traduire *lingua romana rustica*.

part des parolles sont tirees du latin ». D'après les témoignages
des anciens, Pacatus et Fortunat, les Gaulois parlaient latin
avec moins de facilité que les Italiens, ce qui amène Fauchet
à conclure que le « romand est un langage corrompu du romain et de l'ancien gaulois ». Les Francs, dont la langue diffé-
rait totalement du latin, n'ont pas pu influencer la langue du
pays parce qu'ils étaient moins civilisés et que leur langue
était « rude ». Grégoire de Tours, Otfrid et Eginhard témoignent que les rois de la première race voulaient la polir [1].
L'Eglise a grandement servi à maintenir la langue latine en
Gaule, car elle a toujours fait usage du latin, et a exigé de ses
prêtres la connaissance de cette langue.

Le début du quatrième chapitre cherche à définir la langue « romande ». « Cette langue romande n'estoit pas la pure
latine, ains gauloise corrompue par la longue possession &
seigneurie des Romains », et les limites de cette langue sont la
Meuse, les Alpes et les Pyrénées. Ici Fauchet tâtonne quelque
peu, car il dit plus loin que les Espagnols appellent leur « commun langage » « romance castellano », et il n'ignore pas que
les Suisses disent « parler roman » pour « parler français »,
mais il n'a pas suffisamment rapproché ces différents faits.
En tout cas, ayant délimité les frontières de la romaine rustique, il cherche à arriver à une connaissance plus solide de
cette langue, en étudiant les Serments de Strasbourg, — ou
plutôt il les cite, remarquant que cette langue n'est pas le latin
mais une langue « pareille à celle dont usent à present les
Provençaux Cathalans ou ceux de Languedoc » [2]. Pourquoi

---

[1] Fauchet, pp. 15 et suiv. (éd. de 1581), s'efforce de faire voir que la langue
des Francs n'est pas le « français » : il distingue nettement entre le « français
thiois » et le roman, apportant tous les faits qu'il peut glaner, par exemple, que
Chilpéric voulait ajouter quatre lettres à l'alphabet latin pour aider le « francik »
à faire sonner plus ouvertement ses w, ow, cht, ht, u, au ». Il mentionne que
Charlemagne donna des noms aux vents et aux mois en sa langue, et cite le texte
du Concile de Tours 812 ou *tingua romana rustica* est opposée à la *lingua
Theotisca* et au latin. il conclut p. 26 que « la nostre tient plus de la Romaine
ou Latine ». Nous donnons toujours la pagination de l'éd. de 1581.

[2] C'est une forme comme « cadhuna » à laquelle pense Fauchet. A noter ici
que nous pouvons faire du Président un ancêtre lointain en quelque sorte de
Raynouard. Voir sa *Grammaire romane*, son *Lexique roman*, où Raynouard fait
du provençal une sorte d'idiome intermédiaire entre le latin et les langues
néo-latines.

M. RAYNOUARD, *Lexique roman ou Dictionnaire de la Langue des Troubadours
comparée avec les autres Langues de l'Europe latine*, 6 vol., Paris, 1838-1844
Emil LÉVY, *Provenzalisches Supplement-Wörterbuch : Berichtungen und Ergan
zungen zu Raynouards Lexique roman*, 8 vol., Leipzig, 1894-1924.

Pourtant il est juste de remarquer qu'à cette époque « les parlers du Nord
et ceux du Midi n'étaient séparés que par quelques particularités de phonétique :
aussi est-il impossible de se prononcer d'après leurs caractères linguistiques sur
la provenance des documents de cette époque ». M. A. JEANROY, dans *Histoire de
la Nation française*, 1921, t. 12, p. 243, à propos des Serments de Strasbourg.

Cf. G. PARIS dans la *Romania*, t. 31 (1902), p. 615. V. aussi E. KOSCHWITZ,
Les plus Anciens Monuments de la Langue française (9e et 4e éd.), Leipzig, 1920;

cette première langue romaine rustique a-t-elle été « chassée » si loin? Pourquoi occupe-t-elle une si faible partie du territoire? Fauchet « confesse librement ne pouvoir asseurer par tesmoignages certains ». Il expose sa véritable idée tout à la fin du chapitre. La langue « romaine rustique » ou romande pareille aux Serments de Strasbourg s'est éteinte « deça Loire », ayant été bannie « aux cours plus esloignees vers Italie, Provence, Languedoc, Gascongne, et partie d'Aquitaine ». Le wallon se retire de son côté « outre la Somme et la Meuse » « laissant un langage moyen à ceux qui demourerent entre les montagnes d'Auvergne et ces rivières (Somme et Meuse) depuis appelé françois, pource que les Roys portant le nom de France le parloyent » [1]. C'est-à-dire que Fauchet attribue à la langue « romaine rustique », qu'il identifie avec le provençal, le rôle d'intermédiaire entre le latin et le français.

Cette idée générale jette de la lumière sur le reste du chapitre qui est plutôt confus. La division de l'empire de Charlemagne a d'abord séparé ceux qui parlaient « françois thiois » de ceux qui parlaient romain. L'importance des grands barons de la féodalité — qui étaient autant de roitelets — explique le nombre et l'importance des dialectes [2], tous appelés « romands » puis « roman », mais avec cette nuance que le roman « qui fut plus particulier à Paris et lieux voisins » était le « plus joli langage » [3].

C.-W. Walhund, *Bibliographie der Franzözischen Strassburger Eide vom Jahre 842* dans le recueil *Bausteine zur Romanischen Philologie, Festgabe für Adolfo Mussefia zum 15 Februar 1905* (Halle, Niemeyer).

[1] P. 39.

[2] P. 30 : « Ceste derniere separation de Capet fut cause, et à mon advis apporta un plus grand changement voire (si, j'ose dire) doubla la langue Romande. »

Cf. *Antiquitez*, f. 331 r°. Après avoir cité les Serments de Strasbourg, Fauchet dit : « J'ay mis ces serments... pour monstrer les langues qui estoient lors communes ès cours de nos Princes, a fin que par cet eschantillon chacun puisse cognoistre la corruption qui depuis s'en est faicte. Quant à moy, je trouve que ce langage Romand approche du Provençal ou Lyonnois plus que du nostre de deça Loyre : et toutesfois, Charles avoit en son armee bien autant de François, Vestriens & Bourguignons que d'Aquitaniens, Auvergnats, et Languedocquois, qui encore l'entendroient mieux aujourd'huy que nous habitans deça Loire. Mais n'ayant jamais veu des livres composez en langue de ce temps-là, non pas mesmes plus anciens que l'an mil cent (quelque diligence que j'aye faicte d'en recouvrer) je ne puis deviner la cause de si grande diversité, qu'un seul, à sçavoir l'advancement de Hugues Capet à la Couronne de France. Lequel estant Westrien ... estant son territoire et domaine reduit au petit pied par la substraction qui luy fut faicte des grands Duchez et Contez usurpees par les Gouverneurs... lesdits seigneurs ne se soucioient de hanter sa cour, ne se conformer a ses meurs ou langage. »

[3] Ce chapitre contient une digression sur l'origine de *Hurepoix*. C'est un vers du *Roman d'Alexandre* par le clerc Simon : « Li autre Erupeis & parla bien Roman », qui engage Fauchet à penser que le roman était le langage de Paris, car « Hurepoix » selon lui est le quartier de l'Université — en réalité c'était une partie de Neustrie. Fauchet cite en passant les avis de G.-B. Giraldi et G.-B. Pigna sur l'origine du « roman ». Voir notre édition annotée du *Recueil*, Bibliographie.

Le chapitre V intitulé : « Que la langue françoise a esté cogneue et parlee de plus de gens qu'elle n'est à present », forme une sorte de conclusion. Quelques pages résument l'idée générale des deux premiers chapitres c'est-à-dire, que « les langues se renforcent à mesure que les princes qui en usent s'agrandissent ». Fauchet cite l'exemple des Grecs qui « envoyaient » des colonies sur toutes les côtes de la Méditerranée, il cite celui des Romains, et démontre que les Gaulois avaient tout intérêt à apprendre le latin. Arrivé enfin à son véritable sujet, il établit par des exemples que l'Angleterre a parlé français après la conquête de 1066, jusqu'au règne d'Edouard III qui en 1361 ordonna qu'on plaidât en anglais. Ensuite, Fauchet mentionne les exploits des Français en Orient — Jérusalem, Chypre, Antioche, Constantinople, — en Italie à Naples — et il est d'avis que la langue française se parlait dans ces diverses contrées [1]. Il rappelle la renommée de l'Université de Paris au moyen âge, fréquentée par des étrangers de toutes les nations, entre autres par Boccace, qui a emprunté « une infinité de parolles et manieres de parler toutes françoises » [2]. Il rappelle le séjour des papes à Avignon.

Mais si la langue française a été autrefois mieux connue qu'elle ne l'est au xvie siècle, Fauchet ne désespère pas de la voir triompher à nouveau. Si autrefois les « Italiens, Espagnols, Alemans et autres » ont pillé les contes des jongleurs, que feront-ils à présent « quand ils viendront à feuilleter les œuvres de tant d'excellents poetes, qui sont venus depuis le regne du roy François premier de ce nom. Je croy qu'ils ne se feindront non plus de les piller, et qu'ils auront encores moins de honte de cueillir les fleurs de si beaux jardins dressez par nos derniers poetes, que leurs predecesseurs n'ont faict d'emporter les espines & ronces des landes & haliers frequentez par nos anciens peres. »

Telles sont les idées de Fauchet sur l'origine et le développement du français. Les erreurs en sont dues surtout à un manque de documents — car parmi les anciens monuments de la langue, Fauchet ne connaît que les Serments de Strasbourg

---

[1] Dans une thèse récente on a revendiqué pour les poèmes des croisades une patrie syrienne, « écrits pour des Français qui avaient transporté en Orient leurs foyers, leurs institutions, leur langue et leur religion » (Anouar HATEM, *Les Poèmes épiques des Croisades*, Paris, 1932, pp. 403, 404). Cf. aussi L. MADELIN, *L'Expansion française. De la Syrie au Rhin*, Paris, 1918. On peut noter aussi que Jehan de Journy a écrit sa *Dime de penitance* à Nicosie dans l'île de Chypre en 1288. Pour les relations de la France et de l'Angleterre pendant le moyen âge, voir les ouvrages de T. F. TOUT, particulièrement, *France and England, their Relations in the Middle Ages and now*, Manchester, 1922.

[2] P. 47. Voir notre édition annotée.

— et à une étude insuffisante du bas latin. Mais ses conclusions tiennent encore pour une grande partie, et sa méthode est excellente. Il ne tombe dans aucune des erreurs grossières de ses contemporains.

Quelle est donc sa dette envers ses prédécesseurs français et italiens?

Fauchet ne mentionne que rarement ses prédécesseurs français. Il fait une allusion en passant à la controverse entre François Hotman et Antoine Matharel [1] : il cite les mots gaulois donnés par Henri Estienne. Il était certainement fort au courant des idées de Sylvius (Dubois), de Bouvelles, de Guillaume Budé et de Joachim Périon sur l'origine du français, mais il ne les cite pas expressément. Ces deux derniers faisaient dériver le français du grec; Sylvius, Bouvelles et Hotman tâtonnaient. Sylvius pensait que le français découle de trois sources : l'hébreu, le grec et le latin : « corrogata scilicet ex Hebraeis, Graecis, Latinis vocum Gallicarum origine : a quibus ceu fontibus nostra prope universa elocutio manavit [2]. »

Bouvelles, qui s'était très bien aperçu que le français, l'italien et l'espagnol dérivaient du latin, voulait voir en ces trois langues simplement du latin corrompu, et il concluait que le latin classique était de beaucoup à préférer aux langues vulgaires [3].

Hotman a des idées très précises sur la part qu'il faut donner à chaque « source » du français :

Mais celuy dont nous usons auiourdhuy, il est assez aisé à voir que c'est une langue ramassee & composee de plusieurs autres. Et pour en dire nettement & au vray ce qui en est, il faut departir nostre langage François en quatre : & de ces quatre parts, il en faudra premierement oster iustement la moitié & la rapporter aux Romains, en recognoissant que c'est d'eux que nous la tenons : comme ceux qui ont tant soit peu gousté la langue latine, le sçavent bien... Quant à l'autre moitié de nostre langage, il la faut encore repartir en trois, dont nous donnerons la premiere part aux antiques Gaulois, la seconde aux François qui se mirent en leur place, et la troisieme aux letres et disciplines des Grecs, qui avoyent la vogue pour lors [4].

On a voulu voir en Fauchet le disciple de Henri Estienne [5]. Nous croyons en effet que Fauchet était au courant de tout ce qui touchait aux questions qui l'intéressaient particulièrement,

---

[1] V. P. Ronzy, *Papire Masson*, liv. II, ch. Ier.
[2] Iac Sylvii Ambiani, *In linguam Gallicam isagoge*. Ad lectorem linguae Gallicae studiosum. Paris, Robert Estienne, 1531, in-4º.
[3] *Liber de differentia vulgarium linguarum*, chap. 1er.
[4] *La Gaule Françoise de F. Hotman, Iurisconsulte*, nouvelle traduction de Latin en François. 1574.
[5] L. Clément, *H. Estienne*, Paris, 1898, p. 224.

la langue, les institutions et l'histoire de la vieille France, mais
nous préférons voir en lui un travailleur d'un esprit indépendant, qui n'était pas d'humeur à suivre aveuglément même le
critique le plus sûr [1]. On a dit très justement qu'il faisait
preuve « d'un sens critique supérieur à celui de Henri Estienne » [2]. Ce dernier, tout en connaissant à fond le latin et l'italien, n'a pas vu que le français et l'italien étaient également
sortis du latin. Fauchet évite de se prononcer nettement.
Comme H. Estienne, il a le tort de suivre l'opinion bizarre de
Bembo, qui pensait que l'italien devait beaucoup de mots et
d'expressions à la langue provençale [3].

Dans notre chapitre sur les amis du Président nous faisons
allusion à son amitié pour Estienne Pasquier. Fauchet et Pasquier avaient-ils parlé ensemble de l'origine de la langue française ? Rien certes ne nous empêche de le supposer, mais
comme Pasquier n'avait publié que deux livres de ses *Recherches* avant 1581, nous devons au moins reconnaître la priorité
de Fauchet [4].

Pasquier a traité ces questions dans les trois premiers chapitres de son livre VIII. Le premier chapitre suggère deux
causes pour le changement d'une langue, — et ces deux causes sont précisément celles invoquées par Fauchet, un changement qui « procede de nos esprits », « une autre mutation que
quelques-uns appellent corruption, lors qu'un pays estant par
la force des armes subjugué il est contraint pour complaire
aux victorieux d'apprendre sa langue ».

Ensuite Pasquier donne son opinion sur l'origine du français :

Aussi la langue dont nous usons aujourd'huy selon mon jugement
est composée, part de l'ancienne Gauloise, part de la Latine, part de la
Françoise, & si ainsi le voulez, elle a plusieurs grandes symbolisations
avec la Gregeoise. Et encore le trafic & commerce que nous eusmes sous
les regnes des Roys François I & Henry II avec l'Italien, nous apporta plu-

---

[1] Voir nos notes sur *Recueil*, ch. III.
[2] DARMESTETER et HATZFELD, *Seizième Siècle*, Paris, 1878 (plusieurs éditions),
p. 75.
[3] Voir notes sur *Recueil*, p. 47.
[4] Le livre premier des *Recherches* est publié en 1560, le livre II en 1561.
Les livres III, IV, V et VI sont au complet en 1586, mais ne paraissent qu'en
1596. Le livre VII paraît en 1611, et les livres VIII et IX en 1621 après la mort
de leur auteur.
D'après une lettre écrite à Ronsard, Pasquier réfléchit à l'évolution de la
littérature en 1555, mais il ne songe pas à en écrire l'histoire. Au début du
livre premier, Pasquier publie le « proget » de son livre entier. Sous les traits
du cinquième livre projeté qui est devenu en fait le livre VIII, il y a une indication des tendances étymologiques de la pensée de Pasquier, mais il ne semble
pas encore songer à écrire l'histoire de la littérature.
En 1555, Fauchet rédige des chapitres sur l'histoire de la langue et sur
l'histoire littéraire.

sieurs mots affectez de ce pays-là. Tous les termes de ces langues estrangeres accomodez au cours de l'ancienne Gauloise. Mais surtout est infiniment nostre Vulgaire redevable aux Romains.

Pasquier, comme Fauchet du reste, est enclin à faire une
trop large part au « gaulois ». A la fin du chapitre, Pasquier
prétend donner une explication du « raccourcissement » des
mots latins lorsqu'ils sont devenus français :

> Nos Gaulois eschangeans leur langue Walonne en la Romaine comme
> ceux qui avoient l'esprit plus brusque & prompt que les Romains, & par
> consequent le langage vray-semblablement plus court : aussi transplan-
> tans la langue Romaine chez eux, ils accourcirent les paroles de ces mots
> *corpus, tempus, asperum* et autres semblables, dont ils firent *corps,
> temps* et *aspre.*

Dans son deuxième chapitre Pasquier a rassemblé tous les
vieux mots gaulois qu'il pouvait découvrir chez les anciens.
Sa liste est plus complète que celle de Fauchet, mais Pasquier
attribue parfois une origine gauloise à des mots qui ont une
tout autre provenance [1]. La conclusion de son chapitre le
ramène une fois de plus à son explication du chapitre précédent. Ici il cherche à amplifier. Il n'y a, dit-il, que les mots
qui ont plusieurs syllabes qui ont été raccourcis. Ceux qui
n'ont qu'une syllabe ne sont pas « corrompues ains pures
latines. Aux monosyllabes qui ne pouvoient recevoir racour-
cissement nous en usons tout de la mesme façon que le romain
sans rien immuer, *si non, tu, plus, es, est, qui, os.* » Dans des
mots comme *mons, frons, fons, pons, dens, ars* et *pars* c'est
la « succession de temps » qui a changé l's final en *t.*

En ce qui concerne l'origine du français, le troisième chapitre présente moins d'intérêt. Pasquier y parle de la diversité
des dialectes au moyen âge, de leur « rudesse » et de la « polis-
sure » que la langue a reçue. Il conclut en demandant à quel
moment on peut dire qu'une langue atteint sa plus haute perfection. Sa réponse vaut la peine d'être citée :

> Je croy que l'abondance des bons Autheurs, qui se trouvent en un
> siècle authorise la langue de leur temps par dessus les autres; on a
> recours à leurs conceptions originaires, qu'il faut puiser d'eux.

Nous avons vu que cette idée existe aussi chez Fauchet.

---

[1] Je pense à ce qu'il dit de *complices :* « Gaulois pour n'estre ni François,
Grec ny Latin. » V. M. J. Moore, *Estienne Pasquier Historien de la Poésie et
de la Langue françaises,* Poitiers, 1934, p. 117. En réalité, les étymologies proposées par Pasquier sont peu nombreuses; il les emprunte des ouvrages de Henri
Estienne ou du *Dictionnaire* de Nicot. Sur les étymologies de Fauchet, voir
l'appendice.

C'est une de ces idées fécondes, assez fréquentes chez Pasquier qui ne cesse pas d'avoir une valeur intrinsèque même après quatre siècles de critique littéraire.

Pasquier, sans rien apporter de très neuf, est plus ample que Fauchet sur cette question de l'origine de la langue. A la vérité, il fallait attendre que Ménage et du Cange eussent fait leur travail prodigieux sur le bas latin pour arriver à des conceptions plus sûres sur la véritable origine du français. Fauchet est resté plus près des textes que Pasquier, et surtout il n'a pas voulu donner des explications ingénieuses, mais point scientifiques, de l'origine de la langue. Il a tous les scrupules du critique moderne. Il veut tout vérifier et c'est pourquoi nous trouvons dans son *Recueil* une des rares discussions scientifiques sur l'origine de la langue que nous ayons pendant toute la période de la Renaissance.

Nous avons voulu délimiter l'influence française sur le *Recueil*, et nous avons vu que, sans négliger les travaux de ses contemporains, Fauchet a préféré arriver à une opinion fondée sur les textes.

L'influence italienne se manifeste également dans le début du *Recueil*. En Italie, les questions de langue étaient débattues depuis fort longtemps, en fait, depuis le *De Vulgari Eloquentia* de Dante [1]. Tout le début du *Recueil* se ressent de la lecture de ce traité et d'autres traités italiens tels que les *Prose* de Bembo (1525), *I Dialogi* de Sp. Speroni (1542), *Gello, ovvero Origine della lingua fiorentina* de Giambullari (1545), *Il Cesano* de Claudio Tolomei (1555), *Le Ciunte alla Prose del Bembo* de L. Castelvetro (1563), ont été sans doute lus par Fauchet.

Dans le premier livre des *Prose* [2], Bembo énonce nettement plusieurs principes que nous retrouvons chez Fauchet. Il ex-

---

[1] *Dantis Aligerii praecellentiss. poetae de vulgari eloquentia libri duo.* Parisiis. Apud Jo. Corbon, via Carmelitarum ex adverso coll. Longobard. 1577. Cum privilegio.
Voici les titres de quelques chapitres :
Quod solus homo habet commercium sermonis.
Quod necessarium fuit homini commercium sermonis.
Cui homini primum datus est sermo : quid primo dixit, et sub quo idiomate.
Ubi et cui primum homo locutus sit.
Sub quo idiomate primum locutus est homo, et unde fuit Auctor huius operis.
De divisione sermonis in plures linguas.
Subdivisio Idiomatis per orbem, et praecipue in Europa.
De triplici varietate sermonis : et qualiter per tempora idem idioma mutatur, et de inventione Grammatice.
De varietate idiomatis in Italia a dextris et a sinistris montis Apennini.
[2] S. DEBENEDETTI, *Gli studi provenzali*, Turin, 1911, p. 168, attire l'attention sur la grande influence du cardinal Bembo : « Il Bembo fonda la teoria dell'origine del verseggiare volgare come quella dei rapporti linguistici italo-provenzali, sopra una sola base : ciò che è anteriore dà vita a ciò che viene appresso. Eppure anche questa dottrina ebbe una singolare fortuna. » V. notre édition.

pose les raisons des changements qui se font dans une langue.
L'ancien latin a été corrompu par les langues étrangères, par
l'action de la langue provençale en particulier[1]. Bembo, au
contraire de Fauchet, ne voit que ces causes externes qui trans-
forment les langues.

Autour de Bembo, les travaux sur la langue se multiplient.
Du point de vue des idées de Fauchet, il faut mentionner la
Origine della lingua fiorentina de Pierfrancesco Giambullari.
Ce traité remonte au déluge, à la tour de Babel, et essaye de
démontrer que l'écriture des anciens Etrusques était pareille
à l'hébreu et au chaldéen, et par conséquent que l'italien vient
de ces langues orientales. Comme Fauchet plus tard, Giambullari parle de Cadmus et de l'alphabet. Il discute longuement
pour savoir si les Italiens ont pris la rime aux Provençaux[2];
et il mentionne Isocrate, et cite Enzina. On voit que chez lui
se rencontrent beaucoup d'idées qui sont familières à Fauchet.

Le début du traité de Claudio Tolomei contient sur la
parole des pensées qui se rencontrent souvent à cette époque.
La parole appartient à l'homme, et non aux anges ni aux bêtes.
Tolomei se demande comment la première langue s'est pro-
pagée, et comment les langues se sont transformées et, passant
à l'italien, il conclut que cette langue est un mélange du latin,
de l'étrusque, et des langues des barbares, Huns, Goths et
Lombards.

Dans les notes qu'il a écrites pour les *Prose* de Bembo,
Castelvetro[3] établit que l'italien dérive de la langue populaire
latine, parlée à Rome du temps même des empereurs.

Mais c'est dans le dialogue de Benedetto Varchi intitulé

---

[1] Voir P. VILLEY, *Les Sources italiennes de la « Deffense et Illustration de
la langue françoise » de Joachim du Bellay*, Paris, 1908, p. xxv : « Les grands
Latins ont rejeté la langue savante empruntée, pour user de leur langue naturelle. Mais, peu à peu, ce latin s'est corrompu. Il a été gâté par les barbares
qui ont occupé longuement l'Italie. Il l'a encore été par les influences variées
des langues étrangères, par l'action de la langue provençale en particulier, à
laquelle les Italiens ont emprunté leur poésie lyrique. » Dans ce passage M. Villey
traduit les *Prose della Lingua volgare*.
   Nous avons vu que Fauchet fait un rapprochement entre la langue de.
Serments de Strasbourg et le provençal.
   [2] Voir sur les Italiens de Gênes qui ont écrit en provençal : BERTONI, *I
trovatori minori di Genova*, Dresden, 1903.
   [3] Castelvetro et Varchi sont mentionnés par FAUCHET, *Œuvres*, f. 503 v°,
Castelvetro, 494 v°.
   Nous avons consulté les *Opere di Benedetto Varchi con un discorso di A. Racheli
intorno alla filologia del secolo XVI e alla vita e agli scritti dell'autore*, Trieste,
1858-1859; et *L'Ercolano, dialogo di Benedetto Varchi dove si ragiona delle lingue
e in particolare della toscana e fiorentina con la correzione di Ludovico Castelvetro e la Varchina di Jeronimo Muzio con le note di G. Bottari e di G-A. Volpi...
ediz. riveduta e illusrata da Pietro dal Rio. In Firenze, per l'agenzia libraria.
1846. Au xviiie siècle des recueils de traités sur la langue qui datent du
xvie siècle ont été réimprimés en très grand nombre, par exemple, *Le Osservationi della Lingua volgare di diversi Huomini illustri...* Venise, 1725.

l'*Ercolano* que l'on trouve comme le résumé de tout le travail du siècle sur les langues, qui a eu, semble-t-il, le plus d'influence sur Fauchet. Cet érudit était fait pour plaire à un Français, car il connaissait les travaux français sur l'origine de la langue, et quoiqu'il méprise tous ceux qui voulaient dériver le français de l'hébreu et du grec — tels que Dubois, Bouvelles et G. Postel — il avait eu l'esprit assez large pour ne pas se contenter de prendre connaissance des seuls travaux italiens.

En 1570, Varchi discute plusieurs questions que reprend Fauchet. Voici quelques titres de son livre qu'on pourra comparer avec le commencement du *Recueil* :

1. Qu'est-ce que c'est que la parole.
2. Si la parole appartient seulement à l'homme.
3. Si la parole est naturelle à l'homme.
4. Si la nature pouvait effectuer que tous les hommes, partout et dans tous les temps, parlent une seule langue avec les mêmes paroles.
5. Si chaque homme naît ayant sa propre langue qui lui est naturelle.
6. Quelle fut la première langue : quand, où, par qui et pourquoi elle fut donnée.

Après ces discussions préliminaires, Varchi fait des observations sur des matières analogues. M. Villey [1] a traduit les titres de ces sections :

1. Qu'est-ce qu'une langue ?
2. A quel signes se connaissent les langues ?
3. Classification des langues.
4. Sont-ce les langues qui font les écrivains, ou les écrivains qui font les langues ?
5. Quand, où, comment, par qui et pour quelles raisons naquit la langue vulgaire ?
6. La langue vulgaire est-elle une langue nouvelle, ou n'est-elle que la langue latine altérée et corrompue ?
7. De combien de langues et de quelles langues est composé le vulgaire ?
8. De qui doit-on apprendre à parler les langues : du peuple, des maîtres, ou des écrivains ?
9. A quels signes peut-on connaître et doit-on juger qu'une langue est supérieure à une autre, c'est-à-dire, plus riche et plus belle, ou plus douce, et quelle est celle qui possède le plus ces trois caractères : la grecque, la latine ou la vulgaire ?
10. La langue vulgaire, c'est-à-dire, celle dont ont fait usage pour parler et pour écrire Dante, Boccace et Pétrarque, doit-elle s'appeler italienne, ou toscane ou florentine ?

---

[1] *Les Sources italiennes de la « Deffense et Illustration de la langue françoise » de Joachim du Bellay*, Paris, 1908.

Ces titres indiquent la parenté de ce dialogue avec le *Recueil*, mais on voit par leur teneur même que la discussion de Varchi sera plus philosophique que celle de Fauchet.

La lecture de ces divers traités laisse l'impression que Fauchet a été influencé par les Italiens, mais comme il devait traiter de l'origine du français et non de celle de l'italien, cette influence ne se fait pas sentir dans les chapitres de la fin qui ne concernent que le français. Le premier chapitre du *Recueil* se rencontre plusieurs fois en italien, depuis le *De Vulgari Eloquentia* de Dante jusqu'à l'*Ercolano* de Varchi. Les Italiens malgré leur penchant pour l'affinité du chaldéen et de l'hébreu avec l'étrusque et l'italien [1], ont en général reconnu que le latin était le parent de leur langue. Les Français ont mis plus longtemps pour voir cette parenté.

En somme, les dettes de Fauchet envers ses prédécesseurs ne sont pas considérables; quelques idées pour le début du *Recueil* empruntées aux Italiens, une connaissance générale de tous les traités français qui en avaient parlé, mais pas d'emprunts directs, sauf peut-être, quelques mots gaulois et une étymologie incorrecte empruntée à Henri Estienne [2]. Ce qui frappe le lecteur moderne, c'est la façon indépendante dont Fauchet traite son sujet. Il n'a pas de préjugés, — ou presque pas — il semble revendiquer parfois pour le français un rôle qui ne lui appartenait pas, celui d'avoir fourni la matière de certains contes de Boccace [3], par exemple — mais il possède un sens critique très averti, un jugement pondéré, et il est assurément l'érudit le plus intelligent qui eût jusque-là traité le sujet.

Les trois derniers chapitres se rapportent à la poésie; voici leurs titres :

VI. *Sommaire discours de l'origine de la poésie, et que c'est que les anciens appelloyent Rhythmos, & vers Rhythmiques anciens.*

VII. *Quand la Ryme, telle que nous l'avons, commença : & que les Espagnols et Italiens l'ont prise des François.*

VIII. *Qui furent les Trouverres, Chanterres, Jugleor & Jongleor. Que c'est que Ryme Leonine et consonante.*

---

[1] Voir Claudio Tolomei, *Il Cesano, Dialogo nel quale da piu dotti huomini si disputa del nome, col quale se dee ragionevolmente chiamare la volgar lingua* (1555); Pierfrancesco Giambullari, *Origine della lingua fiorentina* (1549), etc., pourtant les formes de beaucoup de mots italiens n'étaient pas fort éloignées du latin!

[2] Voir le mot *compagnon* à l'appendice.

[3] Voir plus loin, p. 195.

Le chapitre VI est intitulé *Sommaire discours de l'origine de la poésie, & que c'est que les anciens appelloyent Rhythmos et vers rythmiques anciens*. Le début du chapitre rappelle l'éloge de la poésie qu'on lit dans l'*Art poétique* d'Horace [1] — sa fonction civilisatrice surtout — éloge qui se rencontre maintes fois pendant la Renaissance. Les plus anciennes poésies se trouvent dans la Bible, mais les Gaulois et les Germains d'après les témoignages des Romains n'ignoraient pas cet art divin. Ce sont cependant les Grecs et plus tard les Romains qui ont tellement « haussé » la poésie « qu'à bon droit l'on peut dire qu'ils en sont les pères ». Elle continua à fleurir jusqu'aux invasions des barbares. Cette période troublée et l'influence croissante du christianisme l'ont fait déchoir de son ancienne gloire, et elle devient alors populaire et se distinguera désormais par la rime.

Quelle est l'origine de la rime? demande Fauchet. Il répondra à cette question dans le chapitre suivant, mais ici il parle du sens qu'ont eu les mots *rythme* et *mètre* chez les anciens, il consacre d'abord trois pages à donner sa propre définition du rythne et à distinguer entre le rythme et l'harmonie. Le rythme, déclare Fauchet, « est la proportion qu'il y a entre deux temps de diverse longueur, quand ils viennent à s'entr'accorder », et il ajoute un peu plus loin : « Le rythme n'est autre chose que la difference de temps que nous employons à prononcer une syllabe, et le temps que nous mettons à dire une autre »; il exprime la même idée ainsi : « Le rythme n'est autre chose que la difference que nous observons pour le regard du temps en la prononciation des syllabes. » Par conséquent, il voit très bien que le temps domine dans le rythme.

Ensuite, il a recours à une série de citations [2] tirées d'Aristote, d'Aulu-Gelle, de saint Augustin, de Diomède le Grammairien, et de Bède le Vénérable.

Aristote avait dit que la prose devrait être rythmique, mais non pas métrique :

διὸ ῥυθμὸν δεῖ ἔχειν τὸν λόγον, μέτρον δὲ μή. ποίημα γὰρ ἔσται,

---

[1] Idée qui se rencontre aussi chez les Grecs — les légendes d'Orphée qui domptait les bêtes féroces et d'Amphion qui charmait les pierres montrent qu'elle est très ancienne.

[2] Fauchet traduit les citations, mais sa traduction est parfois moins claire que le latin.
Voici les références exactes des citations :
ARISTOTE, *Rhétorique*, III, VIII, 3 et 4.
CICÉRON, *de Orat.*, XX.
QUINTILIEN, *Institut. orat.*, IX, 4 (44-48).
SAINT AUGUSTIN, *De ordine*, II, 14, et *De musica*, III, IV et V.
DIOMÈDE, *Art. gramm.*, lib. II (Keil, G. L., t. 1er, p. 468).
AULU-GELLE, *Noct. attic.*, XVI, XVIII.
BEDE, *De arte metrica*, 24, De rhythmo (Migne, P. L. t. 90, 173).

et Cicéron, qui suit Aristote s'exprime ainsi : « Quicquid est enim quod sub aurium mensuram aliquam cadit, etiam si abest a versu- nam id quidem orationis est vitium- numerus vocatur, qui Graece ρυθμός dicitur. » Ensuite Fauchet cite Quintilien :

> Omnis structura ac dimensio et copulatio vocum constat aut numeris (numeros ρυθμὸς accipi volo) aut μέτρῳ id est dimensione quadam. Quod etiam si constat utrumque pedibus, habet tamen non simplicem differentiam; nam rhythmi, id est numeri, spatio temporum constant metra etiam ordine; ideoque alterum qualitatis alterum quantitatis.

Fauchet utilise aussi le traité de musique de saint Augustin, où on lit :

> Itaque non solum metrum propter insignem finem sed etiam rhythmus est propter pedum rationabilem connexionem. Quocirca omne metrum rhythmus, non omnis rhythmus etiam metrum est.

Fauchet le traduit ainsi :

> A ceste cause il s'appelle non seulement Metre, pource qu'il a une fin remarquable, mais il est encore Rhythme, à cause de la raisonnable liaison de ses pieds. Et partant tout Metre est Rhythme, et tout Rhythme n'est pas Metre.

C'est dire que le rythme est plus général que le mètre, et que le dernier est caractérisé par une fixité plus marquée. « Le mètre est une unité du rythme : le rythme est une série homogène de temps forts et de temps faibles et qui peut, par conséquent, s'étendre à l'infini », déclare un récent critique [1].

Ensuite Fauchet a recours à saint Augustin pour marquer l'importance de la césure dans la construction du vers : « La difference qu'il y a du Metre au Vers, est que le Metre avant qu'il soit clos n'a point d'article certain et arresté : là où le vers a certain demi-pied où il se doit arrester. »

Fauchet fait des allusions fort brèves à Diomède le Grammairien et à Aulu-Gelle, mais il est surtout redevable à Quintilien et à saint Augustin pour les distinctions qu'il établit entre le rythme, le mètre et le vers.

Le chapitre se termine par une citation de Bède le Vénérable, et comme elle est très importante pour la compréhension de toute cette question, nous la donnons en entier :

---

[1] M. NICOLAU, L'Origine du Cursus rythmique, Paris, 1930. Voir aussi P. VERRIER, Le Vers français, Paris, 1931 t. Ier; W. MEYER, Gesammelte Abhandlungen zur mittelalterlichen Rhythmik, Breslau, 1905; D. TARDI, Fortunat, Paris, 1927; du même, Les « Epitomae » de Virgile de Toulouse, Paris, 1928. Cf. F. J. E. RABY, A History of Christian Latin Poetry, Oxford, 1927, p. 465.

Videtur autem rhythmus metris esse consimilis, quae est verborum modulata compositio, non metrica ratione, sed numero syllabarum ad iudicium aurium examinata, ut sunt carmina vulgarium poetarum. Et quidem rhythmus per se sine metro esse potest, metrum vero sine rhythmo esse non potest, quod liquidius ita definitur : metrum est ratio cum modulatione, rhythmus modulatio sine ratione. Plerumque tamen casu quodam invenies etiam rationem in rhythmo, non artifici moderatione servata, sed sono et ipsa modulatione ducente, quem vulgares poetae necesse est rustice, docti faciant docte. Quo modo et ad instar iambici metri pulcherrime factus est hymnus ille praeclarus :

rex aeterne domino etc. [1].

et alii Ambriosiani non pauci. Item ad formam metri trochaici canunt hymnum de die iudicii per alphabetum

apparebit repentina etc. [1].

La traduction de Fauchet est la suivante :

Il y a apparence que les Rhythmes tiennent du Metre : pource que c'est une harmonieuse composition de parolles, non par Mesure et certain ordre tel que celuy qui se garde en la composition des Metres ou vers, ains par nombres de syllabes, selon qu'il plaist aux oreilles. Et tels sont les cantiques des poetes vulgaires. De vray le Rhythme peut estre fait par soy sans Metre : mais le Metre ne peut estre sans le Rhythme ou mesure. Ce que l'on peut dire plus clairement, Metre est un chant contraint par certaine raison : Rhythme est un chant libre, et non suject à aucune loy. Vray est que bien souvent vous trouverez de la raison ou mesure certaine au Rhythme : non pource que le compositeur s'y soit assubjecti mais pource que le son (ou ton, selon Victorin) et harmonie l'a par adventure conduit et mené jusques à ceste raison. Laquelle il est de nécessité que les poetes vulgaires ou communs, suyvent lourdement et les sçavans sciemment. Comme l'hymne qui s'ensuit, lequel est tresbien faict en façon de vers Iambiques :

rex aeterne domine etc [1]

et autres en assez bon nombre de saint Ambroise. Encores s'en chante-il de façon de Trochaïques, comme cestuy-ci du jour du jugement composé par alphabet :

apparebit repentina, etc [1]

Il résulte de toutes ces définitions que les rythmes sont « plus faciles à trouver par les simples gens » que les vers ou les mètres, et qu'au moment de l'invasion des barbares « lorsque la meslange de tant d'estrangers eut encores plus gasté la prononciation & accents romains », les « rhythmes furent d'avantage frequentez », et Bède le Vénérable remarque que c'était une composition fort pratiquée en son temps.

Aujourd'hui il est facile de critiquer Fauchet. Les quarante dernières années qui ont vu de si remarquables travaux sur le rythme latin [2], le simple rassemblement de tous les

---

[1] Nous ne transcrivons pas tout.
[2] Voir les Bibliographies de Nicolau, etc.

ouvrages grammaticaux de l'antiquité dans les grandes bibliothèques nous ont donné une connaissance beaucoup plus profonde de ces questions qu'il n'était possible de l'avoir au
xviᵉ siècle.

Toutes les citations, excepté la dernière, se rapportent à
la langue latine avant le changement dans la prononciation
qui eut lieu à la fin du iiiᵉ siècle de notre ère. Celle de saint
Augustin nous parle de l'enseignement traditionnel des rhé-
teurs et des grammairiens. Le rythme, dont il s'agit dans tous
ces cas, c'est le rythme quantitatif, et Fauchet l'a très bien distingué du mètre. Il ne semble pas avoir songé à l'existence du
rythme accentuel. Du moins, sa traduction de Bède le Vénérable nous porte à le croire. D'ailleurs le vocabulaire des grammairiens est fort difficile à traduire, et Fauchet n'a pas toujours
compris le latin de Bède. *Modulatio, modulata compositio*,
désignent, paraît-il, les variations d'intensité de la voix, et la
modulatio vocis est « l'alternance des temps forts et des temps
faibles ». Le mot *tonus* ou *sonus* est rapproché dans le texte
de *modulatio* : les deux premiers sont synonymes et désignent
l'accent. L'expression *ad iudicium aurium examinata* contient
selon M. Nicolau, une allusion à la prononciation courante,
« qui ne distinguait plus les longues et les brèves : le *iudicium
aurium* est le sentiment inné du rythme, et on l'oppose, à cette
époque, à l'autorité de la tradition, qui est le fondement de la
distinction des longues et des brèves » [1].

Nous avons remarqué l'allusion faite par Fauchet au changement de la prononciation du latin. Il n'a pas compris
exactement de quoi il s'agissait. Pour lui, les barbares parlaient
latin sans savoir les quantités des mots — ce qui du reste est
exact — mais Fauchet suppose que les gens instruits conti-
nuaient à observer dans leur prononciation les différences de
quantité à toutes les époques de l'antiquité.

Il suppose en outre que la principale distinction entre la
poésie « docte » et la poésie populaire est l'emploi de la
rime [2]. La particularité des strophes citées par Bède :

> Rex aeterne domine
> Rerum creator omnium, etc.

lui a échappé, car il suppose que ces vers sont constitués par un
certain nombre de syllabes « sans loy ne pieds ».

Fauchet ne soupçonne pas le fait capital — la transforma-

---

[1] Voir M. G. Nicolau, *op. cit.*, pp. 132 et suiv.
[2] C'est exact mais Fauchet ne souligne pas l'autre particularité de cette
poésie.

tion de l'accent latin au cours du troisième siècle de notre ère.
Au lieu d'être musical, cet accent est devenu dynamique.
L'opposition n'existe plus entre les longues et les brèves mais
entre les temps forts et les temps faibles. La syllabe qui se
trouvait au temps fort reçoit un *ictus* de la voix, et c'est cette
transformation de la prononciation qui a amené la transformation du rythme. Autrefois le rythme était quantitatif : il devient accentuel, et les vers cités par Bède ont bien une « loy »
— ce sont des vers rythmiques.

Malgré les défauts que nous venons de signaler, le chapitre de Fauchet est très remarquable pour son époque. Notre
érudit possède un discernement extraordinaire pour les questions importantes qui vont être agitées par les futures générations. Il voit ces questions dans leurs grandes lignes, même
s'il n'arrive pas à une solution satisfaisante, et on peut dire
qu'à ce point de vue c'est un esprit sans égal dans son propre
domaine. Il s'en est un peu aperçu, du reste, car il parle du
rythme parce que, dit-il, aucun autre Français n'en avait
parlé. Il avoue que son attention avait été attirée sur ce point
par ses lectures italiennes — et nous y reviendrons — mais
notons tout de suite qu'il s'est reporté lui-même aux anciens.
Il se donne la peine de mettre des références exactes.

Le chapitre VII pose la question de l'origine de la rime.
Suivant sa méthode habituelle, Fauchet rassemble toutes les
théories qu'il a rencontrées. Les chrétiens de langue latine
l'ont-ils prise à la poésie hébraïque [1]? Est-ce quelque « ignorant » tout simplement « cuidant faire plus que ceux qui le
passoyent en belles inventions »? Ou invention des Scandi-
naves ou des Germains [2]? Quelle que soit la réponse à cette
question, c'est depuis les invasions des barbares que « le
Rhythme et la Rime ont eu cours ». Et la raison pour ce
changement « la quantité des syllabes estant ignorée comme
science de grammaire, & à cause de la mauvaise prononciation
de tant de Barbares, la consonance leur toucha plus les
oreilles. » C'est depuis l'an 600 après J.-C. que les vers rimés
ont eu le plus de vogue.

Fauchet cite alors les principaux poètes latins du moyen
âge. Parmi ceux qui ne se sont pas servi de la rime il cite
Héric d'Auxerre [3], Hildebert de Lavardin, l'auteur de *Liguri-*

---

[1] W. MEYER, *op. cit.*, souligne cette influence. Selon lui, le fait de compter
les syllabes éloigne la poésie moderne de la poésie de l'antiquité, et l'apparente
à la poésie hébraïque.

[2] P. 52.

[3] Pour ces noms, voir la note bibliographique de notre édition annotée.
Héric d'Auxerre, 841-877.

nus, Guillaume le Breton, Gautier de Châtillon, passant ensuite directement aux Italiens de la Renaissance proprement dite « Pétrarque, Philelphe, Mantuan, Pontan, Politien, Sannazar et autres ».

A part quelques allusions (pp. 52, 65) aux hymnes de l'Eglise, Fauchet ne daigne parler ici que de deux poëtes [1] qui ont rimé en latin, Theodulus (presque inconnu de nos jours) et Bernard de Morlas. Le merveilleux poème de ce dernier l'étonne, sans qu'il l'admire : « Celuy qui à mon avis a passé toute borne est Bernard moyne de Cluny, autheur d'un livre intitulé *De contemptu mundi*, contenant bien pres de trois mille vers tous dactyliques & encores rymez au milieu & (comme disoyent les anciens) par la lisière... se perdant en ses outrageuses inventions, meurdrieres des gentils esprits » (p. 66).

Fauchet semble disposé à croire que la rime a été d'abord usitée chez les Germains, et il voudrait nous persuader que les « doctes poëtes en quelque temps qu'ils ayent vescu ont tousjours fuy la rime latine ». Laissant la question de l'origine, il essaie de prouver que ce sont les Français qui ont montré l'usage de la rime à tous les autres peuples de l'Europe.

Les idées que Fauchet expose sur la rime sont justes en grande partie. Naturellement, la rime de la poésie française vient en droite ligne de la poésie latine. Fauchet comprend l'influence des hymnes et des proses de l'Eglise sur le développement de la rime en France, mais il se montre imbu des préjugés [2] de son époque lorsqu'il condamne les poètes latins qui n'avaient pas suivi les anciens. Evidemment il a lu Bernard de Morlas, ce qui montre une saine curiosité — il a

---

Hildebert de Lavardin, 1055-1133.
Ligurinus, poème attribué à Gunther.
Guillaume le Breton 1159 (?)-1224.
Gautier de Châtillon, fl. 1170.
Pétrarque, 1304-1374.
Philelphe, 1398 1481.
Mantuan, 1448-1516.
Pontano, 1426-1503.
Sannazar, 1450-1530.

[1] Dans les recherches qu'il a faites sur la rime léonine, il cite Wichart et Gautier (Walter) Mapes, pp. 78-81. Voir la note bibliographique de notre édition annotée.

[2] Cf. *Recueil*, p. 52 : « Car il ne me souvient point que depuy luy (Fortunatus) jusques au regne de Charles le Chauve, il se trouve aucun digne du nom de poëte, ayans ceux qui prenoient plaisir à la versification, employé tout leur esprit à composer des vers de cadence unisone, vulgairement nommée rime. »

Cf. *Antiquitez*, f. 35 v°. Après avoir nommé Prudence, Fauchet dit : « L'on peut dire que les lettres perirent quant et ces beaux esprits. Car tout ce qui vint depuis n'est que barbarie, jusques à ce que du temps de nos peres elles ont recommencé à prendre vie... »

lu aussi les « chansons et autres compositions amoureuses
du moyen âge [1], mais si elles lui ont plu (ce dont nous ne
savons rien) ce ne serait que raison de plus pour les condamner : les poètes qui s'abandonnaient à ces inventions'
avaient leurs « librairies pleines de bons livres et ne 'les
manyoyent point », et ils auraient mieux fait d'imiter « les
anciens Grecs ou Romains ». Evidemment Fauchet n'apprécie pas le latin rimé, même s'il semble disposé à l'accepter
dans les hymnes [2]. En cela il ressemble aux érudits du siècle
passé pour lequels la découverte de la littérature nationale
du moyen âge était accompagnée d'un dédain injustifié du
latin médiéval [3]. Pour Fauchet la seule littérature en plein
effort de vie au moyen âge est la littérature française.

Nous possédons des preuves abondantes de l'influence
de la littérature française — de l'épopée surtout — sur le
goût de l'Europe du moyen âge [4]. Tous les genres de cette
poésie ont influencé, d'une façon générale, les genres indi-
gènes. Fauchet a donc raison de souligner cette influence :
il fait ressortir surtout les circonstances historiques qui ont
favorisé l'ascendant du français, mais il ne fait pas assez
remarquer que c'est aussi le prestige de la civilisation française qui a agi si puissamment sur les autres peuples, et
qu'une influence littéraire peut très bien s'exercer si les
œuvres pénètrent de quelque façon que ce soit dans le pays
nouveau sans qu'il y ait conquête par les armes.

Les résultats des recherches que Fauchet a faites sur
l'emploi et le sens du mot « léonin » et « rime léonine »'
en latin médiéval et en français sont rassemblés à la fin du
dernier chapitre du Recueil (pp. 77-81). Nous allons les résumer ici.

Il réunit d'abord des exemples français, avec des citations [5] du fabliau Des trois Dames, de Judas Machabee et du

---

[1] P. 64.
[2] Recueil, p. 52. « Depuis l'an 600 les vers rymez ont eu plus de vogue, voire
se sont tournez en art. »
[3] Voir E. FARAL, La Littérature latine du Moyen Age, Paris, 1925, pp. 11 et
suiv.
[4] Voir M. BRUNOT, op. cit., vol. 1er, pp. 358 et suiv.
[5] Voici les citations :

> Ma peine metray et m'entente
> Tant com'seray en ma iouvente,
> A conter un fabliau par ryme
> Sans coulour et sans Leonime :
> Mais s'il y a consonantie
> Il ne me chault qui mal en die.
> Car ne peut pas plaisir à tots
> Consonancie sans biaux mots.

(MONTAIGLON et RAYNAUD, Recueil général des Fabliaux..., t. 5, Paris, 1883,
p. 32. Des III Dames qui troverent... Nous donnons le texte de Fauchet.)

Roman d'Alexandre par le clerc Simon, revient ensuite à la poésie latine médiévale avec Bernard de Morlas, Wichart et Hildebert de Lavardin et conclut que la rime léonine est celle qui se trouve à l'intérieur des vers :

> Hora novis*sima*, tempora pes*sima* sunt, vigilemus
> Ecce mina*citer* imminet ar*biter* ille supremus

novissima et *pessima* par exemple, et la rime consonante est celle qui se trouve à la fin — *vigilemus* et *supremus*.

Suit une citation [1] du Dit, *Pour orgueilleux humilier*, où les rimes sont arrangées d'une façon analogue à celle des vers latins ci-dessus, une citation latine de Walter Mapes ayant un arrangement pareil, et enfin une autre citation de Godefroy de Viterbe qui diffère des précédentes en ce que la dernière syllabe de l'hémistiche rime avec la fin du vers, mais deux vers consécutifs riment sur deux syllabes. Tous ces exemples ont une certaine ressemblance, mais Bernard de Morlas dépasse tous les autres poètes. Ses rimes se trou-

---

> *Je ne di pas k'aucun biau dit*
> *Ni mette por faire la ryme*
> *V consonante v Leonime.*

(*Le Roman de Judas Machabee*, B. N. ms. fr. 789, f. 105.) Cf. J. BONNARD, *Les Traductions de la Bible en Vers français*, Paris, 1884, p. 168.

> *Chançon voil dire per ryme & per Lëoin*
> *Del fil Filipe lo Roy de Macedoin.*
>   (*Roman d'Alexandre*, Clerc Simon.)

> *Ordo monasticus ecclesiasticus esse solebat,*
> *Pura cibaria dum per agrestia rura colebat.*

(WICHART, voir FLACIUS ILLYRICUS, *Varia doctorum piorumque virorum de corrupto ecclesiae statu poemata*, Basileae, 1557, p. 490, vers 4 et suiv.)

[1] Voici les citations :

> *Certes fox est à demesure*
> *Cors qui n'est que biens & ordure*
> *Et formez de si vil matiere*
> *Qui par orgueil se defigure*
> *Et sait qu'il est en aventure*
> *D'estre demain mis en la biere.*

(*Dit « Pour orgueilleux humilier »*, cf. *Romania*, VI, p. 36. Nous donnons le texte de Fauchet.)

> *Tanto viro locuturi*
> *Studeamus esse puri,*
> *Sed & loqui sobrie :*
> *Carum care venerari*
> *Et ut caro simus cari,*
> *Careamus carie.*

(Walter MAPES, et cf. FLACIUS ILLYRICUS, op. cit., p. 9.) Les critiques les plus récents n'attribuent que des vers métriques à Walter Mapes. Les vers cités appartiennent à Gautier de Châtillon. Voir STRECKER, *Moralisch-satirische Gedichte Walters von Chatillon*, Heidelberg, 1929, n° 1, p. 2. Cf. F. J. E. RABY, *A History of Secular Latin Poetry*, Oxford, 1934, t. 2, p. 91.

> *Fecerit archetypum divina potentia mundum,*
> *Mente sua clausum non rebus adhuc oriundum.*

(Godefroy DE VITERBE, *Pantheon, sive Universitatis libri...* Basileae, ex officina Jacobi Parci, MDLIX, col. 8.)

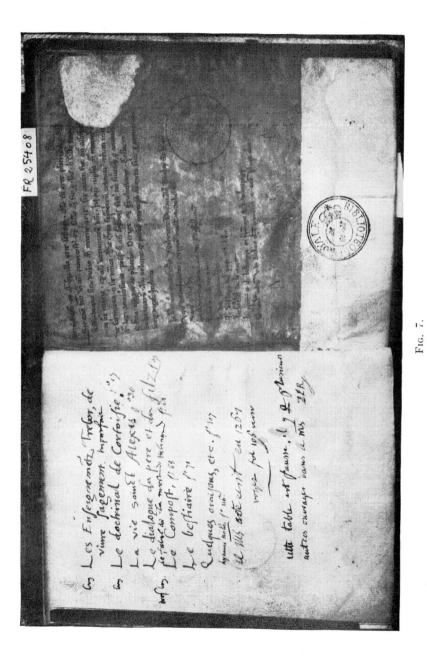

Fig. 7.

Table de la main de Fauchet au début du manuscrit B. N. fr. 25408.

vent à l'intérieur des mêmes vers, tandis que les autres citations donnent un arrangement beaucoup moins compliqué.

Ayant entassé pêle-mêle des vers latins et des vers français dans l'ordre que nous avons suivi, Fauchet nous donne
les résultats des recherches qu'il a faites chez les auteurs
d'arts poétiques pour y trouver une définition de la rime
léonine. Il cite Henry Croy (plagiaire de Jean Molinet) et
Pierre Fabry, d'après lesquels la rime léonine est tout simplement la rime riche. Selon Fabry, il faut qu'il y ait un
grand nombre de vers « vingt ou trente lignes » toutes d'une
« lisiere et terminaison ». Fauchet allègue pour terminer un
exemple pris dans la *Vie de Sainte Christine*, où il y a
« rime riche et plate » (p. 81).

Seigneurs qui en vos livres par maistrie metez
Equivocations et leonimetez
Si je tel ne puis faire, ne deprisiez mon livre,
Car qui a trouver n'a soubtil cuer & delivre,
Et leonimeté veult par tout aconsuivre,
Moult souvent entrelest ce qu'il devroit en suivre.

Fauchet a mal digéré ces définitions. En fait elles ont tout
l'air d'avoir été rédigées par lui à différents moments —
il continue à chercher [1] même après avoir donné son manuscrit à l'imprimeur, et la toute dernière citation est ajoutée
quand le livre est « presque achevé d'imprimer ». C'est dire
que Fauchet fait moins de cas de ses découvertes que ne ferait
un érudit moderne des siennes. Il ne les croit pas définitives
et cette aimable modestie charme chez notre savant du XVIe siècle.

Le dernier chapitre du *Recueil* (livre Ier) ne contient que
quelques idées très sommaires sur les jongleurs. Fauchet distingue les trouvères et conteurs « qui composoyent » des chan-
teurs et jongleurs « qui chantoyent les inventions d'autruy »,
et il présente en outre une définition des conteurs comme
étant ceux qui racontent des histoires en prose. Il fait allusion
aux récompenses accordées par les seigneurs aux jongleurs
d'après une citation du *Tournoiement d'Antichrist* qu'il date
du règne de saint Louis. Il énumère les divers genres de poésie
dans lesquels s'exerçaient ces poètes ambulants, et fixe l'époque de leur « grand'force » après « le voyage de Jérusalem »
— par lequel il désigne la première croisade [2]. Il sait néan-

---

[1] Ou bien, c'est le hasard qui lui a fait faire sa dernière trouvaille.
[2] Fauchet a compris l'importance des croisades, de la première en particulier. Pour cette importance cf. G. Hanotaux, *Histoire de France*, t. 12, chapitre de
J. Bédier, *Les Chansons de Geste*, pp. 177 et suiv. Fauchet parle des « bastimens

moins que le XIIIᵉ siècle était une époque très favorable aux
jongleurs; c'est pendant les règnes de Philippe-Auguste et
de saint Louis que la plupart des romans ont été « composez », et ce n'est qu'après saint Louis que « les bons Trouverres venans à faillir & les Jongleurs ne sçachans plus que conter de beau, l'on se mocqua d'eux ».

Le chapitre est exact dans ses grandes lignes, mais il faut
le compléter par le second livre. Quelques allusions aux jon-
leurs dans celui-ci nous montrent que Fauchet sait fort bien
que « jonglerie » désigne également la composition du poème
et non seulement la récitation [1].

Les renseignements sur les dates de l'âge d'or des trouvères sont fort vagues. Ici Fauchet n'a pas eu sous la main tous
les textes qu'il aurait fallu pour donner une idée exacte ou de
l'attitude de l'Eglise envers ces poètes ou même de celle des
grands seigneurs. Il semble compter uniquement sur les quelques faits qu'il a rassemblés dans les romans, et comme ils
sont rares ce chapitre est plus pauvre que les autres.

L'influence française n'est pas très en évidence dans les
trois derniers chapitres du *Recueil*. Dans les *Arts poétiques* des
xvᵉ et xviᵉ siècles français, on trouve beaucoup de formules,
de recettes, de descriptions et d'analyses des différents genres
de poèmes. Il y a également de longues dissertations sur les
origines de la poésie et son ancienneté, qui sont puisées pour
la plupart chez Horace. Citons simplement pour mémoire les
noms de Blaise d'Auriol [2], de Pierre Fabry, de Gracien du Pont,
de Charles Fontaine, de Thomas Sibilet, de Jacques Peletier,
de Jean de la Taille. Fauchet mentionne Pierre Fabry. Selon
toute probabilité il connaissait personnellement Sibilet. Peletier
du Mans n'a presque rien donné à Fauchet. C'est en vain qu'on
cherche dans ces chapitres des traces d'influence française. Fauchet n'est pas le premier qui ait cité les anciens, il n'est pas
le premier qui ait voulu distinguer entre le rythme et la rime,
mais il a poussé ses recherches beaucoup plus loin que ses
contemporains, et sa discussion est plus riche par suite de la
connaissance très étendue qu'il a de l'histoire et de la poésie
du moyen âge.

Lorsqu'on considère les derniers chapitres du *Recueil* on

---

plus magnifiques » qui datent du xiiᵉ siècle, allusion sans doute aux châteaux
mais aussi aux *Villes neuves* fondées par Louis le Jeune. Fauchet avait appris de
Villehardouin que les croisés commençaient à « prendre plaisir aux pierreries et
autres delicatesses goustees en Levant ». V. *supra*, p. 121, note 1.

[1] Voir articles sur Lambert le Tort et Alexandre de Bernay, *Recueil*, p. 83.

[2] V. G. Pellisier, *De sexti decimi saeculi in Francia artibus poeticis*, Paris,
1883; E. Langlois, *De artibus rhetoricae rhythmicae*, Parisiis, 1890.

s'aperçoit que l'influence italienne s'y manifeste plus qu'au début du livre.

Outre les ouvrages italiens dont nous avons déjà parlé, nous avons lu le *Osservationi* de Ludovico Dolce (diverses éditions) et l'*Arte poetica* de Minturno, mais les traités sur la poésie semblent avoir été extrêmement nombreux et le judicieux critique Debenedetti [1] suppose même que certaines de ces discussions sont maintenant perdues. Fauchet lui-même déclare que « tant de sçavants hommes d'Italie se sont travaillez » à éclaircir l'origine de la rime, et l'idée d'écrire un chapitre sur ce sujet lui a probablement été suggérée par ses lectures italiennes.

En Italie l'opinion qui avait fait fortune était celle du cardinal Bembo, selon laquelle la rime est venue des poètes provençaux [2]. Bembo avait eu de nombreux disciples, parmi lesquels deux au moins connus de Fauchet, Varchi et Speroni. Fauchet connaissait probablement aussi les ouvrages des adversaires du cardinal, Colocci, Giambullari, Castelvetro (Barbieri, dont les œuvres ne furent pas publiées à cette date ne purent donc exercer aucune influence en France [3]) — car il a cité Castelvetro dans ses *Œuvres*.

Dolce oppose la rime et le rythme [4] et fait un résumé du travail de ses prédécesseurs sur la langue. Minturno [5] cite la définition du rythme donnée par Aristote : il parle de l'usage de la rime en latin et en grec, « la consonanza è qualità del verso, la qual da Greci e da Latini *vizio* si riputò. Da' Barbari poi, e da nostri virtù si cominciò a tenere così nel Poema Latina, come nel volgare », idées que nous avons retrouvées chez Fauchet [6].

Mais c'est encore une fois l'*Ercolano* de Varchi qui se rapproche le plus des observations de Fauchet dans le chapitre VII. Le « quesito nono » de l'*Ercolano* parle d'« *arsi* e tesi », distingue entre le rythme et la rime : « Il ritmo Greco e Latino è egli quel medesimo che la rima volgare, come pare che credano molti ? Non, che credo io : e se pure i nomi sono i medesimi, le nature, cioè le significazioni, sono diverse : anzi la rima non è della sostanza del verso, cioè non fa il verso, ma

---

[1] V. S. Debenedetti, *Gli Studi provenzali*, Turin, 1911, et cf. la bibliographie de notre édition annotée.
[2] V. *Le Prose*, lib. I, 1525, cf. Debenedetti, *op. cit.*, p. 168.
[3] Voir *Dell' origine della Poesia rimata*, Modena, 1790, *Lettere di Lodovico Barbieri*, à Jacopo Corbinelli à Paris, 28 juillet 1581.
[4] V. *Delle Osservationi di Messer Lodovico Dolce libri IV*, dans *Degli Autori del ben parlare*, Venetia, 1643, pp. 631 et suiv.
[5] *L'Arte poetica* del Signor Antonio Minturno, Napoli, 1725, p. 355.
[6] Voir *Supra*, p. 134

fa il verso rimato solamente, cioè aggiugne al verso la rima :
la quale è quella figura e ornamento che i Greci chiamano
con una parola sola ma composta *omiotelesto*, la quale tradu-
cendo i Latini con due la nominano, — similmente finienti. »

Varchi a bien saisi l'importance de l'accent dans la poésie
vulgaire « noi seguitiamo non i piedi, che fanno il numero,
ma gli accenti, che fanno l'armonia », et ayant dit que les vers
toscans sont aussi difficiles à écrire que les vers latins, il passe
à la distinction entre les vers et le mètre : « Il metro non considera le cesure, e il verso le considera » et il définit le rythme :
« Il ritmo non è altro che un legittimo intrecciamento di
piedi, il quale non ha fino alcuno determinato. »

Il est évident d'après ces citations que Fauchet a trouvé
nombre d'idées chez les Italiens. Ces derniers ont probablement attiré son attention sur certains textes des anciens, mais
ses lectures sont plus étendues et sa documentation plus solide
que ce n'est le cas en aucune de ses sources. Il a réellement
apporté du nouveau sur le sujet qu'il traitait, et son *Recueil*
souleva une discussion en Italie entre G. V. Pinelli et G. B.
Strozzi [1] sur l'origine de la rime et des vers léonins, — preuve
évidente de son importance.

---

[1] Voir S. Debenedetti, *op. cit.*, p. 178. Cf. *supra*, pp. 74, 75; G. Saintsbury,
History of Criticism, Edinburgh and London, t. II, ch. II et III.

CHAPITRE II

Recueil, livre II (a)

———

Recueil, livre II, 127 poètes « vivans avant 1300 ». Nécessité de grouper
    les remarques que Fauchet a faites dans ses œuvres historiques et
    celles du *Recueil*. Arrangement chronologique que nous adoptons.
Littérature épique.
Geste du roi : *Chanson de Roland*. — *Aiquin*. — *Berte*. — *Gerard du
    Fratte*. — *Ciperis de Vignevaux*.
Geste de Doon : *Renaud de Montauban*. — *Doon de Nanteuil*. — *Aye
    d'Avignon*. — *Gui de Nanteuil*. — *Raoul de Cambrai*. — *Garin le
    Lorrain*. — *Hervis de Metz*. — *Aubry le Bourgoing*. — *Girart de
    Roussillon*. — *Huon de Bordeaux*.
Cycle de la Croisade : *Helias*. — *Chanson d'Antioche*.
Littérature courtoise.
Romans antiques : *Roman d'Alexandre* par le clerc Simon. — *Roman
    d'Alexandre* par Lambert le Tort, Alexandre de Bernai et Pierre
    de Saint-Cloud. — *Vengeance Alexandre* par Jean le Nevelois. —
    Vœux du Paon. — *Roman de Troie*. — *Roman de Dolopathos*. —
    Cléomadès. — *Meliacin*.
Romans bretons : *Brut* de Wace. — *Perceval* et *Yvain* de Chrétien de
    Troyes. — *Roman de la Charrette* par Chrétien de Troyes et Godefroy
    de Leigny.
Romans d'aventures : *Meraugis de Portlesguez*. — *Guillaume de Dole*.

Claude Fauchet fait œuvre d'historien littéraire dans tout
ce qu'il écrit. Une partie de son cahier de notes (B. N. ms.
fr. 24726) [1] est consacrée à des écrivains qui ne sont pas de
purs historiens, et dans ce même cahier, il copie de longs passages de romans du moyen âge. Naturellement c'est dans son
Recueil qu'il s'occupe plus particulièrement de la littérature.
Mais ce livre ne donne nullement une idée juste et complète de
son opinion sur les auteurs anciens. Il parle d'eux à plusieurs
reprises dans les *Antiquitez gauloises et françoises* et il les cite

———

[1] Pour une description du cahier, voir p. 270.

assez souvent dans ses traités historiques sur les *Origines des Dignitez*. Le *Recueil* ne dépasse pas d'ailleurs l'an 1300, alors qu'il serait aussi intéressant de savoir ce que Fauchet pensait des écrivains des xɪvᵉ, xvᵉ et xvɪᵉ siècles.

Comment classer tous les auteurs qui se rencontrent dans les *Œuvres* de Fauchet? On pourrait adopter un ordre simplement alphabétique sans rapport avec la chronologie des écrivains en question, mais cet arrangement nous semble aussi arbitraire et moins logique que l'ordre chronologique qui a l'avantage de nous faire apercevoir tout de suite les lacunes qui subsisteraient dans les lectures de Fauchet. En plus, notre érudit lui-même aurait sans doute suivi cet ordre s'il avait pu arriver à des certitudes sur les dates de ses auteurs [1]. Sans autre excuse donc, nous adoptons les catégories suivantes :

> Littérature épique :
> > *a)* Geste du Roi;
> > *b)* Geste de Doon;
> > *c)* Cycle de la croisade.

> Littérature courtoise :
> > *a)* Romans antiques;
> > *b)* Romans bretons;
> > *c)* Romans d'aventure.

> Poésie lyrique.
> Littérature bourgeoise :
> > *a)* Arras;
> > *b)* Le roman de Renart;
> > *c)* Les Fabliaux.

> Poésies diverses, satiriques, didactiques, dramatiques.
> *Roman de la Rose.*
> xɪvᵉ et xvᵉ siècles.
> Littérature contemporaine.

Poésie épique

Les chansons de geste (cycle du Roi) auxquelles Fauchet fait allusion sont les suivantes :

---

[1] *Recueil*, liv. II, 1ᵉʳ article : « Combien qu'il se trouve plusieurs livres faisant mention de Charles le Grand et autres princes de sa cour, que l'on soupçonne avoir precedé cestuy-ci, (Wace), et les auteurs du Roman d'Alexandre, on ne les peut pas remarquer par leurs noms, ne par le temps de la composition de leurs œuvres. C'est pourquoy je suis contrainct de mettre le premier en rang maistre Wistace ou Huistace. »

Chanson de Roland;
Aiquin;
Berte au grand pied (Adenet le Roi);
Gérard de Fratte;
Ciperis de Vignevaux (épopée du XIVᵉ siècle).

Le jugement porté par Fauchet sur la *Chanson de Roland*
est influencé par l'opinion qu'il a de la « fausse chronique de
Turpin », le Pseudo-Turpin, qui a été considéré pendant tout
le moyen âge comme une histoire authentique de Charlemagne. L'historien véridique qu'est Fauchet ne peut accepter la
chronique qui avait trompé tout le monde, et par conséquent
il est exaspéré par les chansons de geste [1], qui, selon lui, sont

---

[1] *Œuvres*, f. 212 rᵒ : « Regnault Comte de Boulongne et de Dampmartin,
tant renommé du temps de Philippes Auguste, qui le tint longuement prisonnier, l'an mil deux cens six, commanda à un M. Jehans de recueillir les faits
de Charlemagne, les plus veritables, et sans avoir esgard aux Romans, qui lors
estoient en grande vogue. Ce bon M. Jehans, ayant trouvé en la Librairie de
S. Denis l'Histoire fabuleuse de Turpin, pensant que la narration en fut vraye,
la translata de Latin en François, abusant ce vaillant Prince; là ou s'il eut mieux
cherché, il eut peu trouver ce qu'avoit escrit du mesme Empereur, Eginard son
Chancelier, ou Admat, et les Annalistes du temps, pour faire un plus certain
et meilleur recueil. »
   V. *ibid.*, f. 229 vᵒ : « Les Romans ont embelly leurs contes fabuleux
de ceste defaite de Roncevaulx, où ils font mourir tous les Pairs et meilleurs
chevaliers de la cour dudit Roy, jaçoit que lors il n'y eut point de Pairs... »
   Ibid. : « C'est la tant renommée bataille de Roncevaux, escrite en plusieurs
Romans tous forgez sur une fauce cronique donnee à Turpin Archevesque de
Reims... *Ibid.*, 276 vᵒ, tous disent que Roland mourut à Roncevaux... et Marsille,
Baligant, Feragut et tels autres noms sont pris de la fable de Turpin... »
   Ibid., f. 314 rᵒ : « J'ay autrefois pensé que ce Gallon fut le Ganelon de nos
Romans... et que les trahisons faites à Louys avoient esté appropriees auc̈n
Charlemaigne, considerant que nos Romanciers ont pris les noms de tous les
rebelles, tant à la maison de Pepin que Hugues Capet pour en faire les parents
de ce Ganelon... Encores je vous veux advertir que c'est chose controuvee que
Galon ou Ganelon fut de la race de Clovis; et tout de mesme que voulant ce
comte ou abbé rendre la Couronne de France à sa maison et chasser les Bra-
bançons il fit les trahisons recitees par les Romans. D'autant qu'il ne se trouve
rien de cela par les bons livres et histoires du temps, vous ayant cydevant dit...
que le livre publié sous le nom de Turpin est faux et se dement soy-mesme. »
   Pour les chansons de geste où interviennent les personnages de Marsille,
Baligant et Feragut ou Ferragu, v. E. LANGLOIS, *Table des Noms propres... des
Chansons de Geste*, Paris, 1904.
   PSEUDO-TURPIN, *Historia Karoli magni et Rotholandi*. Cet ouvrage fut consi-
déré durant tout le moyen âge comme une histoire authentique de Charlemagne.
V A. MOLINIER, *Sources de l'Histoire de France*, t. Iᵉʳ, nᵒ 679. Quant à la date du
Pseudo-Turpin, la première partie ch. I-V serait de la fin du XIᵉ siècle, l'ouvrage
même dit de Turpin du premier quart du XIIᵉ. C'est le faux-Turpin qui a été
« forgé » sur les « romans ».
   On retrouve chez Fauchet la comparaison entre les épopées du moyen âge
et les épopées anciennes qu'on voit dans l'*H. L. F.* Cf. t. 18, article d'Amaury
Duval : « Nous avons toujours répugné à reconnaître pour de véritables épopées
ces vastes compositions du moyen âge, qui bien que demi-historiques et demi-
fabuleuses ne ressemblent aux épopées des anciens qu'en ce qu'elles sont en
vers. » Il est tout naturel pour un érudit de la Renaissance de penser à l'antiquité grecque ou romaine. Fauchet est ainsi parfois un prédécesseur des erreurs
des futures générations. Cf. E. FARAL, *La Chanson de Roland*, Paris, 1932,
p. 308 : « On introduisit dans l'appréciation de la *Chanson de Roland* le souci
d'une comparaison avec les épopées de l'antiquité. Cette idée venait tout naturellement à la pensée puisque depuis Uhland s'était établie l'habitude de mettre

« forgées » sur le Pseudo-Turpin. Cette attitude l'empêche de considérer la chanson du point de vue esthétique, quoiqu'il essaie d'appuyer ses préjugés d'historien sur une raison tirée du domaine artistique :

865. Ceste année mourut Ganelon, archevesque de Sens. Plusieurs croient que c'estoit de cestuy-cy que les Romans devoyent faire leur traistre... J'ay monstré que cest archevesque fut traistre à Charles le Chauve... Il suffit qu'il y ayt eu un Ganelon traistre pour le charger de toutes les meschancetez qu'il plaira au fatiste compter. Mais de parler d'un qui ne fut jamais, c'est une invention vitieuse et sans exemple d'anciens autheurs approuvez. Car jaçoit que Homère, Virgille et autres poètes racomptent beauoup de choses surpassans la commune croyance, et la fidélité qu'on doit avoir des actes passez, si est-ce (quelque chose qu'on veuille dire) qu'il a esté une Troye, un Hector, Achille, Priam, Eneas, et Didon, mais le reste des narrations poetiques se peut feindre à plaisir. Et pour ce l'on blasme l'autheur premier d'Amadis pour avoir feint des hommes et des choses qui jamais ne furent. Mais son beau langage excuse tout à l'endroit de ceux qui ne demandent qu'à passer le temps avec des comptes chatouillans les oreilles. (*Antiquitez*, f. 356 r°.)

Fauchet voudrait, semble-t-il, que le poète gardât le cadre historique, et « le reste » pourrait être inventé. Mais que signifie exactement « le reste » ? Et où s'arrêterait l'invention ? Et supposer, s'appuyant sur l'autorité des anciens que Hector, Achille, Priam, Enée et les autres héros de Homère et de Virgile aient existé, c'est faire preuve d'un manque d'esprit critique qui nous étonne chez un homme généralement si averti. Il faut bien avouer qu'ici Fauchet, que nous devons si souvent louer pour son modernisme, montre ce culte superstitieux de l'antiquité, cette crédulité qui distingue la Renaissance. D'ailleurs, l'objection élevée contre les Amadis que les personnages n'ont jamais existé, pourrait être élevée contre toute œuvre d'imagination et l'a été maintes fois depuis Platon [1].

Fauchet s'est-il rendu compte de toute la portée de sa critique ? Non, sans doute, Dans son *Recueil* [2], il défend la poésie et fait son éloge : « Elle a esté employée aux principales sciences, voire aux lois divines et humaines et autres actes de mémoire. » Il est fier en tant que Français que les « Trouverres ont esté caressez par toutes les cours d'Europe pour leurs chan-

l'histoire des chansons de geste françaises en parallèle avec celle des poèmes homériques. »

Fauchet a eu entre les mains troix exemplaires du Pseudo-Turpin, B. N. fr. 124, 1621, et Rome, Vat. Reg. lat. 936.

On peut consulter, outre la thèse de G. PARIS, *De Pseudo-Turpino*, Paris, 1865, l'édition récente donnée par M. Meredith-Jones, Paris, 1936.

[1] V. TERTULIEN, *De Spectac.* XXIII; cf. J. E. SPINGARN, *History of Literary Criticism in the Renaissance*, New York, Fifth Impression, 1925, pp. 4 et suiv.

[2] *Recueil*, p. 49.

sons de la Table ronde, Roland, Renaud de Montauban et autres Pairs et Paladins de France. »

*
* *

Fauchet ne mentionne le roman d'*Aiquin* que deux fois dans ses *Œuvres* imprimées. Il dit [1] que ce roman est écrit avant 1200, et que le cri de ralliement « Monjoye » s'y rencontre. Il en cite aussi deux vers [2] pour prouver que le maréchal allait devant l'armée et choisissait les lieux des camps. Dans son cahier de notes, il en copie aussi un certain nombre de vers qui ont été utilisés par l'éditeur moderne dans son édition de cette chanson [3].

Le manuscrit dont se servit Fauchet est le B. N. ms. fr. 2233, manuscrit unique. Ce manuscrit, paraît-il, fut découvert en 1560 et conservé dans la bibliothèque de l'île de Cézembre [4]. Joüon des Longrais suggère que Fauchet a pu le voir s'il était de ceux qui accompagnaient la cour de Charles IX en 1570. Or, la première citation se trouve dans une addition faite par Fauchet à la première édition du livre II des *Antiquitez*, c'est-à-dire que la citation doit être postérieure à 1579. La seconde citation se rencontre dans le livre II de l'*Origine des Dignitez et Magistrats* qui fut présenté à Henri III en 1584. Il est donc probable que c'est entre les années 1579 et 1584 que Fauchet a eu accès au manuscrit.

On y trouve des annotations de sa main [5] quoiqu'il ne soit

---

[1] *Antiquitez*, f. 56 r°.

[2] *Œuvres*, f. 503 v°. V. *Le Roman d'Aquin ou la Conqueste de Bretagne par le Roy Charlemagne*, Chanson de geste publiée par F. Joüon des Longrais, Nantes, 1880, v. 6-7.

[3] V. B. N. fr. 24726, f. 106 r°.

[4] Cf. *Romania*, IX, 445.

[5] Fauchet a écrit des notes sur les pages suivantes :

F. 1 r°, 2 r° et v°, 5 r° et v°, 7 r° et v°, 8 r°, 9 r° et v°, 10 r°, 11 r°, 14 r° et v°, 15 r°, 16 v°, 17 v°, 20 r°, 24 r° et v°, 25 r°, 27 v°, 28 r°, 29 v°, 30 v°, 33 v°, 35 r°, 36 r° et v°, 37 v°, 38 v°, 41 r° et v°, 49 v°, 57 r°.

Il met de petites croix comme sur d'autres manuscrits.

Voici les notes les plus importantes :

1 r°, il explique « pongneour » : « c'est-à-dire jouteur, vient de poindre et poignis pour conflictus »;

2 r°, « Guernon » expliqué par « poil de barbe »;

5 r°, « antis » expliqué par « antien »;

7 r°, « fors vestis » expliqué par « fervestis »;

8 r°, « Norreins » expliqué par « Norrois »;

9 r°, il met un trait et écrit les noms des armes des Sarrazins en marge;

14 r°, « alosé » expliqué « los et louange »;

16 v°, « ciclaton » et 20 r° « ciclatons » : « C'est ung vestement comme j'ai dit possible du ciclas habillement rond duquel parle Juvenal »;

27 v°, « sevré » « séparer »:

28 r°, « soudiant » expliqué;

29 v°, « Le Harenc » est souligné et Fauchet écrit « Regardez qui est ce Harenc ». Quelqu'un d'autre a ajouté « pour Loherenc, Lorrains ».

pas le seul à l'avoir feuilleté. Ces notes sont généralement
explicatives, précisément du même genre que celles de son
cahier. Il mettra, par exemple (f. 28 r°), « souduiant pour sub-
tilz, fins et couvers ». Il note les noms des armes, des vêtements et il se permet d'écrire une critique générale de la versification sur la feuille de garde : « Je n'ai trouvé aucune marque
du tens que ce romans a été composé, mais il y a plusieurs
traitz pareilz à ceux des romans de Regnault de Montauban,
Doon et Garnier de Nantoel composez du temps de Philippe-
Auguste, roy de France. Je n'ai point veu de romans ou la
césure des vers fut plus licencieuse : et si, il ne parle point tant
d'Orient [1] que les autres romans : ce qui me feroit volontiers
penser qu'il fut plus antien que les romans que j'ai nommez.
C. Fauchet. »

Nous avons vu que Fauchet a jugé ce roman antérieur à
l'an 1200 [2]. Joüon des Langrais le place entre les années 1170
et 1190, et explique aussi l'autre particularité qui avait attiré
l'attention de notre érudit. Le scribe qui avait copié le roman
appartenait au xve siècle, n'avait aucune notion du rythme, et
« il a copié les vers comme il eut reproduit de la prose, suivant
les lignes qu'il avait sous les yeux, sans s'occuper de la mesure... Enfin il a exécuté son travail avec une extrême rapidité,
se souciant assez peu du sens, passant, tronquant les vers ou
omettant des mots ».

*
* *

Fauchet connaissait le remaniement de *Berte au grand
pied* par Adenet le Roy : « Je n'ay veu de luy que le romans de
Cleomadez et la moitié de celuy de Bertain qui n'est tel que
Cleomadez [3]. » Ailleurs [4] il en fait une citation de six vers, qui
énumèrent les peuples qui accompagnaient Charlemagne contre les Saxons. Son seul commentaire se rapporte à la date
d'Adenet, qui vivait « du temps du fils de Saint Louis ». La
citation elle-même est faite pour fournir un exemple du mot
« hurepoix ». Enfin il cherche à identifier Berte dans les *Anti-*

---

36 v°, « chateil » expliqué par « meuble »;
41 v°, « per » expliqué par « parent ».
La note du début f. 1 r° est certainement la plus intéressante.
[1] Fauchet a modifié cette affirmation, ajoutant : « Il y a ung vers qui dit
    Et vet ferir ung chevalier turquis. »
[2] Joüon des Longrais diffère de Gaston Paris, *H. L. F.*, t. 22, pp. 402-410,
sur la date de cette chanson : « Il nous semble que le judicieux critique (Fauchet)
n'aurait dû rien conclure du silence gardé sur les choses d'Orient... » G. Paris
date la chanson du xiiie siècle.
[3] *Recueil*, p. 194.
[4] *Ibid.*, p. 36.

quitez, où il fait d'elle une mention un peu plus étendue [1] :

La mesme année (783) et le douziesme juillet mourut à S. Denis près Paris Berthe Vefve du roy Pépin et mère du roy Charles : ... nos romans la nomment Berthe au grand pied, pour ce qu'ils disent qu'elle en avoit un plus long que l'autre... Mais je ne sçay où les uns ont trouvé qu'elle estoit fille d'Heracle, empereur de Constantinople, car le temps ne s'y accorde pas. Aussi d'autres disent qu'elle l'estoit de Flore, Roy de Hungrie [2] : et je me tien aussi asseuré d'un party que de l'autre les estimant tous deux mal fondez, n'y ayant point encores de païs appellé Hungrie.

En effet, Berte est « fille au roi de Hongrie » dans le poème, mais Fauchet ne juge cette chanson qu'en historien. Berte, semble-t-il, était fille de Caribert, comte de Laon [3].

Un autre roman qui appartient au même cycle et auquel notre savant a emprunté un seul vers est *Gérar du Fratte* [4]. Malheureusement un vers unique n'est pas suffisant pour nous permettre de dire quoi que ce soit au sujet d'un poème sur l'existence même duquel on discute. Le vers en question est employé pour montrer les fonctions du maréchal :

> Et au Roman de Gérar du Frate parlant de Charles le Grand
> Son Mareschal a fait tout devant chevaucher.

Dans le second livre du *Recueil*, Fauchet écrit un court

---

[1] *Antiquitez*, f. 235 vº.

[2] Il faut comparer une note de Fauchet prise pendant la lecture de la Chronique des comtes d'Anjou. Voir manuscrit Vat. Reg. 734, f. 93 vº : « Pepin Roi l'an 751, Berthe sa femme fille de Flore Roi de Hungrie. »

[3] V. *Grande Encyclopédie*, article *Berte*, par Antoine Thomas.

Le texte donné par Fauchet correspond aux vers 1511-1519 de l'édition de Auguste Scheler, *Li Roumans de Berte aus grans pies*, Bruxelles, 1874.

B. N. fr. 24404 contient *Berte et Cléomadès*, mais il n'y a aucune marque de la main de Fauchet sur ce manuscrit.

Les six manuscrits de *Berte* sont B. N. fr. 1447, 778, 12467 et 24404; Arsenal B. L. F. 175; Rouen, Bibl. de la ville, B. L. 53 (1142). B. N. fr. 1447, 778 et le manuscrit de l'Arsenal donnent un texte qui diffère de celui de Fauchet.

[4] Sur ce personnage qui appartient également au roman d'*Aspremont*, v. G. Paris, *Histoire poétique de Charlemagne*, éd. P. Meyer, 1905, p. 17; *Girart de Roussillon*, chanson de geste traduit par P. Meyer, Paris, 1884, p. xiv, A. Thomas, *Nouvelles Recherches sur « l'Entrée d'Espagne »*, Paris, 1882, p. 40, M. Thomas démontre que le premier auteur de l'*Entrée de Spagne* a connu *Gerar de Frette*. Nous avons parcouru le roman en prose de *Gerard d'Euphrate*, Paris, 1545, sans y trouver rien d'intéressant. V. aussi L. Gautier, *Les Épopées françaises*, Paris, 1878-1894, vol. II, p. 549, note; G. Gröber, *Grundiss der romanischen Philologie*, Strassbourg, 1902, II, 1, p. 808. Gröber pense que cette épopée n'a jamais existé.

article sur Ciperis de Vignevaux, qu'il a inséré là, dit-il, parce
que les deux exemplaires du poème qu'il avait vus étaient en
fort mauvais état et qu'il s'y trouvait de très bons traits. La
clôture du bois de Vincennes qui fut faite par ordre de Philippe-Auguste, permet à Fauchet de situer le poème vers 1200.

Il cite une trentaine de vers qui contiennent des sentences,
des maximes dans le genre de celles-ci :

> On porte plus d'honor à un baron meublé
> Qu'on ne fait à preudhom vivant en pauvreté.

Et celle-ci :

> Car entre faire et dire et vouloir et pensee
> Y a grand différence c'est chose bien prouvee.

Fauchet avait copié un bien plus grand nombre de vers [1]
dans son cahier; on peut compter 360 vers qu'il a mis sous le
titre général de : « Coustumes extraictes de Siperis ». Ces
extraits renferment des descriptions de personnages, de fêtes,
d'armures, d'un duel. Une longue description d'une belle
femme est suivie d'allusions aux fils de Cipéris, aux armures,
à un tournoi où nous voyons tous les usages qui accompagnent
ce dernier, les spectateurs, les chefs des combattants avec leurs
blasons. A côté des vers cités, notre savant met une référence
au feuillet de son manuscrit, sans doute pour pouvoir s'y
reporter plus tard. Voici quelques exemples des notes de Fauchet :

Beaulté d'enfant descripte au 6, f. 3.
Quens pour comte :
 Marcus li duc d'Orleans a li Roy appellé
 Et li quens de Clorestre qui li fu au costé   7 f. 1.
Pour sçavoir le temps qu'a esté composé le roman de Siperis   7 f. 1.

 Voici une citation suivie d'une note :

Tu n'est qu'un charbonnier, je te recognois bien
Helie du Vivier.
 Ce charbonnier avoit fait un blason de charbon tout noir et desus à
tout de la craie avoit paint une hache.   23 f. 4.

---

[1] Pour des citations de *Ciperis*, v. B. N. fr. 24726, f. 77-79, f. 36; *Recueil*,
pp. 81, 115; *Œuvres*, f. 483 v°, 496 v°, 501 v°. V. notre livre de documents.
 H. L. F., t. 26, pp. 19-41, dit qu'un des manuscrits de Fauchet est B. N.
fr. 1637. C'est possible, mais ce n'est pas d'après celui-ci qu'il a copié les vers
qu'il cite dans son cahier. Nous avons comparé bon nombre des citations; le
texte est différent et même parfois l'ordre des vers.

Voici l'armure de Ciperis :

> Tout premier li vesti un hauqueton poisant,
> Et desseurs ung haubert qui fu fort et tenant;
> Plates de fer lui lacent qui valent maint besant
> Et ung heaulme gemé lui va on aportant.
> Chausses de fer chaussa et esperons tranchans.
> Puis a ceinte l'espée dont bon fu le taillant
> Et monta au destrier arrabi et courant,
> Et pendit à son col un fort blason tenant
> D'azur à une fleur de lis...

Suit une citation que Fauchet a recopiée en marge de son chapitre sur le duel [1] :

> Siperis a juré et fait son serrement
> Et Roi Feudris jura après moult felement.

Des mots extraordinaires attirent aussi l'attention de notre savant :

> Ung engigneur avoit qui moult soutivement
> Traoit des espringalles [2] contre Françoise gent

de même que les noms de villes qui ne lui sont pas familiers :

> Monros, ville de Hungrie... Siresse, ville de Hollande.

Les annotations donnent une idée juste de ce qui intéressait Fauchet. Il ne résume pas l'action des chansons. Le pittoresque des costumes et du langage le frappe. Il avoue dans ses *Antiquitez* [3] qu'il représenterait « les habillements, voire le langage vulgaire » du passé s'il le pouvait. Ayant daté le poème qu'il lisait, il utilise les faits qu'il y trouve pour donner une description des mœurs de l'époque, procédé qui lui a bien réussi, et qui fait de Fauchet un des historiens les plus consciencieux du xvie siècle.

**
* **

Fauchet a eu entre les mains un certain nombre de chan-

---

[1] B. N. fr. 24726, f. 13 v°.

Dans un de ses traités historiques le Président se sert de *Ciperis* pour montrer que le connétable était un bien petit personnage au temps passé. (*Œuvres*, f. 501 v°.)

[2] Le mot *springal* existe en anglais et signifie « jeune garçon ».

[3] F. 103 r°.

sons « d'orgueil et de folie » [1] : *Renaud de Montauban, Doon de Nanteuil, Aye d'Avignon, Gui de Nanteuil, Raoul de Cambrai, Garin le Lorrain, Hervis de Metz, Aubry le Bourgoing.* Il connaît également *Girard de Roussillon, Huon de Bordeaux,* et mentionne le personnage de Gadifer.

Un seul manuscrit contenait *Renaud de Montauban, Doon de Nanteuil, Aye d'Avignon, Gui de Nanteuil* [2], « cousus ensemble » l'un après l'autre, en fort mauvais état d'ailleurs, car la première page de chaque chanson où se trouvaient les enluminures avait été déchirée. Fauchet ne semble avoir vu aucune autre copie de ces chansons et, craignant que le « reste ne soit perdu » [3], il recopia lui-même un grand nombre de vers dans son cahier [4], 220 de *Doon,* 76 d'*Aye d'Avignon,* 100 environ de *Gui de Nanteuil,* presque 200 de *Renaud de Montauban.* Naturellement, il avait l'intention d'utiliser ces vers dans ses œuvres historiques, mais son travail n'a pas été inutile pour la postérité. La chanson de *Doon* est complètement perdue, il n'en existe plus que les fragments copiés par Fauchet. Quant aux autres poèmes, d'autres manuscrits les conservent, mais les leçons de Fauchet diffèrent assez souvent du texte qui a eu l'honneur de l'impression, et si jamais on recommence la publication d'*Aye d'Avignon,* de *Gui de Nanteuil* et de *Renaud de Montauban,* il faudra que le nouvel éditeur tienne compte du manuscrit de Fauchet et en publie les variantes [5].

Fauchet suppose que les quatre chansons en question « sont tous d'un mesme poète » parce qu'elles forment une

---

[1] Expression de M. J. Bédier.

[2] Fauchet écrit : « Regnaut de Montauban, Doon de Nanteuil, Garnier de Nanteuil, et Aie d'Avignon. Guiot de Nanteuil et Garnier son fils. » Les mots « et Garnier » sont de trop. Si on les supprime complètement, on arrive à une énumération correcte. V. *Romania,* XIII, 1884, p. 1, article de P. Meyer.

Un autre manuscrit perdu qui faisait partie de la bibliothèque de Charles V a pour titre *Beusves d'Esgremont, la Vie Saint Charlemainne, les Quatre fils Aimon, Dame Aie d'Avignon, les Croniques de Jerusalem, Doon de Nanteuil, Maugis le larron, Vivien et Raoul de Cambrai.* Il y a une coïncidence partielle entre cette description et celle que Fauchet donne de son manuscrit, mais nos renseignements sont trop minces pour nous permettre de dire s'il s'agit dans les deux cas du même manuscrit. V. L. DELISLE, *Cabinet des Manuscrits,* III, 164, et P. MEYER, article cité, p. 2.

[3] C'est pour cette raison que Fauchet copie des fragments de Chrétien de Troyes.

[4] B. N. fr. 24726, f. 66 et suiv. V. notre livre de documents.

[5] Guessard et Meyer, éd. *Aye d'Avignon,* Paris, 1861; Meyer, éd. *Gui de Nanteuil,* Paris, 1861; F. Castets, éd. *Les Quatre fils Aymon,* Montpellier, 1906-1909 n'ont pas utilisé Fauchet. P. MEYER a publié les fragments de *Doon de Nanteuil* dans *Romania,* XIII, 1884, pp. 1 et suiv.

Bon nombre de vers qu'on lit dans le *Recueil* et dans le cahier de Fauchet ne se rencontrent pas du tout dans le manuscrit unique complet d'*Aye d'Avignon* (B. N. fr. 2170). C'est le cas pour les sept premières citations du cahier de Fauchet, qui fournira aussi de nombreuses variantes pour le texte imprimé de *Gui de Nanteuil* et de *Renaud de Montauban.* V. notre livre de documents.

« suite de conte » et parce qu'elles avaient été reliées ensemble.
C'est juger un peu superficiellement. Des chansons se rapportant aux mêmes personnages et à leurs parents pourraient être
attachées l'une à l'autre sans que pour cela elles aient eu le
même auteur. En fait, Fauchet n'est pas très sûr de lui-même.
Arrivé à *Aye d'Avignon*, il est prêt à penser qu'un certain Au-
fanions « l'a faict ». Mais ayant trouvé le nom de Huon de
Villeneuve « sur un feuillet demi rompu », les chansons en
question sont mises sous ce nom unique dans le *Recueil* [1]. Les
vers où se rencontre cet énigmatique Huon sont les suivants :

> Seignor soiez en pes tuit a...
> Que la vertus del ciel soit en vos demoree,
> Gardez qu'il n'i ait noise ne tabor ne criee :
> Il est ensinc coustume en la vostre contree,
> Quant uns Chanterres vient entre gent henoree
> Et il a endroit soi sa vielle atrempee [2]
> Ia tant n'aura mantel ne cotte desramee
> Que sa premiere laisse ne soit bien escoutee,
> Puis font chanter avant se de riens lor agree,
> Ou tost sans vilenie puet recoillir s'estree
> Ie vos en dirai d'une qui molt est henoree,
> El Royaume de France n'a nulle si loee,
> Huon de villenoeve l'a molt estroit gardee,
> N'en vol prendre cheval ne la mule afeltree,
> Peliçon vair ne gris mantel chape forree,
> Ne de buens paresis une grant henepee,
> Or en ait-il mausgrez qu'ele li est emblee,
> Une molt riche piece vos en ai aportee.

Il est inutile de chercher à percer le mystère qui entoure
ce personnage. Est-il le trouvère ou le remanieur du poème,
comme le croit Fauchet? Est-il simplement le possesseur du
manuscrit comme le pense J.-C. Matthes [3]? Est-il enfin une
pure invention de l'auteur anonyme qui a voulu donner de
l'éclat à sa chanson? Nos renseignements sont trop vagues
pour nous permettre une opinion décisive. Nous ne savons
même pas à quelle chanson il faut attribuer ces vers. Dans son
Recueil, Fauchet les cite au début de son article sans se prononcer. Dans son cahier, il les met sous le titre « D'ung
romans appellé Guiot de Nanteuil », mais il n'est pas sûr de
leur provenance. Après les avoir cités, il décrit une enluminure qui se trouvait dans son manuscrit : « Il y a ung chan-

---

[1] Pp. 109, suiv.
[2] Le manuscrit de Fauchet lui a donné ce texte « atrempee », où il faudrait
« atempree » pour le sens du vers.
[3] *Renout van Montalbaen*, Groningen, 1875, p. xx. Cf. *Romania* IV, p. 471,
compte rendu de G. Paris.

terre vestu d'une cotte bleue et par-desus un surcot rouge sans
manches. Il a la teste nue et tient ung violon ou rebeq qui a
quatre cordes et l'archet semble plus grand que le violon. » Il
est évident que Fauchet a recommencé ensuite à copier, mais
s'apercevant que les vers qu'il transcrivait appartenaient à
Renaud de Montauban, il a inséré les mots « du romans Renaud
de Montauban » entre la fin de sa description de l'enluminure
et les vers qui suivent. Ce titre est serré dans un petit espace qui
ne lui était pas destiné primitivement.

Paul Meyer était d'avis que les vers en question appartenaient à *Doon de Nanteuil* parce qu'ils ressemblent de près à
d'autres vers qui sont indubitablement de cette chanson [1].
Faute d'autre certitude, nous devons accepter l'opinion de Paul
Meyer.

Une affirmation [2] de Fauchet à la fin de ses articles sur ces
romans tend à leur assigner la date de 1200 [3], « ces quatre
romans ont esté composez depuis le commencement du règne
de Philippes-Auguste. Car en celuy de Regnaut de Montauban,
il nomme les Contes de Rames, Galerans de Saiete, Geofrois de
Nazaret, tous barons d'outre-mer, qui furent en pris environ
l'an MCC, et du temps que Saladin prist Jérusalem ». Si l'on
ne songe qu'à la date de la première rédaction de ces chansons,
on peut accepter ce qu'en dit Fauchet. Evidemment, il ne discute pas sur la question des remaniements même s'il se dou-
tait que le manuscrit qu'il avait entre les mains ne fût qu'un
remaniement de certaines chansons anciennes.

*
* *

Une note dans ses *Antiquitez* (f. 230 v°) : « Aimon qui doit
estre le père de Renault, Allart, Guichard et Richard de Montauban, renommez par les romans », une douzaine de vers
épars dans son *Recueil* (pp. 109 suiv.) et dans son traité des
*Origines des Dignitez et Magistrat*s (f. 487 r°) voilà toutes les
allusions, voilà tout ce que Fauchet a fait imprimer des 196
vers de *Renaud de Montauban* qu'il avait copiés dans son
cahier [4].

---

[1] Ils ne sont pas dans les manuscrits des autres chansons Il n'y a rien qui
y ressemble.

[2] *Recueil*, p. 114.

[3] V. sur la question de date, P. MEYER, article cité, *Romania*, XIII, p. 3.

[4] Les vers cités par Fauchet sont les suivants (éd. F. Castets, *Les Quatre fils
Aymon,* dans *La Revue des Langues romanes*, XLIX-LII, Montpellier, 1906-1909.
Les citations de Fauchet présentent de nombreuses variantes) :
8416, 8417, 8533, 8664-66, 8697, 8708-09, 8744, 8769, 8822, 8855-57, 8859-60,
8876-77, 8933, 8945-46, 8977, 9004, 9059-60, 9089-90 (ou bien 9109-10 presque

Ces derniers nous révèlent d'une façon caractéristique quels sont les goûts de notre savant et nous verrons que ces citations appartiennent toujours aux catégories que nous avons indiquées pour les autres chansons. Il est d'abord philologue : « e ceignent les espées aux senestres girons » (éd. Castets, 8416), et il met entre parenthèses « pour costez ». Ailleurs, « les yeux avoit tornez, bien sembla pipon (je croi pour pipcur) » (éd. Castets, 9493), ailleurs encore, « François tornent arrière qui ont oi le ban » (pour cri) (éd. Castets, 13131). Un dernier exemple enfin de notes que nous pourrions multiplier à souhait « (Soffrables pour endurant) Com Renault est soffrables et de nobile apel ». (Ed. citée, 15195.)

Ensuite, il s'intéresse à l'histoire de la civilisation. Il se donnera la peine de transcrire de nombreuses descriptions d'armures, de vêtements, même quand ces énumérations correspondent de très près à quelque chose qu'il avait déjà copié d'autre part :

> Illec se desarma Maugis li gentilhom
> Il osta son bliaut et l'ermin peliçon
> Et chemises et braies et chausses et chaussons
> Tos nus se depoilla...   (éd. citée, v. 9482-5.)

Les fonctions des serviteurs, grands et petits, sont soigneusement notées et dans ce cas notre érudit attire sa propre attention sur certains vers en mettant en marge par exemple, « Sénéchal » ou « Chambellan ». Voici Maugis servi par un sénéchal :

> Or est Maugis assis si com poe soir
> Li senechaux le voit si le courut servir
> Une blanche toaille lui a baillé de lin...
>   (éd. citée, v. 14377 suiv.)

La raison de telles citations n'est pas difficile à trouver et l'on n'est pas surpris de les voir utiliser dans les traités sur les

---

les mêmes), 9128, 9482-85, 9488 ou 9493, 9490-92, 9561, 9578, 9581, 9845, 9852, 9865, 9889, 10100, 10194, 10244, puis cinq vers qui ne sont pas dans l'éd., 10335-40, 10343, 10902-04, 10997-99, puis un autre vers, 11533, 11549, 11589-90, 11656, puis un vers, 12022, 12104, 12168, 12265, 12291, 12856, 12908, 12939, 13030, 13131, 13361-62, 13513-17, 13533, 13550-51, 13570, 13613, 13828, 13869, 13897, 13952, 14110, 14204, 14217-18, 14327, 14332-33, 14356, 14377-80 et un autre vers, 14495, 14514, puis un autre vers, 14521, 14523, 14594-95, 14614, 14600, 14667, 14687--88, 14898-900, 14934-37, 15055, 15176, 15184, 15178, 15190-92, 15195-96 et un autre vers, 15223-24, 15324 puis trois vers, 15534, 15536, 15573, 15687, 15714-17, 15732, 15759-69, 15833, 15856, 15901, 15902, 15914, 15923, 15948, 16254, 16414, 16674, 16868-69, 17045, 17132-33, 17180-81, 17293-94, 17297-304, 17313-15, 17758, 17763 et un demi-vers qui est peut-être 17765, 17770, 17772, puis trois autres citations qui ne sont pas dans l'édition de Castets. V. notre livre de documents. Nous citons d'après Fauchet.

magistratures. En voici une qui figure dans le chapitre sur le chambrier et le chambellan [1] :

> Je vous donray un Fief voyant tout mon Barnez
> Chamberlan de ma chambre tousjours mes en serez.
>
> (éd. citée, 10335-6.)

Les citations donc ne sont presque jamais faites pour des raisons artistiques ou littéraires, et pourtant il faut noter même quelques exceptions à cette règle. Fauchet aime assez transcrire les paroles exactes des héros à des moments critiques de leur vie :

> Aiez pitié de moi, gentilhom, filz de Ber
>
> (éd. citée, v. 8933.)

Aimon a dû « forjurer » ses fils et il dit à Renaud :

> ... nul bien ne te puis rendre
> Se tantost ne t'en vas je te cuit au Roi rendre
> Je ne te pui aider que pariures ne soie
> Car foriuré vos ai...   (éd. citée, v. 13513-4, et 13516-7.)

Et les aphorismes, « les bonnes sentences » plaisent à notre érudit au delà de tout autre genre de vers. Il les accumule dans son cahier, et il les imprime dans son *Recueil* (p. 111). Certes, il apprécie l'éloquence en bon magistrat façonné par les discours du Châtelet et du Parlement.

*
* *

Les citations tirées de la chanson de *Doon de Nanteuil* se rapportent aux catégories suivantes : détails sur la vie quotidienne des personnages, leurs costumes, leurs chaussures, ce qu'ils mangent et boivent, épithètes qui décrivent ces personnages : renseignements sur l'armée, descriptions d'un champ de bataille, des machines et des engins de guerre, de l'armure, des camps, de la tente du chef, du gant comme gage de bataille, de la récompense donnée aux combattants, mots précis utilisés pour le ban; notes géographiques, la « Tour d'Ordre » [2], description de la cité et château de Nanteuil; divers genres d'énumérations, « marchandises venant à un port » par exemple, que notre savant peut employer pour obtenir des renseigne-

---

[1] *Œuvres*, f. 487 r°.
[2] Voir E. EGGER, *Notice sur la Tour d'Ordre à Boulogne-sur-Mer*, Paris, 1864.

ments sur la vie au moyen âge; allusions aux reliques; aux offices et dignités médiévales, et enfin explications de mots difficiles à comprendre : « grenons », « Godcherre », « archoiez , « puis », « careignon », « engroter ».

Les notes de Fauchet sont courtes : « puis, je croi *podium* » « careignon » pour « lettres clauses », et à côté d'engroter, « c'est egrotare ». Une longue citation est consacrée aux jongleurs, aux cadeaux qu'ils recevaient, à l'estime dont ils jouissaient autrefois, et au lieu de faire un résumé suivi du roman, Fauchet se contente de rappeler la parenté des principaux personnages par des notes comme celles-ci :

> Bertran, fils de Naismes, espouse Olive, fille de Pépin seur de Charles, et d'elle eut Gautier qui espousa Nevelon, fille dud. Charles et tua Justamont. Après avoir dit que Richart de Normandie portoit l'oriflambe et menoit l'avant-garde, il dit
> Richart de Normandie est son gonfanonier.
> C'est de Charles.

La dernière partie de la note nous renseigne sur l'office du gonfalonnier. Parfois Fauchet utilise les vers de la chanson pour indiquer la parenté des personnages :

> Filz sui Girard le conte, ung nobile baron
> Qui tient quite Viane et Lion et Mascon
> Guibort a nom ma mère, fille (le) duc Buesnon,
> Niez Hernaut de Biaulande qu'a flori le grenon,
> Et cosins Aimeri qui occit le dragon.
> (*Romania*, XIII, p. 17, v. 69-73.)

Nous ne devons pas oublier les sentences quoique ici elles soient peu nombreuses :

> Justice et seigneurie fait mainte chose faire.
> (*ibid.*, v. 217.)

Dans le *Recueil* [1], les citations de Doon, qui sont des transcriptions de vers pris dans le cahier, sont accompagnées du commentaire « qu'on peut en user encores aujourd'huy », « tant y a que l'on peut s'en aider », et les adjectifs « hermin », « fresnin », « pourprin », l'expression « la douce France » sont évidemment rapportées par Fauchet pour l'usage des jeunes poètes.

*
* *

---

[1] P. 111.

Les citations d'*Aye d'Avignon* [1], bien moins nombreuses, sont précisément de la même espèce que celle de *Doon*, quelques notes explicatives sur les mots bizarres, sur les officiers, citations descriptives des vêtements et des armures, de la cour du baron médiéval, d'un enterrement; un certain nombre de maximes et de sentences :

> Li vilains nos raconte un mot mout veritable
> Que tost mesadvient l'homme quant il moins en prent garde.
>   (Vers qui manquent dans l'édition de Guessard et Meyer.)

> Roix qui fet traison ne doit estre esgardez,
> Ne tenir le roiaume, ne coronne porter
>   (Vers qui manquent dans l'édition citée.)

Et enfin une autre qu'il a transcrite dans son *Recueil* :

> La joie de cel siècle n'est pas tosjors durant
> Or et argent et pailles sachiez tot est noyant [2]

suivie de cette note : « Le mot de *pailles* signifie un riche drap de soye. Et en Italie *correre il paglio* est courre pour gaigner des pièces de drap d'or, de veloux, soye ou escarlate que les seigneurs et républiques donnent à certains jours de l'année pour resjouir le peuple à voir courir les chevaux de Barbarie [3]. »

Fauchet a hérité de l'amour du renouveau, qui caractérise le moyen âge. Il possède sans doute lui-même aussi un vif sentiment de la nature puisé dans un contact fréquent avec le sol de la belle vallée de Montfort l'Amaury :

> Ce fu après la pasque que ver vet a declin

---

[1] Les vers d'*Aye d'Avignon* copiés dans le cahier de Fauchet sont les suivants (éd. Guessard et Meyer) :
1329-31, 1341-42, 1403-04, 1509-12, 1555-56, 1748-49, 1781, 1783-84, 2138-41, 2190, 2236-37, puis un vers qui paraît être une variante de 2283 suivi de trois vers qui ne sont pas dans l'édition citée. Ensuite 2437, 2541 et un autre vers qui n'est pas dans l'édition citée. 2486-87, puis deux vers qui n'y sont pas, ensuite 2576-78 et 2581, puis un vers qui n'y est pas. Ensuite 2670, 2685, 2688-9 et pour terminer dix-sept vers qui ne sont pas dans l'édition citée. V. notre livre de documents.
Des fragments d'*Aye d'Avignon* existent à Bruxelles, à Venise et à Vuillafans. Paul Meyer, après les avoir examinés, montre que les seuls vers qui se rencontrent dans le cahier de Fauchet et dans ces fragments sont les vers 1781, 1783 et 1784, et que ces fragments ne représentent pas les débris du manuscrit de Fauchet.
V. *Romania*, XXX, p. 493.
[2] Le premier vers est le v. 2541 de l'édition citée. Le deuxième manque.
[3] *Recueil*, p. 113.

Que florissent cil pre et cil gaut sont foilli
Que chantent cil oisel haut et clair et seri [1].

*
* *

Les 108 vers de *Gui de Nanteuil* [2] copiés dans le cahier ont
trait à la préparation à la carrière de chevalier des enfants
royaux, aux règlements sur les otages, aux dignités du Sénéchal
et du Bouteiller. Ici comme ailleurs, Fauchet transcrit les mots
extraordinaires, tels par exemple que « cuvert », « ferrant »,
« malfez », « sodivant [3] », « crespir ».

Mais cette chanson fournit aussi des descriptions de grands
coups avec force blessures où les corps « navrés » gisent de
tous côtés :

> A bons espiez tranchans ont la presse rompue
> . . . .
> La peussiez voir un estour commencier
> Tant fort escu trouer tante lanse brisier
> L'un mort par dessus l'autre cheoir et trebuchier
> . . . .
> Des parens Ganelon va la terre jonchant
> De sang et de cervel va la terre couvrant [4].

Mentionnons aussi les vers qui dépeignent une belle mati-
née :

> Le jour s'est esbaudis, belle est la matinée
> . . . .
> Li oisel chantent cler en la selve ramee [5].

Les explications que Fauchet a notées pour son propre

---

[1] Voici le texte de Guessard et Meyer :
> *Ce fu à unes Pasques que yver se fenist,*
> *Que fuillissent cil bois et cil pré sont flori,*
> *Et chantent li oisel et mainent grant gaïn,*
> *Et li roussignolet qui dit : « Oci, oci. »*
> (Ed. Guessard et Meyer, v. 2576-9.)

[2] Les vers de *Gui de Nanteuil* cités par Fauchet sont les suivants (éd. de
P. Meyer, Paris, 1861) : 60, 78, 117-119, 198, 205, 192, 244 (?), 304-305, 366-
367, 490, 492-495, 621 (?), 633 (?), 743-748, puis un vers qui n'est pas dans
l'édition citée, v. 877, 905, 1032-1034, puis trois vers qui n'y sont pas, v.
1134-1135, 1154, 1157, 1155, 1158, 1189-1192 et un vers et demi qui n'y sont
pas : v. 1301, 1315-1317, 1334-1335, 1354 puis deux vers : Ensuite v. 1483,
1561-1562, et un autre : v. 1616-1617 et deux autres vers : v. 1785-1786 et trois
autres vers, 1797, 1812-1814, 1927, 1966-1968, 2009-2012 et un autre. Puis 2038,
2050, 2062-2063, et un vers, et puis deux autres. 2081 (?), 2102-2103, 2217,
2225 (?), 2263, 2266, 2273, 2292-2293, 2308, 2314, 2316, 2383-84, et un autre
vers, v. 2537, 2538 et deux vers qui ne sont pas dans l'édition de Meyer. Il y a
de nombreuses variantes chez Fauchet. V. notre livre de documents.

[3] Ce mot s'écrit généralement « soduiant ».

[4] V. éd. P. Meyer, v. 1301, 1315-1317. Les deux derniers vers manquent
dans l'édition de Meyer.

[5] *Ibid.*, vers 1561. L'autre vers manque.

usage sont consacrées parfois au sens des termes bizarres, parfois à la généalogie des personnages : « Aiglantine, fille du roi Yon de Gascongne, nièce de Garefier et sœur de Hernaut, nièce d'Angelier. »

Les citations du *Recueil* ne sont accompagnées d'aucune appréciation littéraire, — à peine y trouve-t-on quelques remarques philologiques. Cependant quelques-unes des belles et vigoureuses citations que nous venons de transcrire nous révèlent que Fauchet ne manque pas de sens esthétique.

*
* *

Fauchet n'a consacré aucun article du *Recueil* à *Raoul de Cambrai*, et l'a fort peu cité dans ses traités historiques malgré les 259 vers qu'il en avait copiés dans son cahier [1]. Quelques notes suffisent pour faire comprendre la portée de ses citations :

Raul de Cambrai dit Taillefer eut de Aalis, sa femme, qu'il laissa grosse en mourant, Raoul, son filz... Il fait Raul de Cambresi nepveu du roi Loeis lequel après la mort mande à Aalis espouser Giboin le Mansel, qu'il fet comte de Cambrai jusques à ce que Raoul soit en aage...

Et ailleurs,

Hébert de Vermandois, laissa quatre fils, Ibers de Ribemont, Aedes de Roie, Hébert de Tierache, et Loeis.

Les citations de Fauchet passent en revue les occupations des nobles de la féodalité, l'adoubement, les épreuves des nouveaux chevaliers, leurs dignités, leur présence à la cour du

---

[1] Voir *Raoul de Cambrai*... publié par P. Meyer et A. Longnon, Paris, 1882. Le manuscrit de Fauchet (qui contenait la partie rimée) est devenu leur texte B. Meyer et Longnon ont utilisé le cahier de Fauchet, mais n'ont pas donné toutes les variantes d'une façon rigoureuse.
Les vers cités par Fauchet sont les suivants (éd. P. Meyer et A. Longnon, Paris, 1882) : 28, 46, 153-54, 113-19, 178-84, 290-94, 332-33, 361-63, 402-03, 440, 460-62, 469, 568-71, 512-14, 606-07, 614, 616-19, 684-85, 699-701, 809, 811-13, 825, 845-49, 879-83, 892-95, 907-08, 970, 1025-26, 1029, 1048, 1073-74, 1124-25, 1184-87, 1204-05, 1264, 1285-87, 1289, 1323-24, 1342, 1387, 1432-33, 1483-89, 1501-02, 1556-57, 1709-10, trois vers que les éditeurs ont mis en note après v. 1835, 1869-72, 1925-26, 1978-80, 1991-92, 2103, puis un vers que les éd. n'ont pas mentionné, 2212, puis deux vers que les éd. n'ont pas mentionnés, 2252-53, 2314-18, puis onze vers que les éd. mettent en note après 2337, v. 2428-30, 2442-45, 2447-49, 2492, 2542-44, 2666, 2678-79, 2686-90, 2688, 2692-99; 2755, puis deux vers que les éd. ont mis en note après ce vers, 2774-75, 2916, 3101-02, 3288, 3315, 3332, 3427-28, 3444, 3471-72, 3475, 3474, 3812-14, 3986, 4031-32, 4149-50, puis un vers que les éd. mettent après v. 4163. Puis v. 4455, 4798-4805, 4815-18, 4829-30, 5216-17, 5341, 5375, 5482-87, 5538-42 et puis un vers que les éd. n'ont pas mis dans leur édition. Ensuite v. 5402, 1328-35 et 1341-42.

Roi, les duels, et surtout la guerre, la fuite ou la victoire. Fauchet remarque les mots pittoresques ou simplement archaïques « enbarnir », « orlenois », et il transcrit les belles sentences :

Qui sert bien Deu il li monstre sa chiere [1].

Les citations de cette chanson que l'on rencontre dans le traité de l'*Origine des Dignitez et Magistrats* [2] essayent de faire apprécier les devoirs du Sénéchal et du Chambellan. Celui-là servait à table sous la troisième race, et celui-ci gardait la porte de la chambre de son maître.

*
* *

Une autre chanson que Fauchet connaissait et qui pourtant ne figure pas souvent dans ses œuvres, c'est *Aubry le Bourgoin*. Il ne le cite qu'à deux reprises la première fois pour expliquer les fonctions du grand Sénéchal et la seconde pour montrer que « les anciennes chambres estoient voûtées » :

Senechaux iet, m'enseigne portera

(*Œuvres*, f. 483 r°.)

et

Ja n'entrerez en sa chambre voutie
Si ly quens n'est en vostre compagnie.

(*Œuvres*, f. 486 r°.)

Supposer un seul instant, comme le fait l'ancien éditeur de cette chanson, P. Tarbé [3], que le manuscrit fr. 859 (B. N.) puisse avoir appartenu à Fauchet sans porter la moindre trace de ce dernier, ne laisse pas de nous étonner. Un autre critique, Paulin Paris [4], après avoir examiné le manuscrit, suppose que les mutilations existaient dès le xve siècle ainsi que les tentatives faites pour le remettre en état. A moins qu'il n'y ait une tradition recueillie par Tarbé et inconnue de Paulin Paris, nous devons nous abstenir de toute attribution.

Le manuscrit actuellement à Berlin (Bibl. Konigl. Gall. qu. 48, autrefois Reg. Vat. 1361), contient cette chanson. Ce manuscrit appartenait à Fauchet.

---

[1] Ed. P. Meyer et A. Longnon, v. 1343.

[2] *Œuvres*, f. 483 r°.

[3] P. Tarbé, *Le Roman d'Aubery le Bourgoing*, Reims, 1849, p. vi : « Le docte président voulut aussi guérir les blessures faites par les âges à ce curieux volume. »

Tobler a édité cette chanson en 1879.

[4] *Les Manuscrits françois de la Bibliothèque du Roi*, Paris, 1848, t. 7. pp. 24-30.

Nous pouvons passer rapidement sur les quelques poèmes de ce cycle qui restent à mentionner. Fauchet identifie Huon de Bordeaux avec un certain Hunault, et Gadifer avec Waiffier, tous deux enfants d'Eude, tué par Charles Martel [1]. Il mentionne le « roman » de Girard de Roussillon en ces termes : « Nangis dit, qu'un certain Gerard, Comte de ce pays, estoit chef des Bourguignons : et que Charles print par force son chasteau, appellé Roussillon, les ruynes duquel se voyent encor entre Mussi l'Evesque et Chastillon sur Seine. Ce Gerard a esté fort estimé, car l'on a faict de luy un Roman : et sa sepulture m'a esté monstrée en l'Abbaye de Poictiers assise au pied de ladite montaigne de Roussillon. Mais Vigner pense que ce Gerard enterré à Poictiers vivoit sous Charles le Chauve. » Paul Meyer [2] a montré que le Girard historique fut gouverneur de Provence et fonda vers 863 les monastères de Pothières et de Vezelai (Vezelay) en Bourgogne. L'auteur de la *Vita nobilissimi comitis Girardi de Rossellon*, écrivant au monastère de Pothières, place le château de Roussillon sur le mont Laçois, qui se trouve à deux kilomètres environ du monastère dans la direction de Châtillon-sur-Seine. L'ancienne chanson de Girard de Roussillon qui n'existe plus aujourd'hui, et la chanson actuellement conservée donnent le même emplacement au château. Fauchet semble s'être contenté de répéter Guillaume de Nangis, qui, lui, a sans doute emprunté les détails qu'il donne à la *Vita* ou aux épopées qui placent Girard sous Charles Martel. Dans la *Chanson de Roland*, par exemple, Girard est toujours appelé « li vielz », et *Garin le Lorrain* et *Renaud de Montauban* le placent également sous Charlemagne.

C'est encore comme historien que Fauchet parle de Garin

---

[1] *Antiquitez*, f. 187 r⁰.

Voir *Romania*, VIII, p. 1, article d'A. Longnon, *L'Elément historique de Huon de Bordeaux*. Selon cet article, Huon de Bordeaux, ou plutôt celui qui le représente, aurait vécu à l'époque de Charles le Chauve. Une nouvelle édition de *Huon de Bordeaux* sera donnée par Mlle Pamfilova, S. A. T. F.

Le personnage de Gadifer, roi Sarrasin, appartient à la *Chanson des Narbonnais* et au *Moniage Rainoart*, mais il y a une multitude de Gaifier dans les chansons de geste. « Gaifier de Bordele » se rencontre dans les *Saisnes*, dans *Ogier* et dans *Maugis d'Aigremont*.

[2] Voir Paul Meyer, *Girart de Roussillon*, chanson de geste traduite pour la première fois, Paris, 1884, *Introduction*.

La confusion faite par Fauchet entre Pothières et Poictiers est curieuse, mais le Président sait où se trouve l'abbaye.

Le Manuscrit de Rome, Vat. Reg. 967; possédé par Fauchet contient *Girart de Roussillon*, roman en prose par Jean Wauquelin (1447).

Fauchet a mis sa signature sur le premier feuillet, et une note au f. 147 v⁰. En face des mots « Vous scaves sire que c'est une chose tres mal convenable d'un subget grever son droiturier seigneur que de combattre contre lui... » Fauchet écrit : « En quel cas le vassal se deffendra contre son seigneur. » Une date écrite de la main de Fauchet se trouve au f. 160 v⁰.

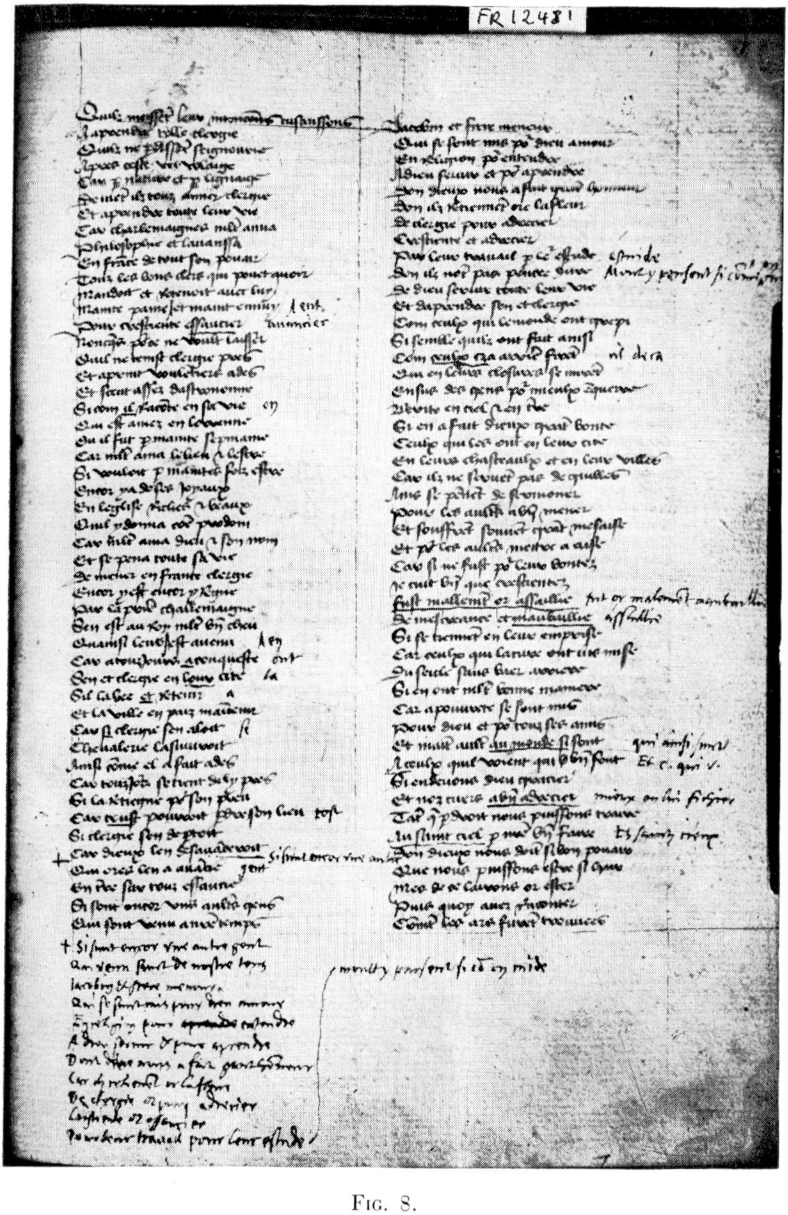

FIG. 8.

Variantes en marge du manuscrit B. N. fr. 12481.
(Voir p. 209.)

le Lorrain : « Les romanciers d'environ l'an 1150 ont parlé de
ceste course de wandres et en ont fait un livre rimé qu'ils
appellent le l'Horeant Garnier, c'est-à-dire Garnier le Lorrain,
dans lequel se trouve force noms de seigneurs françois [1]. »
Cependant Fauchet possédait un manuscrit de cette dernière
chanson (actuellement B. N. fr. 1442 [2], qui contient aussi
La Chanson de Girbert, fils de Garin), de même qu'un manuscrit de *Hervis de Metz*, au sujet duquel il écrit dans son cahier
à propos des généalogies de Lorraine [3] : « Fault voir un viel
romant de Hervis duc de Lorraine f. 6 col. 1 et 2 : Il parle de
son mariage et enfans de leur famille. »

Cycle de la Croisade

Fauchet connaissait certaines parties du Cycle de la Croisade, quoiqu'il ne le présente pas dans le second livre du
Recueil. Il comprend toute l'importance de l'événement capital
qui bouleversa la chrétienté à la fin du XIᵉ siècle :

> Les faits héroïques de Guillaume Bastard de Normandie... puis des
> pèlerins de Jérusalem conduits par Hugues le Grand, Godefroy de Bou-
> longne, firent croire les contes ja faits d'Artus, Charles le Grand, et sei-
> gneurs de sa cour... Aussi oyez vous presque tous les romans de ce
> temps-là parler de Jérusalem, des Soudans d'Acre, de Coigne, Babylone,
> Damas et autres totalement incogneus avant ce voyage.

Fauchet place les romans d'outre-mer aux XIIᵉ et
XIIIᵉ siècles [4], bien qu'il ne nous le dise pas d'une façon très
précise.

En tout, il fait cinq citations de ce Cycle, deux qui sont
tirées de *Hélias* [5], une de la *Chanson d'Antioche* [6], et deux
autres qui ne paraissent ni dans *Helias* édité par Paulin Paris,
ni dans la *Chanson d'Antioche* du même éditeur, ni dans la
Chanson de Jérusalem éditée par C. Hippeau. Ajoutons une
allusion au cri de ralliement « Montjoye Saint-Denys » [7] des

---

[1] *Antiquitez*, f. 187 vº.

[2] En haut du f. 1 (B. N. fr. 1442), Fauchet a écrit : « Romans dou Loherant Garnier », en bas : « C'est à moi Claude Fauchet. » Une seule note se trouve f. 1. Le mot « clers » est souligné, et « chevaliers » est écrit en marge. Au début du roman, f. 1, 2 et 3, Fauchet a souligné un certain nombre de mots et mis de petites croix — quelques noms propres, et d'autres mots comme « busines », « olifant », « barnei », « arabi », etc. Il n'a rien écrit.

[3] F. 115 vº.

[4] *Recueil*, pp. 75, 76.

[5] *Œuvres*, f. 542 rº; *Chanson du Chevalier au Cygne*, éd. C. Hippeau, Paris, 1874, vers 455-6 et 769-71.

[6] *Recueil*, p. 37, *Chanson d'Antioche*, éd. P. Paris, Paris, 1848, chant VIII, v. 426-27.

[7] *Antiquitez*, f. 56 rº.

« Princes François croisez » dans la *Conquête de Jérusalem*. Les trois citations que nous avons pu identifier se rapportent à la signification du mot « Hurepé » et « Hurepois » qui n'était pas un quartier de Paris comme le suppose Fauchet, mais une partie de l'ancienne Neustrie [1]. Les deux autres citations sont faites dans les traités historiques au cours de l'étude des fonctions du Chambellan et du Sergent. Les voici :

Au Roman de la Conqueste de Jérusalem

> Al départir commande son chambellan Geoffroy
> Qu'il lor donnast cinq sols par le souverain Roy [2].

Et aussi :

Au roman de la Conqueste d'Outremer faict par Geoffroy auc de Bouillon composé par Gandor de Douay et en un autre il est dict

Les tables ont ostées Sergent et Escuyer [3].

Fauchet se sert de l'expression « Roman d'Outremer ». En fait, il a dû posséder un manuscrit où toutes ces chansons étaient reliées ensemble. D'ailleurs, les noms *Chansons d'Antioche, Les Chétifs, La Chanson de Jérusalem*, ne sont consacrées que depuis l'époque de Paulin Paris, de H. Pigeonneau et de C. Hippeau [4]. Nous savons que Fauchet a certainement possédé le manuscrit fr. 1621 (B. N.), car celui-ci contient quelques notes [5] de sa main, avec son autographe : « C'est

---

[1] V. E. LANGLOIS, *Table des Noms propres... des Chansons de Geste*, « herupe », p. 340, et R. ROHNSTRÖM, *Etude sur Jehan Bodel*, pp. 111 et suiv.

[2] *Antiquitez*, f. 486 v°.

[3] *Ibid.* f. 484 v°.

[4] V. la *Chanson d'Antioche*, éd. P. Paris, Paris, 1848, *Introduction*, pp. ix et suiv. P. Paris dit qu'il avait sous les yeux 50.000 vers, et qu'il en avait publié 9.000. Puis il dit : « Ma seconde liberté exige peut-être une plus grande indulgence. La branche que je publie n'avoit pas de titre; je l'ai baptisée la *Chanson d'Antioche* d'après des indications à mes yeux suffisantes que me fournissoient les auteurs contemporains. » Et cf. P. PARIS, *Nouvelle Etude sur la Chanson d'Antioche*, Paris, 1878, qu'il avait faite pour répondre à la thèse de H. PIGEON-NEAU, *Le Cycle de la Croisade et de la Famille de Bouillon*, Paris, 1877. P. Paris dit, p. 1 : « Je le publiai donc au mois de février 1848, sous le titre de *Chanson d'Antioche* que lui avaient donné les contemporains de son auteur » et une note de l'auteur ajoute : « On a bien souvent cité les vers de Giraud de Cabrera, dans lesquels il reproche à un jongleur de ne pas savoir cette chanson :
> *D'Antiocha*
> *non sau che sia.* »
C. Hippeau, 1868, accepte le titre *Chanson d'Antioche*, cf. *La Conquête de Jerusalem, faisant suite à la chanson d'Antioche composée par le pelerin Richard et renouvelee par Graindor de Douai au xiiie siècle*.
Pour une critique des éditions de P. Paris, de C. Hippeau, etc., voir la thèse d'Anouar HATEM, *Les Poèmes épiques des Croisades*, Paris, 1932, pp. 124 et suiv. Voir la Bibliographie de M. Hatem. H. A. TODD a édité *La Naissance du Chevalier au Cygne...*, Baltimore, 1889.

[5] Quatre notes sont écrites dans les marges de ce manuscrit; f. 88 r°, il a souligné « rois des ribaus »; f. 123 r° il a mis une petite croix à côté de « Richars li pelerins »; ff. 145 r° et 153 v° il a souligné « iogleres »; f. 167 il a fait un trait à côté des vers commençant :

à moi, Claude Fauchet, 1596. » Sur la première page il a écrit :
« C'est la conqueste de Jérusalem et origine de Godefroi de Boulongne ou Bouillon. Il a esté composé après le voyage que
Philipe-Auguste fit en Surie. » « Avec l'histoire de Charlemagne » est ajouté dans une autre écriture.

La dernière partie de cette note se rapporte à « L'Estoire
de Torpins » comprise également dans le manuscrit. Les marges contiennent des notes dans le genre de celles-ci :

Feuillet 51 v° « Temps de l'autheur » ;
Feuillet 69 r° « Renax autheur » ;
Feuillet 69 v° « Graindor de Douai ».

En lisant, Fauchet mettait aussi des croix, puis il écrivait
ses remarques sur une feuille séparée qui se trouve aujourd'hui
à la fin du volume. Voici quelques exemples de ces notes.

Fol. 48 « Homage, gaige de bataille, ceremonies pour
gaige et duel » ;
Fol. 51, col. 2 « Meurs de Philipe Auguste » ;
Fol. 51, col. 3 « Temps de l'autheur » ;
Fol. 69 « première histoire par Renax col. 2, seconde par-
tie par Gandor de Douai » ;
Fol. 71 « Pierre l'hermite » ;
Fol. 84, col. 2 « Baudouin » ;
Fol. 88 « Roi des ribaux » ;
Fol. 136, col. 2 « senechal ».

Nous n'avons pas tout transcrit mais ces quelques notes
suffisent pour montrer que Fauchet songeait continuellement
à ses études historiques. Elles témoignent de sa lecture soignée,
de sa curiosité infatigable, de sa volonté de profiter de tout ce
qu'il lisait. Il n'est pas encore arrivé à mettre ses connaissances
en fiches, mais il en est à moitié chemin [1].

Un ouvrage qui peut se rattacher à la littérature chevaleresque, et dont Fauchet indique brièvement le sujet dans son
traité des *Origines des Dignitez* [2] est l'*Ordene de Chevalerie* :
« J'avoy en mon estude un livre de Chevalerie, contenant les
ceremonies que Messire Hue de Tabaire Chevalier du Royaume
de Hiérusalem gardoit, en faisant des chevaliers : et l'instruc-

---

    Moult ot bel le visage et fu bien colores
et écrit en marge « bel homme ».
    Il y a aussi un certain nombre de croix doubles, dont quelques-unes sont
probablement de Fauchet. Les notes sur la feuille de la fin sont certainement de
sa main.
    [1] Le manuscrit B. N. fr. 786 contient une note f. 4 qui pourrait être de la
main de Fauchet, mais si ce manuscrit lui appartenait, comme l'affirme P. Meyer,
il ne s'en est pas servi comme du fr. 1621. V. *Romania*, XI, p. 264.
    [2] *Œuvres*, f. 511 r°. L'*Ordène de Chevalerie* est publié par Méon, Barbazan,
Fabliaux, Paris, 1808, I, 49.

tion qu'il donne à Saladin souldan d'Egypte lorsque ce Prince Sarrazin desira d'avoir l'accollee par la main de ce vaillant chevalier chrestien qui vivoit environ l'an 1200. » Ce livre est le manuscrit fr. 25462 (B. N.), qui appartenait au Président [1].

Romans antiques

Les romans antiques que Fauchet connaissait sont les suivants :

Roman d'Alexandre par le clerc Simon;

Roman d'Alexandre par Lambert le Tors, Alexandre de Bernai et Pierre de Saint-Cloot;

Vengeance Alexandre par Jean li Nevelois.

Fauchet fait allusion aussi à diverses continuations du *Roman d'Alexandre*, telles que *les Vœux du Paon*.

Il mentionne le *Roman de Troie*.

Nous mettrons ici trois romans qui peuvent à la rigueur prendre place parmi les romans antiques :

Le *Roman des sept Sages ou de Dolopathos*;

Le *Cléomadès* d'Adenet le Roi;

Meliacin.

Fauchet connaissait une rédaction du *Roman d'Alexandre* « par le clerc Simon » [2], qui diffère des deux rédactions connues aujourd'hui, le manuscrit de Venise et le manuscrit de l'Arsenal [3]. Fauchet n'a pas conservé les vers où se rencontre le nom du clerc Simon, et dans le manuscrit de Venise ces mêmes vers sont très imparfaits. Nous ne savons pas si Simon était l'auteur de la branche du roman en décasyllabes ou si c'est lui qui a écrit les vers qui relient cette branche à la branche écrite en alexandrins [4]. Dans l'autre manuscrit du poème, on ne trouve pas le nom du poète, mais Fauchet a dû le voir car il fait deux allusions distinctes à ce Simon. Voici la première : « Un Simon autheur d'un Roman d'Alexandre composé en poitevin ou limosin, commençant

---

[1] *L'Ordène de Chevalerie* commence f. 149. Fauchet ne l'a pas annoté.

[2] *Recueil*, p. 35.

[3] Bibl. de l'Arsenal, 3472, et Venise, Museo Civico, B. 5, 8. Cf. P. MEYER, *Alexandre le Grand dans la Littérature française du Moyen Age*, Paris, 1866, vol. 2, p. 108.

[4] Cf. P. MEYER, *op. cit.*, p. 109 : « Je suis donc porté à croire que le clerc Simon est, non point l'auteur des 800 vers décasyllabiques, mais l'arrangeur qui a complété à l'aide du poème en alexandrins l'histoire commencée dans ces 800 vers. Je lui attribue la paternité du second couplet de Venise, celui où il se nomme, et de sept ou huit tirades de raccord, en alexandrins servant à relier les deux parties. »

Chançon voil dir per ryme et per Lëoin
Del fil Filipe lo Roy de Macedoin [1].

La deuxième citation est plus longue, Fauchet prétendant montrer que les « Erupei » étaient les habitants de Paris :

Car au Roman d'Alexandre composé par le clerc Simon, en racontant les peuples divers qui sortirent de Babylone après la confusion en bastissant la tour, il dit :

Li enfant se departent, li piere en fu dolans
Et li autre devient Mesopotamiens,
Li autre fu Torquois, li autre Elimitans [2]

et puis quelques vers après,

Li autre fu Romains & li autre Toscans [2].

et encores depuis,

L'autre fu Espeignos, et s'autre fu Normans,
Li autre Erupiei et parla bien Romans,
Li autre fut François et li autre Normans [2].

Mais la version du *Roman d'Alexandre* dont Fauchet a fait son étude de prédilection n'est pas celle-là, mais bien la rédaction plus connue de Lambert le Tors et d'Alexandre de Bernai. Il paraît en avoir emprunté un manuscrit à son cousin Jacques Gohory [3], et il en a transcrit une cinquantaine de vers dans son cahier, mettant des notes suivant sa façon habituelle. Mais il a eu entre les mains un autre manuscrit, celui qui a donné la leçon « le Cors » pour le nom du poète, leçon qui vient du manuscrit B. N. fr. 24365. C'est en effet de ce dernier manuscrit, également utilisé par Estienne Pasquier que sont tirées les nombreuses citations faites par Fauchet [4].

---

[1] *Œuvres*, f. 552 r°. Fauchet imprime bien *Lëoin*, quoique la forme habituelle du mot soit *léonin*.

[2] *Recueil*, p. 35.

[3] B. N. fr. 24726; f. 53 r° : « Du Romant d'Alexandre au livre du Cousin Gohori. » Ce manuscrit était apparenté au B. N. fr. 24365. Voir plus loin.
Fauchet cite des vers du *Roman d'Alexandre* dans son cahier aux ff. 7 v°, 16 r°, 25 r°, 26 r°, 36 v° et 53 r°. Ces citations se retrouvent dans les œuvres imprimées, à l'exception de celles qu'il a faites sur le f. 53 r°, et que nous donnons ailleurs. Le texte de Fauchet est rarement celui de Michelant.

[4] P. MEYER, *Romania*, XI, dit que Fauchet possédait trois manuscrits de cette chanson, B. N. fr. 786, 789 et 24365. Il a laissé des notes dans le dernier et il en a tiré le nom « li Cors » et « Nevelons ». Quant aux deux autres, c'est plus douteux. Le texte de Michelant (*Li Romans d'Alixandre*, herausgegeben von H. Michelant, Stuttgart, 1846) suit le manuscrit fr. 786, et le texte de Fauchet en diffère considérablement.
B. N. fr. 786. Il y a une note (f. 4) qui pourrait être de la main de Fauchet, comme l'affirme d'ailleurs Paul Meyer, *Romania*, XI, p. 264.
B. N. fr. 789. Fauchet n'a écrit aucune note en marge du *Roman d'Alexandre* (f. 8 r° « chevaliers nommé » peut être de sa main) mais un certain nombre

Le *Roman d'Alexandre* est évidemment un des premiers poèmes du moyen âge que Fauchet ait lus. C'est du moins le premier sur lequel il rédige un chapitre dans son cahier de notes — le second chapitre du livre Ier — qui constitue une première rédaction du chapitre qui devait trouver place plus tard dans le *Recueil*. Fauchet cite les vers où se trouvent les noms de Lambert Le Tors, d'Alexandre de Bernai, de Pierre de Saint-Cloot et de Jean le Nevelois, rappelle les remarques de Geofroy Tory de Bourges, essaie d'identifier « Le Comte Henri », parle de « vers alexandrins », cite le début du roman et un certain nombre de « bons motz qui méritent bien le renouveler », faisant remarquer pour terminer qu'il faut user de jugement dans le renouvellement qu'il propose. Une lecture postérieure fournit une note placée en marge ayant trait à l'éloge fait par Jean Lemaire de Belges [1]. Fauchet expose déjà dans son cahier les idées qu'il développera vingt-cinq ans plus tard. Un peu plus loin dans le cahier (f. 7 v°) il en cite quelques vers pour expliquer le sens du mot *palefroi*. Il en fait une autre citation (f. 16 r°) pour montrer que les vers rimés se chantaient « au son des instruments », et que les Français n'avaient pas pris cet usage aux Italiens. Au feuillet 25 c'est une description tirée de ce roman qui laisse comprendre « la coutume de planter l'étendart au milieu de l'armée ». Au feuillet 26, une citation montre que tous ceux qui « faisaient le métier de la guerre » à pied, étaient appelés sergents. Plus loin (f. 36) une autre jette de la lumière sur la charge du connétable, et une autre encore (f. 74 r°) vient éclairer le sens de « ferrant ».

Pour connaître les idées définitives de Fauchet sur ce roman, il convient de nous reporter à ses œuvres imprimées et tout particulièrement à l'article du *Recueil*. Ce chapitre ajoute peu à la première rédaction, où l'essentiel avait déjà été dit : les noms des auteurs d'abord et l'ignorance à peu près complète où était notre érudit sur leur compte : « Je n'ay pas trouvé de quelle qualité ou d'où furent ces quatre jongleurs. »

---

de petites croix indique qu'il avait eu cette partie du manuscrit entre les mains. Cf. *Romania*, XI, p. 276.

B. N. fr. 24365. Les notes de Fauchet se trouvent sur les feuillets suivants : f. 30 r°, f. 33 v°, f. 34 r°, f. 49 r°, f. 109 r°.

F. 30 r°. Fauchet met en marge « comparaison »;

F. 33 v°, 34 r°. Il attire son attention sur les harangues, en mettant « belle harengue» « harengue d'Alex. à ses gens »;

F. 49 r°. Il met les noms des poètes en marge Alexandre de Paris. et Lambert Le Cors;

F. 109 r°. Il met « sentence veritable ».

[1] Voir plus loin.

Il ne sait pas exactement lequel de Lambert ou d'Alexandre a commencé le roman. Dans son cahier (f. 2 r°) ayant cité les vers où Alexandre est nommé, il continue : « depuis un nommé Lambert li cors natif de Châteaudun poursuivit », mais au-dessus de « depuis » il écrit « devant ». Il semble croire que ces deux auteurs collaboraient.

Paul Meyer a montré que Lambert le premier a travaillé sur *Alexandre le Grand,* mais qu'Alexandre de Bernai n'était pas son contemporain mais son successeur. Quant à « Ostace » que Meyer prend pour l'auteur de l'épisode du *Fuerre de Gadres,* Fauchet a copié le vers :

> Moult parfu grans la perte, ce nos raconte Ostace

mettant à côté « Je ne sçai qu'il est. »

On pense aujourd'hui que Pierre de Saint-Cloot est bien l'auteur du *Testament,* comme le croyait notre lettré [1].

Paul Meyer a discuté sur la forme que Fauchet a donnée au nom de l'auteur de la *Vengeance,* Jean le Nevelois, car le manuscrit utilisé par Fauchet porte bien « li Nevelons » [2]. Notre jeune savant cependant écrit dans son cahier : « Quant à la Vengeance (il faint qu'Alexandre fut vangé par un fils bastart qu'il eut) je trouve bien certainement qu'elle a esté composée par un Jehans li Nevelons; car il est dit,

> Seigneurs or faites pais : un petit vous taisiez
> S'orrez bons vers nouveaux, car li autres sont viez.
> Jehans li Nevelons fu moult bien affetiez...

Il ajoute plus loin que Geofroy Tory de Bourges « dit le romant d'Alexandre avoir seulement esté composé par les deux, Pierre de Saint-Cloot et Jehans Linevelois (car ainsi le nomme il) ». C'est donc suivant Geofroy Tory de Bourges que notre érudit a adopté la forme « Nevelois ».

La mention du comte Henry par Jean le Nevelois amène Fauchet a essayer de dater le roman. Il l'identifie avec Henry Ier de Champagne, identification que Paul Meyer n'a pas approu-

---

[1] Sur Pierre de Saint-Cloud (orthographe moderne) voir L. FOULET, *Le Roman de Renard,* Paris, 1914, pp. 234 et suiv. Pierre de Saint-Cloud est l'auteur de *Renard et Isengrin.* Citant les vers du *Roman d'Alexandre* où se rencontre le nom de Pierre de Saint-Cloud, M. Foulet dit qu'on ne saura si ce dernier est le collaborateur d'Alexandre de Bernai ou simplement un commentateur de la quatrième branche du roman que quand on aura donné une édition critique de l'*Alexandre.*
    Une édition faite par un groupe de professeurs dirigés par E. C. Armstrong est en préparation.
[2] SCHULTZ-GORRA a édité la *Vengeance Alixandre* (1902).
    E. B. HAM aussi, *Elliott Monographs,* 27 et 34.

vée mais qui semble avoir eu les suffrages d'autres érudits plus récents [1]. Ailleurs Fauchet fixe la date à 1150 et ailleurs encore à 1200 [2].

En général, la beauté des poèmes retient peu l'attention de Fauchet, mais le *Roman d'Alexandre* fait exception à cette règle. Comme nous l'avons fait remarquer, un « discours » sur les vers alexandrins se trouve déjà dans son cahier où il cite certains beaux vers. Il est vrai que Jean Lemaire et Geofroy Tory lui avaient frayé le chemin, mais la substance de son chapitre est bien de lui. Il dit [3] que « le genre des vers de ces autheurs est de douze et treize syllabes, et l'on pense que les autres qui leur ressemblent ont pris leur nom, ou parce que les faits du roy Alexandre furent composez en ces vers ou pour ce que Alexandre de Paris a usé de telle ryme », même si quelques chansons de geste aussi anciennes ou même plus anciennes contiennent ce genre de vers. Il note ensuite que « ces bons pères » faisaient « la lisière ou la fin de leurs vers toute une » pour faciliter l'accompagnement sur la harpe ou le violon et il remarque que Ronsard et « les autres venus depuis luy » font alterner les rimes masculines et féminines « car c'est le vray moyen de faire chanter sous un seul chant, toutes leurs poésies ». Quant aux « bons mots » que Fauchet voulait renouveler, il y a lieu de comparer toute cette partie de ce chapitre, non à la *Précellence* de Henri Estienne [4], mais

---

[1] P. MEYER, *op. cit.*, t. 2, p. 263; E. C. ARMSTRONG, *The Authorship of the Vengement Alixandre and of the Venjance Alixandre*, Princeton and Paris, 1926; K. SACHROW, *Ueber die Vengeance d'Alexandre von Jean le Venelais*, Halle, 1902, et E. B. HAM, *Some of the Continuations of the Medieval French Romance of Alexander* (thèse, résumé dans *Abstracts of Dissertations for the Degree of Doctor of Philosophy*, vol. 1ᵉʳ, Oxford, 1928).

[2] V. *Œuvres*, f. 505 vᵒ; il dit que le poème est plus ancien que *Aye d'Avignon;* f. 539, il lui donne la date 1150, et f. 502 rᵒ 1200.

[3] *Recueil*, p. 85. Il comptait les « e » de la rime féminine.

[4] V. L. CLÉMENT, *Henri Estienne...* p. 225. « Claude Fauchet a fait des emprunts d'idées et d'exemples à son devancier : il a même réédité, ou si l'on veut, arrangé dans l'*Origine* (le *Recueil*) à propos du roman d'Alexandre trois grandes pages de la *Précellence* et sans nommer Henri Estienne. »
En 1555 Fauchet lit le *Roman d'Alexandre*, en fait certaines citations, entre autres les deux vers suivants :
De mortz et de navrez enionché li prael
et
Du long comme il estoit mesura la campaigne.
En 1579 Henri Estienne fait plusieurs citations dans sa *Précellence* entre lesquelles se trouvent les vers
De mortz et de navrez enjonche la campagne
et
Du long comme il estoit mesura la campagne,
et ajoutant le latin pour la dernière citation : « Italiam metire jacens. »
Or, VIRGILE, *Énéide*, XII, 360, avait dit « Hesperiam metire jacens » et non *Italiam*.
Claude Fauchet en 1581 dans son *Recueil* donne les citations exactement comme H. Estienne avec le latin *Italiam* etc. Le cahier de Fauchet témoigne du fait qu'il avait lu le *Roman* dans deux manuscrits différents en 1555, mais

à la *Deffence et Illustration de la Langue françoyse* de Du
Bellay, à l'*Art poétique* de Jacques Peletier et aux diverses affirmations de Ronsard dans son *Abrégé de l'Art poétique* et à ses
préfaces de la *Franciade*.

Commençons d'abord par citer Du Bellay [1] :

> Use de motz purement françoys, non toutesfois trop communs, non
> point aussi trop inusitez, si tu ne voulois quelquefois usurper, et quasi
> comme enchasser ainsi qu'une pierre precieuse et rare, quelques motz an-
> tiques en ton poëme, à l'exemple de Virgile qui a usé de ce mot *olli* pour
> *illi*, *aulai* pour *aulae* et autres. Pour ce faire, te faudroit voir tous ces
> vieux romans et poëtes françoys, où tu trouverras *ajourner* pour *faire jour*
> (que les praticiens se sont fait propre) *anuyter* pour *faire nuyt*, *assener*
> pour *frapper ou on visoit*, et proprement d'un coup de main, *isnel* pour
> *leger*, et mil' autres bons motz que nous avons perduz par notre negli-
> gence.

Peletier et Ronsard ont également préconisé l'emploi des
mots anciens, et Ronsard, comme le remarque M. Chamard,
semble regretter l'absence d'un lexique des vieux mots : « Encore vaudroit-il mieux, comme un bon bourgeois ou citoyen,
rechercher et faire un lexicon des vieils mots d'*Artus*, *Lancelot*
et *Gauvain* ou commenter le *Romant de la Rose* que s'amuser
à je ne sçay quelle grammaire latine qui a passé son temps [2]. »
N'y a-t-il pas un rapport évident entre les notes rassemblées
par Fauchet sur les vieux mots et la suggestion de Ronsard?

Mais en 1555, date de la première rédaction du chapitre
sur le *Roman d'Alexandre*, par Fauchet, les influences à signaler sont celles de Du Bellay et de Peletier. Et voici le Fauchet
du cahier :

> Il y a beaucoup de bons motz et qui méritent bien le renouveler.
> Entre autres je t'alégerai ces vers
> Que prouesse radote et mauvêtie s'avive...

(il cite sept vers [3] et continue)

---

quand il rédige son article pour le *Recueil*, il semble avoir eu la *Précellence*
entre les mains.

[1] V. H. Chamard, éd. *Deffence...* p. 257.

[2] V. H. Chamard, *op. cit.*, p. 258, note 1. La citation de Ronsard vient de
la seconde préface de la *Franciade*.

[3]   *Et comment terre mere n'en est de dueil crôlee*

> *Car plusieurs s'enfuioient les targes adossées*
> *Et ont lêtour guerpi les lances aterrées*
>
> *De mortz et de navrez enjonché li prael*
>
> *Que prouesse radote en riche prince aver*
>
> *Du long comme il estoit mesura la campagne.*

et plusieurs autres belles manières de parler et motz que le studieux
de poésie françoise pourra imiter [1], et aucune fois refondre se les apro-
priant, comme jadis Virgile faisoit, lisant les œuvres du bon père Ennius
auquel ces autheurs peuvent estre comparez. Se garde toutefois ne les
élire si viez et usez qu'ils soient inconnus ou inutiles.

La rédaction de 1581 est plus ample et mérite d'être citée :

J'ai remarqué quelques vers de leur façon assez bons, car parlant
de gens qui tomboyent d'une montagne, il dit :

De la coste desrochent, aval vont perillant

par lequel vers l'on peut, à mon advis, renouveller deux mots : à sçavoir,
desrocher et *periller*. Car si nous disons *descrocher* pour *oster d'un croc*,
pourquoy ne dirons-nous *desrocher* pour tomber et précipiter d'un roc ?
Et comme sçauriez-vous mieux representer le latin de *pereclitor* et *peri-
clitari* que par *periller*, puisque nous disons *peril* pour *periculum*... Ces
vers donc qui suivent pourront servir à... donner à congnoistre une
partie du stil desdits autheurs : l'un desquels parlant d'un chevalier qui
donna un coup d'espée sus le heaume d'un autre dit

Si la feru del branc que sus l'arçon l'adente

et

De morts et de nauvrés enjonche la campagne

et

Ahi, Dame fortune, tant estes nouveliere

comment sçauriez-vous mieux representer *novatrix* Latin et cestuy-cy,

Du long comme il estoit mesura la campagne,

parlant d'un porté à terre d'un coup de lance : ne vaut-il pas bien *Italiam metire* [2] *jacens* ? Il se trouve encores plusieurs autres belles manières de parler, et des mots, que le studieux de la poesie Françoise pourra
imiter ou refondre ainsi que j'ay dict, se les appropriant comme Virgile
ceux d'Ennius, Pacuvius et autres... Vray est qu'il fault du jugement pour
refondre tels mots : car on ne les doit choisir tant usez qu'ils soyent inutiles et hors de congnoissance... mais aussi, où il se trouveroit qu'ils
fussent en usage en quelque contrée de nostre France, il me semble
qu'on peut hardiment les ramener en usage, encores qu'ils se soyent pour
quelque temps esloignez de Paris ou de la Cour [3].

**Fauchet est donc nettement influencé par les théories de
la Pléiade, — ce qui n'est pas étonnant étant donné ses relations anciennes avec le cercle de Ronsard vers 1556 — peut-
être l'est-il aussi par l'*Art poétique* du Vendômois.**

---

[1] Fauchet rend aux « apprentifs » le même service que Gilles Corrozet dans
son *Parnasse des Poètes français modernes*, Paris, 1571, et Maurice de la Porte
dans les *Epithètes françoises*, Paris, 1571. Mais Fauchet dépouille les poètes
du moyen âge d'une façon peu systématique, et il est loin d'offrir un répertoire
complet des beautés poétiques qu'il rencontrait. V. au sujet de G. Corrozet,
et de M. de la Porte, l'article de M. A. LEFRANC, *Revue du XVIe Siècle*, 1915, sur
les *Epithètes de M. A. de la Porte et la Légende de Rabelais*, et cf. M. RAYMOND,
L'influence de Ronsard, Paris, 1927, t. 1er, pp. 312-313.

[2] Voir p. 168.

[3] *Recueil*, pp. 86, 87, 88.

Le *Roman d'Alexandre* est employé dans les traités historiques [1] pour illustrer l'histoire sociale et expliquer le rôle des anciens officiers de la couronne.

Les mentions des suites de ce roman sont extrêmement brèves :

Le *Roman du Paon* est une continuation des faits d'Alexandre, lequel se trouve en la bibliothèque du Roy, avec plusieurs autres, dont je n'ay peu nommer les autheurs pour ne les avoir entièrement leus [2].

On ne peut qu'admirer l'honnêteté de Fauchet.

*
* *

Bien qu'il connût le *Roman de Troie* par Benoît de Saint-Maure, Fauchet n'en a pas parlé dans le *Recueil*. Il l'appelle « Fragments de la Destruction de Troye » dans ses traités historiques [3]. Ses citations diffèrent de tous les manuscrits qui existent actuellement [4]. L'une d'elles est suivie d'un intéressant commentaire sur le mot *marquis* :

---

[1] Les vers cités par Fauchet sont les suivants (éd. H. Michelant, Stuttgart, 1846) : *Œuvres* f. 492 r°, éd. citée p. 17, vers 4-5; f. 492 v°, p. 182, vers 29-30; f. 502 r° et v°, p. 157, vers 28-30; p. 158, vers 29-30, et un autre vers qui n'est pas dans cette édition; f. 505 v°, trois vers que je ne puis trouver dans l'éd. Michelant, et f. 539 v°, éd. cit. p. 249, v. 36 à p. 250, v. 2; f. 541 r°, éd. citée p. 192, vers 16.
Lorsque notre livre est sous presse, nous recevons une réponse de M. Armstrong à qui nous avons fait voir les citations venues du « livre du cousin Gohori ». M. Armstrong est d'avis que ce « livre » n'existe plus, mais qu'il devait être apparenté au groupe M (B. N. fr. 24365). Pour d'autres renseignements sur les citations de Fauchet, voir notre livre de documents.

[2] Dans son cahier, B. N. fr. 24726, f. 6 v°, Fauchet cite 15 vers des *Vœux du Paon* de Jacques de Longuyon. V. R. L. Graeme Ritchie, *The Buik of Alexander*, vol. 1-4, Scottish Text Society, Edinburgh and London, 1921 à 1929, vol. 4, p. 420, vers 7933-7946. Fauchet voit dans ces vers une source du *Roman de la Rose*. « Il semble que Guilleaume de Lorris aie pris sa matiere sur un Romant des faitz d'Alexandre contre Claurus filz de Darius, dont je nai sceu trouver l'autheur; mais il semble qu'il parle un langaige meilleur et plus recent que les aultres. » Suit la citation : « Amours d'autre partie cinq saietes li lance », etc. Comme le *Roman de la Rose* a été écrit au XIIIe siècle (la première partie dans le premier tiers, et la seconde vers 1277), Jacques de Longuyon, qui a écrit vers 1310 (v. Ritchie, *op. cit.*, t. Ier, p. xxxv), a pu puiser dans le *Roman de la Rose*. Fauchet n'avait pas approfondi la question. D'ailleurs il ne donne pas la citation des *Vœux du Paon* dans son *Recueil*.
Pour cette citation il a utilisé le manuscrit, B. N. fr. 24365, f. 186 r° et v°.

[3] *Œuvres*, f. 494 r°, Fauchet dit « le Roman de la destruction de Troye fait par Benois », mais aux feuillets 501 r° et v° il dit simplement « un Roman de la destruction de Troye » sans en nommer l'auteur.

[4] Le texte de ce roman a été publié par L. Constans, Paris, 1904-1912. Les vers cités par Fauchet correspondent aux vers suivants : 494 r°, vers 4173-4177; 501 r° et v°, vers 3155-3160, 3729-3730, 7821-7823, 8094 et trois vers qui ne sont pas dans l'édition de Constans. On notera que Fauchet possédait un manuscrit de l'*Histoire de la Destruction de Troie* par Gui de Colonne, Vat. Reg. 967.
Ce titre, l'*Istoire de la Destruction de Troye la grant*, est aussi celui de l'œuvre dramatique de Milet, écrite en 1450 et imprimée en 1484.

> Li chevalier et li marchis [1]
> Ke Paris ot semont et pris
> Et ses freres Deifebus
> Et furent bien deux mil et plus
> Ki sont venus d'armes garni...

auquel lieu, dit Fauchet,

l'autheur n'entend parler de Seigneurs de terres, quand il dict Marquis : ains des hommes d'armes montez à cheval. Autrement ce seroit une par trop grande menterie de donner mil Marquis (honorez de terres et grands fiefs) à un fils de roi, pour seulement l'accompagner à une course. Et ces Romanciers (quelques lourdaux qu'on les puisse estimer) ne peuvent avoir esté tant hors de sens, de seulement l'avoir dit par Hyperbole, c'est-à-dire excez et outrages de parolles.

Fauchet se servira donc des romans pour élucider les anciennes coutumes et le sens des mots, mais il se gardera bien d'avoir recours aux romanciers quand il s'agira de vérifier des faits historiques [2].

*
* *

Les deux pages du *Recueil* [3] consacrées à *Dolopathos* constituent un commencement d'étude de sources et d'influences. Fauchet, après avoir cité le début du poème et essayé d'identifier le « Louis » de ces vers [4], fait la courte appréciation suivante : « Il est tout plein de contes moraux et plaisans, de

---

[1] Voir plus loin l'Appendice.

[2] Fauchet n'a pas possédé un manuscrit complet de ce poème. Il l'appelle « fragment ». Son texte d'ailleurs diffère tellement du texte de l'édition critique de L. Constans qu'on ne peut identifier le manuscrit de Fauchet.

[3] *Recueil*, pp. 105-106.

[4] Le texte donné par Fauchet diffère du texte publié par C. Brunet et A. de Montaiglon, Paris, 1856. (Cf. *Romania*, II, pp. 481-503.) Au lieu de

> *Del filz Phelippe au roi de France*
> *Looy,*

Fauchet écrit

> *Del Roi fil Phelipe de France*
> *Loeis*

et essaie d'identifier ce roi, cherchant quel Louis a porté « tiltre de roi vivans leurs peres ». Il mentionne trois Louis, Louis VIII, Louis Hutin et Louis le Gros, et se décide en faveur de Louis VIII.

Un autre passage intéressant où le texte de Fauchet est différent est le suivant. Le Président écrit :

> *Hebers define ici son livre*
> *A l'Evesque de Meaux le livre,*
> *Qui diex doint henor en sa vie.*

tandis que la leçon des manuscrits qui existent aujourd'hui est

> *Au bon roi Loeys le livre.*

Comment peut-on expliquer que l'ouvrage est dédié au roi et puis (à la fin du poème) à l'évêque de Meaux? Montaiglon suggère que le texte latin original portait *Metensis* (étant dédié à l'évêque de Metz) et que le traducteur s'est trompé, lisant *Meldensis*. V. édition citée, p. xxi.

proverbes françois et belles sentences. » Une sentence qui lui
semble « belle entre autres » est celle-ci :

> Riens tant ne greve menteor,
> A larron ne à robeor
> N'a mauvez hom quiex qui soit,
> Com' veritez quand l'apperçoit :
> Et veritez est la maçue
> Qui tot le mont occit et tue.

Mais dans toute la page qui suit, Fauchet compare un
certain nombre d'intrigues des contes de Boccace aux contes de
ce roman, supposant naturellement que l'auteur du *Décaméron*
a imité Herbert. Il connaît aussi d'autres contes semblables
à ce roman, la *Vie de Josaphas*, appelée aussi *Roman de Barlaam et Joasaph*, qu'il dit être « de la même veine ». La version italienne intitulée *Erastus* lui est également connue [1].

Ailleurs, Fauchet en fait plusieurs citations en définissant
les fonctions du Connétable [2], et en précisant le sens du mot
« roman » [3]. Ses citations ont cette particularité qu'elles diffèrent beaucoup du texte critique de Brunet et Montaiglon.

Signalons qu'ici comme ailleurs, Fauchet indique sans s'en
douter, des sujets de recherches qui ne seront repris qu'au
xixᵉ siècle.

*
* *

---

[1] Fauchet appelle le poème de Herbert : *Romans des Sept Sages ou de
Dolopathos*. Ce titre peut induire en erreur. Il faut distinguer entre les versions
en prose et en vers du *Roman des Sept Sages*, qui dérivent de l'*Historia Septem
Sapientum*, et le *Dolopathos* de Herbert, qui vient du *Dolopathos* de Johannis
de Alta Silva. Voir C. Brunet et A. de Montaiglon, *Li Romans de Dolopathos*,
Paris, 1856, pp. xiv et xv. Cf. *Romania*, II, p. 481, compte rendu de l'édition
de H. Oesterley, *Johannis de Alta Silva, Dolopathos*, Strasbourg, 1873, par
Gaston Paris.
  Cf. A. Hilka, éd. *Dolopathos, sive de Rege et septem sapientibus*, Heidel-
berg, 1913.
  Sur les différentes versions du *Roman des Sept Sages*, consulter l'intro-
duction de l'édition de J. Misrahi, *Le Roman des Sept Sages*, Paris, 1933, et
cf. G. Paris, *Deux Rédactions du « Roman des Sept Sages »*, Paris, 1876.
  Un des manuscrits de Fauchet, le B. N. fr. 25545, contient une version du
Roman des Sept Sages (ffᵒˢ 46 et suiv.). Quant au *Dolopathos*, nous avons noté
que ses leçons diffèrent de celles des manuscrits connus.
  Le texte latin de *Historia de Vitis et Rebus gestis Sanctorum Barlaam
Eremitae et Josaphat Regis Indorum* fut publié en 1577 par Jacques de Billy.
Fauchet a pu connaître ce texte ou un texte médiéval.
  V. E. C. Armstrong, *The French Metrical Versions of Barlaam and Josaphat
with Special Reference to the Termination in Gui de Cambrai*, Princeton and
Paris, 1922.
  Voici le titre « du livre italien », qui eut de nombreuses éditions à Mantoue
et à Venise, *Erasto dopo molti secoli ritornato al fine in luce, e, dal greco
fidelmente tradotto in Italiano*, Mantoue, 1546. Il fut traduit en français en
1568, 1570, 1584 et publié à Anvers.
  [2] *OEuvres*, f. 501 rᵒ et vᵒ.
  [3] *Recueil*, p. 33, où les vers suivants de l'éd. Brunet et Montaiglon sont
cités, 10-13, 20-28 et 34-35.

Fauchet fixe la date d'Adenet le Roy au milieu du
XIIIe siècle, car « Henry, duc de Braban, qui mourut environ
1260 luy fit apprendre son mestier... de sonner des instruments
et rymer » [1]. Il cite ensuite le début de *Cléomadès* pour montrer quelles étaient les diverses œuvres de ce trouvère, qui
avait mis en rimes « plusieurs faits et gestes d'anciens chevaliers renommez pour leur vaillance :

> Je qui fis d'Ogier le Danois
> Et de Bertain qui fut u bois
> Et de Buevon de Commarchis
> Ai un autre livre raemplis [2].
> Moult merveilleux et moult divers.

Le conte de Cléomadès avait été narré par Marie, reine de
France et fille du duc de Brabant à son poète qui révèle, « assez
grossièrement en un endroit [3] où les lettres capitales de certains
vers, sont celles de leurs noms » le nom de ses deux bienfai-
trices, la reine Marie et Blanche de France, mariée en 1269 à
l'infant de Castille. Puis il nous fournit en deux phrases son
opinion sur le poème :

> Ce romans de Cleomadez est bien poursuivi en son recit, et se voit
> plein de belles comparaisons... On peut dire de luy (Adenet) qu'il fut
> facile rymeur autant qu'autre de son temps, mais il est fascheux en repe-
> titions.

Comme on voit, Fauchet ne craint pas parfois de s'ériger
en critique littéraire [4].

*
* *

L'article sur Girard d'Amiens dans le *Recueil* [5] est conçu
dans les termes suivants :

> Girardins d'Amiens a fait un Romans, intitulé *Meliadius* qu'il ryma
> au recit d'une grand'dame : laquelle lui donna le subject. Il dit de soy,

> Girardins d'Amiens qui plus n'a
> Oi de cet conte retraire,
> N'i voet pas mensonges atraire,

---

[1] *Recueil*, p. 194.
[2] Fauchet écrit « raemplis ». « Rempris » qu'imprime Van Hasselt (Bruxelles,
1866) convient mieux au sens du vers.
[3] Voir l'édition Van Hasselt, vol. 2, p. 289.
[4] Il n'existe aucune édition critique de ce roman, et il n'y a rien dans
les descriptions des neuf manuscrits qui existent aujourd'hui pour indiquer
qu'un ou plusieurs d'entre eux aient appartenu à Fauchet. Nous avons feuilleté
B. N. fr. 1456, 12561, 19165, 24404, 24405, 24430, n. a. f. 5094.
[5] *Recueil*, p. 180.

Ne chose dont il fu repris.
Ainsi com a le conte apris,
L'a rymé au mieux qu'il savoit.

Nous ne pensons pas que Fauchet ait lu ce roman, peut-
être a-t-il feuilleté le manuscrit, car s'il l'avait lu il aurait
probablement signalé la ressemblance de *Méliacin* avec *Cléomadès* et il n'eût pas commis l'erreur de l'appeler *Méliadius*,
titre d'un roman arthurien en prose [1].

Romans bretons

« La matière de Bretagne » l'intéressait vivement. Il y fait
des allusions dans ses *Antiquitez*, en dehors des citations, strictement utilitaires en quelque sorte du *Recueil*. Fauchet croit
à la réalité historique du roi Artus : « L'an 541 mourut Artus,
roy de la Grand'Bretaigne tant estimé par les romans… Toutefois ce n'est pas un fantosme ou nom faict à plaisir, car il est
certain par l'histoire ancienne qu'Artus a esté un tres vaillant
roy de la Grand'Bretaigne, maintenant dite Angleterre [2]. »
Mais s'il accepte l'existence d'Artus, il n'est pas sûr que
ce soit Joseph d'Arimathie qui ait apporté la relique chrétienne
en Angleterre, et croit plutôt à l'intervention « des papes de
Rome » [3]. C'est sans doute l'existence avérée d'Artus qui rend
Fauchet moins sévère à l'égard de ces poèmes qu'il ne l'était
pour le cycle de Charlemagne.

Le *Brut* de maître Eustace ou Wace a l'honneur d'ouvrir le cortège des poètes du livre II du *Recueil*, le poète
donnant lui-même la date de son livre, 1155. Fauchet en cite
le début et la fin où se rencontrent deux formes du nom du
poète, Huistace et Wistace [4], mais il ne s'aventure à faire
aucune appréciation du roman. Ailleurs il remarque que les

---

[1] V. *H. L. F.*, t. 31. Il existe quatre manuscrits de ce roman. Nous avons
feuilleté B. N. fr. 1455, 1589 et 1633 sans rien trouver d'intéressant. Le quatrième manuscrit est à la Riccardienne, Florence.
   L'erreur de Fauchet a été corrigée par Gaston Paris dans le t. 31 de
l' *H. L. F.*, p. 151 : « Le président Fauchet, le premier qui ait imprimé le
titre de quelques vers de *Méliacin* (qu'il appelle par erreur Meliadius) n'assigne
point de date à « Girardin d'Amiens ». Pourtant on trouve dans le *Recueil des
Jeux-partis* (1926), p. xxi que *Meliadus* est encore attribué à Girardin d'Amiens.
[2] *Antiquitez*, f. 81 v°.
[3] *Ibid.*, 346 v°. Fauchet possédait un manuscrit de Geoffroi de Monmouth,
De gestis regum Majoris Britanniae, actuellement, Bibl. Sainte-Geneviève, 2113.
[4] Ces formes du nom se rencontrent dans les manuscrits B. N. 1454 et 12556.
La citation de Fauchet correspond au texte du B. N. fr. 1454.
   Une édition du *Brut* sera donnée par M. Ivor Arnold pour la Société des
anciens textes, 1937-1938.

vers sont « de huit et neuf syllabes » et ce fait joint aux citations des traités historiques montre qu'il avait lu le poème [1].

*
* *

La devise de Fauchet

> Ce qui estoit espars et délaissé
> Ha ce Fauchet aux François amassé

s'applique tout particulièrement aux fragments des poésies
de Chrétien de Troyes qu'il a transcrits dans son *Recueil* [2].
Il y raconte qu'étant allé deux ans auparavant, dans une
imprimerie, il avait trouvé les imprimeurs en train de « remplir leur timpan d'une feuille de parchemin bien escrite,
ou ayant leu quelques vers assez bons, je demanday le reste,
et lors on me monstra environ huit feuilles de parchemin
toutes de divers cahiers, mais de pareille ryme et sujet. »
Craignant que le reste ne fût perdu, il transcrivit dans son
Recueil tout ce qui se trouvait sur les feuilles de parchemin.
Evidemment, il recopia aussi certaines parties de ces fragments dans son cahier de notes sous le titre de « Chrestien
de Troies a composé ung Roman ». Ces citations appartiennent toutes à *Perceval* [3], que Fauchet appelle *Le Romans du
Graal*, et à *Yvain* qu'il intitule la *Table ronde* ou le *Chevalier
au Lyon*. Plus tard, il posséda un autre manuscrit d'*Yvain* [4].

---

[1] *Recueil*, f. 82, 83, etc. *Antiquitez*, f. 331 v°, Fauchet date le poème de
1150. V. aussi *OEuvres*, f. 448 v° et 505 v°.

[2] Pp. 97 et suiv. : « Je mettray (des citations) à fin qu'il prenne envie à
ceux qui en ont des livres entiers de les garder et ne les vendre pour les perdre,
ainsi qu'ont esté ceux dont j'ay retiré ces pièces. »

[3] Voir *Der Löwenritter* (Yvain), herausgegeben von W. Foerster, Halle,
1887; *Der Karrenritter* (Lancelot), herausgegeben von W. Foerster, Halle, 1899;
Perceval, A. Hilka, Halle, 1932.
Voici les citations :
Recueil, p. 98, treize vers du Prologue de *Perceval*, « Qui petit seme »;
p. 99, six du même : p. 100, deux du même, suivis de *Yvain*, vers 149-170 (vers
153-156 n'y sont pas); p. 101, *Yvain*, vers 3266-3270, 3129-3130, 3557-3558,
3173-3180, puis 13-32; p. 102, 98-99, 116-118; p. 103, *Yvain*, 2135-2136; 2143-
2147.
Une autre citation d'*Yvain* se trouve *OEuvres*, f. 523 v°, vers 6135-6138.
V. notre livre de documents.

[4] Actuellement Rome, Vat. Reg. lat. 1725, f. 34-68. Des notes de la main
de Fauchet se trouvent sur les feuillets 36 v°, 38 v°, 41 r°, 48 r°, 61 v°, 68 r°.
F. 36 v° : Le texte porte « qrre » et Fauchet met en marge « guerre »;
F. 38 v° : Fauchet met des croix en face du vers, « Car sor les braz et sor
les hansches ».
F. 41 r° : En face des vers :
    S'amors ne le reconneust
    Qui si doucement le requiert;
Fauchet met « d'Amour »;
F. 48 r° : Le texte porte « cors » et Fauchet met en marge « cuer »;

Quoique les citations soient nombreuses, gardons-nous de penser que c'est leur beauté seule qui incita Fauchet à les conserver. Il aime tout du passé, et ces vers prennent à ses yeux une importance capitale parce qu'ils courent le risque de périr.

Néanmoins son attention est particulièrement éveillée depuis qu'il a trouvé des mentions de Chrétien de Troyes chez Huon de Mery et chez Geofroy Tory et sa notice du *Recueil* subit, dans une certaine mesure, l'influence de ses prédécesseurs. On ne s'attend pas à une critique serrée des romans; Fauchet fixe la date de Chrétien d'après une allusion historique, il admire certaines expressions, « de beaux traits » « une assez bonne description de l'ouye », « une desconfiture de gens », « de bons proverbes et sentences », et il laisse parler les citations. Il se risque même à commenter les vers suivants :

> Mais por parler de celz qui furent
> Laissons celz qui en vie durent,
> Qu'encor valt miex, se m'est avis,
> Un cortois morts qu'un vilain vis.

Il me semble que ces quatre vers derniers sont de bonne invention, et qu'il fault ainsi les interpreter, qu'un homme jadis courtois, encores qu'il soit mort, est ramentu en la bouche de ceux qui l'ont connu, et peut servir d'exemple aux autres là ou le vilain ne vault ne mort ne vif [1].

C'est un début de critique qui n'est pas purement philologique; nous savons que Fauchet n'est jamais à court de remarques philologiques et cet article même en contient, mais les explications d'un autre genre sont rares et nous tenons à les signaler quand nous en trouvons.

F. 61 v° : En face des vers :
> *Chemise ridee li tret*
> *Fors de son coffre et braies blanches,* etc.
Fauchet met « Recueil d'hoste »;
F. 68 r° : Note à la fin du poème : « Il semble par ce que Huon de Meri a dit de la fontaine de Broceliande que Chretien de Troies a fait celui-ci du Chevalier au lion. C. Fauchet. »
Fauchet semble avoir comparé le texte de ce manuscrit à un autre texte (celui du manuscrit perdu?). Voir f. 42 r°, où le manuscrit porte « povre » et Fauchet met en marge « privé ».
[1] *Recueil*, p. 102. *Yvain*, vers 29-32.
Le manuscrit (Rome, Vat. Reg. lat. 1725, f. 34 v°) porte :
> *Mes por parler de ceuz qui furent*
> *Lessons ceuz qui en vie durent*
> *Q'encor vaut miex ce m'est avis*
> *Uns cortois morz q'uns vilains vis.*
Le texte est le même; mais l'orthographe de Fauchet diffère considérablement du ms. Foerster donne :
> *Mes por parler de çaus qui furent,*
> *Leissons çaus qui an vie durent!*
> *Qu'ancor vaut miauz, ce m'est avis,*
> *Uns cortoiz morz qu'uns vilains vis.*

Le souci de fournir un vocabulaire aux poètes contemporains amène la citation suivante :

> Ce fu el tems qu'arbres flourissent
> Foeulles boscages perverdissent

Comment voudriez-vous dire en deux mots *folia silvestria* que par ces deux mots foeulles boscages ?

Certes, Fauchet a raison d'admirer la beauté de ces vers même si *boscages* n'est pas une épithète mais un substantif.

Une grande partie de l'œuvre de Chrétien est inconnue à Fauchet. Sur l'autorité de Geofroy Tory, il lui attribue le *Chevalier à l'Epée*[1]. Il connaît également *Lancelot* qu'il décrit particulièrement dans son article sur Godefroy de Leigny. Il termine ainsi son article sur Chrétien : « Ce peu que j'en ay veu me fait juger qu'il y avoit beaucoup de belles et gentilles inventions et que Huon de Méri ha bonne cause de le louer. » Combien cette naïve appréciation de Fauchet est loin de l'analyse serrée de M. Gustave Cohen[2].

> Godefrois de Leigni li clers
> A parfinee la Charrette

par le congé dudit Christien, dit Fauchet[3], et il ajoute qu'il

---

[1] *Le Chevalier à l'Espée* se rencontre dans certains manuscrits qui contiennent d'autres œuvres de Chrétien de Troyes, par exemple, Berne, 354; v. Ed. Armstrong, Baltimore, 1900. On peut ainsi expliquer l'erreur de Tory.

[2] *Chrétien de Troyes et son œuvre*, Paris, 1931.

[3] *Recueil*, p. 103. Fauchet cite vers 7124-7132, texte publié par W. Foerster, *Der Karrenritter*, Halle, 1899. Ensuite il cite vers 3988-3998, 4261-4262, 4348-4351, 4776-4780 et 6348-6353. Pour une autre citation de *Lancelot*, v. *Œuvres*, 516 r°. V. édit. citée, vers 5556 et suiv.

Une autre citation que Fauchet dit être de la *Charrette* vient en réalité de *Guillaume de Dole*. (Ces deux romans se trouvaient dans le même manuscrit, actuellement Rome, Vat. Reg. 1725, qui appartenait à Fauchet.) On lit, *Œuvres*, f. 483 r° :

> Si Senechal firent cueillir
> Les napes quand il le convint,

On trouve dans le ms., f. 75b r° :

> Li Senechal firent coellir
> Les napes quant il le covint.

On remarquera d'abord la faute d'impression dans les *Œuvres* de Fauchet, et ensuite la façon dont le Président a modernisé l'orthographe des vers. Nous l'avons fait remarquer ailleurs. Cependant Fauchet respecte le texte, tout en négligeant l'orthographe.

Voir l'édition de G. Servois, *Guillaume de Dole*, Paris, 1893, vers 1258 et 1259.

Nous avons déjà noté qu'un des manuscrits de Fauchet est le Vat. Reg. lat. 1725, où *Lancelot* se trouve au début du manuscrit, f. 1-34. Des notes de la main de Fauchet se rencontrent sur les feuillets 1 r°, 8 v°, 11 r°, 16 r°, 24 r°, 28 r° et v°, 29 r°. Fauchet a utilisé ce manuscrit pour trouver des mots

y a de « fort belles inventions en ce livre », qui est « assez
plaisant » car « le principal est fait par Christien ». La peinture des sentiments amoureux a frappé notre lettré : « Il introduit le mesme Lancelot se reprenant qu'il s'estoit voulu faire
mourir, pour éviter la peine du mal qu'il enduroit pour sa
Dame. » Suit une longue citation de seize vers pris çà et là
dans le roman, tels que :

> Miex voil vivre et sofrir les colx
> Que morir pour avoir repos [1]

et ceux-ci :

> Ge ne sçai li quiex plus me het,
> Ou la vie qui me desirre,
> Ou la mort qui me veut occirre :
> Einsi l'uns et l'autre m'occit [2].

Ce sentiment « pétrarquiste », qu'il trouve aussi dans les
chansonniers du moyen âge, frappe l'esprit de notre érudit,
et il ne laisse pas d'en faire part aux poètes contemporains.

*\
* *

Pour terminer cette liste d'œuvres traitant « la matière

---

qu'il voulait introduire dans son dictionnaire de l'ancienne langue. Les marges
du début contiennent les initiales de mots qui se trouvent dans les vers en
face. Fauchet possédait certainement un autre manuscrit de ce poème; voir la
note sur le feuillet 11 r°.
   F. 1 r° : Note en haut. « Romans de la Charette commencé par Chretien de
Troies, achevé par Godefroi de Legni. C. Fauchet. » Le titre répété en bas;
   F. 8 v° : En face du vers :
      Sire oez que dit ce seriant
Fauchet met « supra escuier »;
   F. 11 r° : En face du vers :
      Ne li povre ne li estrange
Fauchet met : « Al. privé »;
   F. 24 r° : Mot répété en marge;
   F. 28 r° : Note de la même espèce; en face du vers :
      As armes de sinople
Fauchet met en marge : « Il a dit devant escu vermeil »;
   F. 28 v° : En face de « l'escu vermoil », Fauchet met : « Devant il a dit
sinople »;
   F. 29 r° : Au début du vers :
      Or a tot fet...
Fauchet met : « Il semble que ce qui suit soit de Godefroi de Ligny. »
  [1] Cette citation se trouve au feuillet 19 r° du manuscrit Vat. Reg. lat. 1725.
Voici le texte :
      Miex voeil vivre et sofrir les colx
      Que morir pour avoir repos.
  [2] Voir f. 19 v° du même manuscrit.
Fauchet a évidemment utilisé ce manuscrit, mais sans suivre l'orthographe
du texte.

de Bretagne », on mentionnera les romans en prose. Fauchet
y fait quatre fois allusion dans ses *OEuvres* [1] et on en retrouve
une mention dans le cahier qui est actuellement à Rome et
qui fut publié en partie par M. E. Langlois. La première citation est tirée du *Roman de Graal* « traduit de latin en français » par Robert de Boron en 1150, et de la partie de celui-ci
intitulée *Prophéties de Merlin*; les deux suivantes, de même
que celle du cahier, du *Roman de Graal*, et une cinquième du
« *Roman de Tristan de Leonnois* » en prose.

Dans le *Recueil*, il exprime l'opinion que les romans « que
nous avons aujourd'huy imprimez tels que *Lancelot du Lac*,
Tristan et autres sont refondus sus les vieilles proses et rymes
et puis refraichis de langage ».

Dans le manuscrit où il avait trouvé le roman de Robert

---

[1] Citations dans les *OEuvres* :

F. 519 rº : « Si vous croyez les anciens et entre autres l'Autheur du Roman
de Tristan de Leonnois qui fait dire, Dinadan Gaheriet; taisiez-vous, car la Dame
doit estre à meilleur Chevalier que vous. Lors se courrouça Dinadan à Gaheriet
et dit Gaheriet, Meilleur Chevalier que moy, n'estes vous pas, si comme je
cuide : mais plus gentilhomme pouvez-vous bien estre. »

Recueil, p. 99 : « Ce qui monstre que partie des Romans ont esté en prose
premier qu'en ryme : mais je croy bien que ceux que nous avons aujourd'huy
imprimez tels que Lancelot du Lac, Tristan et autres sont refondus sus les
vieilles proses et rymes et puis refraichis de langage. »

OEuvres, f. 487 rº : « Car au Roman de Graal, que Messire Robert de
Bourron ou Boron translata de Latin en François ou Roman (je croy environ
l'an MCL) par le commandement de saincte Eglise, dit aux Propheties de Merlin
Ay cheu temps estoit coustume que li camberlent avoient la disme
partie de che qui venoit à la bource de les seignor. »

Le manuscrit que Fauchet a utilisé est le Vat. Reg. lat. 1687, qui lui
appartenait. Cette citation se trouve au feuillet 76 vº. Fauchet a souligné la
citation et mis un trait dans la marge. Il a respecté le texte sans suivre l'orthographe de l'auteur.

OEuvres, f. 489 rº : (pour montrer les fonctions des sergents) : « Tesmoin
cet endroit du Roman du Graal, Et si emmena cinq cens Chevaliers, que Sergens
à cheval, et bien neuf cens Sergents à pied. Et tost apres le mesme Autheur :
Es vous venir un Sergent apres la Route, un arc en sa main. Et autre part,
Porche ne veuil je mie estre comme Chevaliers ains comme Sergent. »

Pour les deux premières citations, voir au manuscrit f. 6 rº, et pour la
troisième, f. 19 vº. Dans les trois cas, Fauchet a souligné les citations et mis
un trait dans la marge.

Sur Tristan, v. LOSETH, *Le Roman de Tristan en Prose*, Bibl. de l'Ecole des
Hautes Etudes, nº 82. E. VINAVER, *Etudes sur le Tristan en Prose*, Paris, 1925.
sur Lancelot, v. F. LOT, *Etude sur le Lancelot en Prose*, Bibl. de l'Ecole des
Hautes Etudes, fasc. 226, Paris, 1918.

Voir H. O. SOMMER, *The Vulgate Version of the Arthurian Romances*, Washington, 1909.

V. aussi E. HUCHER, *Le Saint-Graal ou Joseph d'Arimathie*, Le Mans et
Paris, 1875; G. WEIDNER, *Der Prosaroman von Joseph von Arimathia*, Oppeln,
1881; A. PAUPHILET, *La Queste del Saint Graal*, Paris, 1921 (étude); W. A. NITZE,
Le Roman de l'Estoire dou Graal, Paris, 1927; G. PARIS et J. ULRICH, *Merlin*,
Roman en prose du XIIIe Siècle, Paris, 1886; Fr. MICHEL, *Le Roman du Saint*
Graal, Bordeaux, 1841; A. PAUPHILET, *La Queste del Saint Graal* (roman en prose,
texte), *Classiques français du moyen âge*.

de Boron (Vat. reg. 1687) et qui lui appartenait, il place une note qui situe le roman en 1280 : « Romans du Graal, à moi, Fauchet. Il a esté translaté par Messire Robers de Bourron de latin en franchois ou romans par commendement de Saincte Eglise. Il a esté fait environ l'an 1280 [1]. » Or, dans le traité des *Origines des Dignitez et Magistrats* [2], le Président écrit : « Au roman de Graal, que Messire Robert de Bourron ou Boron translata de latin en françois ou roman (je croy environ l'an MCL) par le commandement de Saincte Eglise. » Il est difficile d'expliquer cette variation des dates. Il se peut qu'il fasse allusion dans le traité à la poésie de Robert de Boron et dans le manuscrit à la version en prose, mais ce n'est qu'une hypothèse de notre part.

Outre le manuscrit Vat. Reg. 1687 qui donne le *Roman du Graal* en prose, Fauchet possédait le manuscrit B. N. fr. 20047, qui contient *Li romanz de l'estore dou Graal* en vers [3].

Mentionnons, pour terminer, une note de la main de Fauchet qui se trouve sur le manuscrit B. N. fr. 12481, f. 47 r° en tête d'un fragment intitulé : « La destruction de Jherusalem ét la vengence de nostre seigneur Jhesucrist. Apres quarante ans que Jhesucrist fut mis en croix. » La note est ainsi

---

[1] Cette note se trouve au feuillet 2 du manuscrit.

Quelques notes écrites de la main de Fauchet sont collées à l'intérieur : « Histoire de Merlin 171; Messires Robert de Borron fol. 81 et 149; Bourron, Boron 105; il parle de Manfroi tué l'an 1277; Profeties de Merlin 154 fol. » Fauchet a souligné beaucoup de mots et mis des croix dans les marges. Il pensait les utiliser sans doute dans son dictionnaire. Voici quelques exemples de ces mots : *amanevis, maisnie, mehaignee, afubler*, etc.

[2] *OEuvres*, f. 487 r°.

[3] La partie du manuscrit qui contient le Graal est numérotée séparément. Fauchet a mis des notes sur les feuillets 28 r°, 42 v°, 50 r°, 54 v° et 55 r° :

F. 28 r° : En face du vers :
  On l'apele la veronique
(Ed. W. A. Nitze, Paris, 1927, v. 1747.)
Fauchet a mis en marge « Veronique »;

F. 42 v° : A côté du vers (2667 éd. Nitze) qui décrit un poisson, il met en marge : « En Bourgongne c'est un (*mot indéchiffrable*) »;

F. 50 r° : le nom de « roberz dict le bouron » (vers 3155 éd. Nitze) est souligné et Fauchet écrit en marge : « Me Robert de Bouron Autheur premier. J'ai son livre en prose mais il est nommé Robert de (*sic*) »;

F. 54 v° : En face de Robert de Boron (v. 3461) il écrit le nom encore une fois dans la marge;

F. 55 r° : A côté de Gautier « de Montbelyal » (v. 3489), Fauchet écrit le nom dans la marge.

A la fin du manuscrit Fauchet a écrit sur la feuille de garde les notes suivantes :

« Du Graal conffesion fol. 3 page 2. Consecration fol 14 Veronique semblance du visage de Jesus-Christ, fol. 25 et 28.

» Punition des anges rebelles qui sont en trois bandes fol. 33 leurs puissances 34 Pourquoi Dieu crea l'homme eod Graal pourquoi ainsi nomme fol. 42 Robert de Beron (*sic*) autheur premier du livre du Graal, fol. 50, 54;

» Gautier de Montbeliart publia l'histoire du graal fol. 55 de la Quinte essence eod. sacrement fol. 14. »

Les numéros sont ceux des feuillets du manuscrit. Fauchet emploie certains signes pour indiquer « verso ».

conçue : « Le Romans du Graal racompte cette fable aultrement, de maniere que menteurs ne sacordent. Je l'ai en Rime
et en prose escritz il y a 300 ans. »

Romans d'aventure

    « Romans d'aventure » est un titre bien vague, mais bien
commode pour décrire des poèmes qui ne peuvent être placés
ailleurs. A cette catégorie appartient le roman de *Meraugis de
Portlesguez* dont on trouve le nom dans l'article sur Raoul
de Houdenc [1]. D'après Huon de Méry, Fauchet affirme que
Raoul et Chrétien de Troyes étaient tous deux morts avant
1227 [2]. Il énumère ensuite les œuvres de Raoul qu'il connaît,
le *Roman des Ailes* (Eles) qu'il n'a pas lu, le *Songe d'Enfer*
et *Meraugis* dont certains vers de la fin lui révèlent le nom de
l'auteur [3]. Une autre citation est faite dans le traité des *Origines*
pour expliquer le sens de *parage* [4]. Les *Veiles et Observations*
(B. N. fr. 24726) indiquent une page de ce roman relatant un
duel [5]. Fauchet ne s'étend pas beaucoup dans ses appréciations
sur le poème qui est écrit « en vers de huit syllabes assez coulans » et « certainement Raoul avoit d'assez bonnes inventions ».

    Fauchet possédait deux manuscrits de *Meraugis* annotés
de sa main. Le premier (Berlin, Konigl. Bibl. gall. qu. 48) [6]
contient la note : « C'est un fragment de Meraugis Porlesguez
composé par Raoul de Houdanc. » C'est cependant l'autre
manuscrit (Rome, Vat. Reg. lat. 1725, ff. 98-130) [7] que Fauchet a utilisé pour ses citations.

---

    [1] *Recueil*, pp. 96 et suiv.
    [2] Huon de Méry n'a pas écrit avant 1234. V. G. SERVOIS, *Guillaume de Dole*,
Paris, 1893, Introduction, pp. XXXIII suiv.
    [3] V. Dr Matthias FRIEDWAGNER, *Meraugis von Portlesguez*, Halle, 1897 (vers
5933, suiv.). Je cite le texte de Fauchet :
        Cit conte faut, si s'en delivre
        Raoul de Houdanc, qui cet livre
        Commença de ceste matire.
        Si nus i trove plus que dire
        Qu'il n'i a dit, si die avant :
        Que Raoul s'en taira atant.
    Le manuscrit porte : *Cis contes, Houdenc*, cest livre, *trueve, Raouls sen taira
atant* (Vat. Reg. lat. 1725, fol. 130 v°).
    [4] *Œuvres*, f. 492 v°, vers 2473-2475.
    [5] F. 10 r°.
    [6] Autrefois Vat. Reg. 1361. V. L'introduction de Friedwagner.
    [7] Des notes de la main de Fauchet se trouvent sur les feuillets 98 v°, 99 r°,
104 r°, 111 v°, 116 v°, 119 v°, 122 r°. Ailleurs nous faisons allusion aux notes
des feuillets 98, 99 et à la note de la dernière page du roman. Voir p. 183.
    Les autres notes sont sans importance, Fauchet répétant en marge un mot
du texte qui l'a frappé.

*
* *

« Au Roman de la Roze, ou de Guillaume de Dole qui est autre que cestuy de Guillaume de Lorris et de Jean de Meung... » (*Œuvres*, f. 483 r°) « ... ainsi que partout disent les Romans, mesmes celuy de Guillaume de Dole » (*ibid.*, f. 526 r°). C'est ainsi que le Président a désigné ce roman pour éviter la confusion avec le seul *Roman de la Rose* qui ait obtenu la célébrité, et cette dénomination lui est restée depuis qu'elle a été consacrée par les érudits du xix° siècle et approuvée par l'éditeur de l'édition critique, G. Servois. D'après celui-ci, les derniers vers du roman justifient l'appellation adoptée par Fauchet.

Fauchet n'a signalé ce roman dans son *Recueil* que par des allusions aux jongleurs qui y sont mentionnés, et nous sommes obligés de glaner un peu partout ses idées sur ce poème. D'abord, pendant un certain temps, il l'attribua à Raoul de Houdenc, car on trouve « au roman de Guillaume de Dole, Raoul de Houdanc dict que l'empereur Conrad n'en daignoit avoir (des arbaletriers) » (*ibid.*, f. 529 v°). Mais le manuscrit unique [1] du roman, qui se trouve actuellement au Vatican, conserve certaines notes de Fauchet qui indiquent un changement d'opinion au sujet de l'auteur. Ce manuscrit contient *Meraugis* aussi bien que *Guillaume de Dole*. D'après quelques vers apocryphes à la fin de *Meraugis*, un moine en serait l'auteur, et en regard de ces vers Fauchet écrit : « Qualité de l'autheur, ce semble-t-il, je crois moine. » Les trois derniers vers de *Guillaume de Dole* ressemblent à la conclusion de *Meraugis*, et Fauchet les ayant vraisemblablement comparés, conclut que Raoul de Houdenc était l'auteur des deux poèmes.

Trois autres remarques de Fauchet sur le manuscrit attribuent la paternité de *Guillaume de Dole* à Raoul. Au début du

---

[1] Vat. Reg. 1725.

Le texte a été édité par G. Servois pour la S. A. T. F. Paris, 1893, et par R. Lejeune, Paris, E. Droz, 1936.

Dans son édition de *Guillaume de Dole*, Servois a fait allusion aux notes les plus importantes que Fauchet avait écrites dans les marges du manuscrit. Fauchet a mis certains noms propres en marge, tels *Clermont, Barrois des Barres, Renaut de Baujeu, Renault de Saboeil, Doete*. Les mots « Srs François et Srs Alemans » se trouvent en face d'une série de noms au f. 79 v° (vers 2085).

Fauchet a cherché les chansons mentionnées dans le roman, ayant recours évidemment aux chansonniers qu'il avait entre les mains. En face de la chanson : « Quant flors et glais et verdure s'esloigne », il met : « C'est le 48 Gaces Brulez. » (Fauchet avait cette chanson dans le manuscrit B. N. fr. 765.) En face d'une autre chanson citée au f. 87 v° (édit. Servois, vers 3616) il met : « Elle n'est point en mon livre. »

Au f. 91 r° (vers 4268), il a répété le mot « vallez », ajoutant « escuiers ».

Au f. 91 v° (vers 4334), il a répété « une escarlate violette ».

roman, Fauchet écrit : « Composé, ce semble, par Raoul de Houdan », à la fin « il entend de l'autheur moine, et possible est-ce de Raoul, dont voirez à la fin de *Meraugis* ». Sa troisième note placée vers la fin de *Meraugis* nous révèle que Fauchet s'était aperçu que les dix derniers vers du poème étaient apocryphes : « Il semble que ces vers soient adjoustez par autre que Raoul, ou après qu'il eut fait le roman de Guillaume de Dole. Voiez la fin dudit roman. » Plus tard cependant, il raya la première de ces notes et mit à sa place celle-ci : « Composé par un moine depuis le temps de Gaces Brusle puisqu'il en dit les chansons, car Raoul estoit mort avant l'an 1227, ainsi qu'il est dit au Tornoi de l'Antechrist. » Plus tard encore — nous ignorons à quel moment — il raya également la seconde note, la troisième est maintenue.

En fait, Gace Bruslé vécut à une époque antérieure à celle indiquée par Fauchet et l'*Antichrist* ne fut composé qu'après 1234 [1]. Ainsi Fauchet, tout en arrivant à une conclusion juste, avait accumulé les erreurs dans ses notes; erreurs que sauf exception il n'a toutefois pas propagées en les introduisant dans ses œuvres imprimées.

Ce sont les chansons contenues dans ce poème, qui ont attiré la curiosité de notre érudit, toujours à l'affût de noms d'anciens poètes pour grossir sa liste. En effet il n'y découvre pas moins de cinq noms, Renault de Sabueil, Doete de Troies, Jouglet (qu'il appelle Jonglet), Hues de Braie-Selve, Cupelin, en plus de deux qu'il connaissait déjà pour les avoir vus dans les chansonniers, le vidame de Chartres et Gauthier de « Saguies » [2] (*sic*). Les citations [3] reproduisent ces noms-là et quelquefois Fauchet cite quelques vers d'après le roman de *Guillaume*. La critique fait presque entièrement défaut dans ces courts articles. Ces jongleurs sont « fort estimés » ou « bien appris et fort renommés » et la seule remarque, historique d'ailleurs, en dehors des simples citations, explique « les jeux sous l'ormel » [4] : « Une assemblée de dames et gentilshommes, ou

---

[1] Pour une discussion de cette question, v. G. SERVOIS, *op. cit.*, *Introduction*.
[2] Fauchet ne sait pas si c'est le même personnage que Gauthier de Soignies. V. *Œuvres*, f. 572 v°.
[3] Les vers de Guillaume de Dole cités par Fauchet sont les suivants (éd. G. Servois, Paris, 1893) :
Œuvres, f. 577 r°, vers 3868-3869 et 3873-3888, Renault de Sabueil; f. 577 v°, vers 4554-4559, Doete; f. 577 v°, vers 636-641, Jouglet; f. 578 r°, vers 3399-3415, Hues de Braie-Selve; f. 570 v°, vers 4117-4120, Vidame de Chartres; f. 572 v°, vers 5215-5217, et 5230-5237, Gauthier de Saguies; f. 483 r°, vers 446-449; f. 483 v°, vers 3136-3137; f. 526 r° — allusion seulement; f. 529 v°, vers 58-66.
[4] Voir l'*Introduction de Guillaume de Dole*, édit. citée, article de Gaston Paris sur les Chansons, p. xcix : « Les jeux sous l'ormel »... nous montrent une forme particulière de ces fêtes en plein air qui étaient autrefois si aimées. Elles

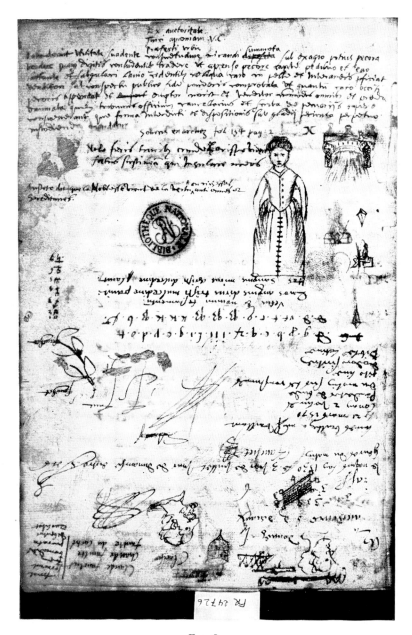

Fig. 9.

Feuille de garde (début) du cahier B. N. fr. 24726.

se tenoit un parlement de courtoisie et gentillesse pour y vuider plusieurs differens. Il y en avoit d'autres en autres provinces, selon qu'il se trouvoit des seigneurs et dames de gentil esprit. »

étaient certainement à l'origine célébrées par la jeunesse de toutes conditions; mais les chansons qui leur étaient consacrées étaient devenues, au XIIe siècle, un ornement favori des réunions aristocratiques.

CHAPITRE III

Le *Recueil* (*suite*)

Poésie lyrique : *Chansons. Jeux partis.*
Littérature bourgeoise : le *Congé* de Jean Bodel, Les *Fables* de Marie de
    France, Le *Roman du Nouveau Renard*, Poèmes de Rutebeuf, Fabliaux.
Littérature didactique et satirique : La *Bible* de Guiot de Provins, et
    l'*Armeure du Chevalier*, La *Bible* de Hugues de Berzé, Le *Tournoi-
    ment d'Antichrist* de Huon de Méry, *Vers* de Thibaud de Marly,
    Songe d'Enfer de Raoul de Houdenc, *Judas Machabée* de Gautier de
    Belleperche, et Pierre du Riès.
Courts poèmes didactiques.
Poèmes divers.
Le Roman de la Rose.

Un aspect curieux de la passion d'antiquaire chez Fauchet
c'est l'intérêt qu'il témoigne pour la poésie lyrique des trouvères. Plus d'un tiers du second livre du *Recueil* [1] est consacré
à deux chansonniers qu'il avait empruntés l'un à Henri de
Mesmes [2] et l'autre à Antoine Matharel. En plus il possédait lui-
même un fragment de manuscrit qui contenait des chansons
de Gace Brulé et quelques-unes du Châtelain de Coucy, actuellement B. N. fr. 765. Ce manuscrit contient certaines notes de

---

[1] 51 pages sur 126 pages.
[2] D'après son cahier, B. N. fr. 24726, Fauchet a eu entre les mains un
chansonnier qui appartenait à Estienne Pasquier. Voir sur les chansonniers,
A. JEANROY, *Les Origines de la Poésie lyrique en France au Moyen Age*, Paris,
1889; G. RAYNAUD, *Bibliographie des Chansonniers français des XIIIᵉ et XIVᵉ siècles*,
Paris, 1884; A. JEANROY, *Bibliographie sommaire des Chansonniers français du
Moyen Age*, Classiques français du moyen âge, nᵒ 18; A. LÄNGFORS, A. JEANROY
et L. BRANDIN, *Recueil général des Jeux-Partis*, Paris, 1926; A. WALLENSKÖLD, *Les
Chansons de Thibaut de Champagne, Roi de Navarre*, Paris, 1925; G. HUET, *Les
chansons de Gace Brulé*, Paris, 1902; A. WALLENSKÖLD, *Les Chansons de Conon de
Bethune*, Classiques fr. du moyen âge, 24; *Chansons et Descorts de Gautier de
Dargies* P. p. G. Huet, 1912, *Le Chansonnier français de Saint-Germain-des-Prés*
(B. N. fr. 20050) p. p. P. Meyer et G. Raynaud; *Le Chansonnier d'Arras* p. p.
A. Jeanroy, 1925, etc.

Fauchet [1] qui ont permis à G. Huet, éditeur de Gace Brulé de
faire entrer dans sa classification le manuscrit de Henri de
Mesmes, aujourd'hui perdu. Le livre de Matharel existe encore
au Vatican (Vat. Reg. 1522) et on peut y reconnaître l'écriture
du Président, qui a écrit sur le premier feuillet : « C'est à moi,
Fauchet [2]. »

Les notices de Fauchet sur les poètes qu'il passe en revue
sont de longueur très variée, quelques lignes ou un article
de plusieurs pages. Les renseignements qu'il apporte sont de
plusieurs espèces — détails sur la vie des poètes, ou sur leur
pays, remarques philologiques, quelques critiques littéraires.
Naturellement, la chronologie occupe une large place dans ces
articles. Il est fort difficile pour nous de nous rendre compte

---

[1] La seconde partie du manuscrit B. N. fr. 765 contient des chansons de Gace
Brulé et du Châtelain de Coucy.
F. 48 Fauchet a écrit :
« Claude Fauchet Parisien. J'ai veu un exemplaire viel que l'on dit estre a
M. Henri de Mesmes Me des Reqtes du Roy commençant par les Chancons du Roy
Thiebault de Navarre dont la 1 commence
Quant fine amour me prie que je chant
» Toutefois il semble que se ne soit la premiere et qu'il y ait eu deux feuil-
lets couppez. A coste de chacune chanson escrite audit livre le nom de l'autheur est
mis dans un rond comme a celle escrite cy desoubz. Il y a ainsi Ci faillent les
chancons le roy Thiebault de Navarre et commencent le chancons monseigneur
Gace Brulle. »
Toutes les notes de ces pages ne sont pas de la main de Fauchet mais on
retrouve son écriture sur les feuillets 48 r° et v°, 51 r°, 53 r° et v°, 61 v°, 62 v°,
63 v°.
Fauchet a transcrit en marge certains mots comme « rosier », « fremir » qu'il
trouvait dans les chansons (f. 48 r° et v°).
A côté de « N'est mie a soi qui aime », Fauchet écrit en marge « Al. N'est
pas je li pas... » ce qui est sans aucun doute le texte du livre de H. de Mesmes.
Toutes les autres notes indiquent si telle ou telle chanson est « en celui de
M. de Mesmes ». Par exemple, f. 53 r° : « Ceste chançon n'est pas en celui de
M. de Mesmes » (Il s'agit de « Les oiseaux de mon pais »); f. 61 v°, à côté de
« Nouvele amour » Fauchet écrit : « Au livre de Mr. de Mesmes ceste chanson
est la sixiesme de celles du Chastelain de Couci. » Puis il écrit : « Celui de
M. Demesmes met apres la precedente une chançon commencant « Chanter me fait
ce dont je crain mourir » et une aultre « Deconfortez plains de douleur et d'ire, »
une aultre « En chantant mestuet complaindre », une aultre « comment que
longue demore » etc.
On voit facilement comment ces notes aident à faire connaître le manuscrit
de H. de Mesmes aujourd'hui perdu.
[2] Pour trouver les jeux-partis qu'il cite, Fauchet a utilisé le manuscrit
Vat. Reg. lat. 1522, où ils commencent f. 139 et finissent au f. 170. Au début
Fauchet écrit : « Ce livre doit estre intitulé chancons en dialogues de Jeu parti
d'Amour. C. Fauchet. C'est ung recueil de chancons de plusieurs autheurs. »
Des notes de sa main se trouvent sur les feuillets 141 r°, 143 v°, 154 v°, 159 r°,
et c'est probablement lui qui a numéroté les chansons.
141 r° : Fauchet écrit : « Ce Richart estoit surnommé de Semilli » — note
qui se rapporte à un poème intitulé « Maistre Richart de Dargies à Gautier ».
143 v° : Deux notes. En face du vers « en Pulle a ceste croiserie », Fauchet
met : « Tems que le livre fut fait. »
Un peu plus loin, en face de « Mainfroi, il écrit : « Tems de l'autheur. »
154 v° : Le titre d'un Jeu parti est le suivant « Bretel a Perrot ».
Fauchet ajoute après Perrot « de Nesle ».
159 r° : Le titre d'un Jeu parti est le suivant : « Guillaume de Viniers au
moine d'Arras », et Fauchet écrit : « Je croi Moniot d'Arras. »

des difficultés que Fauchet a rencontrées et nous devons être
indulgents devant des répétitions telles que « Il a vécu du
temps de Saint-Louis ». Pour Thibaud de Champagne, par exemple, Fauchet a recours à deux chroniques, « une bonne chronique » qu'il ne désigne pas autrement, et la Grande Chronique de France, et il invoque le témoignage de Dante dans le
De Vulgari Eloquio. D'après « une bonne chronique » il
raconte les amours « étranges et merveilleuses » du Châtelain
de Coucy. Fauchet sait que la même histoire est rapportée à
propos de Guillem de Cabestaing et de la femme du seigneur
de Roussillon par Jehan de Nostredame, et à propos de « la
femme du conte de Roussillon » par Boccace dans « la XI. nouvelle de la IVe journée de son livre appelé Decameron ». Mais
Fauchet assure que « cette histoire est dans une bonne chronique qui m'appartient », et il fait remarquer que l'amour du
Châtelain de Coucy devient proverbial en quelque sorte dans
les chansonniers. Il cherche ensuite à identifier Regnaut de
Coucy, ayant recours à François de l'Allouette, « en son livre
des nobles » [1]. Avant de posséder cette chronique, Fauchet était
d'avis qu'il s'agissait de Raoul II, qui « accompagna outre-mer
Saint-Louis... l'an 1249 », mais la Chronique « semble monstrer que ce Regnaut dont elle parle fut Raoul Ier, seigneur de
Couci », et Fauchet ajoute : « le sang duquel eschauffé d'amour
ne le garda d'avoir en sa vieillesse les passions d'un jeune
homme ».

Fauchet ne semble pas avoir connu Le Roman du Châtelain de Couci, du moins il n'en parle pas ici, mais le résumé
de son article que nous venons de donner montre qu'il soulève
la question des relations des différentes versions de cette histoire — ou plutôt de cette légende — du cœur de l'amant
mangé par sa maîtresse.

Cette légende, après avoir attiré l'attention de plusieurs
érudits du siècle dernier, entre autres de Gaston Paris, fut étu-
diée en 1911 par J.-E. Matzke [2], et en 1924 par C.-V. Langlois [3].
D'après les récentes recherches, l'auteur des chansons s'appelait Gui de Coucy et non Renaud [4], et le chroniqueur cité par

---

[1] Voir La Croix du Maine, Bibliothèque françoise; le titre de ce livre est le
suivant : Traité des Nobles, Paris, Magnier, 1576, et l'Histoire ou Description
généalogique de l'Illustre Maison de Coucy et Vervin en Picardie, Paris, Magnier,
1576, publiés ensemble.

[2] Studies in Honor of A. Marshall Elliott, Baltimore, s. d. [1911], vol. 1, p. 1.
Les notes de Matzke sont utilisées dans la récente édition du roman donnée par
Delbouille.

[3] La Vie en France au Moyen Age d'après des Romans mondains du Temps,
Paris, 1924, p. 221.

[4] Fath, Die Lieder des Castellans von Coucy, Heidelberg, 1883.

Fauchet a dû connaître une version du roman plus ancienne que celle qui subsiste aujourd'hui, et qui fut publiée en 1829 par Crapelet, et qui vient d'être rééditée.

La chronique de Fauchet, comme le démontra Léopold Delisle en 1879 [1], est actuellement à la B. N., ms. fr. 5003. La citation de Fauchet se trouve aux feuillets 257 et 258, et Fauchet écrit sur ces deux pages : « Hist. du Chast. de Coucy : Cruaulté du S. du Faiel. » Une note plus étendue fait allusion aux chansons :

J'ai veu un livre ou sont escrites les chansons d'un Chastellain de Couci avecq la note a une voix. La premiere commence ainsi : *Ahi amours com dure departie*. Il fait mention esdites chansons de son voiage oultremer.

Cette chanson *Ahi amours*, que beaucoup de manuscrits attribuent à Conon de Béthune [2] est la première citée par Fauchet dans son article du *Recueil* sur le Châtelain (p. 129). Un autre auteur qui a excité son intérêt est Guillebert de Berneville [3], « aimé de Henry, duc de Braban », ce duc qui ne dédaignait pas de taquiner lui-même la muse et qui est facile à reconnaître dans le personnage du Mécène d'Adenet le Roy. Un seul trait dans un des jeux-partis de sire Jehan Bretel [4], la mention de la croisade prêchée contre Manfred en « Pouille », « suffit pour cognoistre non seulement le temps qu'a vescu Bretel mais encore tous ceux à qui il escrit et fait des demandes, car Manfroy fut combattu et tué par Charles, duc d'Anjou, frère de Saint-Louis, l'an 1264 ».

Tels sont les principaux faits chronologiques : notons aussi l'abondance des explications philologiques. On trouvera par exemple jusqu'à quatre ou cinq explications sur une seule

---

[1] *Comptes rendus des Séances de l'Académie des Inscriptions*, 1879, p. 199, et cf. G. Paris, *Romania*, VIII, p. 633.
Pour une bibliographie de la question voir les notes de Matzke et de Langlois.
[2] Voir A. Wallensköld, *Les Chansons de Conon de Bethune*, Introduction.
Une autre note de Fauchet sur ce manuscrit, B. N. fr. 5003, est à comparer avec son cahier, B. N. fr. 24726, f. 105 r⁰ et v⁰, et avec ce qu'il dit dans le *Recueil* à propos de Blondel. La note en question se trouve (B. N. fr. 5003) au f. 223 r⁰ : « J'ai veu autrefois un livre contenant plusieurs chansons de divers autheurs et entre les aultres d'un Blondel ou Blondiaux de Nielle dont la premiere chanson commençoit : *Quant je plus sui en paor de ma vie.* » Cf. B. N. fr. 24726, f. 104 r⁰, dans l'analyse du chansonnier de Henri de Mesmes, fol. 36 v⁰ : « Ci faillent les chansons le Chastellain et commencent les chansons Blondiau de Neelle (ce pourroit bien estre celuy qui trouva le roy Richart d'Angleterre prisonier en Autriche. Voiez l'histoire de Philippe Auguste. » Cf. f. 105 r⁰ : « J'ay apris qu'il y eut un Blondel menestrel du tems de Richart d'Angleterre, homme avisé duquel une histoire que j'ay parle ainsi. » Suit la citation qu'on trouve aussi dans le *Recueil*, p. 92. Dans le *Recueil* Fauchet a donné des articles séparés sur « Blondel » et sur « Blondel de Nesle ».
[3] *Recueil*, p. 136.
[4] *Ibid.*, p. 185.

page [1]. Ces notes sont généralement fort judicieuses. A côté
d'explications telles qu'on les trouverait dans n'importe quel
dictionnaire, Fauchet rendra clair le sens de *graindre* [2] en mettant simplement à côté « de grandior », de *remaint* par « de
remanet » [3]. Il expliquera le mot *baer* [4] par une note ainsi conçue : « Les Italiens disent *badare*. » Il sait que le mot *wihot* [5]
est encore usité en Picardie. La forme de la viole au XIIIᵉ siècle
lui suggère cette longue explication :

> La figure d'un jougleor tenant ceste forme de vielle ou violle se voit
> en bosse au costé dextre du portail de l'eglise S. Julian des Menestriers
> assise à Paris en la rue S. Martin, représentant un instrument commu-
> nément appelé Rebec.

Les remarques admiratives sont plus nombreuses et plus
variées dans cette partie du *Recueil*. La sixième chanson de
Thibaud de Champagne est « très belle, pleine de similitudes et
translations » [6]. Les poèmes de Blondiaux sont « pleins de
beaux traits ». Jehan Moniot de Paris eut « l'esprit gentil et
inventif ». La cinquième chanson d'Eustace li Peintres est
« digne d'être renouvelée » et je passe les adjectifs banals tels
que « passable », « beau », « bon », « excellent ». Fauchet ne
cherche jamais à rabaisser ses poètes et nous savons seulement
qu'il n'approuve pas lorsqu'il n'admire pas.

Le sujet unique de toutes ces chansons et ces jeux-partis,
c'est l'amour. Or les contemporains de Fauchet ont largement
exploité cette veine. Rappelons les innombrables sonnets
amoureux de Ronsard, Du Bellay, Baïf, Belleau, et tous leurs
innombrables disciples. Henri III prenait plaisir à la poésie de
l'italianisant Desportes. Les résumés et les citations de Fauchet répondent alors à un goût déterminé. Nous pouvons en
être sûrs lorsque nous le voyons souligner bon nombre de thèmes qu'il a rencontrés dans la poésie contemporaine. Il y a
par exemple, « les Antithèses d'amour » [7], où Robert de Reims
s'était exercé longtemps avant les poètes italiens, il y a l'expression « ma douce ennemie » [8], le « dialogue de l'amant, de ses
yeux et son cœur [9] », les soupirs venant d'un « biau désir »

---

[1] *Recueil*, p. 136, par exemple.
[2] *Ibid.*, p. 128.
[3] *Ibid.*, p. 129.
[4] *Ibid.*, p. 146.
[5] *Ibid.*, p. 193 : « wihot » signifie « cocu »
[6] Par « translations » il veut dire « comparaisons ».
[7] *Recueil*, p. 140.
[8] *Ibid.*, p. 133.
[9] *Ibid.*, p. 146.

qui apportent « nuit et jour salut et amitié » [1] au poète. Il y a
aussi le contraste entre la dame qui « tous les jours fait son
pouvoir » de « grever » le poète, et les lions et les ours qui
« se gardent quelquefois de mal faire » [2]. Ces thèmes « pétrar-
quistes » suffisent à prouver les intentions patriotiques de Fauchet qui oppose ainsi, mais sans exagération, les poètes natio-
naux aux étrangers.

Littérature bourgeoise

Nous groupons sous le titre « Littérature bourgeoise » le
Congé de Jean Bodel, les *Fables* de Marie de France, le *Roman
du Nouveau Renard* ou *Renard le Nouvel* par Jacquemart-Gelée,
diverses œuvres de Rutebeuf et les Fabliaux.

Jean Bodel n'a bénéficié que de trois lignes dans le
Recueil :

Jehans Bodel fut d'Arras, et a fait un petit œuvre en forme d'Adieux .
auquel il nomme plusieurs bourgeois et autres de cette ville [3].

La notice consacrée à Marie de France [4] n'est guère plus
longue. Fauchet a soin de montrer qu'elle porte ce nom « pour
ce qu'elle estoit natifve de France », et qu'elle a mis en français les fables d'Esope. Fauchet cite cinq vers de l'*Epilogue*
et fait aussi une allusion dans son chapitre sur le Sénéchal [5]
à la fable de l'*Aigle et de l'Autour*.

---

[1] *Op. cit.*, p. 147.
[2] *Ibid.*, p. 154.
Cf. pour ces thèmes, P. Laumonier, *Ronsard, Poète lyrique*, Paris, 1909, p. 487.
Il est difficile de reconstituer les manuscrits perdus de Henri de Mesmes et
d'Estienne Pasquier. V. cependant notre livre de documents.
Une copie du manuscrit Vat. Reg. 1522 existe à la Bibl. de l'Arsenal (3102).
Avant d'aller à Rome, nous avons comparé tous les jeux-partis avec ce qu'en dit
Fauchet dans le *Recueil*, et nous avons noté qu'il prend le premier couplet et se
contente de laisser de côté les réponses du second poète, et la continuation du
dialogue par le premier poète qui suit cette réponse.
Nous avons utilisé aussi le *Recueil général des Jeux-partis français* publié par
Arthur Längfors avec le concours de A. Jeanroy et L. Brandin, Paris, 1926.
Cf. sur les jeux-partis la dissertation de H. Knobloch, *Die Streitgedichte in
Provenzalischen und Altfranzösischen*, Breslau, 1886; R. Zenker, *Die provenzalische
Tenzone*, Leipzig, 1888. Cf. A. Jeanroy, *Les Origines de la Poésie lyrique en
France...*, 3ᵉ éd., Paris, 1925, pp. 517-518. F. Fizet, *Romanische Forsch.*, XIX,
1905, pp. 407-544.
[3] P. 181.
« Le Congé » de Jean Bodel se trouve dans le manuscrit B. N. fr. 837, f. 60,
auquel Fauchet a dû avoir accès. Ce manuscrit appartenait à la Bibliothèque du
Roi. *Le Congé* a été édité par Raynaud, *Romania* IX, 1880.
[4] P. 163.
[5] *Œuvres*, f. 483 vᵒ.
Les citations de Marie de France sont les suivantes. V. *Die Fabeln der Marie
de France*, herausgegeben von Karl Warnke, Halle, 1898, Epilogue, vers 1, 3, 4,
9, 10, *La Fable de l'Aigle et de l'Autour* est le nᵒ 62 de l'édition de Warnke.
Fauchet possédait cinq manuscrits des fables : B. N. fr. 1593, 24428, 25405

Une page du *Recueil* [1] est échue à Jacquemart-Gelée et contient deux citations indiquant le nom de l'auteur et la date de la composition du livre, 1290. Fauchet expose le sujet en deux lignes « une satire contre toutes sortes de gens, Rois, Princes et d'autres vocations, principalement ecclésiastiques ». La dernière « figure », c'est-à-dire, image, du livre représente la roue de la Fortune que Fauchet décrit ainsi :

Sus le haut de la roue, siet maistre Renard, adextré d'Orgueil, et à senestre de dame Guille : qui l'asseurent que jamais ne cherra, ayant pour conseillers deux sortes de gens de religion, lors fort hais [2].

---

et 25545, Vat. Ottob. 3064. Il a cité d'après le texte du manuscrit B. N. fr. 1593.

1º B. N. fr. 1593 : f. 74 « Le Livre d'Yzopet » par Marie de France. Ces fables finissent au f. 98 vº; f. 98 vº : Fauchet a écrit à côté du vers *Marie ai nom si sui de France* le mot « Autheur »; f. 90 vº : En marge de la fable « D'un goupil et d'une ourse », il écrit « Marie se fut bien passee de ce compte selle eut esté chaste ». Il y a aussi quelques petites croix, qui peuvent être de sa main;

2º B. N. fr. 24428 : Les fables commencent au f. 89 et finissent au f. 115. Ce manuscrit appartenait à Antoine Loisel. Fauchet le lui a probablement emprunté, car dans son cahier actuellement à Rome, il attribue l'« Image du Monde » à Osmon d'après le nom du copiste, qu'on trouve dans ce manuscrit B N. fr. 24428;

3º B. N. fr. 25405 : Les fables se trouvent ff. 55 vº à 81 rº. Il a écrit une seule note sur les fables f. 55 vº en haut de la page il a mis « Fables d'Esope »;

4º B. N. fr. 25545 : Les fables commencent f. 29 et finissent f. 45. Fauchet a écrit une note unique : « Ung autre exemplaire donne ce livre a Marie de France »;

5º Rome, Vat. Ottob. 3064. Quelques feuilles de parchemin, ff. 235 rº-242 vº, contiennent les fables de Marie. Fauchet a écrit une seule note au début : « Ce livre a esté composé par une Marie. »

[1] *Recueil*, p. 197.

[2] Fauchet pouvait lire *Li noviau Renard* dans B. N. fr. 1593, qui lui appartenait. L'image se trouve à la fin du poème, f. 57 vº.

On trouvera une reproduction de cette image dans Petit de Julleville, *Langue et Littérature*, vol. 2, p. 46, d'après B. N. fr. 372.

Le Nouviau Renart se trouve au début du manuscrit B. N. fr. 1593. Fauchet a écrit des mots dans les marges des feuillets 1 vº, 2 rº, 19 rº, 40 rº, 52 rº. Pour les deux premiers feuillets ce sont surtout des noms propres, Isangrin Hersenz, Gautier, Hubers, mais on y trouve aussi « fortuis », « malegrape », etc. Il semble avoir voulu utiliser ce manuscrit pour son vocabulaire de mots anciens. Il a mis des petites croix à côté de « feu gregeois » et de « beffroi »;

F. 19 rº il écrit « seneschal » en marge;

F. 52 rº à côté du vers

li ver ont le cors

il écrit « le vrai partage d'ung mort ».

Puis à la fin il met « Autheur » en face du vers

Ce nous dit Jaquemarz Gielee

Fauchet avait un manuscrit du *Roman du Renard*, actuellement Rome, Vat. Reg. 1699, mais il ne parle pas de ce poème dans ses œuvres.

Nous avons examiné ce manuscrit, que Fauchet avait lu très soigneusement. Evidemment il avait eu l'intention d'utiliser le vocabulaire de ce poème pour son dictionnaire de l'ancienne langue. Sur une feuille de garde, il avait mis la liste des branches. Voici les notes de sa main :

Feuille de garde : Surnoms de bestes, fol. 11-13.

Deuxième feuille de garde, Divers fabliaux de Renart : Renart tainturier fol. 1 par Perrot ou Pierre de Saint-Clot, fol. 1; Commencement de la guerre d'entre Renart et Ysangrin, fol. 26, et comme il croissu Hersant sa commere et compissa ses louviaux; Fabliau de Renart qui fit chanter le corbeau pour manger le fromage 36 vº f.; Fabliau de Pierre de Saint-Clost du Renart fol. 44; Fabliau du nom du Renard fol. 52 vº; Fabliau comme le renard se muca es piaus fol. 65 vº; Fabliau de la guerre entre Renart et Isangrin fol. 85; Fabliau

Ce roman est également utilisé dans un des traités historiques [1] où Fauchet parle des cérémonies qui accompagnaient la création d'un chevalier :

Au roman du Nouveau Renart (Je croy fait environ l'an 1300) il est dit que Noble le Roy des bestes choisit le jour de sa nativité pour faire Noblon son fils chevalier : et tous les Romans monstrent que volontiers aux grandes festes se faisoient les grandes assemblees,

> Au jour de ma nativité
> C'est que fere Chevalier vueil
> A ce grand jour mon fils Orgueil.

Suit une autre longue citation où toutes les armes du chevalier sont nommées [2].

---

d'une branche de Renart, fait par ung prestre de la Croix en Brie, fol. 100; Fabliau du Regnart et Tibers le chat, fol. 112; Fabliau de la complainte de Isangrin contre Renard qui lui avoit honni Hersant sa femme, fol. 123 v°; Fabliau de la guerre d'Isangrin et Renart, fol. 128; Fabliau de Renart, fol. 142; Fabliau de la compagnie de Renart et Tibert le chat, fol. 169 v°; Fabliau du renart et du vilain qui le conseilla de se confesser, fol. 178.

Puis Fauchet écrit : « Achepté le 26 aoust 1594, 40 s. C. FAUCHET. »

F. 11 r° : En face du vers :
                    Tiesselins li corbiaus
Fauchet met « Surnoms de bestes ».

F. 13 r° : En face du vers :
                    Salus vous mande corradin
Fauchet met, « Possible Norradin ».

F. 19 v° : En face du vers :
                    Que j'avoir trestout France pris
                    Or moy voloir etc.
Fauchet met : « Il contrefait le breton ou l'anglois. »

F. 20 r° : En face du vers :
                    Assez li compte en son franchois
                    Renart li respont en englois
Fauchet écrit : « Il a dit devant breton. »

F. 23 r° : En face du vers :
                    Moy sera fer tout ton plaisir,
Fauchet écrit : « Il parle anglois. »

F. 26 r° : En face du vers :
                    De Tristan qui la chievre fist
Fauchet répète une partie du vers.

F. 52 v° : Le nom « Pierres » souligné et « Autheur » écrit en marge.

F. 72 r° : « Description de nain » en marge.

F. 76 v° : « Default. »

F. 85 r° : Un mot répété en marge.

F. 102 v° : En haut de la page : « Contre villains. »

F. 104 v° : « Default. »

F. 105 v° : En haut : « Satisfaction publique. »

F. 181 v° : « C'est a moi, C. Fauchet. »

Enfin, le manuscrit B. N. fr. 25545, qui a appartenu à Fauchet contient : « La confession Renart et son pelerinage. »

[1] OEuvres, f. 511 v°.

[2] V. Renart le nouvel dans le Roman du Renard, publié par M. D. M. Méon, vol. 4, Paris, 1826. Citations, Recueil, p. 197 : v. 8011-12 et 8015, puis 8029-37. Autres citations, OEuvres, f. 511, v. 220-22, 249, 251 et 253, 255-56, puis 260-63 où les leçons de Fauchet diffèrent du texte de Méon; v. 265, 269-78, 283-84.

Une plus récente édition de ce poème est celle de Ernst MARTIN, Le Roman de Renart, Strasbourg, Paris, 1882-1887, 3 vol., mais il faut avoir recours à Méon pour Renard le Nouvel.

M. Faral [1] insiste pour qu'on ne mette pas Rutebeuf au-dessus de sa condition de jongleur, mais Fauchet commence son article par les mots : « Rutebeuf fut un menestrel... » Il pèche contre les idées d'un autre érudit moderne [2], quand il déclare qu'un des fabliaux est la source d'un conte de Boccace. Le patriotisme de Fauchet est, certes, plus excusable à une époque où une grande partie de la littérature moderne était encore à créer que ne l'était celui de J.-V. Leclerc au siècle dernier. C'est peut-être la lecture du *Recueil* de Fauchet qui a suggéré à Leclerc une idée qu'il a souvent exposée dans le tome XXIII de l'*Histoire littéraire de la France*.

Fauchet a goûté les divers côtés du génie de Rutebeuf. Il cite les ouvrages suivants dans le *Recueil* : *Complainte d'outre-mer*, *Complainte de Joffroi de Sargines*, *Plainte d'Anceau de Lille*, *Vie de Sainte Elisabeth de Thuringe* [3], *Dit des ordres de Paris* et *Dit d'Hypocrisie* [4]. Ailleurs il mentionne la *Complainte pour Guillaume de Saint Amour* [5].

Les confidences personnelles du jongleur retiennent l'attention de Fauchet. Rutebeuf avait été marié deux fois, et bien qu'il fût pauvre, il avait épousé une femme qui n'était ni « gente » ni belle. Il avait perdu ses biens en même temps que l'œil droit, Dieu ayant fait de lui le « compagnon de Job ». Fauchet note que Rutebeuf vécut sous Saint-Louis, qu'Alphonse, frère du Roi, était son mécène, et que les *Complaintes d'outremer* et *de Joffroi de Sargines* étaient adressées à Saint-Louis, au comte de Poitiers et à la noblesse de France pour qu'ils viennent tous au secours de Joffroi de Sargines.

Un couplet de la *Plainte d'Anceau de Lille* « semble bon » à notre érudit :

> *Tousjours deut un preudhomme vivre :*
> *Se mort eût sans ne savoir.*
> *S'il fut mort, il deüt revivre :*
> *Ice doit bien chacun savoir.*
> *Mes mors est plus fiere que Huivre*
> *Et si plaine de mon savoir,*
> *Que des bons le siegle delivre*
> *Et au mauvais laist vie avoir* [6].

---

[1] E. FARAL, *Les Jongleurs en France au Moyen Age*, Paris, 1910, p. 159.
[2] J. BÉDIER, *Les Fabliaux*, Paris, l'éd. de 1925, p. 48.
[3] Sainte Elisabeth est généralement appelée « Sainte Elisabeth de Hongrie ». Rutebeuf l'appelle « la bonne dame de Turinge » (v. 920) et il dit plus loin « Qu'ele estoit de Turinge dame » (v. 930). V. l'édition A. Jubinal, Bibl. Elzév., 2e édit., 1874.
[4] *Recueil*, pp. 160 et suiv.
[5] *Recueil*, liv. 1er, v. *OEuvres*, f. 543 r°.
[6] Dans le manuscrit B. N. fr. 1593, f. 65 r°, Fauchet a mis une petite croix et une ligne à côté des vers.

Fauchet remarque que ce jongleur se plaisait fort « en équivoques », citant le jeu de mot de son nom. C'est le seul exemple de ce trait du style de Rutebeuf que Fauchet nous donne. Il ne s'y intéressait peut-être pas autant que Pasquier [1].

Une autre citation, une douzaine de vers des *Ordres de Paris*, trahit ses préoccupations d'érudit. Les Quinze-Vingts, d'après la citation « ne furent chevaliers, ains quelques pauvres gens », et « par le mesme opuscule il moustre que ceux du val des escoliers souloyent mendier : et que les Guillemins (ce sont les Blancmanteaux) furent premièrement reclus ».

Une grande partie de cet article est consacrée au résumé de deux fabliaux, « la pucelle qui voulait voler en l'air » attribué à tort à Rutebeuf, et « La dame qui fist trois tors entor le mostier », correctement attribué [2].

Les Fabliaux

La définition de Fauchet, « fabliaux, c'est-à-dire, contes de plaisir et nouvelles », ne déplairait peut-être pas à M. Joseph Bédier, non plus que la forme du mot « fabliaux » que Fauchet emploie, mais une autre mention des dettes de Boccace envers nos fabliaux aurait moins de chance de plaire au savant professeur du Collège de France [3].

---

[1] V. ce qu'en dit M. J. Moore, *Estienne Pasquier, Historien de la Poésie et de la Langue françaises*, Poitiers, 1934, p. 85.

[2] Les vers de Rutebeuf cités dans le *Recueil* sont les suivants : *Plainte d'Anceau de Lille*, v. 41-48 (éd. A. Jubinal, *OEuvres complètes de Rutebeuf*, Paris, 1874). *Ordres de Paris*, v. 85-96. « La pucelle qui voulait voler », J. Bédier, *Les Fabliaux*, nº 114. « La dame qui fist trois tors », *ibid.*, nº 46.

Les manuscrits B. N. fr. 837 et 1593 contiennent les œuvres de Rutebeuf mentionnées par Fauchet. Nous avons fait remarquer que fr. 1593 appartenait à Fauchet : fr. 837 appartenait à la bibliothèque du Roi, où Fauchet a pu le voir. V. H. Omont, *Fabliaux, Dits et Contes en vers français du xiiie siècle*, fac-similé du manuscrit fr. 837, *Introduction*.

B. N. fr. 1593 contient un grand nombre d'ouvrages de Rutebeuf. Parmi ceux que Fauchet cite :

F. 58 « De mon seignor Jeufroi de Sargines » ;
F. 59 « La complainte d'outremer » ;
F. 65 « De mon seignor Encel de Lille » ;
F. 65 « Les ordres de Paris » ;
F. 66 « De mestre Guillaume de S. Amor » ;
F. 67 « Le dist d'Ypocrisie ».

Fauchet a écrit quelques courtes notes sur les pages f. 58 rº, 59 vº, 61 rº et vº, 67 rº et vº, 69 rº. Le mot « Autheur » est écrit en marge chaque fois qu'il se rencontre dans un poème, par exemple, f. 59 vº, 61 vº. Fauchet a écrit f. 59 rº « St Loys et son frère » : on voit les rapports de cette note avec l'article du *Recueil*.

Fauchet a pu avoir accès aussi au manuscrit B. N. fr. 837 qui contient tous les dits de Rutebeuf qu'il mentionne. Dans ce manuscrit, les dits commencent au f. 283.

[3] V. J. Bédier, *op. cit.*, pp. 26 et suiv.

Fauchet mentionne vingt-trois fabliaux, se contentant en général d'en résumer le contenu, et de dire que tel ou tel conte est « moral » ou « assez plaisant ». Il fait de longues paraphrases des *Trois aveugles de Compiègne*, de *La bourse pleine de sens* et du *Sacristain*. Il cherchait sans doute à intéresser et à amuser ses lecteurs, et en particulier son royal lecteur, Henri III.

Ses citations ont pour but de donner le nom de l'auteur :

> *Durans qui son conte define*
> *Dit qu'onques Diex ne fit meschine*
> *Qu'on ne peut por deniers avoir.*

Les fabliaux cités par Fauchet sont les suivants. Je fais suivre le titre du fabliau du numéro que M. Bédier lui donne dans sa liste, *éd. cit.*, pp. 436 à 441.

L'anneau magique (3). Fauchet cite les deux premiers vers pour donner le nom de l'auteur, Haisiaux. (*Œuvres*, f. 584, r°.) (*Recueil des fabliaux*, t. III, p. 51 [1].)

Auberée (6). Fauchet cite vers 38 à 43 dans les *Dissertations inédites*, Ed. E. Langlois, p. 104.

Les trois aveugles de Compiègne (7). Fauchet (*Œuvres*, f. 579 r°) a fait une paraphrase et cite vers 332-3 pour donner le nom de l'auteur, Courte Barbe. (V. *Classiques fr. du moyen âge*, 72.) (*Recueil des fabliaux*, t. I, p. 70.)

Boivin de Provins (11). Fauchet l'intitule *Foucher Boivin* (*Œuvres*, f. 584 r°) parce que Boivin s'appelle « Foucher de la Brouce » dans le fabliau. Fauchet l'attribue à Courtois d'Arras. (Voir plus loin.) (*Recueil des fabliaux*, t. V, p. 52.)

Les trois bossus ménestrels (12). Fauchet cite vers 285-87 et donne le nom de l'auteur, Durans. (*Œuvres*, f. 584 r°.) (*Recueil des fabliaux*, t. Ier, p. 13.)

Le boucher d'Abbeville (13). Fauchet donne le nom de l'auteur, Huistace d'Amiens et en résume le sujet (*Œuvres*, f. 584 r°.) (*Recueil des fabliaux*, vol. III, p. 227.)

La bourse pleine de sens (15). Cet ouvrage est résumé assez longuement. Jehan le Galois y est nommé comme en étant l'auteur. (*Ibid.*, f. 580 r°.) (*Recueil des fabliaux*, t. III, p. 88.)

Le chevalier à la robe vermeille (29). Fauchet en cite vers 18-25 et 80-81 (*Œuvres*, f. 511 r°) et vers 247-251, 254-257

---

[1] Voir A. DE MONTAIGLON et G. RAYNAUD, *Recueil général des Fabliaux*, 6 vol., Paris, 1872-1890.

(*ibid.*, f. 551 r°.) (*Recueil des fabliaux*, vol. III, p. 35.)

Le chevalier qui faisait parler les ...... (30). Fauchet en nomme
l'auteur, Garin, et cite vers 1-12. (*Œuvres*, f. 583 r°.)
(*Recueil des fabliaux*, t. VI, p. 68.)

Les deux chevaux (35). Le Président en cite vers 14-17. (*Œuvres*, f. 588 r°.) (*Recueil des fabliaux*, t. Iᵉʳ, p. 153.)

La dame qui fist trois tors entor le mostier (46). L'article sur
Rutebeuf (*Œuvres*, f. 578 v°) contient une courte description de ce fabliau. (*Recueil des fabliaux*, t. III, p. 192.)

Les trois dames qui trovèrent (50). Fauchet en cite les huit
premiers vers. (*Œuvres*, f. 552 r°.) (*Recueil des fabliaux*,
t. V, p. 32.)

Jonglet (76). Fauchet fait une citation de *Guillaume de Dole*
qui se rapporte à Jouglet (qu'il appelle Jonglet) et ensuite
résume le fabliau auquel on a donné son nom. L'auteur
du fabliau, Colin Malet, n'est pas nommé par Fauchet.
(*Œuvres*, f. 577 v°.) (*Recueil des fabliaux*, t. IV, p. 112.)

La male honte (81). L'article sur Hues de Cambray dans le
Recueil (*Œuvres*, f. 583 v°) contient une mention de ce
fabliau : « Une moquerie faitte contre Henry Roy d'Angleterre. » Fauchet en cite les deux premiers vers. (*Recueil
des fabliaux*, t. V, p. 95.)

La pucelle qui voulait voler en l'air (114). Fauchet en résume
brièvement le contenu, et l'attribue à tort à Rutebeuf.
(*Œuvres*, f. 578 v°.) (*Recueil des fabliaux*, vol. IV,
p. 208.)

Le sacristain (121). L'article sur « Sire Jehan Chapelain » contient une paraphrase de ce fabliau. Fauchet en cite les six
premiers vers, qu'il cite aussi dans les *Dissertations inédites*, p. 105. (*Recueil des Fabliaux*, t. VI, p. 117.)

Sire Hain et Dame Anieuse (127). Fauchet résume le contenu
de cet ouvrage et cite les quatre premiers vers qui donnent
le nom de l'auteur, Hues Piancelles (Piaucele). (*Œuvres*,
f. 583 v°.) (*Recueil des fabliaux*, t. Iᵉʳ, p. 97.)

Le vair palefroi (133). Fauchet cite vers 29, 30, 33 et vers 1-4
dans l'article sur Huon le Roy. (*Œuvres*, f. 587 v°.)
(*Recueil des fabliaux*, I, p. 24.)

Niserole, Corbeigni, Trambloy, des Droits [1] et *au Dieu d'Amours
d'Esté et de May* sont attribués par Fauchet au clerc de
Vaudoy (*Œuvres*, f. 580 r°) mais ces fabliaux ne sont pas
mentionnés par M. Bédier. Fauchet cite le premier vers de
Niserole [2].

---

[1] *Des Droits* est publié par Jubinal, *Nouveau Recueil*, II, 132.
[2] V. Jubinal éd. Rutebuef, III, 352.

Fauchet s'est parfois trompé. Il attribue *Boivin de Provins* à Courtois d'Arras, erreur qui provient peut-être du manuscrit fr. 837, où ce fabliau suit immédiatement *Courtois d'Arras* [1]. M. J. Bédier [2] a montré que l'auteur du fabliau *Les deux chevaux* s'appelait Jean Bedel, et que Jean de Boves cité dans ce fabliau n'est que l'auteur d'un fabliau perdu, ayant le même titre. Notre savant se trompait alors en pensant que Jean de Boves « fut estimé bon trouveur de fabliaux ». Hues de Cambray, Huon le Roy, Hues Piancelles (Piaucelle), Roix de Cambray étaient probablement la même personne, quoique Fauchet [3] en parle comme s'ils étaient quatre.

L'article du *Recueil* sur le Clerc de Vaudoy [4] mentionne les fabliaux de *Corbeigni* et *Trambloy*, que Fauchet dit ne pas avoir vus. « Il fit encores un fabliau du Dieu d'Amours, d'Esté et de May, dont je n'ay veu que les XX premiers vers. [4] » Ces vingt vers sont ceux qu'on pourra trouver dans le manuscrit B. N. fr. 1593; ils contiennent l'allusion aux deux fabliaux de *Corbeigni* et *Trambloy*.

> *Cist fablel que je di fit li Clers de Vodoi*
> *Et si fit Nicerole, Corbeigni et Trambloi,*
> *Je vous en dirai un qui vaut mieus que li troi*
> *Ce est de Dieus d'Amors et d'esté et de mai.*

Les fabliaux ont été employés par notre érudit dans ses traités historiques [5] exactement de la même façon que les autres œuvres littéraires du moyen âge. Il fait voir, par exemple, d'après le fabliau de *La robe vermeille* que les chevaliers avaient parfois des fonctions juridiques, d'après le même poème que les jongleurs recevaient divers cadeaux de leurs bienfaiteurs. Le fabliau d'*Auberée* [6] est utilisé pour expliquer le sens de « bonnes gens »; et le *Sacristain* [7] pour montrer qu'en Normandie les voyageurs devaient autrefois raconter une histoire au propriétaire de l'auberge qui les abritait. Un

---

[1] *Courtois d'Arras* est le titre d'un jeu. V. l'édition de M. E. Faral.
[2] V. J. BÉDIER, *op. cit.*, p. 483.
[3] Fauchet donne à Hues de Cambrai *La Male Honte*, à Huon le Roy *Le Vair Palefroi*, à Hues Piancelles *Sire Hain et Dame Anieuse*. Roix de Cambrai (*Recueil*, p. 180) est mentionné comme l'auteur de l'*A. B. C.* et la *Descrissions*.
[4] *Recueil*, p. 167. Ces vingt vers sont publiés par G. RAYNAUD, *Le Clerc de Voudoi*, *Romani*, xiv, p. 278.
[5] *OEuvres*, f. 511 r°, et 551 r°.
[6] *Auberee* a été publié par Ebeling, *Auberee, Ein altfranzösisches Fablel*, Halle, 1895. Pour la citation de Fauchet, v. E. LANGLOIS, *Dissertations inédites*, p. 104.
[7] E. LANGLOIS, *op. cit.*, p. 105.

autre fabliau, *Les trois dames qui trovèrent* est cité parce qu'il contient un exemple de rime léonine [1].

Quant aux manuscrits, le B. N. fr. 1593 qui appartenait à Fauchet contient les fabliaux 3, 6, 7, 15, 29, 30, 46, 50, 114, 121, le *Dieu d'Amours* et *Des Droits*. N° 114 se rencontre dans les deux manuscrits 1593 et 25545 (B. N. fr.). Il existe un manuscrit unique du *Vair palefroy*, le B. N. fr. 837 [2], qui appartenait à la Bibliothèque du Roi, et que Fauchet a dû consulter. Les citations qu'il a faites de ce poème suivent le texte de ce manuscrit. Un certain nombre d'autres fabliaux se rencontrent également dans le même manuscrit, — les fabliaux 11, 12, 13, 35, 67, 81, 127 et *Niserole*. Nous avons comparé le texte de Fauchet avec celui de ce manuscrit, et dans tous ces cas son texte vient indubitablement de cette source. Nous avons regardé le fac-similé du 837 qu'on nous a communiqué pour voir s'il n'y avait aucune marque de la main du Président, mais il ne s'est pas permis d'écrire sur ce manuscrit.

Il n'existe aucun manuscrit de *Corbeigni* ni de *Trambloy*.

Fauchet a écrit peu de notes sur les feuillets du manuscrit fr. 1593 qui contient les fabliaux. F. 111 v° dans « Li droit au clerc de Vaudoi » il écrit « contre les Cordeliers et Jacobins ». F. 126 r° à côté de Jehan le Galois, Fauchet écrit « Autheur ». Chaque fois qu'un nom d'auteur se présente, Fauchet le souligne, met une note en marge ou parfois une petite croix.

Au début du manuscrit il écrit : « C'est à moi Claude Fauchet par eschange fait avec M. de Roissi d'une cronique françoise. »

Ses notes sur le manuscrit fr. 25545 sont encore moins nombreuses. Lorsqu'un manuscrit est beau, il le respecte.

Littérature didactique

Parmi les œuvres didactiques et satiriques qui sont tombées sous ses yeux, il faut d'abord considérer quelques longs poèmes. Il connaissait la *Bible* et l'*Armeure du Chevalier de Guiot de Provins*, de même que la *Bible* de Hugues de Berzé. Il écrit un article sur le *Tournoiement d'Antichrist* de Huon de Méry; il parle aussi des *Vers* de Thibaud de Marly. Il mentionne le *Songe d'Enfer* de Raoul de Houdenc, le *Judas Machabée* de Gautier de Belleperche. Il avait rencontré dans certains manuscrits, tel le B. N. fr. 1593, qui lui appartenaient, un

---

[1] *Recueil*, p. 77.
[2] V. l'édit. du *Vair Palefroy* donnée par M. Arthur Långfors, *Cl. fr. du moyen âge*.

grand nombre de poèmes moins longs, comme l'*Art d'Amors*
de Guiart, les *Vers de la Mort* de Hélinand, le *Roman de
Carité* du Renclus de Molliens, l'*A. B. C.* et la *Descrissions des
Religions* de Huon le Roi de Cambrai, le *Chatonet* de Jehan
du Chastelet, l'*Evangile aux femmes* de Jehan du Pin, le dit
Pour orgueilleux humilier, le *Contenz du Monde* de Renault
d'Andon, l'*Image du Monde* que Fauchet attribue à Osmond.

Guiot de Provins et Hugues de Berzé.

Dans son cahier [1] Fauchet écrit un long article intitulé
« De Hugues de Bersi autheur d'un livre intitulé la Bible ».
Après avoir cité les vers 771-778 de la *Bible* de Hugues de Berzé,
il continue en donnant de très nombreuses citations, toutes
de la Bible Guiot de Provins (sauf la dernière) mais sans indiquer le changement d'auteur. Il ne nous renseigne pas sur le
manuscrit qu'il avait utilisé, et une comparaison de ses citations avec l'édition critique de la *Bible Guiot* de J. Orr (Manchester, 1915) ne donne aucun résultat satisfaisant; c'est-à-dire
il ne semble avoir suivi aucun des deux manuscrits existants [2].
La question se complique par le fait que Fauchet — nous le
savons par ailleurs — se permet assez souvent de moderniser
l'orthographe de ses manuscrits, et nous ne pouvons pas être
sûrs qu'ici il reproduit fidèlement ce qu'il avait sous les yeux.
Lorsqu'il parle de Guiot de Provins et de Hugues de
Berzé dans son *Recueil*, Fauchet montre qu'il possède des renseignements plus précis sur ces auteurs. Peut-être avait-il dans
l'intervalle acquis le manuscrit B. N. fr. 25405 [3], parce qu'il

---

[1] B. N. fr. 24726, f. 47 r⁰ et suiv. V. notre livre de documents.

[2] Certains vers de Fauchet suivent le texte de A :
Vers 263 : *Ilz naiment mais pallais ne salles;*
Vers 308 : *Li argens,*
mais l'aspect général des vers qu'il cite est celui du texte du manuscrit B,
mais avec une autre orthographe. Son texte doit être celui d'un manuscrit
perdu. Conclusion confirmée par les numéros des feuillets du manuscrit que
Fauchet a mis dans son cahier.

[3] Les quelques notes que Fauchet a laissées dans le manuscrit B. N. fr. 25405
sur les feuillets 89-109, qui contiennent la Bible Guiot, prouvent qu'il utilisait
ce manuscrit au moment d'écrire son article.
Ces notes se trouvent sur les pages suivantes :
F. 91 r⁰ « Abbe d'Urspeg » en haut de la page, et cf. *Recueil*, p. 91,
sur les vers
>   *Qu'il tiht une cort à Maience*
« laquelle l'Abbé de Urspeg dit avoir esté tenu audit an... »;
F. 93 v⁰ « boussole » en face des vers sur la « manete »;
F. 94 v⁰ « semble qu'il a composé son livre quand Bauldoin conquist Constantinople, c'est-à-dire environ 1202 », en face des vers
>   *Tous li siecle por quoi ne vet*
>   *Sor aux ains que sor les griffons.*
Cf. *Recueil* p. 91 : « Les vers qui ensuivent me font croire qu'il vesquit durant
la conqueste de Constantinople » — suivent les vers déjà cités.

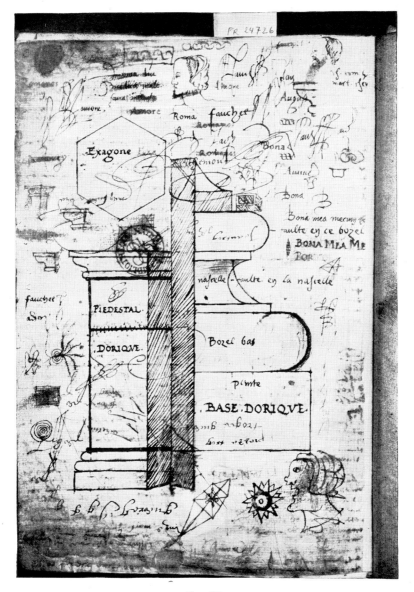

FIG. 10.

Feuille de garde (fin) du cahier B. N. fr. 24726.

paraît être fixé sur l'étendue de la *Bible* Guiot même s'il laisse
subsister parmi ses citations cinq ou six vers de la Bible de
Hugues. Son article sur ce dernier auteur nous livre le précieux
renseignement qu'un manuscrit qu'Estienne Pasquier lui
avait prêté contenait la *Bible* Guiot, l'*Armeure du Chevalier*
et la *Bible* de Hugues écrits l'un à la suite de l'autre. Fauchet
ajoute aussi qu'un autre manuscrit de la Bibliothèque du Roi
appelait également le poème commençant « Moult ai allé »
(début de l'*Armeure*) et finissant : « Cil qui plus voit »
« la Bible du seigneur de Berzé chastelain. » Fauchet ne dit
pas si le dernier manuscrit contenait aussi la Bible Guiot.

En dehors de cet article du *Recueil*, Fauchet mentionne la
Bible à trois autres reprises, dans l'article sur Renault de
Sabeuil [1] d'abord : « Guiot en sa Bible nomme Robert de
Sabeuil entre les princes et seignieurs ses bienfaiteurs. » Dans
son traité de l'*Origine des Chevaliers* [2] il fait une citation de
la *Bible* pour montrer que tout le monde ne croyait pas à la
mission divine de Durand qui apportait la paix, et dans son
Traité des Libertez de l'Eglise Gallicane, il en fait une autre
pour témoigner qu'on commençait à rompre la règle par
laquelle certaines prélatures étaient réservées aux clercs
nobles [3].

Fauchet ne nomme pas l'*Armeure du chevalier* mais il
est évident qu'il l'avait lu d'après ce qu'il dit dans son article
sur Hugues de Berzé [4].

Maistre Estienne Pasquier eloquent advocat en la Cour de Parlement
m'a presté un livre qui apres ces deux vers de la Bible Guiot

> Lors veuil que il tiene sa voie,
> Si loing que jamais ne le voie

en adjouste bien VI ou VII cens, tous satyriques, dont les premiers
commencent :

> Moult ai allé, moult ai venu
> Moult m'a ma volunté batu

---

[1] *Recueil*, p. 158.
[2] *Œuvres*, f. 508 v⁰. V. plus loin.
[3] Les vers que Fauchet a cités dans son article du *Recueil* sont les suivants
(éd. J. Orr, Manchester) : 1-7, 362-5, 491-94, 1089-92, 1123-26, 1190-97, 1201,
1655-62, 1789-92, puis v. 405-410 de la *Bible* de H. de Berzé, 277-81, 631-35 et
776-77.
Dans l'article sur Renault de Sabeuil, v. 372. Dans les *Œuvres*, f. 508 v⁰,
v. 1927-32 et 1935, et dans le *Traité des Libertez de l'Eglise gallicane*, v. 997-98
sans nom d'auteur.
Dans le cahier manuscrit B. N. fr. 24726 f. 47 r⁰, les vers cités sont les
suivants : 277-81, 263-67, 303-475 (il laisse plusieurs vers de côté), 491-94, 631-35,
694-98, 1089-92, 1123-26, 1190-97, 1201, 1655-65, 1789-92 et 1927-35, et puis
v. 405-10 de la *Bible* de Hugues de Berzé. V. notre livre de documents.
[4] *Recueil*, p. 151.

et puis à la fin il dit :

> *Cil qui plus voit plus doit sçavoir*
> *Hugues de Bersi qui tant a*
> *Cherchié le monde ça et la*
> *Qu'il a veu qu'il ne vault rien.*

Or, l'*Armeure du Chevalier* : commence

> *Moult ai allé, moult ai venu,*

et la *Bible* de Hugues de Berzé se termine par les vers cités ci-dessus qui contiennent son nom. Il est évident que ces trois poèmes ont été copiés l'un à la suite de l'autre et que même des passages ont été mélangés. Le manuscrit de Pasquier n'était pas le seul à propager cette erreur, comme nous avons déjà vu.

Hugues de Berzé fut « tres bon » poète, ainsi que deux chansons le témoignent [1] et Fauchet fait un résumé de sa poésie amoureuse, notant à la fin qu'il semble que Hugues de Berzé est devenu moine. Fauchet se demande s'il doit identifier ce poète avec Hugues de Berzé auteur de la *Bible* [2].

Huon de Méry.

C'est un autre auteur que Fauchet lisait dans sa jeunesse, car il figure dans la première partie du cahier (B. N. fr. 24726, f. 46). Notre jeune érudit y a consigné toutes les citations de l'*Antichrist* qui fixent la chronologie du poète. Huon vécut et écrivit au temps de saint Louis, et il semble qu'il a été religieux de Saint-Germain-des-Prés, mais ce sont là les seuls renseignements que Fauchet ait pu glaner. Il allègue ensuite les passages où Huon de Méry parle de Chrétien de Troyes et de Raoul de Houdenc.

Ce Crestien est assez nommé par lui comme grant poete... Les œuvres de ce Crestien ainsi que tesmoigne Geoffroi Thorri de Bourges en son

---

[1] *Recueil*, p. 152.

[2] Fauchet connaissait au moins trois, peut-être quatre manuscrits de la *Bible* de de Berzé, Londres, Brit. Mus. Addit. 15606, ffos 99 et suiv., où il y a quelques traits qui peuvent être de la main de Fauchet, mais où il n'y a pas de notes; B. N. fr. 837, fol. 261; le ms. de Pasquier.

Sur la *Bible au Seigneur de Berzé*, voir *Romania*, VI, 19; XVIII, 553; et XXII, 318. Pour le texte, voir l'édition de Barbazan-Méon, *Fabl. et Contes*, II, texte publié d'après un seul manuscrit.

Le texte a été publié aussi par Engelcke, Rostock, 1885.

Champ Flori livre premier furent ung intitulé Le Chevalier a l'Espee et ung aultre nomme Perseval dedié au comte Philippe de Flandres qui mourut l'an 1195.

D'après ces notes il semble que Fauchet ne connaît pas encore les œuvres de Chrétien. Quant à Raoul, après s'être demandé si ce Raoul pouvait bien être de Ferrières ou de Beauvcais, il conclut que c'est Raoul de Houdenc également mentionné par Geofroy Tory.

Tel est l'article du cahier. Celui du *Recueil* [1] contient à peu près les mêmes remarques, mais ici Fauchet ajoute qu'il n'a pas trouvé de « grans traits de poesie en tout son œuvre ». On peut le mettre entre les « satyriques, puis que c'est un combat des vertus contre les vices, et qu'il reprend beaucoup de diverses qualitez de gens », et il ajoute que Huon a probablement été influencé par Chrétien de Troyes et Raoul de Houdenc, qui selon lui avaient pris tout le « bel François ».

> *Onque bouche de Christian*
> *Ne dit si bien comme ils disoyent.*

La conclusion de cet article parle d'un « épithète assez bon » [2] les « espées acerines », que notre érudit recueille à l'usage de la poésie contemporaine

Une autre citation qui vient du *Tournoiment* se trouve dans le premier livre du *Recueil* pour expliquer les visites des trouvères aux grands seigneurs, et une autre encore est destinée à montrer qu'au temps de Philippe-Auguste les Chambellans gardaient les coffres et les trésors des princes [3].

« *L'Estoire li Romans de Monseigneur Thiebault de Mailli* », qui est le titre curieux donné par Fauchet aux *vers* de Thi-

---

[1] Pp. 107 et suiv.

[2] Le mot est au masculin.

[3] Les citations de l'*Antichrist* dans le *Recueil* sont les suivantes (*Li Tornoiemenz antecrit*, herausgegeben von G. Wimmer, A.u.A, Nr 76, Marburg, 1888) : v. 3526-27, 27-53, 3518-21, 3526-44. D'autres citations, *Œuvres*, f. 486 v°, 294-95; f. 551 r°; 481-87; f. 557 v°, trois vers qui ne sont pas dans l'édition de Wimmer, et v. 1844-48; f. 558 r°, 19-23 et 3526-37. Dans le cahier v. 24-26, 28-53, 3518-21, 3526-31, 3533-37 et 19-23. Fauchet connaissait trois manuscrits de ce poème, B. N. fr. 1593, Stockholm, Bibl. Royale, V u 22, et Berlin, Königl. Bibl. gall. qu. 48 (autrefois Vat. Reg. 1361 de Rome). Wimmer ne connaissait pas le manuscrit de Berlin. Dans B. N. fr. 1593, f. 186 r°, Fauchet ajoute au titre « de Huon de Mery ».

Sur les manuscrits fr. de Stockholm, v. G. STEPHENS, *Förteckning öfver de förnämsta Brittiska och Fransyska Handskrifterna uti Kongl. Bibliotheket i Stockholm*, Stockholm, 1847.

baud de Marly, suivait la *Bible* de Guiot de Provins dans le manuscrit [1] possédé par notre érudit. Selon sa méthode habituelle, Fauchet date l'œuvre d'après les faits qui y sont relatés — ici c'est la mention des Bédouins [2] et la mort de saint Thomas « Archevêque de Cantorbie ». Puis il fait des citations qui donnent les noms de certains contemporains du poète pour préciser « plus certainement le temps qu'il a vescu, s'il se trouve après livre ou titre faisant mention de quelcun d'eux, ne le pouvant dire au vray pour le présent », donne son opinion sur l'identité de Simon de Crespi [3] et arrive à l'appréciation littéraire de l'ouvrage qu'il résume ainsi :

Il advertit chacun de bien faire, s'abstenir de pecher, craindre la mort et n'esperer avoir support des choses que plus nous avons aimees en ce monde.

Fauchet ne manque pas de souligner que ce poète ne craignait pas de parler franchement aux avocats, aux rois, aux ducs et aux comtes, et plusieurs belles sentences viennent clore l'article, telles que

> Pouvres n'a mes nul droit ce sevent li plusor,
> Cil qui plus donne a cort si a meillor valor,
> Et qui miex sçait trahir on le tient a meillor.

Raoul de Houdenc.

L'article sur Raoul de Houdenc [4] que nous avons déjà mentionné plusieurs fois, est consacré presque entièrement au *Songe d'Enfer*, dont le sujet est expliqué comme étant « le chemin que tiennent ceux qui cherchent la cour du seigneur d'Enfer ». Ensuite Fauchet en fait plusieurs citations pour

---

[1] C'est le manuscrit B. N. fr. 25405, f. 109 r°-121 r°, que Fauchet a annoté. Les vers qu'il cite sont les suivants : 1, 2, 4, 5; 93-95; 85; 166-167; 193-194; 196-202; 205-207; 209-212; 317-318; 320-321; 325; 418-420 de l'édition de H. K. STONE, *Les Vers de Thibaud de Marly*, Paris, 1932. M. Stone dans une introduction très nourrie identifie les personnages. Il dit p. 88 : « J'ai voulu donner la réponse aux questions que le président Fauchet dut se poser toutes les fois qu'il soulignait un de ces noms propres dans son « volume de la bible Guiot », et je crois y avoir en partie réussi. » Pour l'importance de la notice que Fauchet a consacrée à Thibaud, voir p. 30. M. Stone dit : « Pendant plus de trois siècles, sa modeste notice était l'unique source où les érudits puisaient leur renseignements sur notre poème. »

[2] B. N. fr. 25405, f. 110°, il met une croix à côté de « Bedoin ».

[3] Dans le manuscrit B. N. fr. 25405 aux feuillets qui contiennent ce poème il y a une ou deux notes de la main de Fauchet. « Simon de Crespy » (f. 111 v°) est de Fauchet.

[4] *Recueil*, p. 96.

indiquer le nom de l'auteur, et aussi le nom de plusieurs taverniers de Paris qui vivaient à son époque. Sa dernière citation
revient [1] aussi dans le cahier à présent conservé au Vatican
(Reg. 734).

Belleperche et du Ries.

Les notices sur Gautier de Belleperche et Pierre du Ries [2]
sont bien courtes. Dans la première Fauchet indique que Gautier « commença le Romans de Judas Macchabée qu'il poursuivit jusques à sa mort. » Dans la seconde il fait de ce poème
quelques courts extraits qui donnent les noms des auteurs et
la date du second, 1280. Il remarque que la langue paraît être
picarde. Il cite cet ouvrage deux fois dans ses traités historiques [3]. La première citation aide à expliquer le sens du mot
« pairs » qui voulait dire « pareils », la seconde le sens de
« Connétable » qui signifiait au XIIIe siècle « petits capitaines »
et la troisième qui vient du livre Ier du Recueil montre les deux
sortes de rimes « consonante » et « léonine » [4].

---

[1] V. E. LANGLOIS, Dissertations inédites, etc., p. 105.
  Les vers cités sont les suivants (éd. A. Scheler, Trouvères belges, nouvelle
série, Louvain, 1879, pp. 176 et suiv.) : v. 677-78, 14-15, 189-92, 240-42. Le
Songe d'Enfer se trouve dans les manuscrits fr. B. N. fr. 1593 et 837.
  Fauchet a utilisé B. N. fr. 1593, où le poème occupe les feuillets 116 à 118.
Il a ajouté au titre, f. 116 r°, les mots « de Raoul de Houdanc », et au f. 118 r°,
il a écrit le mot « Autheur » en marge, à côté du nom Raoul. Il a mis quelques
petites croix dans les marges.
[2] Recueil, p. 197.
[3] Œuvres, f. 492 r°, 502 r°; Recueil, livre 1er, p. 77.
[4] Voici les citations :
V. Recueil, p. 197 :

> Cit Romans que nos fit Gautiers
> De Belle perche arbalestriers
> Que ce nos livres fin a
> Gautier ne le parfina.
>
> (B. N. fr. 789, f. 218.)

> Que se Gautier le commencha,
> Pieros du Riez des lors en cha,
> Remit au parfaire son us.
>
> (Même page du manuscrit.)

> Mille deux cens et quatre vingts,
> De ce me face droits devins,
> Fu lors partrouvez cis Romans,
> Temoin les ekevins dormans.
>
> (Même page du manuscrit.)

Œuvres, f. 492 r° :

> Il assembla tous ses Barons
> Qu'il fit Pairs par divisions

F. 502 r° :

> Quant orent fet lor six conrois
> De lor chevalier li Gregois,
> S'ordonnent li sergens à pié,

*
* *

Nous pouvons passer plus rapidement sur plusieurs poèmes auxquels Fauchet n'a consacré que quelques lignes. Tel est l'*Art d'Amors* de Guiart, qui semble avoir imité le *de remedio amoris* d'Ovide dans les vers sur le maquillage des femmes

> *Au matin va la voir ains qu'elle soit levee*
> *Ne que de son fardet soit oingte ne fardee,*

car, remarque Fauchet, « ce n'est pas d'aujourd'huy qu'elles s'en aident en France » [1].

Helinand qui a écrit les *Vers de la Mort* est mentionné une fois dans les *Antiquitez* où Fauchet remarque qu'il a écrit après 1150 [2]. A côté de ce poème dans le manuscrit B. N. fr. 1593 f. 102, Fauchet met cette note : « Je ne scai si ces vers de la mort sont ceus de Helinand moine de Froidmont dont parle Vincent en son historial [3]. » Nous savons également que c'est Fauchet qui a fourni le texte publié par Antoine Loisel.

> *Quatre conrois dels ont rengié*
> *Dix mille homme orent en chacun*
> *Que par le conseil du Kemun*
> *Ot en chacun dix Connestables,*
> *Tous à cheval preux et notables.*
>   (B. N. fr. 789, f. 140.)
>   (Fauchet met un trait à côté dans le ms.)

F. 552 r° :

> *Je ne di pas k'aucun biau dit*
> *Ni mette por faire la ryme*
> *V consonante u Leonine.*
>   (*Ibid.*, f. 105.)

Il n'existe aucune édition complète du poème, mais certaines de ces citations peuvent se trouver dans J. Bonnard, *Les Traductions de la Bible en Vers français au Moyen Age*, Paris, 1884, et dans H. Everlien, *Über « Judas Machabee » von Gautier de Belleperche*, Halle, 1897, B. N. manuscrit fr. 789 qui contient le texte de *J. Machabee* a appartenu à Fauchet, et il l'a utilisé pour ces citations. Fauchet a modernisé l'orthographe.

Il a possédé un autre manuscrit de *Judas Machabée*, car il a mis les variantes dans les marges du B. N. fr. 789.

[1] Le manuscrit unique de ce poème est B. N. fr. 1593, fol. 178. A côté du nom de Guiart dans le poème, f. 178 r°, Fauchet écrit, comme d'habitude : « Autheur. »

Sur cet ouvrage, v. *H.L.F.*, t. 23, p. 291.

[2] F. 331 v°. Les éditeurs modernes F. Wulff et E. Walberg, *Les Vers de la Mort par Hélinant, moine de Froidmont*, Paris, 1905, datent le poème entre 1193 et 1197.

[3] Vincent de Beauvais a parlé de Hélinand. V. l'édition des *Vers de la Mort* par Méon, qui les a attribués à Thibaud de Marly, *Avertissement*, p. 5. C'est en lisant le *Miroir historial* que Antoine Loisel avait appris l'existence de ces vers. V. son *Histoire du Beauvaisis*, 1607, p. 202. Cf. notre chapitre sur les amis de Fauchet.

B. N. fr. 25408 contient « Le Fabel de la Mort de Helinand ».

A côté du titre de ce poème dans la table des matières de ce manuscrit, Fauchet a écrit « tres bon ».

Il pouvait lire le poème dans le ms. B. N. fr. 837, fol. 71. Cf. *Romania*, 1, p. 364, article de P. Meyer.

Renclus de Moiliens.

Un écho de sa lecture du *Romans de Carité* se retrouve dans le traité des *Origines des dignitez* [1] où Fauchet essaye de montrer que les chevaliers étaient « juges au temps passé » [2].

---

[1] *Œuvres*, f. 511, r⁰, v. *Li romans de Carité et Miserere du Renclus* de Moiliens, éd. A. G. van Hamel, Paris, 1885. Fauchet cite les stances XLV, v. 1-3, XLIX 1-4, LIV 1-9. Il les numérote 46, 50 et 55.

[2] Il semble que Fauchet interprète un peu trop littéralement le vers « Quant chevaliers fait jugement », c'est-à-dire, punit avec l'épée.

Fauchet possédait trois manuscrits des poèmes du Renclus, B. N. fr. 25405, 25545 et 25462. Pour ses citations il a utilisé le manuscrit 25545, où la moitié de la troisième strophe qu'il cite est illisible.

Dans le manuscrit 25405, le *Carité* commence au f. 8 v⁰, et le *Miserere* au f. 30. Fauchet n'a écrit que deux notes sur ces poèmes (f. 8 v⁰ et 9 r⁰) « esté composé par le reclus de Molens » et au f. 48 r⁰, il a mis une croix et écrit au bas de la page : « Il y a fol. 40 ung XII commençant *Bele Samlanche est et douchete*. » C'est pour indiquer que dans un autre de ses manuscrits (fr. 25462) fol. 40 r⁰, on trouve cette strophe qui manque dans le 25405.

Dans le manuscrit 25545, le *Miserere* se trouve au f. 110 et le *Carité* au f. 132 v⁰. C'est un très beau manuscrit, et Fauchet n'a écrit aucune note dessus, rien pour les deux poèmes.

Dans le manuscrit 25462, le *Miserere* commence au f. 1 et le *Carité* au f. 61. Des notes de Fauchet se trouvent sur les f. 4 r⁰ et v⁰, 5 r⁰, 6 r⁰, 9 v⁰, 13 et 14 r⁰, 18 r⁰, 24 v⁰, 26 r⁰, 40 r⁰, 61 r⁰, 65 v⁰, 66 v⁰, 68 r⁰, 78, 82 r⁰, 85 r⁰, 90 r⁰ et v⁰, 91 r⁰, 93 r⁰, 97 v⁰, 102 r⁰ et v⁰, 105 r⁰.

Ce sont 1⁰ des variantes du manuscrit 25405, ou 2⁰ des notes explicatives. F. 26 r⁰ explique « souduis » par « souduiant ». F. 40 r⁰ il remarque que la strophe 196 « N'est en l'autre », c'est-à-dire dans le ms. fr. 25405.

F. 61 r⁰ Fauchet a écrit « De Charité », et ajouté : « Il semble par les 150 et 151 couplet(s) que ce soit le mesme Reclus qui a fait le miserere ou pour le moing ung aultre reclus. »

F. 65 v⁰. En haut de cette page qui contient les strophes où le poète parle de différentes régions, Fauchet écrit : « Il ne parle de Naples parce que lors le siege roial n'estoit encore a Naples comme il fut depuis les vespres siciliennes. » Plus bas à côté du dernier vers de la strophe XXIII « en Fineposterne », il met « Je croi a St Malye de Fineposterne en Bretagne. » Il souligne les mots « la mors Saint Thumas » (str. XXIV) mettant à côté « il mourut 1171 ».

Il souligne « estrelinois » (str. XXV) mettant « monnoie » en marge.

F. 66 v⁰. A côté des vers (str. XXVIII)
>   *Car Franchois est dis de frankise*
>   *Franchois, vos nons est dediiés*

il met une croix pour attirer sa propre attention sur l'interprétation de « frankise ».

F. 68 r⁰. Fauchet met une croix à côté du vers
>   *Regnes a roi felon et fol* (str. XXXVI)

et écrit la note suivante : « Il semble que ce soit a Philipe Auguste a qui il parle mais sur la fin qu'il conquist les terres que les Anglois tenoient deça la mer ou St Louis. »

F. 78. Il souligne saint Thomas et met à côté « de Cantorbie 1171 ».

F. 82 r⁰ et 85 r⁰. Je ne suis pas sûre si c'est l'écriture de Fauchet.

F. 90 v⁰. Le vers.
>   *K'en poi jou se je meserrai?*

est souligné.

Fauchet écrit : « Il semble que de moine de St Augustin ou de St Benoist il se rendit reclus. »

F. 91 r⁰. Il a souligné « ma vie pertusai » et écrit « par un pertuis comme reclus » (str. CL).

F. 93 r⁰. Il interprète « tumoute » par « tumulte ».

F. 97 v⁰. Il souligne « Vergelai » et met à côté « Vaizelai ».

F. 102 r⁰. Notes qui sont peut-être de Fauchet « gie » — « pour moi » et « vout » pour « vultus ».

F. 102 v⁰. Il souligne *s'acusent* (str. 208) et écrit *s'escusent* en marge (variante de 25405).

Huon le roi de Cambrai.

L'article du *Recueil* [1] ne cherche pas à reconnaître dans
« Roix de Cambrai » Huon le Roi ou Hues de Cambrai, et la
notice sur ce poète est des plus courtes. « Roix de Cambray, je
pense que ce nom monstre qu'il fut un Roy d'armes ou Herault.
Il a fait une satire contre les ordres monastiques, commençant

> Se li Roix de Cambray veist
> Le siegle si bon comme il fist.

Voilà tout ce qu'il met pour *La descrissions des religions*
et pour « un opuscule intitulé A. B. C. par tiltre », Fauchet se
contente de citer les vers du début et les trois vers de la fin [2].

Jehan du Chastelet est un autre poète auquel Fauchet a
consacré quelques lignes. Jehan du Chastelet [3] a mis les dits
moraux de Caton en vers « assez bons », et Fauchet cite les deux
premiers vers et ensuite trois autres pour montrer le nom du
poète [4] :

> Seignor vous qui mettez vos cures
> En fables et en adventures

et

> Ce dit Jehans du Chastelet
> Qui nous commence cest Romans
> De Caton et de ses commens.

Jehan du Pin.

Il en est de même de l'article sur l'auteur de l'*Evangile
des Femmes*. Jehan du Pin ou Pain fut moine de Vaucelles et a
fait un opuscule intitulé l'*Evangile des Femmes,*

F. 105 r°. Il a mis un trait à côté des vers (str. CCXXII) commençant
Orde est sa table et ors ses lis, et écrit « Possible s'adressent a quelque incestueux
prince. »

[1] P. 180.

[2] V. Huon le Roi de Cambrai, *OEuvres,* éd. par A. Längfors, Paris, 1913.
Fauchet a cité v. 5 et v. 431-434 de l'*A. B. C.*
Le manuscrit utilisé par Fauchet est évidemment le B. N. fr. 837 qui com-
mence l'*A. B. C.* au v. 5.
Un seul manuscrit de la *Descrissions,* B. N. fr. 25545, existe aujourd'hui.
V. LÄNGFORS, *Introduction,* p. XI. Fauchet écrit au début du poème f. 15 v°
« Roy de Cambray ».

[3] *Recueil,* p. 181.

[4] Fauchet a probablement utilisé le B. N. fr. 837 f. 137 v°. Ce poème est
inédit, mais 14 vers sont publiés dans *Notices et extraits des manuscrits* fr. et
prov., t. 33, 2e partie, p. 205; cf. *Zeitschrift f. r. Philologie,* IV, 352.

assez bien fait et plaisant, composé en ryme Alexandrine qui commence

> *L'evangile des femmes vous veuil ci recorder*

et à la fin il dit

> *Ces vers Jehans du Pain un moine de Vaucelles,*
> *A fet moult soutilment...* [1]

Le texte donné par Fauchet correspond à celui du manuscrit B. N. fr. 1593.

Le dit « pour orgueilleux humilier » est cité deux fois dans les *Œuvres*, une fois dans les *Origines* à propos du sens de *pair* et *parage* et une autre dans le *Recueil* à propos de « rime léonine » [2].

La notice sur Renaud d'Andon est certainement la plus courte de tout le *Recueil* [3]. « Renaud d'Andon a faict une Satyre contre tous estats. » Ce poète est sans doute un de ceux que Pasquier aurait voulu voir disparaître de l'ouvrage de Fauchet.

Fauchet fait une citation de l'*Image du Monde* dans son cahier de Rome (éd. E. Langlois, p. 111), où il attribue ce poème à Osmond. Cette attribution [4] repose probablement sur le texte du manuscrit B. N. fr. 24428, qui appartenait à Antoine Loisel, et que Fauchet a pu emprunter. Le copiste du poème a mis à la fin :

> *Omons a nons qui fist ceste wevre.*

Cependant Fauchet possédait lui-même trois manuscrits du poème, actuellement B. N. fr. 12481, 19164 et 20047. L'*Image du Monde* est au début de chacun de ces manuscrits [5].

---

[1] V. G. C. Keidel, *Evangile des Femmes, Romance and Other Studies* I, Baltimore, 1895. Fauchet cite le premier vers et les vers 125-126. Cet éditeur a publié séparément les textes des divers manuscrits de ce poème.
B. N. ms. fr. 1593, f. 100 v°, Fauchet a mis une croix à côté du vers
Ces vers Jehan du Pain...
[2] V. *Romania*, VI, p. 36 (Ed. P. Meyer), Fauchet cite f. 492 v°, v. 127-132 et : f. 552 v°, v. 133-138. Fauchet possédait deux manuscrits de ce poème, B. N. fr. 1593 f. 145 d'après lequel il a cité, et Brit. Mus. Addit. 15606 où le poème est intitulé « Por chatoier les orgueilloz » (f. 122). Ce dernier ne contient pas de notes de sa main.
[3] V. *Œuvres*, f. 582 v°. Ce poème se trouve dans le B. N. fr. 1593 f. 141 r° où Fauchet a écrit « contempt du monde par Renaut d'Andon »
Le véritable titre du poème est *Le Contenz dou Monde*, le mot *contenz* dérivant de *contencier*.
A la fin du poème où se rencontre le nom de l'auteur « Renaut d'Andon qui parle », Fauchet met le nom en marge. Ce poème a été édité par T. Atkinson Jenkins, dans *Studies in Honor of A. Marshall Elliott*, Baltimore, s. d., vol. 1, pp. 53-79.
[4] V. les catalogues de la B. N. et *H. L. F.*, t. 23, p. 321; *Romania*, XV, p. 314.
[5] Fr. 12481. Fauchet écrit des variantes du ms. 20047 sur les feuillets 4 v°,

Il faut mentionner quelques ouvrages de nature diverse. Il y a par exemple le *Jeu de la Feuillée* d'Adam de la Hale [1], auquel Fauchet a consacré un bref article dans le *Recueil* [2], citant cinq vers qui se trouvent au début de l'ouvrage : les *Crieries de Paris* aussi par Guillaume de la Villeneuve [3] — cris qui sont « en bien plus petit nombre qu'aujourdhuy ». Notons aussi « le fabel de Honte et de Puterie » de Richart de Lille dont le Président indique brièvement le sujet et cite quelques

---

5 r⁰, 6 r⁰ et v⁰, 7 r⁰ et v⁰, 8 r⁰, et, f. 5 r⁰, il met : « Ici commence mon livre escrit en parchemin les premiers feuilletz duquel sont perdus. »

Fr. 19164, fol. 7 v⁰ : « Ici commence l'autre livre plus antien mais qui a perdu un kahier. »

Fr. 20047. Sur la feuille de garde, il écrit : « Ce livre s'appelle l'image du monde fol (*sic*). Il fut composé par Osmond l'an 1245, natif de Metz en Lorraine. » Cette note est suivie de quelques autres mots qui sont mangés par la reliure.

F. 1 r⁰. En haut, il écrit : « Le premier cahier qui semble avoir contenu huit feuilletz et deux de celui-ci sont perdus. »

En bas « A Claude Fauchet, conseiller du roy ».

Des notes de Fauchet sont écrites sur les feuillets 2 v⁰, 3 r⁰, 4 v⁰, 5 v⁰, 7 r⁰ et v⁰, 8 v⁰, 31 r⁰ et v⁰, 32 r⁰, 36 v⁰, 75 r⁰ et v⁰, 76 r⁰, 77 v⁰, 81 r⁰ et v⁰, 82 r⁰, 84 r⁰. Pour la plupart, ces notes (généralement un seul mot) paraissent avoir été faites pour rappeler au Président le contenu d'une page du manuscrit, par exemple :

F. 4 v⁰. « Effetz des 7 artz liberaux »;
F. 7 r⁰. « Vie de Charlemaigne »;
F. 31 r⁰. « Jacobites »;
F. 31 v⁰. « conffession ».

Mais la plupart des notes répètent tout simplement un mot du texte dont Fauchet veut se souvenir :

F. 5 v⁰. « Paris » répète le mot dans le texte;
F. 7 v⁰. « Jacobins freres mineurs »;
F. 8 v⁰. « romans » en face du vers
        soit en latin ou en rommanz;
F. 32 v⁰. « baleine » répète le mot dans le vers en face;
F. 75 r⁰. « monnoies » répète le mot dans le vers en face;
F. 75 v⁰. « Almageste » répète le mot dans le vers en face.

Quelques-unes des notes sont explicatives :

F. 36 v⁰. « C'est en la forest de Broceliande » en face des vers
        En Breteigne ya ce dict on
        Une fonteinne;
F. 76 r⁰. « Mesure de la terre » en face des vers
        Qu'il estendist en la ceinture
        De lonc en lonc tout a droiture...
F. 77 v⁰. « Tens de la composition du present livre » en face de
        En l'an de l'incarnation
        MCC XLV ans;
F. 84 r⁰. « Nom du livre » en face de
        Ci fenist l'Ymage dou monde;
F. 84 r⁰. « Tems du livre 1245 » en face des vers
        En l'an de l'incarnacion
        MCC XLV anz.

V. sur l'*Image du Monde*, C. FANT, Upsala, 1886 et, sur la rédaction en prose, O. H. PRIOR, Paris, 1913.

[1] « Adam le Boçu fut d'Arras, et a composé un petit œuvre intitulé le Jeu. Il semble qu'ayant aimé les femmes, et se trouvant deceu d'une il se fit clerc... »

[2] *Recueil*, p. 196. Fauchet cite v. 1-2, 13 et 16-17. V. ADAM LE BOSSU, *Le Jeu de la Feuillée*, éd. par E. Langlois, Paris, 1911. Des trois manuscrits de ce poème Fauchet connaissait B. N. fr. 837 (f. 250, les 200 premiers vers).

[3] Fauchet a cité vers 81-83, 93-94, 1-3 de l'éd. M. Méon, *Fabliaux et contes* publiés par Barbazan, II. Paris, 1808, p. 276. Au vers 94, *Recueil*, p. 195, Fauchet a écrit *Dieu* pour *Jhesu*. V. B. N. fr. 837, f. 246.

vers qui contiennent le nom de l'auteur [1]. Il s'étend un peu plus longuement sur Richart de Fournival, « Chancelier d'Amiens », homme de savoir [2], auteur de plusieurs livres en prose et en vers. Il avait également écrit des chansons. Le *Roman du Chevalier des Dames* est cité dans le cahier de Rome où Fauchet l'attribue au « dolent fortune » qui n'est pas l'auteur mais un des personnages du récit [3]. Nous parlons dans notre édition annotée du premier livre du *Recueil* de la *Chanson de Sainte Foy* que Fauchet avait emprunté à Pierre Pithou. Le manuscrit est actuellement à Leide (Is. Vossii codex Latinus oct. n° 60) [4]. Une autre citation en provençal se trouve à la page 512 v° des *OEuvres*, prise dans « une chanson de l'empereur Frideric » publiée par Jehan de Nostre Dame [5].

Le *Jugement d'Amours* est cité dans un des traités historiques [6] pour élucider la signification de « bernage », le *dit dou baceller* ou *bachelier d'armes* celle de « bachelier » [7], l'*Outille-*

---

[1] Voici les deux citations, *Recueil*, p. 196 :
> *Que honte est et morte et noyee,*
> *Et puterie ert essauciee.*

Il commence assez bien :
> *Li cuers qui se veut consentir,*
> *Par semblant de voir a mentir,*
> *Convient qu'il ait sens et matire*
> *A sa mensonge et a sa guille*
> *Mes tant vos dit Richart de l'Isle.*

Ce poème se trouve dans le manuscrit B. N. fr. 837, f. 252.

[2] *Recueil*, p. 145 « Maistre Richart de Fournival... a composé plusieurs livres en prose, le premier que j'ay veu, est intitulé *Li comment ou commandements d'amours* Dans lequel il a mis une assez bonne chanson. Le II se nomme puissance d'amour. Le III Bestiaire d'amours. En tous lesquels il traitte d'amour par raisons et demonstrations naturelles... » B. N. manuscrit fr. 25545 contient le Bestiaire. La Bibliothèque municipale de Dijon possède un manuscrit n° 526 qui contient les *Comment d'Amours*, la *Puissance d'Amours* et le *Bestiaire d'Amours*, avec d'autres extraits, f. 1-38. Fauchet a eu ce manuscrit entre les mains, voir E. LANGLOIS, *Les Manuscrits du Roman de la Rose*, Paris et Lille, 1910, p. 125, et cf. E. LANGLOIS, sur ce même manuscrit, dans *Bibl. de l'Ecole des Chartes*, vol. 65, 1904.

[3] Fauchet suppose que ce poème a été écrit vers 1400. V. *Dissertations inédites*, pp. 102 et 105. Il peut avoir vu cet ouvrage imprimé.

[4] Fauchet a écrit deux notes sur ce manuscrit, les mots « Autre chant » en haut du feuillet 21, et sur le même feuillet, à gauche, les mots « Second Chant ». Les strophes ont pu être numérotées par Fauchet. Notre examen du manuscrit confirme entièrement la conclusion des derniers éditeurs. Nous remercions le Conservateur de la Bibliothèque de l'Université de Leide de nous avoir prêté les deux manuscrits qui nous intéressaient dans notre étude. *La Chanson de Sainte Foi* a été publiée trois fois : 1° par M. Leite de Vasconcellos dans *Romania*, XXXI (1902), p. 177; 2° par Antoine Thomas, Classiques fr. du moyen âge, n° 45, 1925; 3° par MM. Hoepffner et Alfaric, 2 vol. Publications de la Faculté des lettres de Strasbourg, fasc. 32, 33, 1926. La première de ces éditions est sommaire.

[5] Estienne Pasquier cite l'épigramme impériale attestant la supériorité des chansons provençales : il l'avait trouvée chez Fauchet. Cette épigramme est apocryphe. Voir P. MEYER, *Les Derniers Troubadours de la Provence*, Paris, 1871, p. 68.

[6] *OEuvres*, f. 496 v°.

[7] *Ibid.*, f. 510 v°. Dans le manuscrit, B. N. f. 1593, f. 162 v°, au début du « Bachelier d'armes » Fauchet écrit : « Fault voir l'ordre de chevalerie de Hues de Tabarie. » Cf. *supra*, p. 163.

L'Outillement au Vilain est publié dans Montaiglon et Raynaud, t. II, 148.

ment au vilain pour montrer l'équipage du pauvre allant servir à l'arrière-ban [1]. Tous ces poèmes se trouvent dans le B. N. fr. 1593. Le *dit de Fortune* « mis sous le nom de Moniot » indiqué dans l'article sur cet auteur se retrouve dans le B. N. fr. 837. La *Vie de Sainte Christine* est cité à la fin du premier livre du *Recueil* [2].

Le second livre du *Recueil* est terminé par un article sur Pierre Gencien, où Fauchet allègue un certain nombre de vers du *Tournoiment as dames de Paris* parmi lesquels ceux où l'auteur se nomme, « J'ay à nom Pierre Gentien », et ceux où il décrit ses armes [3]. Fauchet apporte une nouvelle précision en disant qu'il y a « grand apparence » qu'il vécut au temps de Philippe le Bel et au plus tard sous Philippe de Valois, et citant la Grande Chronique, hasarde la conjecture que ce Pierre Gencien peut venir de ceux qui ont été tués à Mons-en-Puelle (qu'il appelle Mont de Pirenes) [4]. Quant à l'appréciation littéraire de l'œuvre, Fauchet indique le sujet dans ces termes : « Pierre Gencien... estant amoureux d'une dame de ceste ville (Paris) composa un livre auquel il nomme quarante ou cinquante des plus belles dames de son temps, prenant occasion sus un tournoy qu'il feint avoir esté entrepris par ces dames, pour esprouver comme elles se porteroyent au voyage d'outre mer, où elles déliberoyent aller... Ce tournoy pout estre leu pour la memoire d'aucunes familles de Paris plus que pour excellence du stil [5]. »

Roman de la Rose

Fauchet est d'accord avec ses contemporains [6] pour reconnaître toute l'importance du *Roman de la Rose*, et l'érudition

---

[1] *Œuvres*, f. 520 vᵒ.
[2] *La Vie de Sainte Christine* est publiée par A. C. Ott, Erlangen, 1922. Voir *Romania*, XLIII, et *H. L. F.*, t. 33, p. 344, et cf. p. 137. Sur Gautier de Coincy. voir F. Brun, *Gautier de Coincy et ses « Miracles de Nostre-Dame »*, Meulan, 1888, E. Lommatzsch, *Gautier de Coincy als Satiriker*, Halle, 1913; A. Schinz, *L'Art dans les « Contes dévots » de Gautier de Coincy*. (Extrait des *Publications Mod. Lang. Assoc. America*, XXII, 3.)
[3] Fauchet en cite deux autres vers dans son article « que signifie ce mot ferrant ». Manuscrit fr. 24726, f. 74 vᵒ.
[4] Toutes ces données ont été utilisées dans l'*Histoire littéraire de la France*, t. 35, p. 284, où l'identité de Pierre Gencien est établie de façon certaine. Pierre Gencien est mentionné dans le livre de K. Michaelsson, *Etudes sur les Noms de Personne français*, Upsala, 1927.
[5] Le manuscrit utilisé par Fauchet est le Vat. Reg. lat. 1522, ff. 170-182. Fauchet écrit au début du poème : « Le tournoiement as dames de Paris fait par Pierre Gentian. » En face des noms propres qui se rencontrent dans le texte Fauchet met des croix, mais il n'a rien écrit excepté sur le f. 172 vᵒ, où il met « Autheur » en face du vers : « J'ai a non Pierres Gencien. » Le *Tournoiement* a été édité par Mario Pelaez dans *Studi romanzi*, 1917, XIV.
[6] Voir H. Chamard, *Les Origines de la Poésie française de la Renaissance*, Paris, 1932, nouvelle édition, pp. 86 et suiv. L. Thuasne, *Le Roman de la Rose*, Paris, 1929, pp. 77 et suiv.

de ce poème n'était pas pour lui déplaire. Il consacra deux articles du livre II du *Recueil* à Guillaume de Lorris et Jehan de Meung en les appelant « les plus renommez de tous nos poetes anciens » [1]. Pour lui Jean de Meung est « nostre Ennius françois » [2]. Fauchet possédait au moins trois manuscrits du Roman [3] qu'il avait commencé à étudier avant 1556, année où, voulant faire des recherches sur Jean de Meung, il alla visiter le monastère des Jacobins où Jean de Meung avait été enterré. Il cite très souvent le Roman [4]. A vrai dire, la plupart des cita-

---

[1] *Recueil*, p. 207.

[2] *Œuvres*, f. 195 r°.

[3] B. N. fr. 1560, 1568, et Vat. Reg. 1522. Fauchet possédait aussi un Répertoire du *Roman de la Rose*, actuellement Vat. Reg. 1350.

Enfin, si Fauchet a eu entre les mains le manuscrit entier de la Bibliothèque municipale de Dijon, 526, il y a pu trouver le *Roman de la Rose*, qui occupe les feuillets 38-157. Voir E. Langlois, *Les Manuscrits du Roman de la Rose*, Paris, 1910, p. 125.

B. N. fr. 1560 contient au début ces mots écrits par Fauchet : « Acheté par Claude Fauchet conseiller second president pour le roi en sa cour des monnoies, l'an 1570. Les autheurs du Romans de la Rose sont nommez fol. LXIX et LXX. »

B. N. fr. 1568 a l'inscription suivante : « C'est a moi, Claude Fauchet, 1596. » Une autre main a écrit en dessous « Maintenant a moy, Claude Chrestian, 1602 ». Evidemment, les héritiers de Claude Fauchet ont vendu le manuscrit en 1602. C'est une preuve indirecte de la date de sa mort.

Il n'y a pas de notes dans le ms. fr. 1568. Dans le ms. fr. 1560, il y a une note unique, f. 74 : « Voiez la fin du livre au mesme signe. » (Suit un signe de renvoi.) Fauchet a souligné les noms des auteurs et mis des croix et des traits.

Dans le manuscrit de Rome, Vat. Reg. lat. 1522, où le *Roman de la Rose* se trouve aux ff. 1-139, Fauchet écrit les notes suivantes :

F. 1 r° : « C'est a moi Fauchet. » En bas on a gommé une note de sa main qui provient sans doute de l'ancienne feuille de garde : « Les autheurs du Romans de la Roze sont nommez fol. LXVIII. »

F. 33 : En face du nom Boece, Fauchet met : « Jehan de Meun l'a depuis translaté et dedié au Roi Philipes le Bel. »

F. 68 : Fauchet souligne les noms des auteurs et met des croix en marge

F. 69 v° : Fauchet corrige le mot « fuite » en « suite ».

F. 73 v° : Fauchet souligne les vers :

> Justinians
> Qui fist nos livres ancians

et met une croix en marge.

F. 76 r° : Une date que Fauchet a trouvée dans le texte mise en marge.

F. 90 v° : En face des vers :

> Qui voudroit une fourche prendre
> Pour soi de nature deffendre

Fauchet met : « Naturam expellas furca tamen usque recurrit. »

F. 110 r° : Fauchet met « Predestination » en haut de la page.

F. 110 v° : Il met « Franc vouloir » en haut.

Fauchet a possédé un *Repertoire du Roman de la Rose*, Vat. Reg. lat. 1350. Il a écrit deux notes au début du manuscrit avec sa signature : « C'est a moi Claude Fauchet 1596. » La première note donne le titre de l'ouvrage : « Repertoire du Roman de la Roze fait par Me Estiene Le gris chanoine de Lizieux l'an 1444, et par lui adressé à Me Jehan le Besgue citoien de Paris et greffier de la chambre des Comptes qu'il appelle son frere. » Puis, f. 1 v° en face des mots : « Il dit que aucuns qui ne sont pas trop cler voians desprisent et tiennent vil le Roman de la Roze mais comme Tulles fu haulte bussine ou trompe du langaige latin : aussi est celui annonciant et amendant sus tous aultres le langaige francois », Fauchet met en marge : « Tesmoignage pour le roman de la roze. »

[4] L'article du *Recueil*, p. 198, sur Guillaume de Lorris cite les vers suivants (éd. de E. Langlois, *Le Roman de la Rose*, 5 vol., Paris, 1914-1924) : 34-38, 42-44, 10548-10552 et 10555-10560. Les vers 11345-11346 contiennent l'allusion a Justinien. L'article du *Recueil* reproduit presque sans changement le court article que

tions sont faites dans un but strictement utilitaire, pour préciser la signification de « ribaud », pour indiquer le sens de « connétable », de « miséricorde » (épée), de « perrières », du mot « sonnet », pour témoigner des noms des auteurs, mais il en est au moins une qui est alléguée comme hors d'œuvre, parce qu'elle plaît à Fauchet. Elle se trouve dans le chapitre qui termine le livre V des *Antiquitez* et qui est intitulé « Remonstrances aux Rois de ne laisser manier leur estat par autruy, et ne continuer les grands offices de Pere en fils ». Fauchet vient de raconter la dégradation du roi Childéric, et il saisit l'occasion pour donner des conseils aux rois. Il démontre que l'origine de la royauté « toujours ne proceda pas de grandes richesses ou d'ambition, ains d'innocence et de modestie... » On ne regardait pas à la noblesse à cette époque, mais bien à la vertu « ainsi qu'assez plaisamment dit Jean de Meung nostre Ennius François parlant au Roman de la Rose de l'eslection des premiers Rois :

> *Un grand vilain entre eux esleurent,*
> *Le plus corsu de quants qu'ils furent,*
> *Le plus ossu et le grigneur*
> *Et le firent Prince et Seigneur*

(v. 9609 et suiv.)

Les termes dans lesquels Jean de Meung a rapporté l'origine des rois ne seraient sans doute pas décrits comme « assez plaisants » par un critique de nos jours. L'érudit M. Louis Thuasne trouve que « la violence » de ces vers « n'a jamais peut-être été égalée » [1].

Naturellement, la chronologie occupe une place prépondérante dans les considérations du Président. Guillaume de Lorris vécut du temps de saint Louis, et fut, d'après certains vers que Fauchet attribue à tort à ce poète, « estudiant en droit » [2]. .Il sait que Guillaume laissa le roman inachevé, citant

---

Fauchet avait rédigé dans son cahier en 1555-1556 manuscrit B. N. fr. 24726, f. 5. Ici, cependant, Fauchet cite v. 6631-6633 et 6637-6643 qui contiennent une mention de Charles d'Anjou, qui régnait en Sicile après Manfroi. Fauchet aurait dû en conclure que le poème fut écrit entre 1266 et 1285, mais il se contente de dire que Charles d'Anjou était le frère de saint Louis.

D'autres citations du *Roman de la Rose* se trouvent Œuvres f. 195 r⁰ v. 9609-9612; f. 490 r⁰ v. 10928-10932 et 10938, v. 5269-5282 (sans 5280) et 5298-5299, v. 5046-5047, 5048-5057 et 17679-17682. F. 502 v⁰ v. 19505-19508 et 16779-16782; f. 523 v⁰ v. 15391-15398 (sans 15393-15394); f. 528 v⁰ v. 11769-11776 et 3853-3858; f. 544 v⁰ v. 703.

[1] L. THUASNE, *Le Roman de la Rose*, Paris, 1929, p. 117.
[2] Ce sont les vers
> *Ainsi nos dit Justiniens*
> *Qui fit nos livres anciens.*

(11345-11346, éd. cité.)
Fauchet suppose (dans son cahier f. 5 r⁰) que « Jehan fait parler Guillaume

ses derniers vers et les premiers de Jean de Meung pour évaluer la part de chaque auteur dans le poème.

Les renseignements de Fauchet sur Jean de Meung [1] sont
beaucoup plus abondants. En fait, cette notice rassemble
nombre de faits qui ont certainement été utilisés par des critiques postérieurs. Fauchet cite la préface bien connue de la
traduction de Boèce par Jean de Meung qui commence :

> Je Jehans de Meung qui jadis ou Romans de la Rose, puis que
> Jalousie ot mis en prison Bel Accueil, enseignai la maniere dou chastel
> prendre et de la rose cuillir...

Il se réfère également à la *Chronique d'Aquitaine*, et y
trouve l'affirmation que le poète était docteur en théologie.
Comme les érudits modernes, Fauchet a recours aussi au
Songe du prieur de Salon de Honoré Bonet, mentionnant l'hôtel
et le jardin de la Tournelle qui lui appartenaient et ajoutant : « Ce mesme Prieur de Saloin represente ledit de Meung
bien vestu d'une robe ou chappe fourree de menu vair : comme
quelque homme d'honneur [2]. » Enfin, Jean Lemaire de Belges
avait « non seulement opinion que de Meung aye vescu du
temps de Dante poete Florentin, mais qu'il a encore esté son
ami et compagnon d'estude ». Fauchet fait cette citation pour
déterminer l'époque où vécut Jean de Meung, mais ne semble
attacher aucune importance à l'étonnante affirmation qu'elle
contient, sur l'amitié du grand Toscan avec Jean de Meung.

Quant au poème lui-même, Jean le continua quarante ans
après la mort de Guillaume, c'est-à-dire « au commencement
du regne de Philippes le Bel » (1285) ou « par le plus tard,
l'an 1300 ». Une citation du *Roman de Fauvel* composé avant
1310 montre que le *Roman de la Rose* est antérieur à celui-là.

Dans certains exemplaires Fauchet avait vu, après le vers
de la fin

Et sur ce point ie me reveille

« trente ou quarante vers » qui « ne sont pas de luy ».

---

comme s'il eust tout achevé ». Cela peut expliquer les attributions incorrectes
faites par lui.

[1] Fauchet l'appelle « Clopinel (c'est-à-dire boiteux) » Les meilleurs manuscrits appellent le poète Chopinel, et non Clopinel. V. L. THUASNE, *op. cit.*,
pp. 27 et 31.

[2] Fauchet répète les mots de Honoré Bonet. Jules Quicherat découvrit que
Jean de Meung mourut en novembre 1305 (Arch. nat., Section domaniale, S. 4229).
Cet acte déclare que la maison où avait demeuré « feu maistre J. de Meung » était
acquise aux dominicains de la rue Saint-Jacques, et un autre acte de la fin du
xv⁰ siècle parle de l'hôtel de J. de Meung. V. L. THUASNE, *op. cit.*, pp. 28 suiv.
Le manuscrit du *Songe du Prieur de Salon* possédé par Fauchet est actuellement Vat. Reg. 1683.

La critique littéraire ne tient pas grande place dans ces articles : « Le Romans de la Rose, contenant en somme les commandements d'Amour, pour parvenir à jouissance, imitant Ovide (ainsi que je croy) en l'art d'aimer : et duquel ces deux poètes ont pris la plus part de leur matière, y meslant de la Philosophie morale. »

Fauchet est assez au courant de tous les ouvrages de l'auteur. Il possède, outre le *Roman de la Rose* et la traduction de Boèce, un manuscrit de son *Testament* et *Codicille* [1], et il discute pour savoir si le *Dodecaedron* peut lui être attribué, mais pense que puisque ce livre a été présenté à Charles V qui commença à régner en 1364, les dates ne peuvent s'accorder.

Fauchet parle aussi de l'opposition suscitée contre le *Roman de la Rose* par « une partie des dames de court mal renommees, moynes, hypocrites et autres gens vicieux qu'il avait taxez en ses livres », disant que même les dames « faschees de ces vers trop piquans :

> Toutes estes, serez ou fustes,
> De fait, ou de volonté, putes

delibérèrent un jour l'en chastier », mais qu'il avait su les surpasser en finesse. Pourtant, la popularité du poème était grande « malgré les prescheurs et theologiens, marris de ce qu'il estoit trop manié et appris de toutes sortes de gens ».

Fauchet ne mentionne pas Jean Gerson, mais il connaît *Le Champion des Dames* de Martin Lefranc « natif de la Conté d'Aumale en Normandie et prevost et chanoine de Lauzane en Savoye » [2].

Fauchet termine son article par une histoire qu'il avait trouvée dans la *Chronique d'Aquitaine*. Et comme celle-ci avait été racontée aussi par Jean Bouchet dans ses *Annales d'Aquitaine* (1545), elle a obtenu une certaine célébrité. Elle raconte que Jean de Meung avait légué par son testament aux Jacobins de Paris, à la condition d'être inhumé dans leur église, un coffre « plein de pieces d'ardoise ». Les religieux déçus voulaient déterrer le corps, mais le Parlement prévenu les obligea à l'inhumer dans leur cloître.

---

[1] Le Manuscrit B. N. fr. 1568 contient le testament et appartenait à Fauchet. Le testament se trouve à la fin du manuscrit, f. 127-142. Il ne contient pas de notes.
[2] Fauchet a sans doute possédé un manuscrit de ce poème, car il a dû trouver les détails qu'il fournit en le feuilletant. Sur LEFRANC, cf. *Romania*, t. 16, 1887, et L. THUASNE, *op. cit.*, p. 69, la thèse d'A. Piaget, Lausanne, 1888.

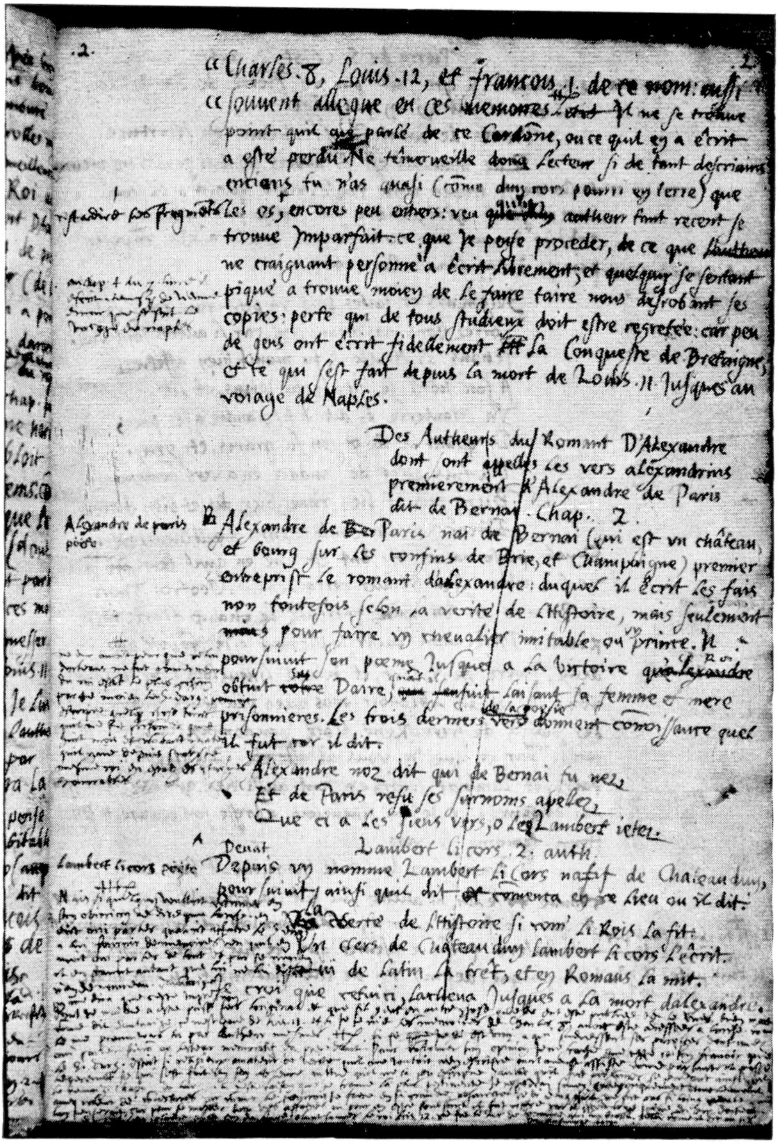

« Charses .8, Louis .12, et francois .1. de ce nom: auſſi
« ſouuent allegué en ces memoires. ... Il ne ſe trouue
point quil ... parlé de ce Cordone, ou ce quil en a écrit
a eſté perdu. Ne tremouuelle donq lecteur ſi de tant deſcriuans
enciens tu n'as quaſi (come dun roy pourri en terre) que
...dire ... fragmoté les os, encores peu enhors: veu q'... aucheur tant recent ſe
trouue Imparfait: ce que Je penſe proceder, de ce que l'autheur
ne craignant perſonne a écrit librement; et quelquy ſe ſentant
piqué a trouué moyé de le faire faire nous deſrobant ſes
copies: perte qui de tous ſtudieux doit eſtre regretée: car peu
de gens ont écrit fidellement ... la Conqueſte de Bretaigne,
et ce qui ſeſt fait depuis la mort de Louis .11. Juſques au
voiage de Naples.

            Des Autheurs du Romant D'Alexandre
               dont ont appellé ces vers alexandrins
               premierement. l'Alexandre de Paris
               dit de Bernai. Chap. 2.

Alexandre de paris
poète

B Alexandre de ~~Ber~~ Paris naï de Bernai (qui eſt vn château
    et bourg ſur les confins de Brie, et Champaigne) premier
    entrepriſt le romant dalexandre: duquel il écrit les fais
    non tontefois ſelon la verité de l'Hiſtoire, mais ſeulement
    mais pour faire vn cheualier imitable qu prince. Il
    ....pourſuiuant ſon poeme Juſqu'à ſa victoire qu'Alexandre
    ....obtint contre Daire, ... laiſſant ſa femme et mere
    ....priſonnieres. Les trois derniers vers donnent connoiſſance quel
    ....il fut ros il dit.

    Alexandre noz dit qui de Bernai fu nez
       Et de Paris refu ſes ſurnoms apelez
       Que ci a les ſiens vers, o le l Lambert ietez.

         A   Denat   Lambert licors. 2. auth.
Lambert licors poète Depuis vn nommé Lambert Licors natif de Chateaudun,
................................pourſuiuant, ainſi qu'il dit ... comenta en ce lieu ou il dit
................................la ... la verité de l'Hiſtoire ſi com li Rois la fit.
.... Vn clers de Chateaudun Lambert li cors l'écrit.
....de Latin l'a tret, et en Romans la mit.
.... croi que refu ri, s'arreſta Juſques a ſa mort dalexandre.

Fig. 11.

B. N. fr. 24726, f. 2. Ecriture de Fauchet.

Méon dans son avertissement du tome Ier de son édition du *Roman de la Rose* (1814) rapporte qu'il avait parcouru les *Olim* du Parlement jusqu'à l'année 1327 pour retrouver l'arrêt auquel fait allusion Fauchet, mais qu'il n'avait rien découvert qui y fût relatif... « On peut donc », dit-il, « regarder ce fait comme apocrif ».

Et M. Louis Thuasne [1] mentionnant cette histoire relève les noms de Fauchet, de Jean Bouchet et de Méon. Fauchet n'invente rien comme on pourrait croire après une lecture des travaux des derniers érudits, il relate tout simplement cette histoire telle qu'il l'avait trouvée dans la *Chronique d'Aquitaine*, sans, du reste, y attacher trop d'importance. Jean de Meung « n'eust usé de telle risee en mourant », pense Fauchet, s'il avait été docteur en théologie, mais Fauchet laisse le lecteur libre de former sa propre opinion.

> J'ay mis toutes ces raisons, à fin que toy (lecteur) en juges ce qu'il te plaira.

Si Fauchet n'a pas connu une multitude de faits qui sont accessibles au premier venu de nos jours, s'il ne s'est pas donné la peine de distinguer nettement en quoi le poème de Guillaume de Lorris diffère de celui de Jean de Meung [2], on n'a qu'à comparer ses deux articles bien solides et fort documentés aux louanges vagues et imprécises de Estienne Pasquier pour voir combien Fauchet surpasse son ami en érudition. Fauchet nous paraît sur la voie qui mène directement à la critique littéraire et biographique que nous jugeons être la véritable critique.

A négliger même cette considération, les paroles de Fauchet restent intéressantes, parce qu'elles viennent grossir le nombre des témoignages d'admiration que tous les grands écrivains du xvie siècle ont prodigués au vieux roman.

---

[1] *Op. cit.*, pp. 40 et suiv.
[2] Fauchet n'a pas analysé les deux parties du poème. Seule la robuste personnalité de Jean de Meung semble l'avoir impressionné.

CHAPITRE IV

Opinion de Fauchet sur la littérature
des XIVᵉ, XVᵉ et XVIᵉ siècles

La littérature du xivᵉ siècle : Gace de la Buigne, Gaston Phébus, *Le Songe du Verger*, *Le Pèlerinage de la vie humaine*.

La littérature du xvᵉ siècle : Alain Chartier, François Villon, *Pathelin*, Antoine de la Sale, Les chroniqueurs.

La littérature du xviᵉ siècle : Jean Lemaire de Belges, Geofroy Tory, Clément Marot, Joachim du Bellay et Louis des Masures, Pierre de Ronsard.

La littérature sérieuse au xivᵉ siècle

Fauchet a dû posséder un grand nombre d'ouvrages de cette période ayant un caractère sérieux. Il parle, par exemple, des poèmes de Gace de la Buigne et de Gaston Phébus. Il mentionne *Le Songe du Verger*. Il cite *Le Pèlerinage de Vie humaine* de Guillaume de Deguileville et il connaît le *Roman de Fauvel*.

Naturellement, sa bibliothèque renfermait d'autres ouvrages de cette période tels que *l'Arbre des Batailles* de Honoré Bonet [1], le *Traité des Monnaies* de Nicole Oresme [2], mais il n'en fait pas mention dans ses *Œuvres*.

---

[1] B. N. fr. 674 lui appartenait.

[2] Nous savons que Papire Masson lui a emprunté ce traité. V. notre chapitre sur les amis de Fauchet.

Sur Nicolas Oresme, voir A. MOLINIER, *Sources de l'Histoire de France*, t. 4, p. 68, nᵒ 3345.

Le titre donné par Papire Masson au traité qu'il avait emprunté à Fauchet est *De moneta*. V. P. RONZY, *op. cit.*, p. 235. Le titre exact, donné par Molinier est le suivant : *De origine, natura, jure et mutationibus monetarum*.

Selon GRÖBER, *Grundriss*, p. 1073, le traité se trouve dans trois manuscrits de la Bibliothèque nationale, fr. 5913, 23926 et 23927, mais ces manuscrits contiennent une traduction du traité en français.

Gace de la Buigne [1] est un auteur que Fauchet connaît dès sa jeunesse, quoiqu'il ne soit cité que deux fois dans les *Œuvres*. Les mêmes vers sont répétés à deux reprises (f. 487 v° et 508 v°)

> *La fu li Quens de Tanquarville*
> *En luy n'ot ne Barat ne guille*

et c'est autant pour attirer l'attention sur l'orthographe de « quens » que pour montrer la signification de « guille ». Notons que Fauchet appelle le poème de Gace tantôt le « Roman de la Chasse », et tantôt le « Roman des oiseaux ».

Mais nous savons d'après son cahier qu'il avait lu le poème avec une attention suivie. Il en a même copié plus de cent vers [2], et il a rédigé un article sur l'auteur. Cet article a le mérite de toutes les rédactions de la jeunesse de Fauchet. Notre érudit s'exprime avec moins de réserve que dans les œuvres de sa maturité, et nous pouvons saisir sa pensée plus facilement.

L'article débute par tous les renseignements que Fauchet a ramassés sur l'auteur. Gace naquit en Normandie, il fut « chapellain des rois Philipe de Valois, Jehan et Charles V », et il suivit le roi Jehan en Angleterre, où il commença son ouvrage, sur l'ordre du Roi qui désirait « ce roman pour l'instruction de son fils Philippe aussi prisonnier avec lui et depuis duc de Bourgoyne ». La phrase suivante nous dit la date du poème, et nous apprend que Fauchet l'avait lu en manuscrit. « J'ai leu dans un exemplaire viel escript à la main (car jamais je n'en vi d'imprimé encor qu'il soit tresbien fait et utille) qu'il le commença l'an 1359 en Angleterre; depuis le parfit à Paris, regnant Charles le 5 filz de Jehan. » Plusieurs passages sont allégués pour apporter des témoignages sur la biographie du poète; ensuite notre érudit passe au sujet de l'œuvre qu'il analyse. Il énumère d'abord les qualités du fauconnier, qui doit être « vigillant, sobre, modeste, fuiant vaine gloire et oultrecuidance ». Il raconte ensuite la guerre entre Déduit d'oiseaux et Orgueil, puis le procès entre Déduit d'oiseaux et Déduit de chiens, parce que « Déduit d'oiseaux se disait Déduit simplement ». Ils plaident devant le Roi de France; et leurs avocats sont Amour de chiens et Amour d'oiseaux. A la fin le Roi prononce son arrêt par la bouche de Rai-

---

[1] M. Antoine THOMAS (*Romania*, XI, p. 179) voulait qu'on appelle cet auteur « Gace de la Bigne » adoptant la forme actuelle du nom du village qui lui a donné son nom.

[2] Exactement 117, f. 27 v°. Trois autres citations de Gace se trouvent dans le cahier aux chapitres sur Philippe de Bourgogne, f. 32 v°, sur les vers qui se chantaient, f. 16 r°, sur le duel, f. 9 v°. Voir notre livre de documents.

son son chancelier : « l'un et l'autre ne se diront dorénavant Déduit sans nommer oiseaux ou chiens». Les plaidoyers ont plu à notre jeune avocat — « il est impossible de mieux dire ni avec plus grant contentement des escoutans car il est meslé d'une infinité de belles sentences », et ici nous arrivons à la véritable pensée de Fauchet qui se réjouit que la littérature nationale puisse compter de tels ouvrages : « Bref tout l'œuvre mérite bien, oultre la venerable antiquité des mots, qu'on le lise, m'estant avis que je li ung Hesiod ou Georgices de Virgille, car tout ainsi que l'ung fait un bon pere de famille ou ung laboureur, cetui-ci fait un bon fauconnier et veneur par son discours. » Suit une longue citation pour énumérer les qualités d'un beau faucon, d'un bel épervier et d'un chien, et l'article se termine par le récit de plusieurs histoires d'animaux, parmi lesquelles celle de Macaire [1].

*
* *

C'est évidemment Froissart qui a signalé Gaston Phébus, « Conte de Fois, auteur du livre de la chasse » à l'attention du jeune Fauchet, qui écrit sur cet étrange personnage un autre chapitre de son cahier (f° 7) où il rappelle tous les détails de sa vie fournis par l'historien, par exemple celui-ci : « Il avoit estrange maniere de vivre, car il se levoit environ onze ou douze heures, souppoit et couchoit a minuit. »

Fauchet restreint son appréciation littéraire à deux ou trois phrases.

Quatre ans devant que mourir il composa son livre. Ce fut en l'an 1387, ainsi que lui-mesme le dit en son livre, auquel il déclara la nature tant des chiens que de toutes bestes qui se chassent. J'ai ouï dire qu'il en a fait aussi un de la fauconnerie, mais je ne l'ai point veu [2].

Les « belles sentences » étaient peut-être moins nombreuses dans cet ouvrage, ou peut-être est-ce simplement que l'article contenant la vie merveilleuse de Gaston Phébus est déjà trop long pour permettre des citations plus amples [3].

---

[1] Les deux versions de *Macaire* que Fauchet connaissait sont celles de Gace de la Buigne et de Gaston Phébus; il ne semble pas avoir connu d'autre manuscrit. Il n'existe aucun manuscrit complet de *Macaire*. M. le professeur Baker a publié un fragment de ce conte dans *Romania*, XLIV (1915-1917).

[2] Les livres de Gace de la Buigne et de Gaston Phébus ont été imprimés l'un à la suite de l'autre. Le nom de Gace n'est pas mentionné, et c'est cette circonstance qui a fait attribuer à Gaston Phébus les deux ouvrages. Voici le titre exact de ce volume : *Phebus des deduiz de la chasse des bestes souvaiges et des oyseaux de proye. Nouvellement imprimé à Paris.* A la fin du livre, on trouve après le titre « Imprimé pour Anthoine Verard libraire marchant demourant a Paris devant la rue neufve Nostre Dame a l'enseigne de saint Jehan l'evangeliste ou au Palais au premier pillier devant la chappelle ou s'en chante la messe de messeigneurs les presidens », s. d. imprimé vers 1507.

[3] Fauchet a dû lire cet ouvrage en manuscrit. Il dit au début de son article

Indiquons aussi le *Songe du Verger* dont Fauchet a fait une simple mention à la fin de son *Traité des Libertés de l'Eglise gallicane* [1].

Le *Pèlerinage de la Vie humaine* de Guillaume de Deguileville est utilisé quatre fois [2] dans les traités historiques et une fois dans le cahier de Fauchet actuellement à Rome (Vat. Reg. 734). Fauchet croyait qu'il citait le *Pèlerinage de l'âme*. La première citation explique le sens *d'accolade* et les autres contiennent les noms d'anciennes armures et d'anciens habillements de guerre.

Le manuscrit de cet ouvrage que possédait Fauchet est actuellement B. N. fr. 1645. Il y a laissé de nombreuses notes [3]. Sur la feuille de garde, il écrit :

Il avoit du moins 36 quand il composa le livre, fol. 43, col. 3. Il fust filz de Thomas de Guilleville, fol. 45, col. 1.

« Gaston Phebus composa un livre de la chasse : lequel il dedia (ainsi comme le dit un livre que j'ai escrit à la main) a Philippe premier duc de Bourgoyne. »

Voir H. WERTH, *Altfranzösische Jagdlehrbücher nebst Handschriften Bibliographie der abendländischen Jagdliteratur überhaupt* (Zeitschrift für romanische Philologie, XII, 1888, pp. 146-191, 381-415; XIII, 1889, pp. 1-34. Gace de la Buigne, dans vol. XII, p. 393, Gaston Phebus, p. 401. Pour les manuscrits que Fauchet a pu connaître, voir l'article de WERTH, et P. PARIS, *Manuscrits français*, 5, 213 et suiv.

Pour les poèmes sur la chasse, voir G. TILANDER, *Les livres du Roy Modus et de la Royne Ratio*, Société des anciens textes, 1932, 2 volumes, et R. et A. BOSSUAT, *Le Livre de la Chasse de Gaston Phœbus*, transcrit en fr. mod., Paris, 1931, *Bibliographie*, p. XXII.

[1] Sur le *Songe du Verger*, *Somnium Viridarii*, voir A. MOLINIER, *Sources de l'Histoire de France*, t. 4, n° 3343. Le *Songe du Verger* est un dialogue entre un clerc et un chevalier sur les rapports des deux puissances; très hostile aux prétentions de la cour de Rome.

L'ouvrage fut imprimé dès 1516 par Galiot du Pré.

V. aussi A. COVILLE, *Evrart de Trémaugon et le Songe du Verger*, Paris, 1933.

[2] *OEuvres*, f. 551 r°, Fauchet cite v. 12629-12630 sans indication d'auteur (voir J. J. STÜRZINGER, *Le pelerinage de la vie humaine*, London, 1893.); f. 522 v°, vers 3872-3874, 3907-3908 et 12717-12722; f. 529 r°, vers 11803-11810. Dans le cahier de Rome (v. E. LANGLOIS, *Dissertations inédites*, pp. 99), Fauchet cite vers 9139-9154 et 9097-9100, et dans le chapitre suivant v. 9359-9366.

Sur Guillaume de Guileville, voir J. E. HULTMAN, *Guillaume de Deguileville*, Upsala, 1902; F. TRUNZER, *Die Syntax des Verbums bei Guillaume de Deguilleville*, Coburg, 1913; J. B. WHAREY, *A Study of the Sources of Bunyan's allegories with special Reference to Deguileville's « Pilgrimage of Man »*, Baltimore, 1904.

[3] Les notes de Fauchet se trouvent aux feuillets suivants : 12 v°, 13 v°, 21 r°, 44 v°, 45 v°, 46 r°, 49 v°, 56 v°, 73 r° et v°, 85 r°, 107 v°.

Les notes suivantes résument le contenu de la page où elles se trouvent :

F. 12 v°. Effetz de nature.
F. 13 v°. Grace de Dieu, maistresse de nature.
F. 21 r°. Conversion du pain et vin en chair et sang.
F. 44 v°. Creation de l'homme.
F. 45 v°. Sa composition.
F. 46 r°. De l'ame et du corps.
F. 49 v°. Chacun s'entreaide.
F. 56 v°. D'orgueil.
F. 73 v°. Faux miracles.
F. 85 r°. De heresie.
97 v°. Pourquoi Dieu envoie la mort.

En outre Fauchet a mis un grand nombre de petites croix à côté des noms d'armes et à côté des belles sentences.

En haut du f. 1 il met :

L'an 1331, fol. 39, col. 4, de Guilleville moine de Chalis abbaie de l'ordre de Citeaux voisine de Senlis composa ce livre intitule le pelerinage. C. Fauchet.

Le *Roman de Fauvel* qui avait mentionné incidemment le *Roman de la Rose* est cité par Fauchet dans un chapitre sur cet ouvrage célèbre, pour essayer d'en préciser la date :

J'oseroy bien asseurer que le Romans de la Roze a esté composé avant l'an MCCCX, pource qu'au Romans de Fauvel (qui confesse avoir esté faict ceste année [1]) je trouve ces vers,

> *Faux- semblant se siet pres de luy,*
> *Mais de ceste ne de celuy,*
> *Ne vous veuil faire graigneur prose :*
> *Car en eux nul bien ne repose.*
> *Et de ce au tiexte sans glose,*
> *Parle le Romans de la Roze.*

Fauchet y fait encore allusion dans son chapitre sur les *Patrices*, où il en résume ainsi le sujet : — « une satyre contre ceux qui tiennent trop grand compte d'or », — et en cite quatre vers pour éclairer le sens de « parage ». Une autre citation encore explique le mot « totes » dans le chapitre du cahier intitulé « Ethimologie et origine de ce mot malletottes » [2].

Le xve *siècle*

Fort peu d'ouvrages du xve siècle sont mentionnés par Fauchet dans ses *Œuvres*.

Un très court chapitre sur Alain Chartier figure dans le cahier des *Veilles*, et Fauchet fait allusion à cet auteur à deux ou trois reprises dans ses traités historiques. François Villon

---

[1] Cf. la fin de *Fauvel*, livre Ier :
> *Verité soit en estat mise*
> *Et Dieu amé et sainte Yglise,*
> *A qui soupli, ains que me tese,*
> *Que cest petit livret li plese,*
> *Qui fut complectement edis*
> *En l'an mil e trois cens et dis.* (Texte de Längfors.)

[2] Les citations du *Roman de Fauvel* se rencontrent sur les pages suivantes : *Œuvres*, f. 590 r° vers 1836-1841 de l'édition de A. Pey, *Le Roman de Fauvel* dans *Jahrbuch für romanische und englische Literatur*, VII, Leipzig, 1886, pp. 316-343 et 437-446. *Œuvres*, 492 v°, vers 1868-1871, et dans le cahier B. N. fr. 24726, f. 34 r° Fauchet cite vers 1264-1267.

Nous donnons des renvois à cette édition parce que le texte de Fauchet correspond à celui de l'édition de Pey. Pey a pris pour base le manuscrit de la B. N. fr. 2140. Cf. note de A. Långfors, *Le Roman de Fauvel*, Paris, 1914-1919, p. 217.

Le manuscrit B. N. fr. 2140 ne contient aucune note de la main de Fauchet.

V. sur *Fauvel*, l'ouvrage récent d'E. Dahnk, *L'Hérésie de Fauvel*, Leipzig-Paris, 1935 (*Leipziger romanistische Studien*, II, Reihe, 4).

se rencontre deux fois dans les *OEuvres* de Fauchet, mais à part une mention de la farce de *Pathelin* dans le cahier, et une bibliographie se rapportant au duel qui figure en marge du chapitre consacré à ce sujet dans le même cahier et qui contient les titres de deux ouvrages d'Antoine de la Sale, les autres écrivains du xvᵉ siècle dont Fauchet fait mention sont des historiens tels que Georges Chastellain et Philippe de Commines. Il donne en marge de son chapitre sur le duel une liste d'auteurs qui ont fait allusion aux duels et aux tournois. La liste commence par *Jehan Centré — la Salade —* ce sont *le Petit Jehan de Saintré* et *la Salade*, tous les deux, ouvrages d'Antoine de la Sale.

Pourtant, sa connaissance du siècle où ont vécu ses propres aïeux a dû être assez étendue. Les *Vigilles des Morts* de Pierre de Nesson [1] figuraient dans sa bibliothèque, et il connaissait probablement tous les chroniqueurs de l'époque. Nous rencontrons notamment dans les notes de son cahier des références à Olivier de la Marche, à Enguerrand de Monstrelet et à Symphorien Champier [2], et cette liste est certainement incomplète.

La réputation de Mᵉ Alain Chartier était encore intacte en 1555, et nous verrons que notre jeune érudit met cet auteur au-dessus de Jean Lemaire de Belges.

Les renseignements de Fauchet sur Mᵉ Alain sont fort vagues [3]. Il sait, d'après le poème de Clément Marot, que Chartier est né en Normandie, qu'il a vécu sous les rois Charles VI et VII, qu'il a écrit « l'opuscule intitulé le *Quadrilogue* ». Il cite les paroles mêmes de Chartier :

Allain Chartier Secretaire du roi et de mon tres redoubté seigneur, monseigneur le regent.

Ces fonctions sont également rappelées dans les *OEuvres* [4] :

Chartier fut fort estimé pour son eloquence et industrie, lequel ayant beaucoup aydé le roi Charles septiesme pour le recouvrement de

---

[1] Le manuscrit du Vatican, Reg. lat. 1683, ff. 1-32, contient *Les Vigiles des Morts* et *Le Lai de Guerre*. Des notes de la main de Fauchet se trouvent sur les feuillets 1 rᵒ, 21 rᵒ et 24 vᵒ. Il y a aussi un certain nombre de croix dans les marges, en face de noms propres ou de mots tels que *ochoison* ou *ribaut*.
F. 1 rᵒ : Fauchet écrit : « OEuvres poetiques de (blanc) Nesson et d'Alain Chartier. » Quelqu'un d'autre a ajouté : « Et le songe de Mᵉ Jean de Meung. »
F. 21 rᵒ : En haut les mots : « Nesson, De la guerre. »
Voir sur Pierre de Nesson A. Piaget et E. Droz, *Pierre de Nesson et ses OEuvres*, Paris, 1925.
[2] B. N. fr. 24726, f. 10 rᵒ; cf. f. 81 vᵒ et suiv.
[3] B. N. fr. 24726, f. 26 vᵒ. Voir notre livre de documents.
[4] *OEuvres*, f. 476 vᵒ et 480 vᵒ.

son Roiaume occupé des Anglois, merita qu'en sa faveur le Roi Charles octroyast aux Secretaires lettres d'ennoblissement, pour eux et leurs successeurs.

Le patriotisme de Chartier, tel qu'il se fait voir dans le *Quadrilogue invectif* [1], attire l'admiration de Fauchet, qui loue le « grant esprit » de son auteur et rappelle l'époque troublée où il vivait. Chartier, tout en ayant pitié de son pays, ne craint pas de lui remontrer ses fautes « aussi gravement que fit jamais poete ne orateur ». Après avoir mentionné l'histoire qui veut qu'une reine de France eût baisé la bouche d'où sortaient tant de belles paroles, Fauchet conclut que les écrits de cet auteur avaient rendu autant de service à sa patrie que les soldats qui s'étaient battus contre les Anglais.

Notons que le manuscrit des ouvrages de Chartier possédé par Fauchet est actuellement conservé à la Bibliothèque royale de Stockholm [2].

*
* *

Nous trouvons deux allusions à François Villon dans les *Œuvres*. A propos du sens de « malfez — c'est-à-dire diable » Fauchet cite ces vers [3].

> *Car où sont li saints apostoilles,*
> *D'aubes vestus, d'amits coëfez,*
> *Qui ne sont ceints fors que d'estoles,*
> *Dont par le col prend li maufez*

Il fait une seconde citation [4].

---

[1] V. l'édition donnée par Mˡˡᵉ E. Droz pour les *Classiques français du Moyen Age*, 1923.

[2] V. U. 22 (fr. 53), contient *Le Quadrilogue invectif, Le Breviaire des Nobles. Le Lai de Paix, La Belle Dame sans Merci*. Voir PIAGET, *Romania*, XXX (1901), XXXI (1902), XXXIII (1904), XXXIV (1905).
Le manuscrit du Vatican, Reg. lat. 1683, ff. 33-38, contient aussi *Le lai de paix.*
F. 33 rᵒ : Après le titre *Le Lay de Paix* Fauchet met les mots « d'Alain Chartier ».
F. 34 vᵒ : Petites croix en face des mots « dommageuse », « besongneuse », « coutangieuse ».
F. 37 rᵒ : Dans le vers
> *Vous en aures fait assez*
Fauchet barre le mot « aures » et met en marge « avez ».
F. 38 rᵒ : Après *Explicit le lay de paix*, Fauchet ajoute « de Mᵉ Alain Chartier ».

[3] *Recueil*, p. 114.

[4] *Œuvres*, f. 508 vᵒ. Les vers cités se trouvent dans *Œuvres de François Villon* publiées par A. Longnon, Paris, 1930, p. 79 (première citation). La seconde est une variation sur un quatrain, p. 181 :
> *Je suis Françoys dont ce me poise,*
> *Né de Paris emprès Pontoise.*
> *Qui, d'une corde d'une toise*
> *Sçaura mon col que mon cul poise.*
Voir L. THUASNE, *Villon, Œuvres*, Paris, 1923, t. 3, p. 597, pour un commentaire sur ces vers. On trouvera une note sur le huitain apocryphe dans A. LONGNON, *Etude biographique sur François Villon d'après des Documents inédits conservés aux Archives nationales*, Paris, 1877, pp. 5-8. Et voir plus loin.

L'autre allusion se rapporte au mot « guille » :

Et maistre François Corbueil fut surnommé Willon; pour les trom-
peries qu'il fit en sa vie, l'épitaphe duquel j'ay dans un de mes livres
escrit à la main, qui dit :

> *Je sui François dont ce me poise,*
> *Nommé Corbueil en mon surnom,*
> *Natif d'Auvers empres Pontoise,*
> *Et du commun nommé Willon.*
> *Or une corde d'une toise,*
> *Sçauroit mon col que mon cul poise*
> *Se ne fut un joly apel*
> *Le jeu ne me sembloit point bel.*

Et Fauchet ajoute :

Car il ne fut pas pendu, comme beaucoup de gens ont pensé. Et il
faut entendre que Guillon et Willon sont un mot, parce qu'anciennement G. et les deux V. V. se prononçoient de mesme comme encores
font les Allemands : et j'ay fait ceste escapade, pour la memoire de
Willon [1], un de noz meilleurs Poëtes Satyriques. Duquel si nous sçavions
bien entendre la Poësie, nous descouvriroit l'origine de plusieurs Maisons de Paris, et des particularitez de ce temps-là.

M. Marcel Schwob a fait un ample commentaire sur ce
passage de Fauchet dans son *Introduction* de la *Reproduction
fac-similé du manuscrit de Stockholm*, manuscrit qui appartenait au Président. M. Schwob dit : « Ce manuscrit dont
l'étude eût été si précieuse pour l'établissement du texte de
Villon et pour son commentaire commença par jeter dans la
circulation une erreur très singulière »; suit la citation de
Fauchet, et puis M. Schwob continue : « Pour des raisons de
prosodie le père Du Cerceau, dès 1723, et après lui l'abbé
Goujet, Nicéron, Daunou et Campaux attaquaient l'authenticité
du quatrain. Fauchet avait, comme on pourra s'en convaincre,
transcrit d'une manière très fautive le quatrain de son propre
manuscrit, f. 67 r° :

> *Je suis François, dont il me poise*
> *Nommé Corbeil en mon seurnom*
> *Natif d'Auvars emprez Pontoise*
> *Et du commun nommé Villon.*
> *Une corde de demye toise*
> *Ce ne feust ung joly appel,*
> *Sceust bien mon col que mon cul poise.*
> *Le jeu ne me sembloit point bel.*

De plus Fauchet n'avait pas vu que ce huitain n'était

---

[1] Le nom de Villon venait du protecteur de François de Montcorbier, Guillaume de Villon, chapelain de Saint-Benoît-le-Bétourné. V. A. LONGNON, *op. cit.*

qu'un dérivé de l'épigramme en quatre vers, avec une seule variante importante de ce même manuscrit, f° 62 v°. » Après avoir cité le quatrain, M. Schwob dit : « Le huitain du f. 67 r° est évidemment dérivé du quatrain du f. 62 v°. Le manuscrit de Stockholm nous prouve en outre que le huitain est l'œuvre d'un faussaire. Le quatrain est en effet rayé et le huitain refait, d'une encre rousse, différente du corps du manuscrit; l'écriture est en outre postérieure. La preuve matérielle de cette refaçon peut ainsi se déduire de l'aspect même du manuscrit. »

Les principales notes de Fauchet sur les poèmes de Villon sont également reproduites dans le *Fac-similé* [1].

Les notes de Claude Fauchet sont de deux sortes : les unes philologiques, forment des remarques aujourd'hui de peu d'importance : les autres historiques prouvent l'étendue des recherches ou des connaissances de Fauchet. Toutes ces citations paraissent en outre être faites de mémoire. Voici les plus remarquables :

F. 25 r° : Ballade. Fauchet ajoute *en jargon*, et dans la marge : *ceci est imprimé avec les œuvres de Villon l'an 1532 par Galiot du Pré.* C'est une erreur, puisque les ballades en jargon de Stockholm sont en partie inédites et que les ballades en jargon de l'édition de 1489 se trouvent seules dans l'édition de 1532.

F 29 r° :
> *Et se j'ay prins en ma faveur*
> (*P. T.*, IV à VIII.)

Fauchet écrit dans la marge *il n'est imprimé.*

F. 29 v° : *ne sont imprimés.* Fauchet ne se rappelait plus ces huitains.

F. 31 r° :
> *Le Gré du seigneur qui actaint*
> *Troubles forfais sans espargnier.*
> (*P. T.*, XX.)

Fauchet ajoute dans la marge de droite : *Je croi du lieutenant criminel.*

F. 36 r° : *La question que feist Villon au Clerc du Guichet.* Fauchet souligne les vers :
> *On me eust parmi ce drappel*
> *Fait boire en ceste escorcherie,*

et ajoute dans la marge de droite : *On lui eust baillé la question avec l'eaue.*

F. 37 v° :
> *Et Loys le bon roy de France*
> (*G. T.*, VII.)

Fauchet ajoute : *Louis unziesme.*

F. 38 r° :
> *Escript l'an soixante et ung*
> (*G. T.*, XI.)

---

[1] Nous nous permettons de les citer. Nous voudrions remercier M. Lucien Foulet de nous avoir prêté son exemplaire de la *Reproduction Fac-simile* du manuscrit de Stockholm.

Fauchet : *L'an 1461. Il naquit donc l'an 1425.*
F. 48 r° :

> Dieu mercy et Tacque Thibault
> Qui tant d'eau froide m'a fait boire
>
> (G. T., LXIII [1].)

Fauchet : *Quant il estoit prisonnier.*
F. 49 v° :

> Si me souvient bien, Dieu mercys,
> Que je feis a mon partement
> Certains lais l'an cinquante six.
>
> (G. T., LXV [1].)

Fauchet ajoute dans la marge de droite : *Le premier n'est pas testament.* On voit que Fauchet avait la même opinion que Gaston Paris. La remarque suivante en face du mot partement : *possible fut quand il alla en Angleterre* montre que Fauchet croyait à l'anecdote de Rabelais sur le passage de Villon en Angleterre.
F. 50 r° :

> Et le romant du Pet au Deable.
>
> (G. T., LXXVIII [1].)

Fauchet : *Romant du Pet au diable je croi fait par Villon.*
F. 53 r° :

> Sans faillir sur la Machecoue
>
> (G. T., XCII [1].)

Fauchet : *C'estoit une rotisseuze demourant pres le grant Chastellet.* M. A. Longnon qui a donné l'état civil de cette « poulalière » a vérifié l'exactitude de cette note du président Fauchet. (*Œuvres complètes de François Villon* [1892], p. 325.)
F. 54 r° :

> Au cappitaine Jehan Riou
>
> (G. T., CII [2].)

Fauchet : *Ce Riou estoit capitaine des archers de la ville.*
F. 54 v° :

> Tesmoing l'abesse de Porras
>
> (G. T., CV.)

Fauchet : *Port roial pres Trapes.*
F. 55 r° :

> Item pour ce que le scelleur
> Mains estrons de mouche a maché
>
> (G. T., CXI.)

Fauchet : *de la cire.*
F. 59 v° :

> Si nom en la geole de Mehun
>
> (G. T., CXLI.)

Fauchet : *ce fut sa prison.*
F. 60 r° :

> Unze coups je lui en ordonne
> Livrez par la main de Henri
>
> (G. T., CXLII.)

Fauchet : *Le bourreau de Paris du temps de Louis XI s'appeloit Henri Cousin.* Fauchet a dû prendre ce renseignement dans la *Chronique scandaleuse* qu'il connaissait fort bien.

---

[1] D'après certaines éditions G. T., LXXIII, LXXV, LXXXVIII, CII.
[2] G. T., CXII. Dans l'édition des *Cl. du Moyen Age* (1911) et dans celle de Thuasne, les numéros correspondent à ceux de Schwob.

F. 63 vᵒ :

Il eust du mien le trou Perrette [1]

(*G. T.*, CLXXII.)

Fauchet : *C'est ung tripot en la Cité.*

*
* *

A une époque de crise monétaire, on ne s'étonne pas que les allusions à l'argent contenues dans la farce de *Pathelin* arrêtent l'attention d'un futur Président de la Cour des Monnaies. Il note dans son cahier [2] : « Du temps de Pathelin, l'escu ne valoit que 30 solz. » Fauchet n'a pas cherché à savoir dans quelle région l'écu avait cette valeur-là. L'érudition moderne [3] a tiré grand parti des allusions à l'argent non seulement pour dater la farce mais pour l'attribuer à un Normand, Guillaume Alecis.

Une seule allusion à Georges Chastelain nous avertit que Fauchet connaissait probablement les œuvres de celui-ci. Le chapitre du cahier [4] intitulé « Histoire memorable touchée en passant par Mᵉ Georges Chastelain en ses Merveilles, d'ung jeune homme de 20 ans sachant toutes sciences, déclarée plus amplement » prend son point de départ dans un opuscule de Jean Moulinet, qui a pour titre : « Recollection des merveilleuses advenues en nostre temps commencé par tres elegant orateur Messire George Chastelain et continué par Mᵉ Jehan Moulinet. » Fauchet cite les vers suivants [5] :

J'ai veu par excellence
Ung jeune de vingt ans
Avoir toute science
Et les degrez montans
Soi vantant scavoir dire
Ce qu'onques fut escript
Par seulle fois le lire
Comme ung jeune Anthecrist

---

[1] Cl. fr. du moyen âge :
Il eust de moy le trou P.
[2] B. N. fr. 24726, f. 86 rᵒ.
[3] Voir *Romania*, t. 45 (1919), p. 545, les remarques de M. L. Foulet. Cf. L. Cons, *L'Auteur de la Farce de Pathelin*, Princeton, 1926, pp. 26 et suiv.
Cf. aussi *Etudes françaises*, sixième cahier, Richard P. Holbrook, *Etudes et Aventures patheliniennes*, Paris, 15 novembre 1925, pp. 1 et suiv.
[4] F. 44 rᵒ.
[5] V. *Œuvres de Georges Chastelain*, éd. par Kervyn de Lettenhove, Bruxelles, 1863-1866, 8 vol. La citation se trouve t. 7, p. 191. Lettenhove donne « Jeune homme de vingt ans » pour le second vers. Voir la note de cet éditeur sur ce jeune homme. Le texte donné par Fauchet se trouve dans Buchon, *Œuvres historiques inédites de Sire George Chastellain*, Paris, 1833, *Notice*, p. xlvi.
On trouve également les vers cités par Fauchet dans l'édition des *Faictz et Dictz de Jean Molinet* pub. par N. Dupire pour la Société des anciens textes, t. 1ᵉʳ, p. 288.
M. Noël Dupire, *Jean Molinet, la Vie, les Œuvres*, Paris, 1932, p. 103 : « La *Recollection*... cette longue pièce qui comprend 148 strophes de huit vers, se divise en deux parties : les 43 premières strophes sont attribuées dans les manuscrits à Chastellain, les 105 dernières à Molinet. C'est une tradition qu'il paraît difficile d'accepter... Nous pensons que l'œuvre entière est de Molinet. » M. Kenneth Urwin, *Georges Chastelain*, revendique les vers pour son auteur.

Puis il cherche dans une chronique « un livre escript à la main en forme de cronique, mais j'estime plustost que ce soit un papier journal ou memoires de quelque personne studieuse car il descript menuement ce qui est advenu a Paris depuis l'an 1409 jusques à l'an 1449 qui ne laisse rien tant soit il petit et bien souvent choses frivolles [1] », et il trouve force renseignements sur le jeune « Antichrist ». Le chapitre se termine par une énumération de personnes qui avaient la mémoire tenace, Simonide, le poète grec, Christophle de Longueil l'humaniste, homme très docte et promettant « grand chose s'il eut vescu », et Pic de la Mirandole.

Dans ce chapitre le jeune lettré montre cette prédilection pour les cas singuliers, qui avait distingué la génération précédente.

Le nom de Jean Molinet se rencontre une seconde fois dans le cahier (f. 33 r°) au chapitre sur Philippe duc de Bourgogne. Fauchet est d'avis que ce duc avait reçu le nom de « hardi » parce qu'il était très courageux. Il met en marge de son chapitre : « Ceci est confirmé par Moulinet en son opuscule intitulé *Le trône d'honneur* soubz la lettre H [2]. »

XVIᵉ *siècle*

Jean Lemaire de Belges

Fauchet connaissait bien l'œuvre de celui dont Estienne Pasquier a dit qu'à « bonnes enseignes il donna vogue à nostre poësie ». Il fait allusion au *Temple d'amour*, au *Temple de Vénus* (autre titre pour le même ouvrage), au *Promptuaire des Conciles*, et aux *Illustrations des Gaules* [3], mais il avait

---

[1] Cette chronique doit être le *Journal d'un Bourgeois de Paris de 1405 à 1449*. Voir l'édition d'A. Tuetey (*Soc. de l'Histoire de Paris et de l'Ile-de-France*). Paris, 1881, p. 381.
Le manuscrit possédé par Fauchet se trouve au Vatican, Reg. 1923.

[2] V. l'édition de M. Dupire, *Le Trosne d'Honneur*, p. 48.

[3] Fauchet fait allusion à Lemaire dans le *Recueil*, pp. 86 et 203, dans ses *Antiquitez*, f. 190 r°, où il cite l'épitaphe de Charles Martel donné par Lemaire.
Voici les vers en question :
Ecce Brabantinus dux quartus in orbe triumphat :
Malleus in mundo specialis Christicolarum,
Dux, Dominusque ducum, regum quoque rex fore spernit,
Non vult regnare, sed regibus imperat ipse.
Fauchet les traduit « rudement » en vers français :
Ce quart Duc Brabançon triomphe sur la terre :
Qui fut à noz Chrestiens un marteau pour la guerre :
Duc des Ducs, Roy des Roys : d'estre Roy il mesprise,
Ne voulant pas regner; mais les Roys il maistrise.
Le Président ne dédaignait pas de courtiser la Muse. Ses fameux vers satiriques peuvent très bien être authentiques pour cette simple raison.
Fauchet fait allusion à Lemaire dans son *Traité des Libertez de l'Eglise gallicane* (dernière page).

sans doute parcouru toutes les œuvres de ce « poète historiographe », car le chapitre, qu'il écrit en 1555-1556 dans son
cahier des *Veilles*, témoigne de lectures étendues [1].

Ce chapitre est presque entièrement biographique. Il
débute en citant Marot

> *De Moulinet de Jehan le Maire et Georges*
> *Les Hannuiers chantent à pleine gorge* [2]

et Lemaire lui-même, qui disait qu'il fut « nai en Hainau »
et ajoute que sa date de naissance est 1473. Ensuite notre érudit rassemble les détails qu'il a trouvés sur la vie de son poète,
note sa parenté avec Jean Molinet, et son admiration pour
Guillaume Crétin [3] son « maître » qui, ajoute Fauchet, était
alors « fort estimé » en poésie française, et qui ayant vu « le
bon esperit de ce personnaige » lui persuada de se mettre à
écrire. Fauchet remarque les noms des divers protecteurs et
protectrices de Lemaire, Mme Marguerite, duchesse douairière
de Savoie [4], le duc Pierre de Bourbon, la reine Anne de
Bretagne. « Ainsi donq Jehan le Maire aiant ceste bonne fan-
taisie d'esperit n'estima faire chose plus louable que d'illustrer
le pais auquel il debvoit et la vie et l'avancement de son bien,
c'est à sçavoir France ». Notre savant s'étonne du nombre
d'auteurs lus par Lemaire écrivant ses *Illustrations*. Une citation vient prouver que Mme Marguerite encouragea le poète
pendant les six dernières années de son travail, et la préface
démontre que la date de la publication du premier livre est
l'année 1509, tandis que le dernier parut à « Nantes en Bretagne » en 1512.

Fauchet parle aussi de la connaissance qu'avait Lemaire
de la langue italienne, indiquant que son poète avait été à Rome
et à Venise et qu'il avait traduit en « vers tiercetz » quelque
chose de « Seraphin, poète italien » [5]. Notre jeune avocat
résume ainsi son appréciation :

---

[1] V. B. N, fr. 24726, f. 42 r°. Voir notre livre de documents.

[2] *Des Poetes françois, à Salel*, vers 5-6, Estienne Pasquier, *Recherches*,
liv. VII, ch. 5, cite cette épigramme tout entière.

[3] Pour l'admiration témoignée par Jean Lemaire envers Guillaume Crétin,
v. K. Chesnay, *Œuvres poétiques de Guillaume Crétin*, Paris, s. d. [1932],
lxvii. Cf. aussi *La Plainte du Désiré*, publiée par D. Yabsley, Paris, 1932, p. 10,
et *Œuvres* de J. Lemaire, publiées par J. Stecher, t. II, p. 255 : Crétin persuada
à Lemaire de « mettre la main à la plume », et il devint « soudain enclin à
l'art oratoire ».

[4] Cf. Max Bruchet, *Marguerite d'Autriche, Duchesse de Savoie*, Lille, 1927,
passim, et Ghislaine de Boom, *Marguerite d'Autriche-Savoie*, Paris et Bruxelles,
1935, p. 203.

[5] Cf. Yabsley, *op. cit.*, p. 12. Lemaire a introduit dans *Le Temple d'Honneur
et de Vertus*, un long passage écrit en tercets « à la façon italienne ou toscane
ou florentine ». C'est à Séraphin qu'il a emprunté le premier des *Contes de
Cupido et d'Atropos*. V. H. Chamard, *Les Origines de la Poésie française de la
Renaissance*, p. 166.

Il me semble advis qu'il avoit l'esprit plus poetiq qu'aultrement
et lui debvons porter ceste louange qu'il a passé tous ses predecesseurs
en inventions bonnes et de motz et de fictions poetiques. Brèf, je n'ai
point veu aulcun qui l'aie passé excepté Maistre Allain Chartier lequel
sans doubte emporte le pris pour estre plus grave et sententieux.

Ailleurs Fauchet note ce que Lemaire avait dit des vers
Alexandrins. Il remarque que celui-ci avait eu l'idée de comparer Jean de Meung à Dante [1], et qu'il avait usé du mot
« ode » avant Ronsard [2].

Enfin, à la fin de son chapitre sur les bourgeois de Calais
(B. N. f. 24726, f. 21 v°), il cite quelques vers de Lemaire où la
vantardise des Grecs est opposée au silence et à la modestie
des Français [3].

Aux yeux de Fauchet l'autorité de Lemaire comme historien est évidemment moindre, car notre érudit n'a jamais
attribué une origine troyenne aux Francs, mais Fauchet cite
une épitaphe de Charles Martel (que lui-même juge apocryphe)
parce que « Jean Lemaire, voire Melancthon, en font cas », et
il rappelle le nom de Jean Lemaire « en son promptuaire des
Conciles » dans la courte bibliographie qui termine le traité
des Privilèges et libertez de l'Eglise gallicane.

Un autre érudit du début du xvi° siècle a exercé une certaine influence sur Fauchet pendant les années 1555-1556. Il
est même probable que le Champ Fleury de Geofroy Tory de
Bourges qui s'intéresse franchement au moyen âge, et qui parle
d'une façon élogieuse du Roman d'Alexandre et des œuvres
de Chrétien de Troyes a stimulé les lectures de Fauchet. Dès
1555 celui-ci constate que Tory « s'est abusé disant que Pierre
de Saint-Cloot et Jehan de Nevelois estoyent seuls autheurs du
Roman d'Alexandre » [4], mais celui qui avait lu Le Chevalier
a l'espee, Perceval, Le tornoy de lentecrist, le Romant des
Elles [5], la Lunette des Princes et qui connaissait les œuvres des
Greban, d'Alain Chartier, de Georges Chastellain et de Mme d'En-
tragues a certainement contribué à la formation intellectuelle
de notre érudit.

Mentionnons aussi la profonde admiration que Fauchet a
exprimée pour Guillaume Budé :

---

[1] B. N. fr. 24726, f. 5 v°, cf. Recueil, p. 203.
[2] B. N. fr. 24726, f. 40 v°.
[3] V. notre livre de documents, et comparez OEuvres de J. Lemaire, éd. Stecher, Louvain, 1885, t. 3, p. 73.
[4] Cf. B. N. fr. 24726, f. 2 v° et Recueil, p. 86. Cf. Recueil, p. 102.
[5] Orthographe de G. Tory. Nous avons déjà fait allusion à G. Tory; et voir
plus loin.

Monsieur Budé, le Soleil de la France en lettres fut aussi Secretaire du Roy [1].

Fauchet a recours à ses œuvres quand il discute de la valeur des monnaies et des mesures anciennes et quand il retrace l'histoire de certaines magistratures [2].

*
* *

Le chapitre sur Clément Marot dans le manuscrit B. N. 24726 (f. 37 et suiv.) est en grande partie un récit de la vie du poète tiré de ses œuvres. Cela explique des lacunes que Fauchet aurait pu peut-être combler s'il avait voulu. Il se contente de dire, par exemple, que Marot « naquit à Cahors en Quercy je n'ai sceu sçavoir en quel an » — ce qui veut dire que Marot n'indique nulle part l'année de sa naissance. Fauchet sait qu'il avait été basochien, qu'il avait été au service de Marguerite duchesse d'Alençon, dame très vertueuse et très docte, qui avait attiré l'admiration universelle. Marot avait été par deux fois prisonnier; son *Enfer* qui avait fait rire le roi François Ier [3], avait malheureusement valu au poète les poursuites du lieutenant criminel et de la Sorbonne. Il s'était réfugié chez Mme Renée, dame également très docte, qui accueillait volontiers les Français voyageant en Italie. De retour, Marot s'était querellé avec Sagon [4]. Le poète est loué parce qu'il s'était trouvé en plusieurs camps. Sa traduction des Psaumes mérite les éloges de tous les studieux de la langue française, car aucun traducteur n'a su approcher de la fidélité ni de la grâce de Marot. Une note à côté renvoie à Sleidan [5] : *A scribendo sanos homines deterret.* Mais quelle récompense le poète a-t-il eue de son pays ingrat? L'exil en Piémont où il mourut.

La conclusion de ce chapitre [6] écrit aux environs de 1556,

---

[1] *Œuvres*, f. 480 v°.

[2] V. B. N. 24726, f. 75 v°. Cf. *Œuvres*, f. 106 r°.

[3] Cf. *Au Roy du temps de son exil à Ferrare* :
    Dont je l'osay lire devant les yeulx,
    Tant clair voyants de ta Majesté haulte.
    (Ed. E. VOIZARD, *Œuvres choisies de C. Marot*, Paris, 1888, p. 98.)

[4] Fauchet ne voit pas le côté sérieux de la querelle avec Sagon. Il croyait qu'elle était entretenue « pour en tirer du plaisir ».
    Cf. Henry GUY, *Histoire de la Poésie française au XVIe siècle*, t. 2, *Clément Marot et son Ecole*, Paris, 1926, pp. 253 et suiv. Pierre VILLEY, *Les Grands Ecrivains du XVIe Siècle*, t. 1er, *Marot et Rabelais*, pp. 104 et suiv.

[5] Johann Philippson dit Sleidanus (1506-1556) a écrit l'histoire de la Réforme *De statu Religionis et Reipublicae Carolo Quinto Caesare Commentariorum libri XXVI* (1555).

[6] Marot n'est cité qu'une fois dans les *Œuvres*, f. 523 v°, où deux vers expliquent le sens de « dague ».

FIG. 12.

B. N. fr. 1560. Manuscrit du Roman de la Rose. Fauchet a souligné le nom de Jehan Clopinel.

alors que la Pléiade avait définitivement conquis ses droits de
cité à la Cour, est assez inattendue. Certains critiques avaient
blâmé la facilité de Marot; pour sa part, Fauchet le trouve
« fort propre en sa composition », et il a assez de discernement
pour comprendre que le génie de Marot réside en l'esprit qui
réjouit le lecteur des épigrammes.

*
* *

Si Fauchet a goûté les vers de Marot, il ne manque pas de
rendre hommage aux entreprises de la Pléiade. Nous parlons
ailleurs de son estime pour Jean-Antoine de Baïf [1]. Il fait allusion à deux traducteurs poètes, Joachim du Bellay et Louis des
Masures, dans son chapitre sur la signification du mot « palefroi » [2] et il préfère le vieux terme du terroir à l'invention de
Du Bellay « pié-sonnant ». Plus tard, dans le *Recueil* [3], il est
d'avis que si les doctes continuent à écrire en français, cela
nous pourra rendre l'honneur perdu. Les « translations »
enrichissent la langue, mais les savants personnages qui
emploient « les forces de leur vif esprit » à cultiver la Muse,
l'embellissent encore davantage.

A propos de l'Alexandrin nous avons noté une allusion à
« Pierre de Ronsard prince de nostre poesie Françoise »
(*Recueil*, p. 86), mais tout un chapitre du cahier est consacré à
ce poète. Après une courte introduction où Fauchet nous
informe qu'il n'avait pas eu l'intention d'écrire quoi que ce
soit sur les vivants, il dit que puisque ce poète a révélé sa
naissance dans le « boscaige » à Pierre de Paschal [4], il pourra
bien parler de lui, en se tenant aux indications données par
Ronsard lui-même. Le savoir du poète doit exciter l'admiration, d'autant plus qu'il a commencé ses études des langues
anciennes à 18 ans. Ronsard a eu la bonne fortune d'avoir
Dorat pour son maître.

Les quelques remarques critiques de Fauchet au sujet des
Odes reflètent l'état d'esprit des contemporains. Nous avons
vu que Fauchet lui-même s'incline devant le talent de Marot,
mais il y a en lui un philologue naissant qui apprécie les

« Et Marot tient ceste arme pour ancienne, puis que voulant injurier une
laide vieille hors d'usage, il dit :
On me l'a dit dague à Roelle
Que de moy en mal vous parler, etc. »
Le titre du rondeau de Marot est le suivant : *A une médisante*, v. *Œuvres
complètes de Clément Marot*, Classiques Garnier, Paris, s. d., t. 1er, p. 405.
  [1] V. chapitre sur les amis de Fauchet.
  [2] B. N. fr. 24726, f. 7 r°.
  [3] P. 48.
  [4] Publié dans le *Bocage de 1554*. C'est le poème appelé ordinairement *Elégie
à Remy Belleau*, dont Ronsard avait changé la dédicace. Sur Paschal, v. P. de
Nolhac, *Ronsard et l'Humanisme*, passim.

efforts de la Pléiade pour enrichir la langue. De là une certaine ambiguïté dans son attitude. Les *Odes* et le *Bocage* sont
inspirés par la lecture d'Horace et de Pindare; puis Ronsard,
voyant que ses poèmes plaisaient aux doctes et incité par
l'amour de la gloire, s'est essayé dans tous les genres; et voici
le témoignage de Fauchet qui vient s'ajouter aux autres mentions du projet de la *Franciade* :

> OEuvre de plus grande aleine... en laquelle il delibere, imitant
> Homere, Virgille, Arioste, louer nos Rois françois.

Les objections formulées contre le vocabulaire de Ronsard
par Mellin de Saint-Gelays et même par le cercle lettré de
Michel de l'Hospital et Jean de Morel, trouvent un écho dans
les paroles qui suivent. Fauchet prend parti pour la Pléiade,
louant « le renouvellement, invention et composition » de nouveaux mots.

Fauchet explique ensuite que la hardiesse de Ronsard lui
ôtait la faveur de la Cour, accoutumée à la facilité et à la « fluide
composition » des vers de Marot. L'entreprise du nouveau
poète peut se justifier car il vaut mieux plaire aux doctes qu'à
la multitude « d'un sot populace ». Une telle affirmation avait
d'autant de prix aux yeux des humanistes d'autrefois qu'elle
est tirée par notre érudit du *De claris oratoribus* de Cicéron.
La comparaison qui suit nous montre bien que nous sommes
aux années 1555 et 1556 où l'on bâtissait, renouvelait et recons-
truisait divers édifices du Louvre [1]. « Cessent donq ces opi-
niastres de calumnier telle entreprise et me respondent lesquelz
ils aimeroient mieux estre, ou le seigneur de Clagné [2], archi-
tecte du superbe et inimitable bastiment du Louvre, ou ung
des tailleurs de pierres qui lui aident à le bastir? » Ces considérations d'un haut intérêt d'actualité cèdent la place à la fin
du chapitre à une affirmation curieuse qui est bien dans les
idées de Fauchet. Si Ronsard ne surpasse pas tous les autres
en savoir, il les surpassera certainement en noblesse [3].

---

[1] V. P. CHAMPION, *Ronsard et son Temps*, p. 113.
[2] Sur P. Lescot, v. même ouvrage, *ibid.*
[3] Fauchet cite les vers où Ronsard rattache sa famille à l'ancêtre légendaire
qui tirait
                                        sa race
        D'où le glacé Danube est voisin de la Thrace.
    V. P. LAUMONIER, *Le Bocage de 1554*, Société des textes français modernes,
1932, p. 61.

Conclusion

La préoccupation documentaire de Fauchet. Essai de critique. Le peu
d'entraînement de son siècle à l'analyse critique. Il convient de
comparer le savoir de Fauchet à celui de ses contemporains; il est
le seul à posséder une connaissance profonde de toute la littérature
du moyen âge. Il avait recours aux manuscrits, et il est le premier
à donner une liste des vieux poètes.

Ayant examiné en détail les notices que Fauchet a consacrées à la poésie française dans son cahier, dans son *Recueil*
et dans ses œuvres historiques, il convient de résumer les conclusions qui découlent de cette étude.

Rappelons en premier lieu, que ces allusions n'ont pas
toutes le même but. Un grand nombre, — celles des traités
historiques — ont une valeur purement documentaire. Mais
il en reste une quantité assez considérable, le livre II du
Recueil pour nous permettre de nous faire une idée de la
manière dont Fauchet lui-même envisageait sa tâche d'historien de la littérature. A ce propos ses remarques à la fin du
Recueil sont de toute première importance :

Il suffira... d'avoir monstré la route à d'autres, qui cingleront plus
librement par ce golfe jadis incogneu, leur donnant moyen de nous
communiquer des livres jusques ici mesprisez : lesquels possible fussent
perdus, qui n'eust adverti les possesseurs qu'on en peut tirer quelque
cognoissance de l'antiquité Françoise. Mais aussi je les supplie (en
recompense) m'en vouloir aider, puis qu'en partie j'ay esté cause de
les conserver, à la honte de ceux qui les ont pensé indignes d'estre
estimez : combien qu'il n'y aye si pauvre autheur qui ne puisse quelque
fois servir, au moins pour le tesmoignage de son temps... Et à ce propos
j'ose bien asseurer que les Journaux de simples gens, m'ont tellement
aidé en aucuns endroits d'histoire, que je ne puis appeler gastepapiers,
ceux qui fidellement recueillent les choses de marque quelque mauvais
ordre ou langage dont ils usent.

« Pour tirer quelque cognoissance de l'antiquité Françoise » — voilà pourquoi Fauchet lit les vieux textes. Les vers de Huon de Méry « servent à l'histoire du temps », et le Président écrit aussi sur la feuille de garde d'un de ses manuscrits qu'il est « memor piae et venerandae antiquitatis » [1]. A vrai dire, la préoccupation documentaire se rencontre à plusieurs reprises dans le *Recueil* :

P. 84 : J'ay voulu transcrire ces vers... pour monstrer que l'intention des trouverres estoit d'animer les seigneurs, et les encourager à la vertu, mais surtout à la liberalité.

P. 91 : L'extrait que j'ay faict d'aucuns, servira pour faire garder les vieils livres et ne les vendre plus aux relieurs, car il se trouve quelquefois de bonnes pieces parmi tels cahiers moisis.

P. 97 : Il nomme aucuns taverniers de Paris.

P. 110 : J'ay voulu mettre ces vers, et pour monstrer l'entrée de ces Chanterres avant que faire leurs recits...

Si l'on se reporte aux annotations des manuscrits de Fauchet, l'on trouve qu'elles appartiennent presque toutes à la même catégorie. Elles sont historiques, ou philologiques, ou bien elles fournissent la leçon d'un autre manuscrit. Elles montrent l'étendue des connaissances de Fauchet.

Emile Faguet [2] distinguait nettement entre l'historien de la littérature et le critique proprement dit : « L'historien littéraire... doit indiquer l'esprit général d'un temps d'après tout ce qu'il sait d'histoire proprement dite... mesurer les influences qui ont pu agir sur un auteur, s'inquiéter de la formation de son esprit... il ne doit connaître et faire connaître que des faits et des rapports entre les faits... Le critique, au contraire, commence où l'historien littéraire finit, ou plutôt il est sur un tout autre plan géométrique que l'historien littéraire. A lui, ce qu'on demande, au contraire, c'est sa pensée sur un auteur ou sur un ouvrage... »

Cette distinction, trop rigoureuse à la vérité, nous aide à comprendre le travail de Fauchet.

Il sait très bien que l'historien de la littérature doit nécessairement faire, jusqu'à un certain point, œuvre de critique. Parlant du *Tornoiment as dames de Paris*, il dit : « Ce tournoy peut estre leu pour la memoire d'aucunes familles de Paris plus que pour excellence du stil. « C'est-à-dire, on peut lire le poème pour sa valeur documentaire plus que pour sa valeur poétique. En fait, la préoccupation esthétique se fait voir dans les remarques de Fauchet sur le *Roman d'Alexandre* [3], par

---

[1] B. N. ms. lat. 270.
[2] Emile FAGUET, *L'Art de lire*, chap. IX.
[3] V. ce qu'il dit à propos d'une citation dans le cahier, B. N. fr. 24726,

exemple: « Ces vers qui suivent pourront donner à cognoistre une partie du stil desdits autheurs », et dans l'attention que Fauchet prête aux questions de technique poétique. L'assonance et le vocabulaire des vers des épopées arrêtent son attention, et les épithètes « acerin », « fresnin », etc., l'expression « douce France », les mots « periller », « desrocher », etc., reçoivent une mention spéciale. Fauchet témoigne la plus haute admiration pour les sentences de toute espèce. Les expressions concises, et les proverbes de Thibaud de Marly, d'*Aye d'Avignon*, de *Dolopathos*, d'*Yvain*, de *Ciperis de Vignevaux* remplissent des pages du *Recueil*. Il n'est pas sourd à la musique du rythme, car *Meraugis de Porlesguez* « est escrit en vers de huit syllabes assez coulans », et les « belles comparaisons » des chansons de Thibaud de Navarre et de Gauthier d'Espinois leur valent de longues citations. Fauchet apprécie évidemment une bonne description, — un champ de bataille, « une déconfiture de gens », un tournoi, — il goûte aussi ces descriptions du printemps qui abondent dans la poésie lyrique du moyen âge.

En outre, Fauchet a réussi à caractériser d'une façon assez précise certaines œuvres. La *Bible* de Guiot de Provins est « une bien sanglante satire ». *Dolopathos* est « tout plein de contes moraux et plaisans ». Thibaud de Marly « advertit chacun de bien faire, s'abstenir de pecher, craindre la mort, et n'esperer avoir support des choses que plus nous avons aimees en ce monde ». Inutile de continuer ces citations, que nous avons déjà relevées au cours de notre étude.

L'examen des manuscrits que Fauchet avait annotés vient confirmer la conclusion qu'il avait certaines préoccupations esthétiques. Un petit nombre de notes sont faites pour attirer sa propre attention sur une « belle harangue », ou sur une « sentence véritable ». Les *Vers de la Mort* de Hélinand qu'Estienne Pasquier appréciait également, ont mérité la note « tresbon », et le *Doctrinal de Cortoisie* la note « bon ».

Nous croyons, en effet, que Fauchet possédait quelques-unes des qualités qui sont indispensables au critique de la poésie du passé. Il a non seulement l'érudition profonde, mais la sympathie et l'intuition qui sont nécessaires pour comprendre une autre époque. Il achetait les antiques volumes et contemplait avec ravissement « le faicts de *ses* vaillans et loyaux predecesseurs » [1]. Il avait la patience et la curiosité de

---

f. 25 v°. « Ces dix derniers vers ne servent à rien à la matiere, mais le lecteur me pardonnera s'il lui plaist, car aint desir qu'il vit quelque trait de ce viel autheur, je n'ai voullu laisser passer ces vers qui m'ont semblé assez bons. »

[1] *Antiquitez*, avant-propos.

lire des manuscrits qui sont indéchiffrables, ou presque, pour nous.

Pourtant, son mérite ne va pas plus loin. Ses recherches pour savoir les noms des auteurs des poèmes, pour les dater, pour expliquer des allusions incompréhensibles à ses contemporains, pour saisir, enfin, toute la portée du texte, constituent un travail qui doit précéder le véritable travail du critique littéraire. Rappelons-nous que sa première formation n'est pas littéraire mais juridique, et ne nous étonnons point de sa critique qui nous semble un peu enfantine, et parfois un peu naïve. Combien de poètes, selon lui, ont « l'esprit gentil et inventif »! Combien de « beaux » poèmes il rencontre. Il raconte tout au long les *Trois aveugles de Compiègne*, et la *Bourse pleine de sens* avec un style vigoureux qui en rend bien l'esprit. Le récit nous montre Fauchet en présence d'œuvres qu'il apprécie infiniment. Il est donc singulièrement intéressant de constater qu'il ne trouve que l'épithète « assez plaisant » pour décrire l'action étendue et complexe, les épisodes rigoureusement liés et la conclusion savoureuse des *Trois aveugles*. Le fait est que tous les procédés critiques les plus simples de classement et d'analyse étaient encore à préciser.

Le vrai sujet des articles du *Recueil*, qui fut la beauté de la langue poétique française, était au-dessus des moyens critiques de Fauchet, et dans la pauvreté de ses épithètes l'on sent le peu d'entraînement qu'il possédait à l'analyse critique.

Nous avons un autre moyen d'être fixé sur son goût. Le nombre de pages que Fauchet a consacrées à la poésie lyrique du moyen âge est un indice certain. Les chansons et les jeux-partis constituent à peu près la moitié du *Recueil* [1]. Si l'on y ajoute les fabliaux, il ne reste qu'un tiers du livre où l'on trouve groupés les chansons de geste, les œuvres satiriques et didactiques, tous les romans. C'est dire que Fauchet traite ses auteurs autrement que ne le ferait un critique moderne. A nos yeux, les œuvres épiques du moyen âge semblent mériter un traitement plus copieux. La satisfaction avec laquelle Fauchet a rempli son livre de chansons d'amour et de fabliaux nous renseigne assez non seulement sur son goût personnel, mais aussi et surtout sur celui de son siècle. Il espérait sans doute

---

[1] Fauchet nous avertit qu'il avait laissé de côté les poèmes dont il ne savait pas les auteurs. Cette remarque peut s'appliquer non seulement aux épopées mais aussi aux chansons anonymes qu'il trouvait dans les chansonniers. Le *Recueil* reflète surtout le goût des contemporains. Fauchet lui-même semble avoir goûté des scènes de combat, etc., à en juger par la quantité de vers de cette espèce qu'il a transcrits dans son cahier.

que le *Recueil* deviendrait un livre d'agrément qui répondrait
au goût marqué des contemporains pour les contes assez libres
et pour les vers d'amour [1] imités des quattrocentistes italiens.
En fait les contes de toute espèce plaisent à toutes les époques,
mais le xxᵉ siècle n'arrive pas à goûter et à admirer cette poésie
d'amour pleine de thèmes conventionnels et de comparaisons
exagérées qui faisait les délices du moyen âge et du xviᵉ siècle.
La seule partie de la poésie pétrarquiste, qui réussit à satisfaire
notre goût, est bien celle où le poète, quel qu'il soit, Thibaud
de Navarre, Ronsard ou Shakespeare, se débarrasse des conven-
tions et laisse percer une note sincère.

En somme, le *Recueil*, livre II, porte la claire empreinte
de l'époque. La critique littéraire, telle que nous la comprenons, n'était pas née; l'engouement du xviᵉ siècle pour le pétrarquisme se reflète dans les poésies que Fauchet a choisies pour
remplir son livre.

Cependant, pour apprécier la valeur réelle du *Recueil*, il
ne faut pas le juger entièrement d'après les idées et le goût du
xxᵉ siècle. Il convient de nous demander quel était l'état des
connaissances littéraires du xviᵉ siècle. La Renaissance avait vu
la restauration de l'étude de l'antiquité grecque et latine, mais
Claude Fauchet montre une connaissance du moyen âge français, qui est faite pour inspirer le plus profond respect même
de nos jours. Etait-il isolé à cet égard, ou lesquels d'entre ses
contemporains peuvent lui être comparés?

Si l'on pense d'abord aux chansons de geste, l'on remarquera qu'elles survivaient particulièrement dans les romans de
« prouesses » et d'aventures écrits en prose pour la clientèle
populaire [2]. Des listes de livres ont été laissées par Noël du
Fail [3], et par un Parisien obscur dans un document découvert
dans la Bibliothèque de Berne, et publié par Léopold Delisle
sous le titre de *Inventaire de Jacques le Gros*. Ce catalogue
comprend presque tous les romans de chevalerie de l'époque :

---

[1] Voici une chanson de Robert de Marberolles qui est dans le goût du
xviᵉ siècle :

> *Morte est amors, mors sont cil qui amoient.*
> *Li faux amans l'ont fait du tout faillir*
> *Par leur barat, et par leur tricherie*
> *Par leur faux plaindre et par leur faux soupir.*

Fauchet remarque : « Ceste chanson est tresbelle. » On pourrait multiplier
les exemples.

[2] V. J. PLATTARD, *L'Œuvre de Rabelais*, Paris, 1910, pp. 2 et suiv.; A. CLAUDIN,
Histoire de l'Imprimerie en France, t. 1ᵉʳ, 2, 3, Paris, Imprimerie nationale,
1900-1904, in-fᵒ, t. 4, 1919.

[3] *Les Quatre Fils Aymon, Ogier le Danois, Merlusine*, dans *Contes d'Eutrapel*
(*Du temps présent et passé*). Noël du Fail connaît aussi le *Roman de la Rose*,
le *Roman du Renard* et *Renard le contrefait*, le *Jeu de Robin et de Marion* et
Pathelin. V. *Œuvres facétieuses de Noël du Fail*, revues par J. Assézat, Paris,
1874, *passim*.

Perceforestz, Meliadus de Lyonnois, Tristan, Giron le Courtois, Jourdain et Morgant, Merlin, Beufves d'Anthonne, Trébisonde, Perceval, Alexandre le Grant, Doolin et Fierabras, Gallien Restauré, Gerard du Frastre, Maguelonne, Jean de Paris, Jeoffroy Grant Dent, Belle Helaine, Florimont, Mélusine, Mabrian, Guérin et Maugist, Milles et Amis, Florent et Lyon. Cette tradition se retouve dans l'œuvre de Rabelais, qui fait allusion à plusieurs de ces héros d'un passé légendaire, — Fierabras, Huon de Bordeaux, Matabrune, Roland et Olivier, Renaud de Montauban, Geoffroy à la grand' dent, Ogier le Danois et Gauvain et Lancelot.

Si l'on laisse de côté certains écrivains exceptionnels, l'on ne trouve que ce reste du haut moyen âge dans les œuvres du XVIᵉ siècle. Cependant, des ouvrages plus récents, tel le *Roman de la Rose*, exercent une influence considérable sur Clément Marot et ses prédécesseurs, les rhétoriqueurs. Cette influence ne cesse pas avec l'avènement de la Pléiade. Marot rajeunit le Roman en 1526, et sa version a cinq éditions dans les douze années qui vont suivre [1]. Avant la première édition de Marot il y en avait eu cinq entre 1500 et 1520, ce qui témoigne de la grande popularité du livre. Marot lui-même en subit l'influence dans le *Temple de Cupido*, et il fait bien des allusions à Guillaume de Lorris et à Jean de Meung au cours de son œuvre.

Les contemporains de Marot, Pierre Fabry et Jean Bouchet [2], le mentionnent également.

Thomas Sibilet aussi dans son *Art poétique françoys* [3] dit que le « Roman de la Rose... est un des plus grans œuvres que nous lisons aujourd'huy en notre poësie Françoise ».

Les poètes de la Pléiade [4] se souviennent également du vieux poème. Jean-Antoine de Baïf écrit un sonnet au roi Charles IX sur le Roman; Ronsard lui-même le lit, et les personnages allégoriques qu'il présente dans certaines poésies, — le *Discours des misères de ce temps*, par exemple — ont une forte ressemblance aux personnages du *Roman de la Rose* [5]. Joachim du Bellay l'appelle « une première imaige de la langue françoyse venerable pour son antiquité » [6]. Pasquier l'admire.

---

[1] V. P. VILLEY, *Marot et Rabelais*, Paris, 1923, p. 121.
[2] *Le grant et le vray art de pleine rhetorique*, prologue. Jean Bouchet cité par H. GILLOT, *La Querelle des Anciens et des Modernes*, p. 40. La citation vient du *Temple de Bonne Renommée*.
[3] Ed. F. GAIFFE, p. 187. Société des textes français modernes, 1932.
[4] V. H. CHAMARD, *Les Origines de la Poésie française de la Renaissance*, Paris, 1916, pp. 86 et suiv.
[5] V. H. GUY, *Les Sources françaises de Ronsard*, dans *Revue d'Hist. litt. de la France*, IX, p. 217.
[6] V. *Deffence et Illustration de la langue françoyse*, éd. H. Chamard, p. 174. Cf. p. 235, pour des mentions de Lancelot et de Tristan. Notons que le *Quintil Horatian* ne rejette pas les rhétoriqueurs.

Mais ce sont les œuvres du xive et du xve siècle que les auteurs du xvie semblent avoir connues davantage. Pour commencer par Jean Lemaire de Belges, — qui se distingue aussi par une mention du *Roman d'Alexandre* [1] — voici ce qu'on trouve dans la *Concorde des deux langages* :

> Et, en ce, allégoit pour ses garants ou défenseurs aucuns poètes orateurs ou historiens de la langue françoise, tant antiques que modernes, si comme Jean de Meun, Froissart, maître Alain, Meschinot, les deux Greban, Millet, Molinet, Georges Chastellain et autres, dont la mémoire est et sera longuement en la bouche des hommes, sans ceux qui encore vivent et fleurissent, desquels maître Guillaume Crétin est le prince [2].

On remarquera la présence de Jean de Meung dans cette liste : ailleurs Lemaire l'appelle « orateur françois, homme de grande valeur et littérature, comme celui qui donna premièrement estimation à notre langue, ainsi que fit le poète Dante en langage toscan et florentin » [3].

D'après cette liste, les chroniqueurs continuent à jouir d'une certaine popularité. Noël du Fail [4] parle aussi de Froissart, de Joinville et de Philippe de Commynes. Les mêmes noms se rencontrent dans les *Essais* de Montaigne [5], qui écrit l'appréciation suivante de Commynes sur un exemplaire qu'il possédait :

> Vous y trouverez le langage doux et aggreable, d'une naifve simplicité; la narration pure, en laquele la bonne foy de l'autheur reluit evidemment exempte de vanité, parlant d'autruy : ses discours et enhortemens accompaignez plus de bon zele et de verité que d'aucune exquise suffisance, et tout partout de l'authorité et gravité représentant son homme de bon lieu et élevé aus grans affaires.

Montaigne connaissait les ouvrages d'Olivier de la Marche, de Monstrelet et de Nicole Gilles. Evidemment, il s'intéresse d'une façon plus profonde à la vieille littérature que les écrivains mentionnés jusqu'à présent, mais il ne la connaît pas assez bien pour qu'on puisse le comparer à Geofroy Tory de Bourges, à Estienne Pasquier, à Henri Estienne ou à Claude Fauchet [6] qui, eux, possédaient et lisaient les manuscrits du moyen âge.

---

[1] Fauchet a relevé cette citation. V. p. 166.
Cf. P. SPAAK, *Jean Lemaire de Belges*, Paris, 1926, p. 268.
[2] P. SPAAK, *op. cit.*, p. 238.
[3] P. SPAAK, *op. cit.*, p. 269.
[4] V. *Œuvres facétieuses*, éd. J. Assézat, t. 2, p. 99, t. 1er, p. 311 et t. 2, pp. 206 et 237.
[5] P. VILLEY, *Les Sources et l'Evolution des « Essais » de Montaigne*, Paris, 1908, t. 1er.
[6] Nous ne mentionnons pas Jean de Nostre Dame, *Les Vies des Troubadours*,

Le *Champ fleury* parut en 1529 [1], et montre que Tory connaissait une partie du *Roman d'Alexandre*, dont les auteurs
avaient « en leur style une grande majesté de langage ancien ».
S'ils avaient vécu de son temps, ajoute-t-il, « ilz eussent excédé
tous Autheurs Grecs et Latins ». Il a aussi une certaine connaissance des œuvres de Chrétien de Troyes, de Huon de Méry et
de Raoul de Houdenc. Il mentionne avec éloge « Paysant de Mé-
zières », et après avoir exprimé ses remercîments à son « bon
amy », Frère René Macé de Vendôme, qui lui avait prêté des
manuscrits, il fait allusion à Arnoul Gréban, à Simon Gréban,
au « doulx langage » de Pierre de Nesson et des *Lunettes des
Princes* et au style « moult seignorial et héroïque » d'Alain
Chartier et de Georges Chastelain. Ensuite, il égale les chroniques de Guillaume Crétin à tout ce qu'avait écrit Homère,
Virgile et Dante.

On ne peut évaluer trop haut l'importance de cette espèce
de bibliographie donnée par Geofroy Tory. Fauchet la connaît
avant de commencer à rédiger les chapitres de son cahier en
1555.

Les rencontres de Claude Fauchet et de Henri Estienne sont
probablement dues aux discussions fréquentes parmi les érudits
de l'époque. Ce dernier s'intéressait profondément aux vieux
mots, et au cours de sa *Précellence du langage françois*, il cite
plusieurs passages du *Roman d'Alexandre*, en mentionnant la
« gravité » et les belles épithètes qui s'y rencontrent. Il connaissait la *Bible* de Guiot de Provins, dont il fait une citation,
(l'attribuant, d'ailleurs à la *Bible* de Hugues de Berzé), *Judas
Machabée*, le *Tournoiement d'Antichrist*, et le *Roman de la
Rose*. Il lisait les romans de chevalerie en prose, les ouvrages de
Gaston Phébus et de Gace de la Buigne, et il nous dit que sa
bibliothèque contenait « de vieux livres, François Rommans et
autres, dont la plus grande part escrite à la main » [2].

Etienne Pasquier [3] ne mentionne pas beaucoup d'ouvrages
de l'ancienne littérature. Pour ce qui est de la poésie française

---

*par lesquelles est monstré l'ancienneté de plusieurs nobles maisons tant de
Provence, Languedoc, France que d'Italie et d'ailleurs*, caractérisée par un critique moderne comme « un mauvais petit livre ». V. l'introduction à l'édition
critique de cet ouvrage par C. Chabaneau et J. Anglade.

[1] V. la belle édition de M. Gustave COHEN, *Geofroy Tory, le Champ fleury*,
Paris, 1931, f. III v°. « Paysant de Mezieres » c'est Paien de Maisieres (Aube),
auteur de la *Mule sanz frain*.

[2] V. H. ESTIENNE, *La Précellence du Langage françois*, éd. E. Huguet, Paris,
1896, pp. 123, 184, 199, 266, 201, 198, 122, 121, 124, 192, 270, 186, 269. Cf.
L. CLÉMENT, *Henri Estienne*, p. 224.

[3] V. J. MOORE, *Estienne Pasquier Historien de la Poésie et de la Langue françaises*, Poitiers, 1934, pp. 37 et suiv.

Pasquier a fait une remarquable étude de *Pathelin*, mais ce n'est pas encore
la critique littéraire telle que nous la comprenons. V. *Recherches*, livre VIII,
ch. LIX.

d'avant 1300, il ne parle que de Hélinant, d'*Ogier le Danois*, d'*Athis et Porphirias* de *Berte aux grands pieds*, et de deux ou trois auteurs de chansons. Son mérite particulier est ailleurs; ses remarques sur la littérature contemporaine, par exemple, étant toujours capables de retenir l'attention des lecteurs.

Après Fauchet, la Croix du Maine et du Verdier se font les annalistes de la littérature nationale.

Cependant, l'énumération de tous les prédécesseurs et con temporains de Fauchet, qui se sont intéressés à cette littérature, ne doit pas faire oublier que ni l'atmosphère intellectuelle de l'époque ni les ouvrages de ses prédécesseurs n'étaient suscep- tibles de donner à Fauchet l'idée de faire une liste des vieux poètes. Cette idée, il l'a conçue à part lui : et c'est à lui que revient l'honneur d'avoir lu les manuscrits et le premier pré- senté une esquisse du passé littéraire — et linguistique — de la France. Son tableau n'est pas sans lacunes; il n'en est pas moins vrai que son *Recueil* marque à sa date l'un des premiers pas dans les études littéraires.

La documentation de ce livre est aussi très remarquable. Les lectures personnelles de Fauchet en matière de littérature ont été très étendues. Il avait une carrière professionnelle très remplie; il ne possédait pas les ressources des grandes biblio- thèques du xxᵉ siècle. Pourtant, la somme de renseignements qu'il a réintégrés dans son étude de la poésie française est faite pour inspirer un respect profond de son érudition. La valeur du *Recueil* est augmentée par le grand nombre de citations qui y paraissent, citations fort précieuses pour les contemporains qui pouvaient ainsi acquérir une connaissance des anciens ouvrages. Les citations arrivent aussi à suppléer au défaut d'analyse critique que l'on a remarquée chez Fauchet.

En somme, la liste des poètes du *Recueil* est la première œuvre française de son espèce. Elle reste la seule pour deux siècles, et c'est Fauchet qui sert de guide pour les études litté- raires du xviiiᵉ siècle [1]. A l'heure présente, l'ouvrage se laisse encore consulter pour les problèmes de toute espèce que Fau- chet soulève lui-même à propos des poètes et sur lesquels il attire l'attention de son lecteur, — problèmes biographiques, philologiques et littéraires. Il ne les résout pas toujours, mais ses idées ne peuvent jamais être rejetées sans examen. L'article sur Pierre Gencien, par exemple, est confirmé par les recher-

---

[1] Sur la façon dont le xviiiᵉ siècle lisait les romans de chevalerie, on peut consulter le livre de Jacoubet. (V. Bibliographie.) Tressan a édité les romans d'après les incunables et non d'après les manuscrits.

ches les plus récentes, et il en est de même pour d'autres notices du *Recueil*. C'est dire que les études littéraires de Fauchet méritent d'attirer l'attention, non seulement de tous les spécialistes du moyen âge, et du xvi⁰ siècle, mais de tout esprit qui s'intéresse au développement du génie littéraire français [1].

---

[1] Rappelons le jugement de Darmesteter et Hatzfeld : « La seconde partie du *Recueil de l'Origine* est consacrée à des notices littéraires sur cent vingt-sept trouvères français, dont divers fragments sont cités d'après les manuscrits. Ici, Fauchet est réellement novateur, et s'il eût fait école, il y a trois siècles que notre histoire littéraire serait fondée. » *Le seizième Siècle*, p. 75.

Celui de Saintsbury, *History of Criticism*, t. II, p. 135 : « We cannot justly neglect the name of Claude Fauchet who almost deserves that of Premier historian of literature in Europe.

TROISIÈME PARTIE

LES ŒUVRES HISTORIQUES
DE CLAUDE FAUCHET

CHAPITRE PREMIER

La traduction de Tacite [1]

La traduction de Tacite, authenticité. Traducteurs de l'*Agricola*, et de la *Germanie*. Ange Cappel, Blaise de Vigenère. Fr. de Belle-Forest. Accueil fait au « tiers » de Tacite que Fauchet laissait « courre ». Opinion d'Estienne Pasquier.

Examen du passage traduit par Pasquier, et comparaison de sa traduction avec celle de Fauchet. Style élégant de Pasquier, mais il possède moins bien que Fauchet la langue latine. Fidélité de Fauchet; son style; difficulté d'une traduction de Tacite; concision et pittoresque de l'historien latin. Efforts faits par Fauchet pour reproduire les effets de Tacite. Ses descriptions; ses portraits. La traduction bien reçue par les contemporains.

La traduction de Tacite parut chez Abel L'Angelier « libraire juré, tenant sa boutique au premier pillier de la grand' salle du Palais » en 1582, mais sans le nom du traducteur. L'imprimeur, dans sa note au lecteur, nous avertit que Estienne de la Planche avait « prévenu » le traducteur « en la translation des cinq ou six premiers » livres, mais le nom de ce traducteur n'apparaît pas. Celui-ci est trop modeste, ne croit pas avoir assez bien fait « pour y mettre son nom ». Et le nom de Claude Fauchet n'apparaît ni sur l'édition de 1584, ni sur celle de 1594 ni sur celle de 1612. Ces deux dernières éditions voient le jour à Genève et à Francfort, on doit les supposer subreptices, mais elles maintiennent l'anonymat de l'œuvre.

Pourtant, l'authenticité de cette traduction n'est pas dou-

----

[1] V. F. Hennebert, *Traducteurs français d'Auteurs grecs et latins pendant les* xvie *et* xviie *Siècles. Mémoires de l'Université de Gand*, 1858; J. Bellanger, *Histoire de la Traduction en France*, Paris, 1903; A. de Blignières, *Essais sur Amyot et les Traducteurs français du* xvie *Siècle*, Paris, 1851; A. Tilley, *The Literature of the French Renaissance*, Cambridge, 1904, t. Ier, pp. 35-52.

Le principal article sur les traducteurs de Tacite est celui de Sainte-Beuve, *Premiers Lundis*, I, 236.

La théorie de la traduction au xvie siècle ne regarde pas Fauchet, qui ne suit pas la mode des paraphrases.

teuse, car Fauchet l'a avoué dans un de ses cahiers [1]. Ecrivant
des notes sur les étymologies de divers mots qu'il a rencontrés
au cours de ses lectures, il prévoit la critique du lecteur :

> Possible aucun, voyant ces fatras, dira : « Fauchet avoit bien grand
> loisir. » Mais jà me pardonneras, lecteur, si tant de choses legeres
> m'eschapent parmi tant d'autres bonnes que j'ai recueillies. Car les
> livres ne se font guieres aultrement, pour ce qu'il est besoing de quel-
> quefois esgaier son esprit las d'une estude plus sévère; avec ce que je
> voulois me consoler du bruit que les cloches m'ont fait depuis quatre
> heures jusqu'à neuf heures au soir, et que je te vouloi asseurer qu'en
> cet œuvre et aultres pareilz (car il y a plus de poine et de travail d'esprit
> en la composition de mes *Antiquitez* ou *Translation de Tacite* qu'en ces
> fatras, ou il n'i a point de guet à pens (comme l'on dit en proverbe)
> ains ces chapitres de recueil naissent comme en devisant...

Cet aveu est confirmé par des documents qui proviennent
probabement des papiers de la famille de Mesmes [2]. L'index
indique au f. 17 r° : « Extraicts de Cornelius Tacitus par
M. Fauchet », et si on se reporte à cette page, on trouve que
sous le titre de « Ex Historia Cornelij Taciti imp. 1542 » Fauchet
a copié des phrases, des expressions, des sentences qui l'ont
frappé, et résumé des idées ou des faits dont il voudrait se
souvenir. Les phrases sont en général traduites, comme par
exemple : « Il n'est pas tousiours besoing que le prince rende
raison en public de ses actions » (p. 19) ou « Le prince doit
estre civil et prendre quelquesfois plaisir avecq son peuple »
(p. 42) ou « Il est facheux d'estre acusé devant le prince vitieux
d'avoir parlé de lui » (p. 55). On connaît le goût de Fauchet
pour les maximes, et on se rappelle son grand désir de donner
de bons conseils à tous ceux qui gouvernent les peuples. L'on
peut dire que c'est chez les anciens — et chez Philippe de Commines — qu'il a puisé ce goût. Les notes qui ne sont pas de
simples traductions de phrases sont telles que celles-ci : « Bone
description de naufrage p. 51 », ou bien « bon devoir de capitaine apres quelques maulvaises adventures 51 et 52 ». Ces notes
sont précisément de la même espèce que celles qu'il écrit lorsqu'il lit les romans du moyen âge.

Enfin, un dernier témoignage de l'intérêt que portait Fauchet à Tacite vient d'un autre de ses cahiers (B. N. fonds fr.
24726). La page 76 v° contient des notes prises dans la *Vie
d'Agricola* et dans la *Germanie*, et le tout est précédé par la
remarque : « Pour l'origine des Francs, fault voir Albert Crantz

---

[1] Ms. du Vatican, Reg. 734. V. E. Langlois, *Etudes romanes dédiées à Gaston
Paris*, Paris, 1891; *Quelques Dissertations inédites de Claude Fauchet*, pp. 97
et suiv.; chapitre sur *happelourde*.
[2] B. N. fonds lat. 10406, contient la note « De Mesmes 454 ».

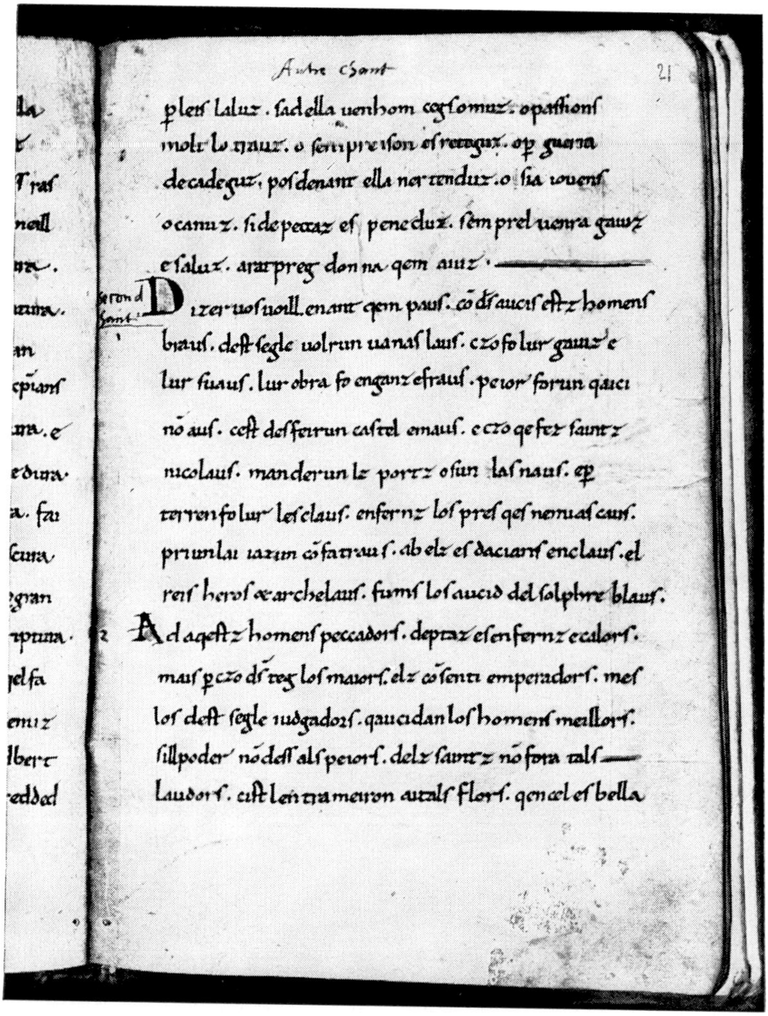

Fig. 13.

Bibl. Univ. de Leide, manuscrit de Sainte-Foi d'Agen. (C'est Fauchet qui a écrit « Autre chant » et « Second chant ».)

ch. 16 du 1ᵉʳ livre de Saxe. » Ici les notes semblent principalement de nature géographique, comme si le savant voulait se
rappeler les noms des localités, par exemple « Mona insula »,
« Clota et Bodotria », « Grampius mons Britannie », ou les
noms des tribus germaines.

Ces notes démontrent qu'il a étudié de près son Tacite, et
qu'il le connaît fort bien. Il l'utilise très à propos dans ses
œuvres historiques [1].

Ces notes de Fauchet rendent superflue la citation de témoignages contemporains, et on peut se passer de La Croix du
Maine, de du Verdier et de Scévole de Sainte-Marthe [2].

Rien de moins imprévu que cette traduction. Nous savons
le désir de Claude Fauchet jeune de devenir historiographe.
L'exemple de son parent Jacques Gohory traducteur de Tite-
Live était là pour l'encourager. Et il n'existait aucune traduction complète du plus original des historiens latins. L'utilité
d'une traduction de Tacite se faisait sentir. Quelle meilleure
préparation pour une histoire de longue haleine comme celle
que méditait Fauchet?

Les cinq premiers livres des *Annales* avaient été traduits
par Etienne de la Planche [3], avocat au Parlement, complètement inconnu par ailleurs. Il y eut, paraît-il, trois éditions de
sa traduction en 1548, 1555 et 1581, mais ni la Bibliothèque
nationale ni le British Museum ne les possèdent. Ces livres ont
été réimprimés avec la traduction de Fauchet, qui a revu ou
refait le premier livre traduit par La Planche [4].

La *Vie d'Agricola* et la *Germania* avaient aussi rencontré
des traducteurs. Ange Cappel [5], procureur du Roi au Parlement

---

[1] D'autre part, Jacques Gohory dit dans sa préface à la traduction du *Discours
de N. Macchiavel... sur la premiere décade de Tite-Live* que « feu Milles Perrot,
Maistre des Comptes, mon proche parent (personnage en son temps des plus
sçavans de ce Royaulme en diverses langues et sciences) » avait annoté de sa
main « Tite-Live et Cornelius Tacitus ». Les Perrot, comme nous avons dit
ailleurs, étaient aussi des parents de Fauchet. Il est à présumer que ce dernier
profitait des lumières de ses parents. Nous montrons aussi que ces érudits avaient
quelquefois des discussions.
[2] Voir plus loin.
[3] ETIENNE DE LA PLANCHE, latiniste français. « Il était dans le seizième siècle
avocat au parlement de Paris, et n'est connu que par une traduction des cinq
premiers livres des *Annales* de Tacite, Paris, 1548, 1555 et 1581, in-4º. Les cinq
autres livres furent traduits par Claude Fauchet. » PASQUIER, liv. XIX, lett. III.
DU VERDIER et LA CROIX DU MAINE, *Bibliothèques françaises*.
[4] L'imprimeur dit : « Toutefois le premier livre des *Annales* que maintenant
icy imprimé est sien », c'est-à-dire « est de Fauchet ».
[5] Ange Cappel (*Nouvelle Biogr. générale*, Hoefer, 1855). Les Cappel, famille
de jurisconsultes et de théologiens protestants. Ange Cappel, seigneur de Luat,
secrétaire du Roi, fils de Jacques Cappel, jurisconsulte, conseiller d'Etat sous
François Iᵉʳ, procureur du Roi au Parlement de Paris, mort en 1542. De ses
neuf enfants les quatre suivants méritent d'être connus : Jacques, Guillaume.
Louis, Ange.
Ange Cappel, né le 20 octobre 1537, mort en 1623. Il avait embrassé à 20 ans

de Paris avait dédié en 1572 une traduction du premier traité
à la reine Elisabeth d'Angleterre, et Blaise de Vigenère, connu
surtout par sa traduction du premier livre de Tite-Live [1], avait
donné une très érudite édition de la *Germanie* « discours excellent auquel est contenue l'assiette de toute l'Allemagne » [2].
Enfin, quatre ou cinq discours choisis dans les *Annales* et les
Histoires paraissent dans les « Harengues militaires et concions
de Princes, Capitaines et autres manians tant la guerre que les
affaires d'Estat... Recueillies et faictes françoyes par François
de Belle-forest » (1573). Chacun de ces traducteurs a un but
spécial. Cappel, protestant, fait sa cour à Elisabeth.

> Parmy tant de faictz d'armes courageux, malheureux neantmoins
> pour les Anglois il ne s'en trouve qu'un seul, soubz la conduite d'une
> femme mais Princesse du sang Royal à leur advantage. Ce que je pense
> avoir esté un vray pronostic de vostre grandeur.

Il espère qu'Elisabeth s'intéressera à son entreprise :

> Esperant, Madame, si je puis appercevoir que vostre Maiesté y ait
> prins plaisir que dans peu de temps je vous feray voir l'ouvrage tout
> entier que j'ay aucunement advancé.

Cette préoccupation anglaise lui fait trahir son auteur à
tout instant. Toutefois sa traducion n'est point mauvaise et
Fauchet l'a utilisée, mais Cappel modernise indûment le vocabulaire géographique, introduisant « Angleterre », « France »,
« Espagne », « Brabançois » et « Anglois » même lorsqu'il
s'agit de la bataille de Mons Graupius contre les Calédoniens,
qui à l'époque de Cappel n'étaient pas Anglais mais Ecossais [3].

---

la religion réformée qu'il abjura en 1617 à l'âge de 80 ans. Il jouissait de la
confiance de Sully qui se servait de lui pour faire remettre à Henri IV les
lettres les plus importantes qu'il adressait à ce monarque. (*Notice par E. Reynard.*)

[1] Blaise de Vigenère (1523-1596), fut attaché à la maison du duc de Nevers
et fut plus tard secrétaire de la chambre d'Henri III. Ses principales traductions
sont celles des *Chroniques et Annales de Pologne* d'Herbert de Fulstein, 1573;
des *Commentaires* de César, 1576; de l'*Histoire de la Décadence de l'Empire grec*
de Nicolas Chalcondyle; des *Dialogues sur l'Amitié* de Platon, Cicéron, Lucien,
1575; de la première décade de Tite-Live. Il n'a traduit de Tacite que la
Germanie et un passage des *Histoires* qui se trouve dans les notes qui suivent
sa traduction de *César*. Henri Estienne dans sa *Précellence* cite la traduction de
ce passage pour l'opposer à celle de Giorgio Dati en italien. V. *Précellence*, éd.
E. Huguet, Paris, 1896, pp. 58 et suiv.

[2] A Paris. Pour Lucas Breyer tenant sa boutique au second pilier de la
grand'salle du Palais, 1580.

[3] Nous avons comparé d'assez près les traductions de Fauchet et de Cappel.
Voici un exemple des anachronismes de Cappel :

> *Tacite :* Britannia servitutem suam quotidie emit, quotidie pascit;
> *Cappel :* L'Angleterre achepte journellement sa servitude et la nourrit aussi;
> *Fauchet :* Mais la Bretagne achepte tous les jours sa servitude, tous les jours
> la nourrit.

Fauchet aussi a fait entrer dans son français plus de vocables latins lorsqu'il
s'agit d'institutions purement romaines : e. g.

Vigenère [1] a eu des préoccupations d'érudit et de professeur. Sa traduction de Tacite est suivie d'une « Exposition des noms anciens ».

Viennent ensuite « quelques commentz dessus aucuns passages les plus beaux et difficiles de toute la Germanie, descripte par l'autheur precedent ». Il fait des citations de Bérose, de Ptolémée, de Pline, en comparant leurs descriptions. Un mélange de géographie et d'ethnographie est contenu dans les chapitres suivants, et l'auteur peut se féliciter en terminant d'avoir donné au lecteur moderne une idée très complète de l'ancienne Germanie :

Voyla que j'ay bien voulu dire pour supplier le default de Tacitus

---

Tacite : Brevi deinde Britannia consularem Petilium Cerialem accepit.
Cappel : Peu de temps apres Petilius Cerialis qui avoit esté Consul fut envoyé en Angleterre.
Fauchet : Peu apres Petilius Cerialis fut fait gouverneur consulaire de la Bretaigne.
On est tout à fait certain que Fauchet a utilisé Cappel lorsqu'on rencontre une phrase comme la suivante :
Tacite : Sed mare pigrum et grave remigantibus perhibent ne ventis quidem perinde attolli;
Cappel : Mais l'on dit que la mer y est bonasse et fascheuse pour ceux qui voyagent, comme n'estant point agitee de vens;
Fauchet : Mais ils disent que la mer y est bonasse et difficile à ramer. Et que pour ceste cause elle ne s'enfle de vagues comme les autres.
Sur ce mot « bonasse », v. p. 64.
Pour être juste, nous devons dire que la traduction de Cappel nous semble supérieure à celle de Fauchet pour plusieurs passages, e. g. la célèbre description du pays après la bataille du Mons Graupius « vastum ubique silentium... » que Fauchet a rendu très insuffisamment par « de tous costez apparoissoit un silence » et Cappel par « à l'environ y avoit un merveilleux silence ».
Cappel n'est pas le seul qui ait eu l'idée de traduire l'*Agricola* pour les Anglais. V., par exemple, *La vita di Giulio Agricola scritta sincerissimamente da Cornelio Tacito suo genero et messa in volgare da Giovan Maria Manelli*, London, nella Stamperia di Giovanni Wolfio, 1585. (Dédicace à Robert Sidney.) Il emploie *Britannia* pour la Grande-Bretagne.
[1] On pourra comparer Vigenère et Fauchet par les citations suivantes (*Germania*, XXI) :
Tacite : Convictibus et hospitiis non alia gens effusius indulget;
Vigenère : Il n'y a nation au monde qui face meilleure chere ny plus effusément à ceux qui ont accoustumé de vivre avec eux, ou aux survenans;
Fauchet : Il n'y a nation qui banquete, et reçoive les hostes plus volontiers;
Tacite : Quemcumque mortalium arcere tecto nefas habetur : pro fortuna quisque apparatis epulis excipit;
Vigenère : Car c'est chose à leur opinion contraire aux dieux mesmes de vouloir chasser quelcun de sa maison, ains est celuy receu à boire et à manger selon la faculté et puissance de chacun;
Fauchet : Ils pensent estre mal faict de refuser à qui que soit l'entrée de leur maison. Ils le reçoivent et luy donnent à manger, chacun selon sa puissance;
Tacite : Quum defecere, qui modo hospes fuerat, monstrator hospitii et comes, proximam domum non invitati adeunt, nec interest : pari humanitate accipiuntur;
Vigenère : Et quand il n'y a plus rien en une maison, le maistre du logis monstre à son hoste quelque autre maison et eux deux ensemble s'y en vont sans estre semondz ny eux soucier gramment si on les reçoit de bon cœur ou non;
Fauchet : Quand ils n'ont plus de quoy, celuy-là mesme qui l'a receu luy sert de guide pour luy monstrer un autre logis : et entrant de compagnie dans la prochaine maison sans estre invitez : et n'y a danger, car ils y sont receuz avec pareille humanité.
Vigenère se trompe dans la traduction de *nec interest*.)

et specialement pour inciter tout homme de bon esprit à rechercher les choses un peu plus de pres qu'elles n'ont esté jusques à present. Davantage il me semble qu'il n'est point mauvais d'user du labeur d'autruy : qui me faict penser que tout homme prudent me sçaura gré de ce que j'en ay dict et touché succintement et en brief.

Il est probable que les œuvres érudites de Vigenère ont été connues de Fauchet.

La mince contribution de François de Belle-forest à la traduction de Tacite est comme noyée dans son immense in-folio de harangues militaires. Les discours qu'il a choisis, celui par exemple de Germanicus dans les *Annales*, livre Ier, ou d'Othon dans les *Histoires*, II, 47 sont d'une agréable lecture [1], malgré quelques contresens ou faux-sens.

Comme elle circulait en manuscrit, la traduction de Fauchet a joui d'une certaine célébrité, même avant sa publication. Fauchet ne s'est-il pas senti assez bon latiniste pour comprendre les ellipses de Tacite, ou voulait-il simplement avoir sur les passages difficiles l'opinion de ses confrères en érudition ? Nous ne le savons pas. Toujours est-il qu'il a attendu huit ans « et d'avantage » avant de livrer sa traduction à l'impression, et en plus pendant ce temps il a laissé « courre » les livres XI-XVI des *Annales* pour « éveiller » ceux qui se consacraient à de pareilles études. Selon l'imprimeur [2] la vente des premiers exemplaires était preuve suffisante que la traduction « plaisoit à beaucoup de gens » [3] — c'était une raison pour que le tra-

---

[1] Voici une partie du discours d'Othon :

Hunc animum, hanc virtutem vestram ultra periculis obicere nimis grande vitae meae pretium puto, quanto plus spei ostenditis, si vivere placeret, tanto pulchrior mors erit. experti in vicem sumus ego ac fortuna. nec tempus conputaveritis : difficilius est temperare felicitati qua te non putes diu usurum;

Belle-forest : Il me sembleroit que j'employeroy un trop precieux gage et riche pris pour le garant de ma vie si j'alloy exposer en peril et hazarder encore un coup ceste vostre invincible constance à l'ennemy et faisoy essay de vostre bon vouloir ès choses qui sont desesperées. Parainsi je voy que ma mort me sera plus honorable finissant de mon bon gré, comme plus me proposez de moyens de me conserver si j'avoy fantasie et desir de vivre encore. Il me suffit que moy et fortune avons experimenté l'effort et l'heur l'un de l'autre reciproquement, et pour ce sans plus me proposer le temps ny ses opportunitez ne me mettez en avant desormais ceste fortune : car c'est chose fort difficile de se gouverner modestement avec la force de celle de laquelle on n'a point esperance de jouir guere longuement.

Fauchet : J'estimeroy ma vie trop chere si pour icelle je mettoy d'avantage en danger un tel courage et une si grande vaillance que la vostre. Et tant plus vous me monstrez d'esperance s'il me plaisoit de vivre tant plus honorable en sera ma mort. Nous nous sommes la fortune et moy, l'un l'autre esprouvez, ne faictes point estat du temps qui est passé : il est plus difficile de moderer la felicité de laquelle l'on ne pense jouir longuement.

« Nec tempus conputaveritis. » Ni Belle-forest ni Fauchet n'ont compris. Pour le reste, Fauchet ne paraphrase pas, n'ajoute pas au texte comme Belle-forest.

[2] V. « L'imprimeur au Lecteur », édition de 1582.

[3] Il dit à la fin de sa notice : « Je tesmoigneray par tout où l'on voudra que ce qui a esté tourné de Tacitus en François, peut estre proffitable à quelqu'un pour le moins qu'il l'est pour mon regard, puisqu'il ne demeure pas une des

ducteur ne restât pas anonyme — mais, continue l'imprimeur,

> Ce tiers de Tacite ne fut pas si tost publié qu'un tres sçavant homme dit qu'il n'estoit possible de bien faire parler François à un si pompeux Chevalier Latin. Cestui-là avoit longuement hanté Tacitus, et pensoit encores mieux cognoistre les forces de nostre translateur : mesmes il n'avoit pas envie que tu employasses ton argent en ceste marchandise, s'elle n'estoit Latine. Voyla le payement que ceux qui essayent representer un personnage estrange et difficile reçoyvent pour recompense de leur peyne. C'est pourquoy (à mon advis) nostre Translateur ia monté sur l'eschaffaut, et engaigé par la publication qu'il a faicte d'une partie de cest autheur, quand il s'est aperceu ne luy rester autre moyen, pour eviter (ainsi qu'il dit) à plus grande honte, se masque maintenant, se cache et taist son nom, condamnant le premier son ouvrage.

On pourrait croire à une réclame de librairie si la véracité de l'imprimeur n'était pas mise hors de doute par une lettre d'Estienne Pasquier [1], qui nous révèle que le « tressçavant homme » mentionné par l'imprimeur n'est autre que Pasquier lui-même. Voyons un peu quelle est sa critique :

> Je vous diray franchement ce que j'en pense. Combien que Tacite ne se raporte en rien au style et maniere d'escrire de Ciceron, auquel il estimoit peut estre tout ainsi que Pollion, y avoir plus de chair que de nerfs, toutesfois il ne laissa pour cela d'estre riche en son Latin, dedans lequel vous verrez une infinité de belles pointes.
>
> De maniere que comme Ciceron en beaucoup de langage dit peu; au contraire cetuy cy en peu de paroles dit beaucoup. De là vient, si je ne m'abuse, que ceux qui ne peuvent ateindre à l'explication de ses sens abstrus et cachez luy imputent à faute, ce qui est la leur, et l'habillent à leur guise, non à la sienne. Or tout ainsi que je ne le pense devoir estre manié par tous ceux qui ont quelque opinion de leurs suffisances, aussi souhaiterois-je qu'il ne fut aisement leu par les Princes et grands Seigneurs. Quoy donc, me dira quelqu'un ? Vous luy faites icy son procès. Ja à Dieu ne plaise. Car je l'estime grandement entre les anciens autheurs : ains par ce que trop heureusement il a escrit une malheureuse histoire d'uns et autres Empereurs, plutost

---

deux translations en ma boutique. » (Celles de la Planche et de Fauchet évidemment.)

[1] E. Pasquier, *Lettres*, t. 2. Livre XIX *A Monsieur Petau, conseiller en la Cour de Parlement à Paris*, p. 442 (éd. de 1619).

On trouvera une autre lettre de Pasquier sur la traduction, t. 1er, p. 688 (éd. 1619), où cet auteur envisage la question d'un point de vue plus général. Pasquier n'aime pas le métier de traducteur, parce que la langue change tous les cent ans. Ensuite les institutions romaines leur appartiennent essentiellement, et les mots pour « senat, senateur », etc. n'existent pas en français. Le traducteur « escrit pour celuy qui entend la langue Latine, ou pour celuy qui ne l'entend. Si pour le premier, c'est en vain, par ce que vray semblablement il se donnera plustost le loisir de puiser l'eau de la vraye source et fontaine. Si pour le second, il y a grandement à craindre que nous promettans de luy faire entendre un Ciceron, nous ne fournissions à nostre esperance, et par ainsy que soyons abandonnez de l'un et de l'autre. »

Pasquier promet pourtant de rendre le *Milon* de Cicéron, mais il ne paraît pas avoir tenu sa promesse.

monstres que Princes. Et sur ce subject autre-fois entre mes vers **Latins,** le voulu-je saluer de ceux-cy :

> *Quod Tacito rerum domino, gentisque togatae,*
> *Nominis alma fuit sollicitudo mei.*
> *Id quoniam gentile sibi nostrique putarent,*
> *Hinc quam grande mihi nomen in orbe vides.*
> *Verum quem, Tacito, Tacitum placuisse videbis,*
> *Regibus ô utinam sim Tacitus, tacitus.*

Je le voy avoir esté de notre temps traduit en nostre vulguaire par un personage d'honneur : mais si j'en suis creu, en la rencontre des deux vous trouverez autant de difference du Latin au Francois comme du jour à la nuict. Il y a je ne scay quel air en luy qui ne se peut reporter à nostre langue, non plus que quelques livres des nostres en la latine [1]. Ce que je desirerois, seroit que quelque homme studieux triast les plus belles pieces de luy pour en faire une marqueterie qui se tournast au profit et edification du lecteur...

Suit une traduction par Pasquier d'un passage des *Annales* auquel nous reviendrons plus loin.

Les remarques de Pasquier sur le style de Tacite sont justes. Cet auteur est très concis, plein d'ellipses, nerveux, et il n'est pas facile à traduire. Pasquier a raison aussi de l'opposer à Cicéron. Il pourra en interdire la lecture aux « Princes et grands seigneurs » s'il veut. Ce point est indiscutable, mais n'est pas important à notre point de vue. Plus importantes sont les accusations lancées contre la traduction de Fauchet. Nous apprenons que ce dernier ne pouvant pas atteindre à l'explication des « sens abstrus et cachez » de l'historien latin, lui impute à faute ce qui est la sienne. C'est-à-dire, il fait des contresens. Ensuite le français de Fauchet est aussi différent du latin que le jour de la nuit. En somme, Pasquier est d'avis que Tacite est intraduisible, et qu'il faudrait choisir seulement des morceaux « profitables » au lecteur pour les tourner en français, et il envoie un échantillon traduit par lui-même à son correspondant. Nous ne pouvons mieux faire que de l'examiner en le comparant au texte de Tacite et à la « translation » de Fauchet, avant de passer aux questions plus générales des contresens et du style.

Même si le passage est long, il est indispensable de le citer en entier (*Annales* XIV, XLII).

Haud multo post, praefectum urbis, Pedanium Secundum, servus ipsius interfecit, seu negata libertate cui pretium pepigerat, sive amore exoleti incensus et dominum aemulum non tolerans. Ceterum cum, vetere ex more, familiam omnem quae sub eodem tecto mansitaverat ad supplicium agi oporteret, concursu plebis, quae tot innoxios protegebat,

---

[1] L'édition porte « la *Latin* ».

usque ad seditionem ventum est, senatusque obsessus, in quo ipso erant
studia nimiam severitatem aspernantium, pluribus nihil mutandum
consentibus. Ex quis C. Cassius, sententiae loco, in hunc modum disseruit : « Saepenumero, patres conscripti, in hoc ordine interfui, cum
contra instituta et leges maiorum nova senatus decreta postularentur;
neque sum adversatus, non quia dubitarem super omnibus negotiis
melius atque rectius olim provisum et quae converterentur in deterius
mutari, sed ne, nimio amore antiqui moris, studium meum extollere
viderer. Simul quidquid hoc in nobis auctoritatis est, crebris contradic-
tionibus destruendum non existimabam, ut maneret integrum, si quando
res publica consiliis eguisset. Quod hodie evenit, consulari viro domi
suae interfecto, per insidias servilis, quas nemo prohibuit aut prodidit,
quamvis nondum concusso senatus consulto quod supplicium toti
familiae minitabatur. Decernite hercule impunitatem : at quem dignitas
sua defendet, cum praefecto urbis non profuerit ? Quem numerus servorum tuebitur cum Pedanium Secundum quadringenti non protexerint ? Cui familia opem feret, quae ne in metu quidem pericula nostra
advertit ? An, ut quidam fingere non erubescunt, iniurias suas ultus
est interfector, quia de paterna pecunia transegerat aut avitum mancipium detrahebatur ? Pronuntiemus ultro dominum iure caesum videri.
Libet argumenta conquirere in eo, quod sapientioribus deliberatum est ?
Sed et si nunc primum statuendum haberemus, creditisne servum
interficiendi domini animum sumpsisse, ut non vox minax excideret,
nihil per temeritatem proloqueretur ? Sane consilium occultavit, telum
inter ignaros paravit; num excubias transire, cubiculi foris recludere,
lumen inferre, caedem patrare poterat omnibus nesciis ? Multa sceleris
indicia praeveniunt. Servi si prodant, possumus singuli inter pluris,
tuti inter anxios, postremo, si pereundum sit, non inulti inter nocentis
agere. Suspecta maioribus nostris fuerunt ingenia servorum, etiam cum
in agris aut domibus isdem nascerentur, caritatemque dominorum statim acciperent. Postquam vero nationes in familiis habemus, quibus
diversi ritus, externa sacra aut nulla sunt, conluviem istam non nisi
metu coercueris. At quidam insontes peribunt. Nam et ex fuso exercitu
cum decimus quisque fusti feritur, etiam strenui sortiuntur. Habet
aliquid ex iniquo omne magnum exemplum, quod contra singulos utilitate publica rependitur. »

Sententiae Cassii, ut nemo unus contra ire ausus est, ita dissonae
voces respondebant numerum aut aetatem aut sexum ac plurimorum
indubiam innocentiam miserantium. Praevaluit tamen pars quae supplicium decernebat. Sed obtemperari non poterat, conglobata multitudine et saxa ac faces minante. Tum Caesar populum edicto increpuit
atque omne iter, quo damnati ad poenam ducebantur, militaribus praesidiis saepsit. Censuerat Cingonius Varro ut liberti quoque qui sub
eodem tecto fuissent Italia deportarentur. Id a principe prohibitum est,
ne mos antiquus quem misericordia non minuerat per saevitiam
intenderetur.

Tacite :

Haud multo post, praefectum urbis Pedanium Secundum servus
ipsius interfecit, seu negata libertate cui pretium pepigerat, sive amore
exoleti incensus et dominum aemulum non tolerans. (Autre leçon :
infensus au lieu de incensus.)

Pasquier :

En ce *mesme* temps *advint que* Pedanius Secundus, Gouverneur de

la ville, fut occis *dedans son lict* par un de ses *gens* : soit qu'ayant composé à prix d'argent avec luy de sa liberté, il l'en eust puis apres frustré,
ou qu'enamouré d'un je ne sçay que l'Amour des-honneste il ne voulust
avoir son Maistre pour corrival.

Fauchet :

Peu apres Pedanius Secundus, Gouverneur [1] de la ville, fut meurdry
par un sien esclave : soit qu'il ne le voulut affranchir, suivant le pris
convenu entr'eux, ou qu'il le haist, par jalousie d'un *bredache* [2]; et ne
peut endurer son maistre pour *compagnon d'amours*.

Pasquier traduit « haud multo post » moins exactement
que Fauchet. Il ajoute au texte « advint que » et « dans son
lit ». La seconde addition est explicative, mais la première est
pur ornement, et donc inadmissible. Pasquier évite le mot
« esclave ». Fauchet a suivi la leçon « amore exoleti *infensus* »,
ce qui explique sa traduction. « Compagnon d'amours » ne
traduit pas bien « aemulum ».

Tacite :

Ceterum cum vetere ex more familiam omnem quae sub eodem
tecto mansitaverat ad supplicium agi oporteret, concursu plebis quae
tot innoxios protegebat, usque ad seditionem ventum est senatusque
obsessus, in quo ipso erant studia nimiam severitatem aspernantium,
pluribus nihil mutandum censentibus. (Autre leçon : senatuque in ipso
erant etc.)

Pasquier :

Au demeurant l'ancienne usance voulant que tous les autres *serviteurs* qui estoient en la maison lors du meurtre, fussent envoyez au
gibet, la commune ne pouvoit bonnement porter que l'innocent patist
pour le forfaict du meschant. De maniere que les choses en estoient
presque arrivées aux mains. D'ailleurs le *Senat mesme se trouva presque
party en opinions, les uns abhorrants, les autres favorizants ceste
cruauté.*

Fauchet :

Au reste pour ce que suivant l'ancienne coustume, il falloit que tous
les serviteurs, qui demeuroient sous la mesme couverture de maison
que le deffunct, à l'heure de sa mort, fussent executez : il ne s'en fallut
gueres, qu'il n'y eut sedition; au moyen de l'assemblée du peuple qui
accourut pour deffendre tant d'esclaves innocens *du faict.* Et dans le
Senat mesme, il y avoit de *la partialité* entre ceux qui mesprisoient
ceste outrageuse severité, et d'autres (en plus grand nombre) qui ne
vouloient rien changer.

Fauchet a fait deux additions explicatives. Ils ont tous

---

[1] Dans l'édition de 1582, Fauchet met « Prefect ».
[2] *Bardache* ou *bredache, sodomite*; assez usité au xvie siècle. Voir le *Dictionnaire* de Huguet.

deux employé « serviteurs » pour « esclaves ». La dernière phrase est très incomplètement traduite par Pasquier; et la « partialité » de Fauchet n'est pas assez claire pour nous, mais fut utilisée au xvi⁰ siècle au sens de « attachement à un parti ».

Tacite :

Ex quis C. Cassius sententiae loco in hunc modum disseruit.

Pasquier :

En fin venant à C. Cassius d'opiner, il *se mit sur pieds* et parla en ceste façon.

Fauchet :

L'un desquels nommé C. Cassé [1] pour son opinion discourut en telle sorte.

Pasquier est plus pittoresque que Tacite.

Tacite :

Saepenumero, patres conscripti, in hoc ordine interfui, cum contra instituta et leges maiorum nova senatus decreta postularentur; neque sum adversatus, non quia dubitarem super omnibus negotiis melius atque rectius olim provisum et quae converterentur in deterius mutari, sed ne nimio amore antiqui moris studium meum extollere viderer. (Autre leçon : converterentur, deterius mutari, ...)

Pasquier :

Messieurs, je me suis souvent trouvé en ce lieu lorsqu'on vouloit introduire nouvelles loix, au prejudice des *anciennes*, dont toutesfois je ne me formalizay jamais. Non que je ne sçeusse fort bien, que les anciennes estoient beaucoup de meilleure trempe, et qu'en l'introduction de nouveauté il y alloit tousjours de pire : mais parce que je craignois que me monstrant trop partial au soustenement de l'ancienneté on ne pensast que par hypocrisie je me voulusse *advantager de reputation*.

Fauchet :

Je me suis (Peres conscripts) souventesfois trouvé en ceste assemblée quand l'on a demandé que les ordonnances et les loix de nos predecesseurs fussent reformées [2] par nouveaux arrests du Senat, et si je ne l'ay empesché : non pas que je fisse doute, que jadis l'on n'eust donné meilleur reiglement à toutes affaires, et que les choses qui estoient renversées, ne fussent changées en pis. Mais de crainte que par trop grand amour des façons de faire anciennes, je ne fusse veu bien haut louer ce à quoy je suis affectionné.

Pasquier paraphrase évidemment au lieu de traduire — il

---

[1] « Cassius », éd. de 1582.
[2] « Et loix de nos predecesseurs reformées », éd. de 1582.

n'y a aucune raison pour changer les *maiores* en « anciennes loix » à moins que ce ne soit un pur contresens chez le critique de Fauchet. En plus, la dernière phrase de Pasquier est fort vague. Fauchet en se tenant près du latin est plus près du sens véritable, car Cassius fait allusion à la jurisprudence, objet de ses études.

Tacite :

> Simul quidquid hoc in nobis auctoritatis est crebris contradictionibus destruendum non existimabam, ut maneret integrum si quando res publica consiliis eguisset.

Pasquier :

> Joint que au peu d'authorité qui nous reste, j'estimois que ne la devions terrasser par unes et autres altercations, ains la reserver au temps que la Republique auroit à bonnes enseignes besoin de conseil, comme maintenant.

Fauchet :

> Et aussi que ce n'estoit mon advis, de perdre par frequentes contradictions, ce peu qu'avons d'authorité : à fin de la garder entiere s'il advenoit que la Republique eust besoin d'estre conseillée, comme il est aujourd'huy advenu.

« Altercations » ne rend pas bien *contradictio*, et la « contradiction » de Fauchet ne fait que transcrire le latin.

Tacite :

> Quod hodie venit, consulari viro domi suae interfecto per insidias servilis, quas nemo prohibuit aut prodidit, quamvis nondum concusso senatus consulto quod supplicium toti familiae minitabatur.

Pasquier :

> Au faict, qui se presente aujourd'huy, de quoy est-il question ? D'un Seigneur autrefois Consul, traitreusement assassiné dedans sa maison par un sien *valet*. Meurtre non empesché ny relevé par aucun de ses compaignons, combien que l'ancien Decret du Senat qui les menaçoit tous de la mort, soit encores en son essence.

Fauchet :

> (*Phrase continue*) ... ayant un Consulaire esté meurdry dans sa maison, par une trahison d'esclaves, que personne n'a empeschée, ne decelee : jaçoit que l'arrest du Senat (qui menassoit tous les Serfs de punition) n'ait encores esté esbranlé par *execution plus douce*.

Le style de Pasquier est très élégant, mais il introduit cette question qui ne se trouve pas dans le texte. Il n'a pas voulu mettre le mot « esclave ». Fauchet n'a pas bien tourné la fin de la phrase, quoiqu'il semble avoir compris le latin.

Tacite :

Decernite hercule impunitatem : at quem dignitas sua defendet, cum praefecto urbis non profuerit ?

Pasquier :

Mettez sous pieds ceste punition : qui sera je vous prie, celuy qui se pourra desormais deffendre par sa grandeur des aguets *dedans son logis*, veu que le gouverneur de nostre ville ne s'en est peu garentir ?

Fauchet :

Or, donnez donc (de par Hercules) impunité : mais qui sera deffendu par *son office* et dignité, puis que celle de Gouverneur de la ville n'a de rien servy à cestui-ci ?

Pasquier explique : « dedans son logis » est ajouté. Pléonasme de Fauchet « office et dignité ».

Tacite :

Quem numerus servorum tuebitur, cum Pedanium Secundum quadringenti non protexerint ?

Pasquier :

Quelle asseurance de nos personnes, devons-nous establir sur le grand nombre de nos *serviteurs* si au milieu de quatre cents, P. S. a esté occis.

Fauchet :

Qui pourra estre deffendu par nombre d'esclaves, si quatre cens n'ont sceu garantir P. S. ?

Pasquier évite toujours de nous introduire dans le monde de l'esclavage antique.

Tacite :

Cui familia opem feret, quae ne in metu quidem pericula nostra advertit ?

Pasquier :

Quel secours devons-nous esperer de ceste *valetaille*, laquelle assiegee d'une juste crainte de la loy ne peut toutesfois destourner le peril de nous ?

Fauchet :

Et qui sera aidé de ses domestiques, puis que noz serviteurs estans
eux mesmes en crainte de punition, ne s'estudient à prevoir noz dangers ?

Valetaille est péjoratif, *familia* ne l'est pas.

Tacite :

An, ut quidam fingere non erubescunt, injurias suas ultus est
interfector, quia de paterna pecunia transegerat aut avitum mancipium
detrahebatur ?

Pasquier :

Voire mais (disent quelques-uns avec une honte *effacee*) le meurtrier
s'est sous bons gaiges vangé de son maistre, avec lequel ayant *à beaux
deniers comptans composé de sa liberté*, il la luy avoit depuis refuzee :
ou bien luy *avoit de haute luitte ravy ce que plus il aimoit.*

Fauchet :

Le meurdrier (ainsi qu'aucuns n'ont point esté honteux de dire)
s'est il voulu vanger du tort qu'on luy faisoit, et de ce qu'il avoit chevy
de l'argent de son pere ? Ou qu'on vendoit un ancien esclave venu au
maistre de pere en fils.

Ici nous prenons Pasquier en flagrant délit de non-com-
préhension. Il a mis quelque chose pour ne pas laisser un
blanc.

Tacite :

Pronuntiemus ultro dominum iure caesum videri.

Pasquier :

Or sus, je veux par maniere de presupposition que le Maistre ait
esté à bon droit tué.

Fauchet :

... Et bien jugeons de nous mesmes que le maistre nous semble
avoir esté occis justement.

Ici Pasquier a mieux compris le sens du latin.

Tacite :

Libet argumenta conquirere in eo quod sapientioribus deliberatum
est ?

Pasquier :

Mais aussi veux-je *en contr'eschange* qu'on se remette devant les yeux ce qui a esté autrefois arresté sur ce subject par les plus sages.

Fauchet :

Je veux maintenant disputer et chercher des argumens et raisons qui ont meu les sages faiseurs des loix deliberans sus ce faict.

La ponctuation de ces phrases varie quelque peu, la phrase de Fauchet continue.

Tacite :

Sed et si nunc primum statuendum haberemus, creditisne servum interficiendi domini animum sumpsisse ut non vox minax excideret, nihil per temeritatem proloqueretur ?

Pasquier :

Et quand mesmes ils n'en auroient parlé, et que fussions les premiers qui le missions sur le Bureau, estimez vous que celuy qui projettoit en son Ame de mettre son Maistre à mort, ait peu estre si retenu, qu'il ne luy soit tombé de la bouche quelque parole de menace ou que transporté de colere, il n'ait faict quelque demonstration de son maltalent ?

Fauchet :

... et encores comme si maintenant nous avions à en dresser une ordonnance nouvelle. Pensez vous que un esclave eust eu le courage de tuer son maistre; qu'il ne luy fust eschappé quelque mot de menasses, et que devant il n'eust dit quelque folle parole ?

Fauchet est beaucoup plus concis que Pasquier.

Tacite :

Sane consilium occultavit, telum inter ignaros paravit : num excubias transire, cubiculi foris recludere, lumen inferre, caedem patrare poterat omnibus nesciis (Autre leçon, transiret... recluderet... inferret... patraret.)

Pasquier :

Et vrayement il est bien à croire qu'il ait sçeu cacher son dessein, et se soit armé sans estre veu. A il peu passer au travers des gardes, crocheter les portes de la chambre, porter lumiere, bref, commettre ce meurtre qu'il n'ait eu quelques complices de sa trahison ?

Fauchet :

Et bien il a celé son entreprise : il s'est garny de bastons sans que pas un s'en doutast. Quoy ! pourroit-il passer les gardes de nuit, ouvrir les huis de la chambre, y porter de la lumiere et faire le meurdre au desceu de tous les autres ?

Tous deux sont près du texte ici.

Tacite :

Multa sceleris indicia praeveniunt. Servi si prodant, possumus singuli inter pluris, tuti inter anxios, postremo si pereundum sit, non inulti inter nocentis agere.

Pasquier :

Nos valets peuvent par plusieurs presomptions aller au devant des dangers, et nous en donner advis : quoy faisants, chacun de nous en son particulier peut s'asseurer, au milieu de plusieurs *qui ont soing de nostre salut*. Et au fort si en ce cas il falloit mourir, ce ne seroit sans esperance de *vendre cherement nostre peau* aux meschants qui le voudroient entreprendre.

Fauchet :

Les esclaves peuvent descouvrir plusieurs soupçons, et marques de telles meschancetez : desquelles si une fois ils nous advertissent, nous pouvons demeurer seuls, entre plusieurs : estre asseurez entre gens effrayez : et finalement s'il convient mourir, demeurer et vivre entre des meschans avec esperance d'estre vengez.

Pasquier donne une paraphrase plutôt qu'une traduction.

Tacite :

Suspecta maioribus nostris fuerunt ingenia servorum, etiam cum in agris aut domibus isdem nascerentur caritatemque dominorum statim acciperent.

Pasquier :

Nos ancestres eurent tousjours pour suspecte ceste malheureuse engeance d'esclaves, voire quand ils naissoient dedans leurs Mestairies aux champs, ou dedans leurs maisons aux villes, et que dès le bers ils succoient avec le laict de leurs Nourrices la bienveillance envers leurs Maistres.

Fauchet :

Noz peres ont toujours redouté la nature des esclaves, voire du temps mesme que nous n'en avions point d'autres, que ceux qui naissoient en noz maisons des champs, ou de la ville : et lesquels avec le laict et la nourriture recevoient quand et quand l'*amitié* de leurs maistres.

« Le lait » des deux traducteurs est loin du texte. *Amitié* est moins exact que *bienveillance*.

Tacite :

Postquam vero nationes in familiis habemus, quibus diversi ritus, externa sacra aut nulla sunt, conluviem istam non nisi metu coercueris

Pasquier :

Maintenant que nous en avons un monde chez nous, tiré de toutes sortes de nations, distinctes de meurs, coustumes religions et *quelques-fois de sens*, comment nous pouvons nous asseurer contre ceste canaille, si ce n'est en la faisant craindre à bon escient ?

Fauchet :

Or puisque nous avons receu en nos maisons pour nostre service, des nations entieres qui ont des façons contraires, un Dieu et creance estrange, ou possible point du tout : vous ne sçauriez refraindre ceste racaille que par une crainte et frayeur.

Encore un contresens de la part de Pasquier !

Tacite :

At quidam insontes peribunt.

Pasquier :

Mais quelques *pauvres* innocents (me direz vous) mourront en *ceste querelle*. Et pourquoy non ?

Fauchet :

Mais aucuns innocens mourront, et pourquoy non ?

Additions explicatives de Pasquier.

Tacite :

Nam et ex fuso exercitu cum decimus quisque fusti feritur, etiam strenui sortiuntur.

Pasquier :

Puisque pour chastier une armée mise en route, pour sa lascheté, on dixme les soldats, et s'atachant casuellement à chasque dixiesme, le hazard de mort tombe aussi tost sur le brave soldat, comme sur le poltron et coüard ?

Fauchet :

Puisque d'une armée mise en routte, quand le dixiesme soldat est assomé d'un baston, les vertueux tirent au sort, ne plus ne moins que les autres.

Pasquier est moins concis que Tacite et aussi que son rival.

Tacite :

Habet aliquid ex iniquo omne magnum exemplum quod contra singulos utilitate publica rependitur.

Pasquier :

Il y a je ne sçay quoy d'injustice en toute grande et exemplaire justice, qu'on exerce contre le particulier, pour la conservation de l'Estat.

Fauchet :

Tous actes exemplaires ont je ne sçay quoy d'inique en soy, qui portant prejudice à quelques particuliers, est recompensé par une publicque utilité.

Tacite :

Sententiae Cassii ut nemo unus contra ire ausus est, ita dissonae voces respondebant numerum aut aetatem aut sexum ac plurimorum indubiam innocentiam miserantium.

Pasquier :

Encores qu'il ne s'en trouvast un tout seul, qui ozast ouvertement faire teste à ceste opinion, si est-ce qu'on oyoit des murmures souz main, les aucuns ayants compassion du grand nombre, les autres de l'aage, autres du sexe, et surtout de l'innocence tres-asseuree d'une infinité qui seroient exposez à mort.

Fauchet :

Or tout ainsi que pas un seul n'osa contredire l'opinion de Cassius, aussi oyoit on des voix confuses : qui respondoient qu'on eut compassion du nombre, de l'aage, du sexe et de la plupart, qui *sans doute* estoient innocens.

« Sans doute » ne représente bien « indubiam » pour nous, mais l'expression fut plus forte au XVIe siècle. Ici la traduction de Pasquier est à préférer.

Tacite :

Praevaluit tamen pars quae supplicium decernebat. Sed obtemperari non poterat, conglobata multitudine et saxa ac faces minante.

Pasquier :

Ce nonobstant il passa pour le suplice. Vray que l'execution ne s'en pouvoit bonnement faire, la populace estant par la ville tumultuairement en armes, qui ne promettoit pas moins que la mort aux executeurs.

Fauchet :

Toutesfois la partie qui concluoit à la punition l'emporta. Mais ils
ne pouvoient estre obeis, à cause du grand peuple assemblé pour l'empescher : menassant de pierres et de feu.

Ici la traduction de Pasquier est une vague paraphrase.
Fauchet est plus près du latin.

Tacite :

Tum Caesar populum edicto increpuit atque omne iter quo damnati
ad poenam ducebantur militaribus praesidiis saepsit.

Pasquier :

Qui occasionna l'Empereur de faire par cry public inhibitions et
defenses à tous de rien attenter au prejudice de l'Arrest, *sur peine de
la hard*. Et d'une mesme suite fit poser gardes le long des rues, par
lesquelles ce *pauvre* peuple condamné devoit passer.

Fauchet :

Alors Cesar tança le peuple par un cry public, et fit garnir de soldats
le chemin par lequel les condamnez estoient menez au lieu de la
punition.

Additions explicatives de Pasquier. Tacite ne s'attriste pas
sur les condamnés comme Pasquier.

Tacite :

Censuerat Cingonius Varro ut liberti quoque qui sub eodem tecto
fuissent Italia deportarentur. Id a principe prohibitum est, ne mos
antiquus quem misericordia non minuerat per saevitiam intenderetur.

Pasquier :

Cingonius Varro avoit esté d'advis que tous les affranchis trouvez
dedans la mesme maison, fussent bannis de l'Italie. Ce que le Prince ne
voulut permettre : craignant que la severité de l'ancienne ordonnance,
qu'une misericorde n'avoit addoucie ne s'accreust par une nouvelle
rigueur.

Fauchet :

Cingonius Varro avoit aussi esté d'advis que les affranchiz trouvez
sous la mesme couverture de maison *que le maistre occis*, fussent semblablement chassez d'Italie : ce que le Prince empescha, de peur que
l'ancienne ordonnance, qui n'avoit point esté moderée par misericorde,
ne fust trouvée plus aigre par telle cruauté.

Addition explicative de Fauchet.

Cette analyse nous révèle clairement les qualités et les
défauts des deux traducteurs. Pasquier voudrait écrire dans un
style élégant. Il ne craint pas d'ajouter les explications au
latin [1]. Il hésite — avec une seule exception — à suggérer que
les Romains avaient des esclaves. Tous les ornements de son
style sont de son propre cru. Quant au fond, nous avons
remarqué combien de fois il n'a pas compris la portée du latin :
en somme, il n'est pas meilleur latiniste que Fauchet.

Celui-ci ne fait que rarement des additions. Il respecte son
auteur autant qu'il peut. Il préfère ajouter des notes séparées,
exactement comme le ferait le commentateur moderne [2]. Notre
analyse serrée des textes nous permet de dire que la critique
de Pasquier à propos des contresens n'est pas justifiée. En fait,
celui-ci a parfois manqué de bienveillance envers les personnes
qu'il n'aimait pas. On ne saurait dire qu'il n'aimait pas Fauchet, mais il nous semble avoir été légèrement jaloux de celui-
ci. Pasquier sait tourner des vers latin aussi bien que n'importe
quel humaniste — son vocabulaire latin poétique est sans doute
plus étendu que celui de Fauchet. Il a lu Tacite, — le com-
prenant à sa façon — il l'admire, et il arrive à regarder l'historien comme son bien personnel. Il est piqué de voir un autre
s'aventurer sur « son » terrain.

L'attitude de Fauchet est bien plus honnête, plus franche.
Il fait de son mieux — il travaille, il se donne beaucoup de
mal, et comme il connaît les historiens latins de toutes les
époques, il pénètre le sens du latin mieux que son critique. La
traduction de Fauchet approche de l'idéal moderne.

---

[1] Pasquier a le même idéal de traduction que tous ses contemporains et prédécesseurs. E. DOLET, *La maniere de bien traduire d'une langue en aultre*, 1540.
V. son « tiers poinct ». « Le tiers poinct est, qu'en traduisant il ne se fault pas
asservir iusques à la que l'on rende mot pour mot. »

[2] Ces notes ne concernent pas les livres II, III, IV et V des *Annales* qui
appartiennent à La Planche; elles sont assez nombreuses, surtout au début. Il
avertit le lecteur qu'il a utilisé le texte de Juste Lipse, chez Plantin. Il fait des
renvois à Tite-Live, à Dion Cassius, à Suétone, à Plutarque. Il explique pourquoi
il a laissé Pannonie et « Illirie » : « J'ay laissé ce mot, pource qu'elle comprenoit partie de Hongrie et d'Austriche. » « J'eusse bien dit Esclavonie, si
l'Illirie ancienne ne comprenoit d'avantage de pais que l'Esclavonie. » Il essaie
parfois de remettre en usage des mots dialectaux en bon disciple de la Pléiade, —
par exemple « béant est le plus propre mot pour *inhians*, et lequel j'ay ramené
en usage, pource qu'aucunes Provinces de ce royaume s'en servent du mesme
signification que Tacitus ».

Il annote « peres conscripts » ainsi : « Je n'ay sceu trouver autre mot : car
« ensemble enroollez » estoit trop rude. Tant y a qu'il entend tousjours pour le
corps du Senat. »

Fauchet comme Vigenère a certaines préoccupations pédagogiques. Il met
une longue note à la fin du livre Ier des *Annales* : « Vous voirrez l'occasion de
chasser les Rois hors de Rome et l'origine du consulat dans le 2 livre de la
1 Decade de T-Live : ou dans la vie de Publicola escrite par Plutarque. Or, la
pluspart des bons livres Grecs et Latins estans tournez en François, nos gens se
devoient accoustumer à les voir, quand ils y séront renvoyez. Et cela servira de
refraischir leur memoire. Car il m'a semblé que ce est entretenir l'asnerie d'une
jeunesse que luy bailler tout en main sans renvoy. »

Cela ne veut pas dire que nous n'avons pas trouvé de faux sens dans toute l'étendue de la traduction de Fauchet. Il y en a, mais d'abord ils ne sont pas très nombreux, et ensuite, il faut toujours faire extrêmement attention — avant de critiquer Fauchet — au texte qu'il a utilisé. Ne sachant pas d'abord où il avait pu trouver sa traduction, nous avons été plusieurs fois sur le point de le condamner nous-mêmes, lorsque la leçon qu'il a eue sous les yeux est venue subitement éclaircir les difficultés [1].

Nous avons noté une ou deux occasions [2] où la concision du latin l'a induit en erreur, et comme c'est là la grosse difficulté de Tacite, Fauchet a dû se tromper plus souvent que nous ne l'avons remarqué [3], mais malgré ces bévues l'exactitude de sa traduction est indéniable. A vrai dire c'est sa principale qualité.

Il est plus facile de critiquer le style général de Fauchet traducteur, et de dire tout en se gardant de la sévérité exagérée de Pasquier qu'il diffère du style de Tacite. Cependant, remarquons que pour avoir une traduction parfaite de Tacite, il faudrait d'abord que les deux langues fussent au même point de développement, ensuite que le traducteur eût un style pareil en tout point à celui de son modèle latin — aussi concis, énergique et pittoresque [4]. Il est fort difficile de remplir les deux conditions, et il est évident qu'une traduction parfaite de Tacite n'existera jamais. Mais il est très possible comme le montrent les traductions des anciens que nous possédons aujourd'hui, de faire une bonne traduction de n'importe quel auteur de l'antiquité, même de Tacite. La traduction de Fauchet — la

---

[1] Voici deux exemples.

Annales, XIV, 5. Agrippina et Acerronia eminantibus lecti parietibus ac forte validioribus quam ut oneri cederent protectae sunt. Fauchet a mis « au moyen des cloisons soustenans la couverture... ». C'est qu'il a lu « tecti »

Annales, XVI, 4. Crederes laetari ac fortasse laetabantur per incuriam publici flagitii. Fauchet ayant « injuriam » dans son texte, a traduit « pour le deshonneur qu'en recevoit la Republique ».

[2] *Hist.*, II, 49. Quidam militum juxta rogum interfecere se : non noxa neque ob metum... traduit par : « Aucuns soldats se tuerent pres le bucher où le corps brusloit non *pour avoir failly* ne pour crainte qu'ils eussent. »

Tacite pense à la *noxa* faite à Vitellius. Fauchet n'a pas saisi.

Voici un autre exemple. *Hist.*, II, 70. Vulgus quoque militum clamore et gaudio deflectere via, spatia certaminum recognoscere. « Les communs soldats avec cris de joye se destournoient du chemin pour recognoistre et *mesurer l'espace du champ de bataille*. »

Ici le français n'est pas très clair quoiqu'il n'y ait pas de faute.

[3] Parce que nous n'avons pas comparé toute la traduction de Fauchet avec le latin. Nous nous sommes contenté de lire le français pour une certaine partie.

[2] Certains effets de Tacite sont fort difficiles à reproduire — ses métaphores par exemple où il emploie un substantif abstrait. Fauchet traduit *Agr.*, 29, 14 « cruda ac viridis senectus » par « les plus forts et verds vieillards », *Hist.*, III, 42 « segnitia maris » par « tempeste de mer ». La couleur poétique du latin disparaît en bonne partie dans la traduction.

première qui rende entièrement l'œuvre de l'historien — malgré ses inévitables erreurs — est beaucoup moins mauvaise que Pasquier ne le laisse supposer; et elle est fort supérieure à la traduction célèbre de Perrot d'Ablancourt [1] au xviie siècle.

Ne revenons pas sur les qualités de fidélité que nous avons déjà signalées; notons que Fauchet fait parfois un réel effort pour suivre l'ordre des mots du latin :

> *Hunc exitum habuit Servius Galba*
> Telle fin eut Servius Galba.

Notons aussi que le pittoresque des descriptions de Tacite n'est pas entièrement perdu. Assurément les mots de Fauchet sont en général moins colorés, mais il subsiste encore quelque chose du modèle dans le tableau suivant qui dépeint la déroute d'une armée :

Fauchet, *Agricola*, 37, p. 782 (éd. de 1594) :

Lors au moyen de la campagne large il fut aisé de voir un grand et horrible spectacle de gens qui couroyent, blessoyent, prenoyent prisonniers lesquels mesmes ils tuoyent rencontrans d'autres. Du costé des ennemis selon que les compagnies avoyent courage, elles tournoyent le dos toutes armees devant plus petit nombre, et d'autres desarmez s'en alloyent donner dedans et se presenter à la mort. Lon ne voyoit de tous costez qu'armes, corps morts, membres tranchez et la terre teinte de sang. Et quelquefois les vaincus se monstroyent despits et vaillans.

Les bonnes descriptions ne manquent pas — la mort de Messaline (*Annales*, XI, 37), l'arrivée de Cecinna à la scène du désastre romain (*Annales*, I, 61), la mort d'Othon (*Hist.* II, 49), mais où Fauchet se trouve le plus à l'aise, c'est dans les portraits. Son style s'éclaircit alors, et ses périodes ne sont pas indignes de son modèle. Voici Galba [2] qui

durant la fleur de son aage acquit en Germanie reputation d'homme de guerre : et comme proconsul gouverna l'Affrique en homme de bien. Depuis estant vieil il contint par mesme justice celle d'Espaigne qui est deça la rivière d'Ebro, ayant tant qu'il fut privé esté estimé digne de plus grand estat, et d'un commun consentement capable de tenir l'Empire s'il n'eust point esté Empereur.

Sabina Poppea [3], cette femme que Néron semble avoir aimée même s'il causait sa mort :

---

[1] Ce Perrot est le descendant des Perrot, parents de Fauchet. V. DUPRÉ-LASALE, *M. de l'Hospital.*

[2] *Hist.* I, 49.

[3] *Annales*, XIII, 45.

Ceste femme estoit douee de toutes autres choses fors que d'un cœur bon et honneste : car sa mere la plus belle dame de son temps, luy avoit laissé la reputation et la beauté tout ensemble : les richesses estoyent suffisantes pour entretenir la noblesse, et grandeur de sa maison. Elle avoit la parolle gratieuse, et l'esprit qui n'estoit point lourd pour se monstrer modeste en apparence et follastre quand il lui plaisoit [1]. Elle ne sortoit gueres hors sa maison, et encores c'estoit le visage en partie couvert de son voile, pour n'assouvir les yeux de ceux qui la regardoyent, ou peut estre parce que cela luy seoit mieux. Elle n'espargna jamais son honneur, ne faisant aucun distinction entre ses maris et ses adulteres et ne s'asubjettissant à son affection ny à celle d'autrui, elle tournoit son appetit à l'endroit où elle cognoissoit estre son advantage.

Les qualités que nous venons de relever chez Fauchet n'ont pas échappé aux contemporains. La *Bibliothèque* de La Croix du Maine [2] dit que Fauchet « traduit fort doctement, et avec un travail infini l'*Histoire de Corneille Tacite*, imprimée à Paris chez Abel l'Angelier en 1582, 1583 et 1584 tant in-folio, que in-quarto et in-octavo sans y avoir mis son nom ». Les *Elogia* de Scevole de Sainte-Marthe notent « Eius (Falcheti) enim fideli opera Cornelium Tacitum populari sermone loquentem Galli nunc legunt » [3]. Malgré le manque de précision de ces éloges, on s'aperçoit que tout le monde n'avait pas partagé l'avis de Pasquier. La traduction de Fauchet réimprimée comme nous avons vu à Genève et à Francfort reste la seule jusqu'à l'année 1636, où un médecin du Roi, Rodolphe le Maistre [4] retraduit Tacite et fait semblant d'ignorer la traduction du xvie siècle, ou du moins ne lui rend pas justice. La nouvelle traduction est bien faite, mais ne satisfait naturellement pas les aspirations du grand siècle, plus élégant mais moins érudit. C'est alors que la traduction de Perrot d'Ablancourt, pleine de contresens, voit le jour. N'énumérons pas toutes les tentatives qui se sont suivies depuis; remarquons en terminant que celui qui n'est pas rebuté par les tournures et l'orthographe achaïques du xvie siècle pourra se fier à l'interprétation de Fauchet, dont la traduction ne fait mauvaise figure à côté d'aucune version moderne.

---

[1] Le français n'est pas assez fort. Elle avait un « air modeste et des mœurs déréglées ».

[2] V. édition par Rigoley de Juvigny, Paris, t. 1er, p. 138.

[3] Paris, 1606, liv. IV. Claudius Falchetus. Huet n'approuve pas la traduction de Fauchet « cuius copiam et ubertatem Tacito parum convenire ».

[4] Paris, 1636. Une curieuse remarque de Le Maistre dans une dédicace à Monsieur cite les paroles de Henri IV « s'estonnant que le Tacite tant estimé sur tous autres Escrivains n'eust encore rencontré une plume Françoise pour le rendre plus intelligible, veu le grand bien qui en pouvoit reussir aux Roys, aux Princes, aux chefs d'armes... ». Le Béarnais ignorait-il donc les labeurs de Fauchet?

CHAPITRE II

Premiers « essais » historiques de Fauchet

Contenu de la partie du cahier qui est rédigée en chapitres. Philippe
de Commynes : critiques textuelles de Fauchet. L'emplacement de
Paris. Froissart inspire plusieurs chapitres. Le duel. Quelques étymologies. Deux « merveilles ».

Les premiers « essais » historiques de Fauchet datent des
années 1555 et 1556. Ils se trouvent dans son cahier, actuellement conservé à la Bibliothèque nationale.

Le manuscrit fr. 24726, autrefois Saint-Victor 997 [1], contient 131 feuillets, les 51 premiers feuillets étant arrangés en
« livres » et en « chapitres », et les feuillets suivants contenant
des notes prises au courant même des lectures de notre jeune
érudit, et étant, par conséquent plus difficiles à déchiffrer. La
feuille de garde [2] est couverte de dessins, de mots détachés, de
maximes, d'anagrammes, comme « Claude Fauchet, chaude
faculté, faulte du caché ». On y lit « Je naquis l'an 1530, le
3e jour de juillet, jour de dimanche, entre 5 et 6 heures du
matin ». En dessous de ce renseignement se trouvent les mots :
« Livres baillez a M. Vaillant, le 21 mars 1570 », avec la liste
que nous donnons ailleurs [3].

Au bas de la page se trouve une épigraphe latine, et au
verso du feuillet : « Matieres traitées au Premier livre », suivi
des titres des huit chapitres de ce livre. Vient ensuite cette
citation [4] :

Gratior et pulchro veniens in corpore virtus.

---

[1] 260 mm. x 185 mm.
[2] Voir planche.
[3] Nous en reparlerons ailleurs; voir p. 69.
[4] C'est une citation de Virgile, *Aen.* V. 344, reproduite par FAUCHET, *Œuvres*
447 v°, où il donne le latin accompagné d'une troisième traduction :
*Et sa vertu croissant avec un si beau corps
Plus agreable estoit.*

suivie de deux traductions :

> *Et sa vertu estoit encor plus gratieuse,*
> *Compaigne d'un beau corps et ame genereuse.*

> *Et sa vertu estoit encor plus estimée,*
> *Pource qu'en un beau corps on la voyait logée.*

Le titre général de la partie du cahier qui est rédigé en livres est le suivant : *Veilles ou Observations de plusieurs choses dinnes de memoire en la lecture d'aucuns autheurs françois, par le C. F. P., l'an 1555* [1]. Pour donner une idée du contenu, nous ne pouvons mieux faire que de transcrire les titres des chapitres des quatre « livres ».

Livre premier.

De l'utilité des histoires et que les memoires de Philippe de Commines, telz que nous les avons sont imparfais. Chap. 1er. (F. 1er r°.)

Des Autheurs du Romant d'Alexandre dont sont appellés les vers alexandrins premierement d'Alexandre de Paris, dit de Bernai. Chap. 2. (F. 2 r°.)

Que la ville antiennement dite Lutece estoit bastie là où est la cité de Paris et non à Melun. Chap. 3. (F. 3 v°.)

Des deux Autheurs du Romant de la Rose, Guillaume de Lorris et Jehan de Mung. Chap. 4. (F. 5 r°.)

Que signifie ce mot pallefroi. Chap. 5. (F. 7 r°.)

De Gaston surnommé Phebus, conte de Fois, autheur du Livre de la Chasse. Chap. 6. (F. 7 v°.)

De Jehan Froissart historiografe. Chap. 7. (F. 8 v°.)

Ordre que l'on tenoit au Duel (ou Gaige de Bataille) en France durant le regne des Rois Charles cinquiesme et sixiesme. Chap. 8. (F. 9 v°.)

Le feuillet 15 v° contient une liste des chapitres du second livre, et le feuillet 16 voit le commencement du livre.

Que antiennement les vers rimez de noz poetes se chantoient au son des instrumentz. Chap. 1er. (F. 16 r°.)

Aulcuns passaiges de Philippe de Comines corrumpus restituez. Chap. 2. (F. 16 v°.)

---

[1] La partie du cahier arrangée en livres et en chapitres fut sans doute rédigée à la date indiquée par Fauchet lui-même. Le reste du cahier n'est pas arrangé chronologiquement. On trouve (f. 57 v°) une citation d'une édition de Grégoire de Tours « imprimé 1561 ». Fauchet commence la lecture d'Enguerrand de Monstrelet (f. 81 v°) le 1er janvier 1557, mais il revient à Grégoire (f. 88 v°), après avoir lu Vitruvius Pollio, Prudentius, etc. Nous avons noté la date de 1570 où il prêta des livres à Vaillant de Guélis. Le nom de Pigafetta qui figure en marge du premier feuillet a dû être écrit à une date postérieure, vers 1582 peut-être. Voir notre chapitre sur les amis du Président.

Histoire memorable de six François qui s'exposerent volontairement à la mort pour sauver leurs citoiens assiegez. Chap. 3. (F. 19 r°.)

L'estendue de nostre langue avoir esté plus grande qu'elle n'est maintenant. Chap. 4. (F. 21 v°.)

De l'estendart qui se plantoit au temps passé au meilleu des batailles. Chap. 5. (F. 24 v°.)

Estimologie du mot sergent. Chap. 6. (F. 26 r°.)

De Maistre Alain Chartier, poëte et orateur françois. Chap. 7. (F. 26 v°.)

Du corfeu. Chap. 7. (*sic*) (F. 27 r°.)

De Gaces de la Vigne, lequel a escript un Roman des Oiseaux et de leur chasse en vers françois. Chap. 8. (F. 27 v°.)

Le feuillet 30 v° est consacré au contenu du troisième livre.

Troisiesme livre des veilles ou observations en la lecture de plusieurs autheurs françois, par C. F. P. 1555.

Des contes et de l'origine de leurs dignitez. Chap. 1er. (F. 31 r°.)

Pourquoi Philippe duc de Bourgongne fut surnommé le hardi. Chap. 2. (F. 32 v°.)

D'un ingenieur du pais de Genesve, qui fit à Paris pareilles souplesses à l'entree de Isabel, femme du roi Charles 8 que le Turc à celle du roi Henri 2. Chap. 3. (F. 33 r°.)

Ethimologie et origine de ce mot malletottes. Chap. 4. (F. 33 v°.)

Anglois appellez couez et pourquoi. Chap. 5. (F. 34 v°.)

Des marquis. Chap. 6. *Ibid.*

Du connestable et de son etimologie. Chap. 7. (F. 35 r°.)

De Clement Marot. Chap. 8. (F. 37 r°.)

De Pierre de Ronsard, poëte. Chap. 9. (F. 39 v°.)

De Jehan le Maire Poëte et historiographe. Chap. 10. (F. 42 r°.)

Histoire memorable touchée en passant par M. Georges Chastellain d'ung jeune homme de 20 ans sachant toutes sciences, déclarées plus amplement. Chap. 11. (F. 44 r°.)

Le quatrième livre, dont le contenu est indiqué sur le feuillet 45 v°, commence au feuillet 46 r° :

Quatriesme livre des veilles ou observations de choses dignes de memoire en la lecture de plusieurs autheurs françois par C. F. P.

De Huon de Meri, autheur du Tournoiement d'Antechrist. Chap. 1er. (F. 46 r°.)

De Hugues de Bersi autheur de la Bible Guiot. Chap. 2. (F. 47 r°.)

Que c'est que les blancz murs de Paris. Chap. 3. (F. 50 v°.)

Ce chapitre se termine sur le feuillet suivant, le dernier que Fauchet a numéroté [1].

Nous avons déjà utilisé les renseignements contenus dans

---

[1] Nous publions les chapitres inédits des *Veilles* dans notre livre de documents.

les chapitres littéraires; ici, il convient de décrire les chapitres historiques.

Le premier chapitre du premier livre est consacré à Philippe de Commynes. Après quelques considérations sur la valeur de l'histoire, Fauchet déplore que les historiens français aient été si peu nombreux. Il mentionne Monstrelet, et Froissart, qui « ont failli à la principale partie requise à l'historiografe, qui est vérité » [1], et arrive à Commynes, pour lequel il professe la plus haute estime. C'est un « personnaige doué de toutes choses nécessaires à telle entreprise ». Fauchet passe ensuite au sujet de son article, — il veut montrer que le texte de Commynes publié dans la dernière édition, « celle de 1552 » [2], est imparfait. En fait, une comparaison des passages allégués [3] par Fauchet avec les notes du dernier éditeur de Commynes, M. Joseph Calmette, nous prouve que certains faits qui sont nécessaires pour la compréhension du texte avaient échappé à notre lettré. Il ne savait pas, par exemple, que Commynes avait l'habitude de faire des additions à son texte primitif, et que l'historien ne se donnait pas la peine d'accorder les additions au texte. Il apparaît aussi qu'à cette époque les lectures de Fauchet n'étaient pas assez étendues pour lui permettre de reconnaître des personnages dont Commynes ne donne pas le nom entier et complet. Dans la vie d'Angelo Cato qui accompagnait les *Mémoires*, se trouvait une allusion de M. François de Cardonne, chevalier, seigneur de la Follenie et du Plessis de Ver en Bretagne... « aussi souvent allegué en ces Memoires ». Fauchet n'avait pu trouver « ce Cardonne », qui apparaît dans le texte de Commynes sous le nom de « Jehan Françoys » tout court [4].

---

[1] M. JEANROY, *Extraits des Chroniqueurs français*, 1892, p. 446, trouve que Monstrelet est plus exact que Froissart. Molinier était d'avis que ce chroniqueur est partial.

[2] C'est l'édition de Denis Sauvage « la première édition qui se puisse appeler critique », J. CALMETTE, *Les Classiques de l'Histoire de France*, Commynes, Paris, 1924. L'*éditio princeps* est de 1524.

[3] Le premier passage cité par Fauchet se trouve dans les *Mémoires* de Commynes, t. 3, p. 31, éd. J. Calmette : « A la fin le roy ala a Vienne en Daulphiné envyron le commencement d'aoust oudit an, et là venoient chascun jour nouvelles de Gennes, où fut envoyé le duc Loys d'Orleans de present regnant, homme jeune et beau personnaige, mais aymant son plaisir. De luy a este asses parlé en ces memoires. » Fauchet remarque que Commynes n'en avait point encore parlé, mais la note de M. Calmette explique que les mots « de present regnant » sont une addition contemporaine des derniers chapitres des *Mémoires*, et datent de 1498, tandis que le texte du chapitre témoigne d'une rédaction de 1495-1496. Un autre passage cité par Fauchet se trouve *ibid.*, t. 3, p. 35 : « Et demeura seul la foy audit seneschal, dont l'ay prisé et prise. » L'édition citée par Fauchet donne « dont j'ay parlé », et Fauchet note encore une fois que Commynes n'avait pas parlé du sénéchal.

[4] Ed. Calmette, t. 3, p. 144 : « Et estoit avecques moy ung maistre d'hostel du roy, appellé Jehan Françoys, saige homme. »

Dans la conclusion de son chapitre Fauchet cherche à expliquer les lacunes qu'il croit avoir trouvées, en supposant que quelqu'un, « se sentant piqué » a dérobé le véritable texte donné primitivement par l'historien.

Si les critiques de Fauchet n'ont pas grande valeur, elles montrent que son intelligence était en éveil. Il entrevoyait certaines difficultés qui avaient besoin d'explication.

Le deuxième chapitre du livre 2 de ses notes est également consacré à Commynes. Ici Fauchet fait preuve d'un sens critique plus aigu. Les quatre passages cités ont inquiété tous les éditeurs, et trois d'entre eux n'ont reçu la correction définitive qu'au xixe siècle. Le premier [1] contenait les mots « ceulx de Pise », que Fauchet voulait corriger en « Archevesque de Pise », personnage qui s'appelait François de Pazzi. La correction définitive est « ceulx de Pazzi ». On voit que la correction proposée par Fauchet n'était pas dénuée de sens [2].

En ce qui concerne un autre passage, un des éditeurs modernes, B. de Mandrot [3], s'est trouvé d'accord avec Fauchet pour s'étonner que Commynes ait parlé de « la rivière de Thesin » (t. 3, p. 150, éd. Calmette). M. Calmette, en se servant d'un autre passage de Commynes, fait voir que l'historien n'a pas commis la confusion supposée par Fauchet et Mandrot.

Mais la plus intéressante citation de notre jeune « docte » est celle qui se rapporte à Etienne de Vesc [4]. Commynes appelle ce personnage « de Vers », et Fauchet, faisant remarquer que « c'est grant plaisir à ung Historiografe que de bien et fidellement nommer le lieu, place, jour et personnaige duquel il fait mention », corrige le nom « de Vers » en « de Vesc », et donne des renseignements qu'il avait acquis de quelqu'un « qui se disoit nai au païs » de de Vesc. Celui-ci « vint en amour du roi Louis XI, homme qui aimoit et se servoit voluntiers de gens de basse condition », et devint plus tard président en la Chambre des Comptes à Paris. Il est très intéressant de voir que les curiosités intellectuelles de Fauchet sont si étroitement apparentées sur bien des points à celles des érudits du xixe siècle, car en 1878 (et années suivantes) Etienne de Vesc a eu l'honneur

---

[1] Ed. Calmette, t. 3, p. 42.
[2] Un autre passage dont nous ne parlons pas ici, et qui, selon Fauchet et selon tous les éditeurs modernes, était « entièrement corrompu » se trouve t. 3, p. 111, de l'édit. Calmette, où l'on lisait au xvie siècle : « Douze aultres de pierres de quirasse d'or. » Fauchet corrigea « douze quirasses d'or », supprimant la moitié de la phrase. La correction moderne est la suivante : « Douze haulx de pieces de cuirasse d'or. »
[3] Voir son Introduction aux Mémoires, Paris, 1901 et 1903.
[4] Edit. Calmette, t. 2, p. 313.

d'une *Notice* publiée dans l'*Annuaire-Bulletin de la Société de l'Histoire de France* [1].

Ces deux chapitres de Fauchet sur Commynes sont donc importants pour plusieurs raisons. Ils révèlent d'abord un genre d'esprit très moderne chez le jeune érudit. Ils expliquent ensuite la conception de l'histoire que Fauchet a adoptée. Le futur Président des Monnaies aurait-il écrit dans ses *Antiquitez* un chapitre sur « l'assiette de Venise », si Philippe de Commynes n'en avait pas fait autant? Aurait-il parsemé ses œuvres de sentences et de réflexions morales, d'allusions à la Providence, si Commynes ne lui avait pas montré le chemin? L'admiration témoignée par Fauchet à l'égard de Commynes prouve que notre lettré était prédisposé à subir l'influence de l'œuvre de son prédécesseur.

Avant de nous occuper d'un autre historien du moyen âge — Froissart — qui a été l'occasion de plusieurs chapitres des *Veilles et Observations*, mentionnons l'article sur l'emplacement de la ville de Lutèce. Fauchet cite certains passages de Jules-César (B. G. VI, 3, 4 et VII, 58), un passage d'Ammien Marcellin (livre XV, 11, 3), et plusieurs commentateurs de la Renaissance, tels que Badius Ascensius, Baptista Mantuanus, et Maserius [2]. Mais il utilise surtout les anciens eux-mêmes, et les passages de César et de Marcellin sont assez explicites pour ne laisser aucun doute sur l'emplacement de la ville.

On peut se demander pourquoi Fauchet s'est efforcé d'écrire un article, qui ne contient rien de très neuf. Il dit lui-même que c'est pour combattre une opinion courante qui voulait que l'ancienne Lutèce se trouvât à Melun et non à Paris.

---

[1] *Notice bibliographique et historique* par A. DE BOISLISLE, dans l'*Annuaire-Bulletin de la Société de l'Histoire de France*. — publiée à part, Paris, 1884.

[2] Badius Ascensius (Josse Bade) avait édité et publié les *Noctes Atticae* d'Aulus Gellius (Paris, 1519), utilisant aussi les annotations d'Aegidius Maserius, qu'il mentionne dans le titre de son ouvrage. Pour la discussion sur l'emplacement et le nom de Paris, voir f. XCVIII, lib. XIV, cap. V. Ascensius énumère toutes les opinions. Le passage qui importe pour nous est le suivant : *Alii deducunt a para et Isis. Fuit ante Idolum modo Briconeti Melden episcopi sententia et iudicio saneque recto deiectum. Alii aiunt. Is nomen fuisse ei' Urbis Meldunum appellant : et hanc Paris urbem ad illius similitudinem compositam.*

Baptista Mantuanus, cité par Fauchet sans référence précise, est aussi cité par Ascensius et par Gilles Corrozet. Ces deux érudits nous indiquent que l'ouvrage de Mantuanus dont il est question s'appelle les « gestes de S. Denis ».

Dans cet ouvrage Mantuanus cite un ouvrage intitulé *De disciplina scholarium*, qui avait été attribué à Boèce, et qui appelle Paris « civitas Julii Caesaris ». Badius Ascensius démontre dans son édition du *De disciplina...* que Boèce n'en est pas l'auteur, mais Fauchet croit l'ouvrage authentique, et se donne beaucoup de mal pour expliquer que César n'avait pas bâti Lutèce, mais qu'il l'avait peut-être réédifié après un incendie.

Parmi les auteurs que Fauchet lisait, Geofroy Tory avait longuement parlé de Paris, citant diverses autorités, les traduisant et les commentant. Voir *Champ Fleury*, éd. G. Cohen, Paris, 1931, feuil. VI. Fauchet ne le cite pas dans ce chapitre-ci, mais son allusion à la *Vie de Saint Denis* de Baptiste Mantuanus montre, je crois, qu'il avait consulté Tory.

Mais cette opinion avait déjà été détruite au moins en partie par Gilles Corrozet, qui avait écrit un livre intitulé *Les Antiquitez, Histoires et Singularitez de Paris, ville capitale du Royaume de France* [1], où il est longuement question de l'emplacement de Paris. Fauchet diffère de son prédécesseur en ce qu'il n'a daigné répéter aucune des légendes sur « Paris, filz de Romus ». Il ne mentionne pas l'étymologie populaire de Paris, qui vient de Par-isis, par-Isis, c'est-à-dire « iuxta Isis ». Il nous faut expliquer que l'église de Saint-Germain-des-Prés avait autrefois abrité une statue d'Isis, et que la ville de Paris, étant bâtie près de cette statue, s'appelait Par-Isis! Il ne donne pas celle de Melun, appelé d'abord Iseos, à cause aussi d'Isis, et puis Meleun parce qu'il y avait « mille et un ans » depuis la fondation de la ville jusqu'au « changement du nom » [2]! Comme il ne nous régale pas de ces intéressants détails, il est fort probable que Fauchet a voulu traiter la question du point de vue purement critique [3].

Fauchet écrit un chapitre entier sur « Jehan Froissart, historiografe », et ce dernier fournit le point de départ pour trois autres articles du cahier. Après avoir donné tous les renseignements biographiques sur Froissart qu'il avait pu réunir en lisant les œuvres de l'historien, Fauchet porte un jugement d'ensemble :

> Froissart est le premier de nos François qui s'est estudié a mieux faire parler l'Histoire qu'elle ne soulloit et d'une autre façon : toutefois si tient-il plus du romant ou conte que de l'Historiografe...

---

[1] Nous avons consulté l'édition de 1550, publiée « en la boutique » de Corrozet au Palais. Voir f. 1 et suiv. : « Les autres asseurent que ceste deesse estoit adoree à Meleun, qui estoit à ceste cause nommée Iseos : et pource que la cité de Paris est quasi semblable à l'assiete à la cité de Meleun, elle fut nommee Parisis (quasi par-Isis), c'est-à-dire pareille à la cité d'Iseos qui depuis a esté nommée Meleun, comme y aiant mil et un an depuis la fondation iusques au changement de son nom. » Sur cette question des origines de Paris, cf. H. GILLOT, *La Querelle des Anciens et des Modernes*, Paris, 1913, p. 129. Une autre légende fait de Pâris, fils de Priam le fondateur de Paris.

[2] Fauchet connaissait l'ouvrage de Corrozet, mais à quelle date nous ne savons pas exactement. Le nom de son prédécesseur est ajouté en marge de son chapitre.

[3] Il convient de mentionner ici la lettre publiée dans les *OEuvres* de Fauchet et intitulée : *De la ville de Paris et pourquoy les Roys l'ont choisie pour leur Capitale.* (Se trouve à la suite du traité sur les *Privileges et libertez de l'Eglise gallicane.*)

Fauchet résume brièvement l'histoire de la ville pendant la période romaine, indiquant que Paris était moins exposé aux invasions barbares que les villes situées sur le Rhin, et en même temps non trop éloigné de l'embouchure de la Seine. Ensuite, il énumère les avantages possédés par la ville, et note les conditions favorables à son développement : 1° des puits nombreux; 2° des carrières et des forêts aux environs; 3° abondance de blé et de vin; 4° de nombreuses rivières servant de moyens de transport; 5° le voisinage de la mer.

Toutes ces raisons sont bonnes. Fauchet aurait pu dire plus clairement que les peuples primitifs ont choisi cet endroit pour l'emplacement de la ville, parce qu'en temps de paix ils pouvaient facilement construire des ponts sur la Seine, et en temps de guerre ils pouvaient les détruire et se réfugier sur les îles.

Quand il s'agit d'énoncer une opinion sur un historien, Fauchet le juge d'une façon très sûre. Ici, il se rencontre avec la critique moderne, qui a signalé le fait que la chronique de Froissart « procède directement de Lancelot et du Chevalier au Lion; c'est un roman de la frivolité d'esprit » [1].

Le récit de la vie de Gaston Phébus (livre 1er, chap. VI) et celui des « six François qui s'offrirent volontairement à la mort pour sauver leurs citoyens » sont tirés de cette chronique. Gaston Phébus a reçu l'honneur d'un chapitre, parce qu'il avait écrit un livre sur la chasse, et l'histoire des bourgeois de Calais est un effort patriotique du jeune Français pour « ramentevoir » la belle action de ses compatriotes, qu'il égale aux actions les plus courageuses des anciens. Fauchet prend plaisir à cette histoire, il la raconte en détail, et il met des discours dans la bouche des principaux personnages. Son exhortation aux poètes contemporains possède même une certaine éloquence :

> Je voudroy donq bien prier nos poetes me faire ce bien et à la France de les louer, amendantz en cela la faulte de nos predecesseurs, et ne ceder aux extrangiers, lesquelz non contens d'avoir honoré leurs gens de statues et aucunefois d'edifices et temples superbes... ont aussi consacré a eternité leurs memoires par escris devins et non perissables, recompensant pour cela leurs fais heroiques et vertueux. Mais qu'est-il advenu a ceus-ci ? A peine s'est-il trouvé un homme qui en aie fait mention (sçavoir Froissart) [2].

Le dernier chapitre du premier livre se rapporte au « gaige de bataille ». C'est de beaucoup le plus long de tout le livre, et on peut se demander si Fauchet n'avait pas eu l'idée de le faire imprimer séparément, ou si ce chapitre n'avait pas circulé en manuscrit à un certain moment. Les Bullart [3] qui avaient voulu mettre Claude Fauchet parmi leurs « doctes » en avaient entendu parler. Le chapitre n'a pas été mis au point; c'est une compilation de renseignements qui dérivent de Froissart, d'un « livre escrit a la main qui fut jadis à quelque gref-

---

[1] G. LANSON, *Histoire de la littérature française*, p. 152 (éd. de 1916). Voir aussi l'intéressante analyse de M. Gustave COHEN, *La Formation du Génie moderne*, Paris, 1936, pp. 36-40.

[2] L'histoire des bourgeois de Calais attire l'attention de Pasquier. La priorité de Fauchet est évidente. Pasquier a également écrit un chapitre sur le duel, *Recherches...* liv. IV, ch. 1er.

[3] B. N. Manuscrit de Lille, 467, I. et J. Bullart, pour leur *Académie des Sciences et des Arts*, Académie des Doctes, fol. 206. « Claude Fauchet Parisien... a composé encore d'autres œuvres et entre icelles un Traité du Duel ou combat singulier. » Fauchet ne figure pas dans l'ouvrage définitif des Bullart : leurs renseignements sur le Président sont fort incomplets. V. *Académie des Sciences et des Arts*, Bruxelles, 1682, 2 vol.

Les Bullart ont lu les *Bibliothèques françoises* de La Croix du Maine et de du Verdier.

rier ou advocat en parlement », des *Leges Langobardicae*, des
Quaestiones de Joannes Gallus, de la « coustume » de France,
de Sébastien Muenster, et d'autres [1]. Fauchet n'a pas digéré les
renseignements qu'il avait rassemblés, et le chapitre tel qu'il
a été primitivement rédigé se termine par une série de notes
éparses prises dans Muenster et dans le Coutumier de Paris.
Notons qu'un des livres que notre jeune lettré avait à sa disposition n'était pas exact pour certains détails [2]; remarquons
aussi que la marge du cahier est couverte de renvois et de notes
qui se rapportent à d'autres sources d'information sur le duel.
Ainsi Fauchet cite en marge les *Etablissements de Saint-Louis*,
la *Salade* d'Antoine de la Sale, le roman de *Meraugis de Portlesguez*, « une vieille cronique », Gace de la Buigne, *Ciperis de
Vignevaux*. Sur la dernière page de son chapitre il entasse
pêle-mêle des notes bibliographiques, nom d'auteurs qui ont
mentionné le duel, tels que Froissart, Olivier de la Marche,
Monstrelet, Symphorien Champier, titres de livres, tel que
Petit Jehan de Saintré (qu'il écrit *Centré*), et le tout sans référence précise.

Fauchet énumère les cas où il ne « chéioit » pas de gage,
passe aux plaidoyers de l'avocat de l'appelant qui demandait
le gage en Cour de Parlement, donne la réponse de l'avocat
de l'appelé et décrit les lices et l'équipage des combattants.
Avant d'engager la lutte, le héraud criait « que l'appellant
viegne, et que l'appellé viegne ». Les parties faisaient leurs
protestations au Roi, au Président ou au Connétable. Ensuite
le héraud défendait à tous excepté aux combattants d'entrer au
champ de bataille. Ces derniers faisaient leurs serments sur le
crucifix, l'un disant qu'il avait bon droit, l'autre qu'il était
faussement accusé. Enfin au milieu du silence le héraud s'avan-
çait et criait par trois fois, et « la trompete aiant sonné trois
fois, les champions faisoient leur debvoir ».

Une comparaison du chapitre de Fauchet avec celui que
Pasquier a fait entrer dans ses *Recherches* sur le même sujet
souligne l'étendue des lectures de Fauchet. Il applique à l'histoire nationale les méthodes préconisées par Guillaume Budé

---

[1] Pour trouver les passages cités par Fauchet, nous avons consulté MURATORI,
Rerum Italicarum scriptores tomi primi pars secunda, Mediolani, 1725, *Praefatio*
et p. 165 : Canciani P., *Barbarorum leges antiquae*, t. 1er, 64, *Leges Langobardicae*, et *Leges Rotharis* (Fauchet appelle ce dernier Rothara). Les *Quaestiones*
de J. Gallus, Le Coq, contiennent d'amples notes sur le duel de Jacques le Gris,
mentionné par Fauchet au début de son chapitre. Voir l'édition de 1514, p. 276.
Nous avons consulté également *Stilus supremae Curiae Parlamenti Parisiensis...
cum novis Annotationibus* Caroli Molinaei... Parisiis apud G. a Prato, A. D. MDLI.
Ici la forme du duel est donnée en français.

La *Cosmographie* du Muenster a été traduite par F. de Belle-forest (1575).

[2] Dans le duel entre Jean de Carouges et Jacques le Gris, Fauchet appelle
le premier Pierre.

en France et par les historiens italiens tels que Paulo Emilio.
Evidemment, il n'a pas complété son travail, ni introduit ces
considérations générales, ni porté ces jugements d'ensemble
qui charment le lecteur de Pasquier [1], mais on ne peut que
louer sa curiosité, ses soins, sa conscience, et on ne peut que
regretter qu'il n'ait pas réfléchi un peu plus longuement à la
forme qu'il allait donner à ces matières érudites.

Ce chapitre suggère d'autres pensées au lecteur moderne.
Il est évident que les textes de droit ont une importance capitale dans le développement intellectuel de notre jeune avocat,
mais ce chapitre se rattache à l'histoire contemporaine plus
qu'au passé. Les Etats Généraux de 1560 [2] furent unanimes
pour soumettre au Roi leurs doléances au sujet du duel, qui
avait eu sous Henri II un développement imprévu jusque-là.
En 1566, sur l'initiative de Michel de l'Hospital, une pleine
satisfaction fut donnée aux vœux émis par les Etats dans une
ordonnance rendue à Moulins [3]. Le chapitre de Fauchet, donc,
possède un intérêt d'actualité.

Nous avons déjà fait mention de quelques-uns des chapitres historiques du second livre des *Veilles et Observations*.
Notons brièvement le chapitre sur « l'etendart qui se plantoit
au meilleu des batailles », et les deux chapitres sur le mot *sergent* et le mot *corfeu*. Tous ces articles dénotent l'étendue des
lectures de Fauchet. Il a recueilli ses renseignements dans le
Roman d'Alexandre, dans les *Chroniques de Naples* de Pandolfo Collenuccio, — il lisait Battista Fregoso [4] (qu'il appelle
Fulgose), Froissart, « une vieille cronique de S. Victor », — à
l'âge de vingt-cinq ans, Fauchet fait preuve d'une curiosité
infatigable.

Il donne l'étymologie du mot « sergent »; il n'éprouve
aucune difficulté à expliquer le sens de « corfeu », qu'il avait
trouvé dans Polydore Virgile [5].

Un autre chapitre qui se rattache à la philologie est le
quatrième du troisième livre, où le sens et la dérivation de
maltôte sont correctement expliqués.

Trois chapitres du troisième livre furent publiés dans le

---

[1] « Je ne veux approuver cette forme de Justice » (PASQUIER).
[2] Voir G. PICOT, *Etats généraux*, t. 2, p. 197.
[3] Par l'édit de 1547, suite de la rencontre de Jarnac et la Châteignerie,
Henri II fit savoir qu'il ne permettrait plus jamais les combats singuliers, mais
on ne réussit pas à faire pénétrer dans les mœurs les sages dispositions de ces
lois; rappelons les duels des favoris de Henri III.
[4] Fauchet écrit son prénom « Battiste ». Battista Fregoso a écrit *De Dictis
factisque memorabilibus*. Il existe un jurisconsulte italien, appelé « jurisconsul-
torum princeps », Raffaello Fulgosio.
[5] Pour ces étymologies, voir à l'Appendice.

traité sur les *Origines des Dignitez et Magistrats*, et nous y reviendrons.

Le surnom de Philippe de Bourgogne « le hardi », avait excité la curiosité de certains savants fréquentés par Fauchet. Celui-ci compara l'explication donnée par les Grandes Chroniques à celle de Paul Emil, rappela le compliment de Gace de la Buigne envers son mécène, et conclut en toute sincérité que le duc de Bourgogne acquit le titre « hardi » à cause de son courage. La critique moderne [1] voit dans les épithètes « Sans peur », « Hardi », etc., tout simplement des inventions ayant pour but d'envelopper la Cour bourguignonne d'un nimbe de gloire.

Deux articles de ce même livre se rapportent aux merveilles aimées par les chroniqueurs; nous voulons dire le chapitre III qui traite de l'acrobate funambulesque, et le chapitre XI qui est « l'histoire memorable d'ung jeune homme de 20 ans... ». Nous nous laissons moins émouvoir par le merveilleux que nos ancêtres, et nous ne citons ces deux chapitres que pour noter en passant que c'est encore Froissart à qui Fauchet est redevable pour le premier. Le deuxième est dû à ses lectures de Georges Chastellain, mais la conclusion de Fauchet met en parallèle le poète grec Simonide, Christophle de Longueil et Pic de la Mirandole.

Le quatrième livre des *Veilles et Observations* ne contient que trois chapitres, dont deux ont des sujets littéraires, et le troisième n'est qu'une note expliquant que les « blancs murs » de Paris sont les plus récents, ainsi appelés pour « estre bastis de plastre ».

Nous avons déjà signalé toutes les conclusions importantes qu'on peut tirer d'une lecture de ce cahier. Entre les années 1555 et 1557 Fauchet s'intéresse déjà à ce qui l'intéressera toute sa vie, c'est-à-dire les antiquités. Il avait fait des études juridiques, et il lisait les textes de droit. C'est probablement ces textes qui avaient d'abord stimulé sa curiosité; le voyage en Italie, et l'amitié des érudits du Palais l'entretiendront.

Il a commencé ces études historiques par Froissart et Commynes. Son éducation d'humaniste le mettait au courant des textes des anciens qui parlaient de la Gaule antique; c'est pourquoi un chapitre sur l'origine de Paris vient tout au début du cahier.

---

[1] Voir J. HUIZINGA, *The Waning of the Middle Ajes*. Translated by F. Hopman, London, 1924, p. 83.

FIG. 14.

Rome. Bibl. du Vatican. Ottob. 2537, f. 1. Liste des chroniques utilisées par Fauchet.
Main de Fauchet.

Les dernières pages qui ne sont pas rédigées montrent que notre érudit s'était donné la tâche de connaître l'histoire de France depuis les temps les plus reculés. Il semble avoir commencé à compulser les chroniques du moyen âge vers 1560 [1] et nous pouvons supposer que ces notes s'échelonnent entre les années 1560 et 1580 ou environ.

---

[1] Voir *Antiquitez*, f. 209 r⁰ : « Il y a quarante ans et plus que j'ay veu Fredegaire, ou Idace, les Annales de saint Martial, et de saint Cibar », etc.
Nous revenons sur les notes. Voir plus loin, pp. 299 et suiv.

CHAPITRE III

Les Antiquitez

Les historiens du XVIe siècle, Gaguin, Gilles, Paolo Emilio, Pasquier, du Haillan, du Tillet, Masson, Belle-forest.

Disposition des *Antiquitez*. Déclarations du Président sur sa méthode; celle de Sigonio et Panvinio, recours aux textes. Comment il se procurait des documents, visites aux couvents et aux bibliothèques de ses amis. Sa propre bibliothèque.

Ses sources; emploie aussi les géographes et les poètes; utilise les inscriptions.

Sa préparation : les annotations sur ses manuscrits historiques, notes textuelles, variantes, etc. *Marginalia* — résumés des pages, dates, traduction de certains mots latins.

Sa préparation : les notes prises au cours de la lecture des chroniqueurs et écrites dans ses cahiers.

Comment il employait ses documents; fidélité, couleur locale. Traduction et paraphrase; comment Fauchet a utilisé Grégoire de Tours, Nithard, Sigonio et d'autres en qui il a confiance. La « marqueterie ».

Différentes influences : 1° l'antiquité à travers Paolo Emilio, discours; 2° le plan providentiel; 3° la Renaissance, esprit critique. Fauchet et les origines troyennes, les fleurs de lis, la théorie de l'apostolicité.

Le Président et la royauté; son gallicanisme; ses préventions contre les ordres religieux.

Style des *Antiquitez*. Examen du texte des livres I et II dans les deux éditions de 1579 et 1599. Des additions.

Examen des manuscrits des livres XI et XII et comparaison avec le texte imprimé.

Examen du brouillon du début des *Antiquitez* qui se trouve dans le manuscrit, Rome, Vat. Ottob. 2537; additions et corrections.

Le style oratoire des préfaces.

Le style familier.

Les portraits, les descriptions.

Fauchet avait commencé à se documenter sur l'histoire de France dès son retour de l'Italie, peut-être même pendant son séjour au delà des Alpes. Son père, Nicole Fauchet, s'intéressait aux antiquités des églises de Paris, et il est fort probable qu'il possédait une bibliothèque, moins riche sans doute que celle que son fils constitua plus tard, mais une bibliothèque ayant plus d'un livre de droit et d'histoire. Cependant si Claude Fauchet rassemble des documents dès 1555, il ne publie rien avant 1579, année où paraît son *Recueil des Antiquitez gauloises et françoises*, qui comprend les deux premiers livres de ce qu'il a appelé plus tard *Antiquitez gauloises et françoises*.

Nous avons vu qu'un des premiers historiens que Fauchet ait goûtés est Philippe de Commynes, mais il lisait aussi de très bonne heure Froissart, Nicolas Gilles, Polydore Virgile, Paolo Emlio, Beatus Rhenanus, Georges Chastellain et Enguerrand de Monstrelet. Vers 1557 il se plonge dans la lecture des écrivains grecs et latins qui avaient parlé de la Gaule et des Gaulois. A une date antérieure à 1570, année de la mort du greffier du Tillet, Fauchet emprunte à celui-ci une chronique d'Adhémar, moine de Saint-Martial [1]. A la même époque il dispose lui-même d'une bibliothèque historique; son plan de travail et de recherches est déjà établi, car il sait à quels amis il pourra emprunter les manuscrits qu'il n'a pas en propre.

En 1555 il est à noter qu'aucun historien digne du nom n'était apparu en France depuis environ cinquante ans, et les *Veilles* de Fauchet nous montrent clairement qu'il voulait remplir cette lacune. Les *Chroniques et Annales de France* de Nicole Gilles [2] datent de 1492, et les *Annales* de Robert Gaguin [3] (traduites en français) de 1514. Mais bien plus important aux yeux de Fauchet et de ses contemporains est Paolo Emilio de Vérone, dont le *De rebus gestis Francorum* [4], paru en 1516

---

[1] Voir Rome, Vat. Ottob. 2537, fol. 1 et voir plus loin.

[2] Nicole Gilles est cité par Fauchet dans les *Antiquitez*, f. 93 v°, 214 r°, 273 r°, 279 v°, 289 v°, 305 v°, 353 r°, 436 r°, 445 v°. Fauchet fait ces citations pour corriger les erreurs de Gilles.

Sur Gilles, voir A. MOLINIER, *Sources de l'Histoire de France*, t. 5, n° 4669. Les *Annales et Croniques de France* « furent imprimées dit-on, à Paris, en 1492 ». Nombreuses éditions pendant le xvi⁰ siècle.

Nous parlons ailleurs de l'influence de Commynes sur Fauchet. Voir p. 275.

Si nous exceptons Commynes, Fauchet ne cite pas les chroniqueurs du xv⁰ siècle, et s'il intercale des discours imaginés, c'est plutôt à la suite de Paolo Emilio que de Chastellain ou de Molinet. Pourtant, on peut comparer les conseils aux rois insérés par Fauchet dans ses *Antiquitez* aux conseils annalogues que les chroniqueurs du xv⁰ siècle prodiguaient aux princes.

[3] Pour Fauchet, Gaguin est évidemment plus digne de croyance que Nicole Gilles. Il est mentionné avec Paolo Emilio (f. 209 r°) comme étant « fidèle ». En général, Fauchet le cite pour ajouter un fait, ou pour donner une autre opinion sur un point douteux. Voir *Antiquitez*, f. 93 r°, 94 v°, 165 v°, 209 r°, 218 v°, 309 r°, 315 r°, 337 v°, 363 v°, 399 v°, 460 r°, 468 r°, 468 v°.

Le titre exact de l'ouvrage de Gaguin est : *Compendium de origine et gestis Francorum*. Il y eut quatre éditions du vivant de l'auteur, 1495, deux en 1497, et 1501. Les réimpressions qui s'échelonnent pendant le xvi⁰ siècle portent le titre : *Annales rerum Gallicarum*. L'ouvrage fut traduit en français : une traduction avec continuations par Pierre Desrey parut en 1514. V. Molinier, t. 5, 4668.

[4] Six livres du *De rebus gestis Francorum* parurent en 1516 et 1519. La suite

marque une ère nouvelle dans la composition historique. Emilio est le premier à quitter le style des chroniques et à employer une manière plus propre à célébrer les grands exploits et le gouvernement des princes. Il écrit dans un latin élégant et concis, et emploie les sources avec sagesse. Mais son art est le triomphe de l'anachronisme, car l'imitation de Tite-Live, de Polybe et de Thucydide donne à tout le moyen âge la couleur antique. Fauchet a conservé son indépendance à l'égard de cet historien. Il le cite de temps en temps comme il cite Robert Gaguin ou Nicole Gilles pour ajouter un petit fait nouveau, mais il a pris la peine de nous signaler son attitude à l'égard de celui-ci. Fauchet regrette qu'on n'ait pas mieux renseigné Emilio sur certains événements, et déplore la perte que « nostre France a receu pour n'avoir fourny d'assés amples memoires à un si grand personnage que ledit Emile, un autre Tite-Live, et lequel pour grossir son livre ou plustost pour l'honneur de sa nation, trouvant occasion fait aussitot une course en Italie quand il ne trouve rien en France ». Et Fauchet de s'excuser « envers ceux qui font cas de luy; ausquels il pourra sembler que trop souvent je le contredits : mais je les prie de croire que ce n'est par malignité ou mespris : car l'on voit bien que tout ce que je dis de beau vient de luy de Sigon & d'autres sçavants. » En effet, Fauchet n'hésite pas à traduire certains discours grandiloquents du Véronais, qui viennent nous étonner au milieu d'un récit plutôt plat [1]. Fauchet résume son opinion sur Paolo Emilio dans une phrase concise :

Tenons Paul Emil pour le plus eloquent Historien qui ait esté depuis Tite-Live : mais non pas le plus fidele Historien François [2].

A partir de 1560, les histoires se multiplient : *Les Recherches de la France* [3] d'Estienne Pasquier, *L'Histoire générale*

---

fut rédigée d'après les notes de l'auteur par son ami Zavarizzi, et parut en 1539 et 1544; elle comprend dix livres et s'arrête au début de Philippe Auguste. Voir Molinier, *op. cit.*, t. 5, n° 5401.

[1] Voir par exemple *Antiquitez*, f. 202 v°, 205 v°, 228 v°, 251 v°.

[2] *Antiquitez*, f. 301 v°. Emilio est cité aux feuillets suivants : 52 r°, 52 v°, 57 r°, 57 v°, 61 r°, 62 r°, 63 r°, 67 r°, 69 r°, 82 r°, 94 v°, 150 v°, 152 r°, 154 r°, 158 v°, 162 v°, 165 r°, 174 r°, 177 r°, 185 r°, 185 v°, 186 r°, 187 r°, 188 v°, 189 r°, 193 r°, 200 r°, 202 v°, 205 v°, 209 r°, 210 v°, 214 v°, 218 v°, 219 v°, 221 r°, 224 r°, 224 v°, 226 r°, 227 v°, 228 v°, 229 r°, 234 v°, 241 r°, 244 v°, 247 v°, 251 v°, 254 r°, 260 r°, 276 v°, 286 r°, 287 r°, 287 v°, 295 r°, 298 r°, 301 r°, 301 v°, 327 r°, 337 v°, 375 r°, 380 v°, 383 r°, 385 v°, 390 v°, 394 r°, 410 v°, 413 r°, 422 r°, 425 v°, 445 v°.

[3] *Les Recherches de la France*, liv. Ier, parut en 1560, liv. II en 1565, liv. Ier et II en 1569 et 1581, puis les six premiers livres en 1596, sept livres en 1611 et dix livres en 1621. (Le dixième livre de cette édition consiste en 25 chapitres supplémentaires du Ve livre, découverts trop tard pour être imprimés à leur place, en 1621. Ils furent incorporés au Ve liv. à partir de 1665.)

des rois de France de Girard du Haillan [1], *Le Recueil des Roys
France leurs couronnes et maison* de Jean du Tillet [2], les *Annales* de Papire Masson [3], le *Sommaire de l'histoire des François*
de N. Vignier [4], les *Grandes Annales et Histoire générale de
France* de Fr. de Belle-forest [5].

Dans ses *Recherches*, Pasquier passe en revue toutes les
parties de l'histoire de France, événements, personnages, institutions. Il cherche à tirer de l'histoire des résultats moraux.
Son but est tout différent de celui des annalistes.

L'histoire de Girard du Haillan a joui d'une grande célébrité au XVIe siècle. Lorsque Amadis Jamyn fait la lecture de la
Franciade au roi Charles IX, on emploie l'histoire de du Haillan pour commenter les règnes des rois introduits par Ronsard
dans son épopée. Le lecteur moderne de cette histoire est surtout frappé par les invraisemblances, les discours interminables, les fables, les préjugés. Pour du Haillan l'histoire est une
œuvre oratoire par excellence, et il se soucie fort peu d'érudition.

Fauchet s'est servi du *Sommaire* de Vignier, qu'il appelle
« très judicieux Annaliste », et « vray Hercules, & défaiseur de
tels monstres », lorsque Vignier s'était levé pour combattre
« Vassebourg » [6]. Ailleurs Fauchet fait allusion au fait que
Vignier et d'Argentré, auteur des *Chroniques de Bretagne*,
s'étaient trouvés en contradiction, mais en général il s'astreint
à comparer l'histoire de Vignier aux autres sources où il puise.

Plusieurs fois Fauchet cite avec respect l'opinion du greffier, du Tillet. Ce dernier « a bonne raison de dire que les

---

[1] Voici les dates des principaux ouvrages de du Haillan : *Sommaire et Dessein
de l'Histoire de France*, Paris, Pierre l'Huillier, 1571; *Quatre livres de l'Etat et
succès des affaires de France*, *ibid.*, 1576; *L'Historie de France... ordonnée en
24 livres*, in-fº, *ibid.*, 1576.

[2] Jean du Tillet, greffier au Parlement, mourut en 1570. Ses *Mémoires et
recherches contenant plusieurs choses mémorables pour l'intelligence de l'état
de France* furent publiées à Rouen en 1577, une deuxième édition à Paris. Nous
avons consulté *Le Recueil des Roys de France leur couronne et maison ensemble
le rang des grands de France*, Paris, Jean Houzé, 1602.

[3] Sur Masson, voir l'excellente thèse de M. Pierre RONZY, *Un Humaniste italianisant, Papire Masson (1544-1611)*, Paris, 1924.

[4] Nicolas Vignier a écrit de nombreux ouvrages historiques, mais les plus
célèbres sont : *Sommaire de l'histoire des François*, Paris, Sébastien, Nivelle,
in-fº., 1579; *Bibliothèque historiale*, 3 vol. in-4º, Paris, 1588; et enfin le *Traité
de l'ancien état de la petite Bretagne et du droit de la Couronne de France sur
icelle, contre les faussetés et calomnies des deux Histoires de Bretagne composées
par le sieur d'Argentré*, Paris, 1619, publié par les soins du fils de Vignier. Le
contenu de ce traité semble avoir été connu de Fauchet.

[5] Auteur fécond et traducteur aussi. Les *Grandes Annales de France* ont paru
en un volume en 1573, et (augmentées) en 2 volumes en 1579.

[6] *Antiquitez*, f. 418 vº. Sur Vignier voir Augustin THIERRY, *Lettres sur
l'Histoire de France. Dix Ans d'Etudes historiques. Notes sur Quatorze Historiens
antérieurs à Mézeray*, 1827.

Moynes ont composé plusieurs fables de Dagobert afin d'attirer les Princes à mesme prodigalité que la sienne » [1]. Mais Fauchet n'a pas signalé la principale originalité du greffier, qui était d'avoir compris l'origine germanique des Francs, — pour la bonne raison que Fauchet lui-même n'admet pas cette origine.

La méthode historique de Papire Masson devait gagner l'approbation de Fauchet. Malgré toutes leurs divergences, Masson et Fauchet étaient faits pour se comprendre. On rencontre chez tous deux le même souci d'érudition, la même recherche minutieuse du détail et le même esprit critique. Tous deux lisaient Sigonio et Panvinio, et ils emploient la méthode rigoureuse de ces historiens.

Le but des *Grandes Annales* de Fr. de Belle-forest était de démontrer que les rois sont « establiz en perpetuelle suitte de generations ». L'auteur interrompt sa narration pour faire des sorties contre les partisans de l'élection, ce qui donne à son ouvrage l'allure d'un pamphlet. Belle-forest adopte toutes les fables qui avaient cours au xvi⁵ siècle. Il n'hésite pas à introduire des discours grandiloquents, — ce qui, après Paolo Emilio et Girard du Haillan n'est pas pour nous étonner, — mais on ne s'attend certainement pas à voir dans une histoire de France sérieuse les premiers rois caractérisés par des citations de la *Franciade*. Belle-forest n'est pas ignorant; il se donne beaucoup de peine pour amasser des documents, mais il ne distingue pas entre les fables et l'histoire, et il a le même défaut que du Haillan, c'est-à-dire, il veut faire de la « littérature ».

Robert Gaguin, Paolo Emilio et Papire Masson avaient écrit en latin, mais Fauchet ne s'y arrête pas. Nous n'avons aucune déclaration de notre érudit à ce sujet, mais la question a dû se poser à son esprit. Fauchet est un humaniste à ses débuts et même pendant toute sa vie. Au fur et à mesure qu'il lit les chroniques latines, c'est en latin qu'il prend ses notes. Il lit le grec, et il met parfois des notes en grec dans la marge de ses manuscrits. Il exprime son admiration pour Salmon Macrin, « excellent poëte de nostre temps », et Jean-Antoine de Baïf a une haute opinion du docte Président qu'il loue en latin. Fauchet a dû se demander, surtout au début de sa carrière, s'il allait rechercher l'approbation des érudits de toute l'Europe ou s'astreindre à gagner les éloges de ceux de son pays. Il s'est décidé en faveur du français : sans doute l'exem-

---

[1] *Antiquitez*, f. 169 r°. Sur du Tillet, voir. A. Thierry, *op. cit.*

ple de la Pléiade y était pour quelque chose. Nous devons louer
notre jeune lettré d'avoir choisi le « vulgaire » dans un genre
où le latin n'avait pas encore complètement rendu les armes.

Les deux premiers livres du *Recueil des Antiquitez gauloises et françoises* furent publiés sans nom d'auteur en 1579.

Dans la disposition de son livre, Fauchet a suivi la vieille
méthode des annalistes. Naturellement les deux premiers livres
qui traitent de l'histoire de la Gaule romaine ne sont pas con-
formes à cette règle, mais lorsqu'il arrive au moyen âge, Fauchet raconte les événements année par année. Les *Antiquitez*
sont partagées en douze livres. Si leur auteur avait vécu elles
auraient été plus longues, car outre quelques déclarations [1] de
Fauchet lui-même à ce sujet, nous savons qu'il possédait une
documentation beaucoup plus étendue qu'il ne paraît dans les
annales qu'il nous a laissées [2]. Le « premier volume », — Les
cinq livres du « premier volume », paru en 1599, concernent
« les choses advenues en Gaule jusques en l'an 751 ». Le
« second volume » comprend deux parties : *a*) trois livres de
la « Fleur de la maison de Charlemagne », paru en 1601;
b) quatres livres du « Déclin de la maison de Charlemagne »,
paru en 1602.

Dès 1555 Fauchet nous affirme que « le plus beau joyau
de l'histoire », c'est la vérité [3], et il n'a cessé pendant toute sa
vie de répéter cet axiome. « J'ai juré de dire la vérité », dit-il,
« laquelle si j'espargnoy je ne seroy historien » [4]. Il ne veut rien
ajouter si les mémoires sont nus ou font défaut. On pourrait,
dit Fauchet, leur donner plus de grâce en les enrichissant :

> Trouvant aux escrits du temps si peu de lumiere pour approcher de
> la verité, peradventure seroit-ce commenter sur l'histoire. Ce que ne
> doyvent faire les Autheurs qui aiment leur honneur, & ne veulent trom-
> per ceux qui lisent leurs escrits... car tels discoureurs s'appellent enri-
> chisseurs de contes plustost qu'historiens [5].

Il est encore plus catégorique dans son livre VI. Si quelqu'un comparait les *Annales* de Fauchet avec celles de Sigebert et trouvait à critiquer quelque chose chez Fauchet,

> Il ne les doit pour cela rejetter : car j'ay prins de plusieurs autheurs
> & livres, tant imprimez qu'escrits à la main ce qui m'a semblé devoir

---

[1] Voir *Antiquitez*, f. 465 r°, presque à la fin de son dernier livre, il déplore
que les documents pour les 150 ans à venir fassent défaut.
[2] Entre 1555 et 1557 Fauchet lisait Froissart, Enguerrand de Monstrelet et
P. de Commynes.
[3] *Veilles.*
[4] *Antiquitez*, f. 105 v°.
[5] *Antiquitez*, f. 162 v°.

estre approprié sous chacunes annees & le plus digne d'estre sceu, vous asseurant sous mon honneur, que je n'ay rien adjousté du mien en la substance des faits : n'ayant voulu commenter sur l'histoire [1].

Il dit ailleurs [2] qu'il aime « encore plus la vérité que les beaux discours » qu'il tire de Paul Emil, et « si l'on croit Aristote », ajoute-t-il, « nous devons pour la vérité fouler aux pieds voire nos propres choses ». Nous verrons que Fauchet s'est donné beaucoup de peine pour rassembler les documents nécessaires à la conquête de la vérité, — il faut, dit-il, « soy travailler à visiter les librairies de France » [3], car on y trouvera « quantité de bonnes histoires, que nonobstant le degast de nos guerres civilles... depuis j'ay veue & que d'autres après moy ont publiees ». Fauchet a toute la modestie du vrai savant, et on est tout étonné de trouver dans ce XVIᵉ siècle, où l'on n'avait pas fini de composer des histoires universelles une déclaration comme celle qui clôt son avant-propos au lecteur :

> Je puis asseurer (les lecteurs) qu'ils trouveront en ce livre d'assez bons preparatifs pour l'advancement d'un plus grand ouvrage que le mien.

Cette nouvelle méthode historique inaugurée en Italie par Panvinio et Sigonio, que Fauchet appelle Onufre et Sigon [4], avait déjà eu en Papire Masson un disciple éminent au moment où Fauchet fait paraître son livre, mais Fauchet n'est pas pour cela moins original. La plus grande partie — la « fondation » — de ses *Antiquitez* était écrite avant 1579 : les additions qui viennent après cette date et qui ne sont souvent que de menus faits ajoutés au texte primitif peuvent se reconnaître avec un peu d'habitude [5]. Cette méthode consiste essentiellement à avoir recours aux textes, à essayer de dégager la vérité d'une foule de documents parfois contradictoires, à se servir de tout ce qui peut « éclaircir les ténèbres », — épigraphie, numismatique, littérature générale, poésie :

> Et comme rarement il advient qu'un pere estouffe son enfant, l'envie m'est aussi prinse de publier le Recueil que depuis quarante ans et plus j'ay fait de beaucoup de chartes, livres, & tiltres incognus à plusieurs, ou cachez dans les thresors & librairies, et feuilletez de peu de gens avant moy [6].

---

[1] *Op. cit.*, f. 209 rº.
[2] *Ibid.*, f. 301 vº.
[3] *Ibid.*, f. 301 vº.
[4] Sur Panvinio et Sigonio, voir P. Ronzy, *Papire Masson*, 54-58.
[5] Ce sont parfois des éloges du roi, Henri IV, ou bien des déclarations de Fauchet au sujet de ses sources.
[6] *Antiquitez*, avant-propos, édition de 1599.

Le soin que Fauchet a mis à se procurer des manuscrits est attesté par le nombre de sources qu'il cite. « J'ai vu une Chronique à Saint André en Gouffet, abbaye voisine de Falaise » [1], dit-il, et, parlant des Serments de Strasbourg, « ces mots tels que je les ay trouvez dans une tres ancienne coppie de Nithard estant en la Bibliotheque de Saint Magloire à Paris » [2]. « C'est ce que dit une lettre du temps que j'ay tiree du Cartulaire de Saint Maurice d'Angers & l'ay icy transcripte pour plus grande fidelité [3]. » Il ne se borne pas à utiliser un seul manuscrit, il compare plusieurs exemplaires de Grégoire de Tours, et il corrige les imprimés par le manuscrit [4]. Il signale le fait [5] que c'est lui qui a « tiré de la pouldre » certains mémoires que Gaguin et Paolo Emilio n'avaient pas connus.

Nous pouvons supposer que les bibliothèques qui étaient à sa disposition pour la composition de son *Recueil de l'origine de la langue et poesie françoises* lui fournissaient également des manuscrits d'œuvres historiques. Henri de Mesmes, Estienne Pasquier, Antoine Matharel, Pierre Pithou, Vaillant de Guélis lui rendaient sans doute de précieux services. Fauchet mentionne un Agobard « assez bien escrit qu'a Anthoine du Verdier » [6]. Papire Masson empruntait des chroniques à Fau-

---

[1] *Antiquitez*, f. 179 v°.
[2] *Ibid.*, 330 v°. C'est Fauchet qui a donné les Serments à Jean Bodin pour qu'il les imprime.
[3] *Ibid.*, 338 v°.
[4] *Ibid.*, 95 r°.
[5] *Ibid.*, 337 v°.
Nous groupons ici ces allusions à ses visites aux couvents.
V. *Antiquitez*, f. 95 r° : « Au vieil livre de Grégoire qui fut de l'Eglise de Beauvais et est original, escrit en grosses lettres (je croy Lombardes) l'on void le mot *viriliter* et non pas *viritim*, comme portent les imprimez par Federic Morel. »
Ibid., f. 277 v° : « Et Seissel en la loüange de Louis douziesme Roy de France, recite, que le mesme Charlemaigne tua de sa main l'Abbé de Grace, pres Narbonne, revestu et prest pour chanter Messe à l'Autel, pource qu'il avoit refusé de nourrir un gen-darme, Oblat; dont depuis merry, il fonda beaucoup d'Eglises. Ainsi que j'ay veu dans un livre de ladite Abbaye mesme estant sus le lieu, qui me fut monstré par les Moines tous nobles et tres-honorables. »
Ibid., f. 297 r° : « En vertu d'un privilege, qui se trouve encores aux Archives de l'Eglise de Narbonne. »
Ibid., f. 330 v° : « Ces mots (les Serments de Strasbourg) tels que je les ay trouvez dans une tres-ancienne coppie de Nitard estant en la Bibliotheque de Sainct Magloire à Paris. »
Ibid., f. 338 v° : « Une lettre du temps que j'ay tiree du Cartulaire de S. Maurice d'Angers, et l'ay icy transcripte. »
Ibid., f. 360 r° : « Et dans un tres-vieil livre de la librairie de sainct Aubin d'Angers, où la vie de ce sainct est representée en figure, comme pour servir de patron à une tapisserie, l'image de sainct Aubin est peinte avec de la barbe. »
Ibid., f. 379 r° : « J'ay leu dans une Chronique de sainct André en Gouffer voisine de Falaise en Normandie... » cf. f. 433 v°, 499 r° pour des allusions à ce même couvent.
H. SAUVAL, *Histoire et Recherches des Antiquités de la Ville de Paris*, Paris, 1724, I, p. 321, rapporte ce trait de Fauchet, qu'il « retira de la poussiere des Couvents et des Abbayes... la plupart des Historiens que du Chesne a fait imprimer. »
[6] *Ibid.*, f. 314 v°.

chet [1], et il est probable que Masson mettait les siennes à la disposition du Président. Ses parents, les de Thou, devaient sans doute lui ouvrir les trésors de leurs bibliothèques.

Grâce à l'index des « livres non imprimez desquelz je me pui aider », dressés par Fauchet dans son cahier de Rome, Bibliothèque du Vatican, manuscrit Ottob. 2537, nous pouvons indiquer la provenance de quelques-uns des manuscrits dont il s'est servi. Antoine Loisel lui a fourni une chronique française (années 741-813). Henri de Mesmes et le greffier du Tillet possédaient des manuscrits d'Adhémar, moine de Saint-Martial, que Fauchet a empruntés. Pierre Daniel, avocat en la Cour de Parlement, avait un manuscrit des *Gesta remensium episcopum*, qui est, selon Fauchet, « l'original ou une copie antienne ». Un exemplaire des *Annales* de Flodoard (919-966), un autre des *Historiae* de Nithard, provenant tous deux de la Bibliothèque de Saint-Magloire [2], étaient entre les mains de Jean de Saint-André, chanoine de Notre-Dame, qui mettait sa bibliothèque à la disposition de Fauchet et d'autres érudits tel que Papire Masson. Plusieurs manuscrits de la Bibliothèque de Saint-Victor [3], côtés tous par Fauchet, BBB4, fournissaient des textes de Nithard, d'un abrégé de Guillaume de Jumièges, d'une chronique latine intitulée *Historia regum Francorum* d'un abrégé de *Gesta regum Franciae*, de deux chronologies, du *De statu et mutatione imperii romani* de Landulfe de Columna, et d'un autre abrégé de chronique française. Fauchet a emprunté aussi « l'original » des *Annales* de Guillaume de Nangis à un certain Monsieur Guelin conseiller, et les *Gesta Andegavorum comitum* à Monsieur Chopin, c'est-à-dire le jurisconsulte René Chopin. Enfin, Fauchet cite un certain nombre de manuscrits qu'il possédait lui-même, un exemplaire des *Annales* de Flodoard, provenant de Saint-Victor [3], « une vieille coppie en parchemin » des *Gesta Normannorum* de Guillaume de Jumièges, un texte des *Gesta Anglorum* de Henry de Huntingdon et un abrégé latin des *Gestes des comtes d'Anjou*. On constatera qu'il avait souvent à sa disposition plusieurs manuscrits de la même chronique.

Mais cette liste de manuscrits ne donne qu'une faible idée des sources utilisées pour les *Antiquitez*. Afin que le lecteur en ait une meilleure, nous avons dressé la table suivante, qui

---

[1] V. P. RONZY, *op. cit.*, p. 235.
[2] Reliés en un seul volume, actuellement B. N. lat. 9768.
[3] B. N. lat. 14663. La cote B B B 4 est celle du catalogue de Claude de Grandrue (B. N. lat. 14767 f. 178).

ne comprend pas les auteurs postérieurs aux événements qu'ils racontent.

Pour les livres I-V des *Antiquitez.*

Les Mérovingiens et l'époque romaine.

Géographes anciens : Strabon, Pomponius Mela, Pline l'Ancien, Ptolémée d'Alexandre, *Itinerarium Antonini Augusti.*

Auteurs grecs et latins jusqu'aux invasions : C.-J. César, Tite-Live, Diodore de Sicile, Justin, Suétone, Tacite, Appien d'Alexandrie, Plutarque, l'*Histoire auguste*, Ammien Marcellin, Ausone, Claudien.

Premiers textes chrétiens : Fauchet a dû connaître la vie de saint Martin par Sulpice-Sévère.

Les invasions : Paul Diacre, Eusèbe, *Historia tripartita*, dite de Cassiodore, Sulpice-Sévère, saint Augustin, Paul Orose, saint Jérôme, Paulin de Pella, Sidoine Apollinaire.

Vies de saints du ve *siècle* : Vie de saint Loup.

Grégoire de Tours.

Pseudo-Frédégaire et continuateurs.

Petites chroniques : Probablement *Gesta regum Francorum.* (Fauchet parle du « vieil chroniqueur », et spécifie que c'est une source d'Aimoin de Fleury.) Divers « abrégés ». *Visio Eucherii* [1].

Sources indirectes : Fortunat, Paulin de Nole.

Sources étrangères : *Liber pontificalis*, Jordanès, Cassiodore, Paul Diacre, Zozime, Procope (en manuscrit), Agathias, Isidorus Hispalensis et probablement d'autres « histoires visigothes », telles que celle d'Ildefonse.

Vies de saints : saint Babolen, saint Rémy, saint Vast, saint Arnoul de Metz, saint Léger d'Autun, saint Ouen, saint Lambert de Maëstrecht, saint Maur (vie attribuée à Faustus — cette vie est un faux, MOLINIER, t. 1er, n° 583).

Chroniques universelles : Eusèbe, Prosper d'Aquitaine, Victor d'Aquitaine, Idatius Lemicus (Fauchet a dû posséder un abrégé du Chronicon qui se trouve dans le Pseudo-Frédégaire, car il parle d'un « Idace ou Frédégaire »), Bède le Vénérable.

Pour les livres VI-XII des *Antiquitez.*

Les Carolingiens.

Sources contemporaines.

Renaissance carolingienne : Bède le Vénérable, saint Boniface, Alcuin, Paul Diacre.

---

[1] Fauchet parle aussi d'une *Vie de Dagobert*, sans l'appeler *Saint*. Il existe une *Vie de Saint Dagobert* et les *Gesta Dagoberti.*

Pépin le Bref — Charlemagne : Eginhard, *Monachus Sangallensis* [1], vie de saint Grégoire.

Histoire légendaire de Charlemagne : Pseudo-Turpin.

Annales carolingiennes : Diverses [2], Annales royales (741-829).

Louis le Pieux : Thégan, *Vita Hludovici pii* par l'Astronome,
Nitard, Freculphus, Amalarius, Agobard, Rabanus Mau-
rus.

Poésies carolingiennes : probablement Théodulphe [3], Walafri-
dus Strabo, Sedulius Scotus, Micon moine de Saint-Ri-
quier.

Charles le Chauve : Diverses annales [2] : Bertiniani, Fuldenses;
Adon de Vienne (en manuscrit), *Miracula S. Dionysii*
(*Livre de la Hiérarchie* de saint Denis?), Héric d'Auxerre.

Recueils de lettres : Loup de Ferrières, Hincmar de Reims.

Invasions normandes : Abbon de Saint-Germain; *Vita Aelfredi,
Anglorum regis*; Odo (Eudes), *Miracula S. Mauri*.

Historiens français de 888 à environ 919 : — *Historiens étrangers du x*[e] *siècle* : Petrus Bibliothecarius, Reginon de Prum
et continuateur, Liudprandus Cremonensis.

Historiens fr. du xe *siècle* : Flodoard, Gerbert.

Pour le début de son livre il recourt à bon nombre d'auteurs de l'antiquité, Polybe [4], Jules César [5], Tite-Live [6], Diodore de Sicile [7], Justin [8], Suétone [9], Tacite [10], Appien d'Alexan-

---

[1] Au début du liv. VI Fauchet dit qu'il connaît deux vies de Charlemagne.
L'une d'entre elles est celle d'Eginhard. Son cahier (B. N. fr. 24726) contient
des notes prises pendant la lecture du *Monachus Sangallensis*, qu'il avait emprunté
à Pierre Pithou.

[2] V. *Antiquitez*, f. 192 r°, 199 r°, 209 r°, 276 r°, 281 r°, 300 r°. Il parle
indifféremment de la « Chronique » et des « Annales » d'un « Moyne de St. Benoist
qui semble avoir esté de Loresheim ». Ces annales finissent l'an 829, mais elles
sont « continuees jusques en l'an 883 ». Or, les Annales royales finissent 829,
mais il y a plusieurs continuations, les Annales Bertiniani et les Annales
Fuldenses, jusqu'à l'an 882. Voir MOLINIER, *Sources...* t. 1er, p. 246. Nous avons
comparé le texte de Fauchet à celui des Annales royales, mais il est fort
difficile de décider si sa façon de raconter les événements a été influencée par
le style des Annales royales. Toute cette série d'Annales de l'époque emploie les
mêmes mots pour dire les mêmes choses.
    Fauchet parle d'annales « qui commencent l'an 715 et finissent 883 ». Les
Fuldenses publiées par Pierre Pithou en 1588 vont de 714 à 882; Fauchet devait
connaître toutes les publications de son ami.

[3] Le Président connaît très bien le nom de Théodulphe, quoiqu'il ne mentionne pas ses poèmes. V. *Antiquitez*, f. 276 v°.

[4] *Antiquitez*, f. 6 r°, 10 r°, 15 v°. Nous donnons ailleurs une liste plus complète des sources utilisées par Fauchet. V. Bibliothèque, dans notre livre de
documents.

[5] *Antiquitez*, 3 v°, 4 v°, 5 r°, 5 v°, 6 r°, 6 v°, 7 v°, 8 r°, 17 v°, 20 v°, 30 v°,
65 v°, 404 v°.

[6] *Ibid.* 8 v°, 9 r°, 301 v°.

[7] *Ibid.* 3 r°, 6 r°.

[8] *Ibid.* 11 v°.

[9] *Ibid.* 10 r°, 30 r°.

[10] *Ibid.* 10 r°, 29 v°, 30 r°, 30 v°, 89 v°, 91 v°, 218 v°, 245 v°, 300 r°, 375 v°.

drie [1], *l'Histoire auguste* [2], Ammien Marcellin [3], et parmi les poètes il allègue Ausone et Claudien [4 et 5]. Pour la période des invasions Fauchet se sert d'Eutrope [6], de Paul Diacre [7], d'Eusèbe [8], de Cassiodore [9], de saint Augustin [10], de Salvien [11] et de Sidoine Appollinaire [12]. Lorsqu'on arrive au moyen âge, à côté des historiens et des chroniqueurs comme Grégoire de Tours [13], le Pseudo-Frégédaire [14] (à qui du reste c'est Fauchet qui a donné ce nom), Guillaume de Nangis [15], Aimoin de Fleury [16], Nithard [17], Eginard [18], Réginon [19], Flodoard [20], voisi-

---

[1] *Op. cit.* 16 v°, 30 v°.

[2] LAMPRIDIUS, *ibid.* 222 v°, 230 v°.

[3] *Ibid.* 3 r°, 3 v°, 5 v°, 30 v°, 31 r°, 31 v°, 32 r°, 32 v°, 33 r°, 43 r°, 57 v°, 65 v°, 66 v°, 75 r°, 89 r°, 169 v°, 255 r°, 303 v°, 378 v°.

[4] *Ibid.* 249 v°, 265 v°.

[5] *Ibid.* 29 v°, 36 r°, 42 r°, 45 v°.

[6] *Ibid.* 28 r°.

[7] *Ibid.* 91 v°, 126 v°, 150 r°, 224 v°, 403 v°.

[8] *Ibid.* 28 r°, 31 r°.

[9] *Ibid.* 48 r°, 56 v°, 63 r°, 64 v°.

[10] *Ibid.* 111 r°, 216 v°.

[11] *Ibid.* 44 r°, 52 r°, 255 r°.

[12] *Ibid.* 29 v°, 41 r°, 42 r°, 45 v°, 46 r°, 47 r°, 48 r°, 49 r°, 50 r°, 53 v°, 57 r°, 59 r°.

[13] *Ibid.* 27 v°, 29 v°, 30 v°, 31 v°, 34 r°, 41 v°, 43 r°, 43 v°, 48 r°, 49 v°, 52 v°, 53 v°, 57 r°, 57 v°, 58 r°, 58 v°, 60 r°, 63 v°, 66 v°, 67 v°, 68 r°, 70 r°, 70 v°, 71 v°, 74 r°, 74 v°, 75 v°, 77 v°, 78 r°, 79 r°, 79 v°, 83 r°, 83 v°, 85 r°, 85 v°, 86 r°, 86 v°, 87 r°, 87 v°, 88 r°, 89 r°, 90 r°, 91 r°, 92 r°, 93 r°, 93 v°, 94 r°, 94 v°, 95 r°, 97 r°, 97 v°, 98 r°, 98 v°, 100 v°, 102 r°, 102 v°, 103 r°, 104 r°, 104 v°, 105 v°, 106 r°, 106 v°, 107 v°, 108 r°, 108 v°, 109 r°, 109 v°, 110 v°, 111 r°, 111 v°, 112 v°, 116 r°, 117 r°, 117 v°, 118 r°, 119 r°, 119 v°, 120 r°, 122 v°, 123 r°, 125 v°, 126 r°, 126 v°, 127 r°, 127 v°, 129 r°, 129 v°, 130 r°, 130 v°, 132 v°, 134 v°, 135 r°, 137 r°, 138 r°, 139 r°, 139 v°, 141 r°, 141 v°, 142 v°, 144 v°, 146 r°, 147 v°, 148 r°, 149 r°, 150 r°, 165 v°, 167 v°, 197 v°, 208 r°, 209 v°, 432 v°.

[14] *Ibid.* 48 r°, 52 r°, 52 v°, 53 v°, 55 r°, 110 v°, 117 v°, 118 r°, 133 r°, 148 r°, 158 v°, 161 r°, 163 v°, 168 r°, 168 v°, 169 v°, 175 v°, 178 v°, 179 r°, 209 r°.

[15] *Ibid.* 34 r°, 55 v°, 69 v°, 136 v°, 161 r°, 168 r°, 169 r°, 173 r°, 175 r°, 186 v°, 197 v°, 198 r°, 210 v°, 211 r°, 291 v°, 314 v°, 316 r°, 344 r°, 346 v°, 374 r°, 381 r°, 408 r°, 435 v°, 436 r°, 436 v°, 445 v°, 467 r°, 469 r°.

[16] 8 v°, 29 v°, 43 v°, 52 r°, 52 v°, 53 v°, 55 r°, 55 v°, 64 r°, 67 v°, 68 v°, 70 r°, 73 r°, 74 v°, 75 v°, 81 v°, 85 r°, 89 r°, 92 r°, 92 v°, 93 r°, 93 v°, 99 r°, 110 v°, 117 v°, 118 r°, 125 r°, 148 r°, 152 v°, 156 r°, 156 v°, 158 r°, 158 v°, 160 r°, 161 v°, 165 r°, 167 r°, 168 r°, 179 r°, 187 r°, 248 r°, 248 v°, 258 v°, 273 v°, 301 r°, 304 r°, 304 v°, 314 v°, 321 r°, 337 r°, 337 v°, 363 r°, 369 r°, 373 v°, 374 r°, 375 r°, 380 r°, 386 v°, 387 r°, 388 v°, 394 r° et v°, 400 r°, 403 v°, 460 v°, 462 r°, 470 r°.

[17] *Ibid.* 209 r°, 300 r°, 300 v°, 301 v°, 315 v°, 316 r°, 321 r°, 322 v°, 324 v°, 325 v°, 327 r°, 330 v°, 332 r°, 332 v°, 333 r°, 334 r°, 334 v°, 335 r°, 335 v°, 336 v°, 337 r°, 338 r°.

[18] *Ibid.* 193 v°, 212 r°, 214 r°, 234 v°, 255 r°, 279 r°, 286 r°, 331 v°.

[19] *Ibid.* Réginon et son continuateur : 192 r°, 192 v°, 199 r°, 220 r°, 225 v°, 237 r°, 288 v°, 317 r°, 317 v°, 321 r°, 337 r°, 338 v°, 339 r°, 339 v°, 342 v°, 343 v°, 344 r°, 348 v°, 352 r° 355 v°, 358 r°, 358 v°, 360 r°, 361 r°, 371 r°, 371 v°, 380 r°, 338 v°, 389 v°, 394 r°, 394 v°, 396 r°, 397 r°, 404 v°, 406 v°, 410 r°, 410 v°, 412 r°, 412 v°, 414 r°, 414 v°, 415 r°, 415 v°, 419 r°, 423 r°, 432 r°, 438 v°, 450 v°.

[20] *Ibid.* 56 r°, 57 r°, 181 r°, 209 r°, 276 r°, 284 v°, 313 r°, 321 r°, 323 r°, 337 r°, 337 v°, 342 r°, 358 v°, 360 r°, 363 v°, 364 v°, 365 r°, 394 v°, 395 r°, 396 r°, 403 v°, 408 r°, 410 v°, 412 v°, 414 v°, 415 r°, 418 r°, 419 r°, 423 v°, 424 r°, 425 r°, 428 v°, 429 r°, 429 v°, 430 v°, 432 r°, 435 v°, 436 r°, 436 v°, 441 r°, 444 r°, 445 v°, 446 v°, 447 r°, 450 r°, 450 v°, 453 r°, 454 v°, 455 v°, 459 v°, 462 v°, 464 v°, 465 r°, 466 r°, 466 v°.

nent les écrivains byzantins Zozime [1], Procope [2], Agathias [3], Cédrénus [4], Nicétas Acomiatos [5].

Nombreux sont les écrivains ecclésiastiques, Pères de l'Eglise, épistoliers, hagiographes et annalistes des ordres religieux, utilisés par Fauchet. On relève les noms de saint Jérôme [6], Tertullien [7], Eucher [8], Prosper [9], Paul Orose [10], Raban More [11], Adon de Vienne [12], Fréculphe de Lisieux [13], Héric d'Auxerre [14], que Fauchet appelle Henry, Sigebert de Gembloux [15], Loup de Ferrière [16], Vincent de Beauvais [17]. Pour les Goths, Fauchet se sert de Jordanès [18], et pour l'histoire du royaume de Tolède il connaît l'œuvre d'Isidore de Séville [19]. Il ne néglige pas les historiens plus modernes, Esteban de Garibay y Zamalloa [20] et Rodericus Toletanus [21], par exemple, pour les affaires d'Espagne, Sabellicus [22], Flavio Biondo [23] et Collenutio [24] pour l'Italie, Platina [25] pour l'histoire des Papes, Bède [26], Jean Asser [27], Henri de Huntingdon [28] pour les affaires d'Angleterre, Witikindus [29] pour les Saxons, Helmold [30] pour les Slaves,

---

[1] Op. cit., 24 v°, 30 r°, 30 v°, 31 v°, 32 r°, 33 r°, 35 r°, 35 v°, 36 v°, 37 v°, 38 r°, 43 r°, 89 r°, 207 r°.

[2] Ibid. 30 r°, 30 v°, 42 r°, 51 r°, 53 v°, 54 r°, 61 r°, 61 v°, 63 v°, 64 r°, 70 r°, 73 r°, 73 v°, 74 r°, 75 v°, 78 r°, 79 v°, 80 v°, 83 r°, 91 v°, 120 v°, 207 r°.

[3] Ibid. 30 v°, 45 r°, 53 r°, 71 v°, 75 r°, 80 r°, 81 v°, 83 r°, 85 r°, 207 r°.

[4] Ibid. 4 r°.

[5] Ibid. 454 v°.

[6] Ibid. 13 r°, 31 v°, 32 r°, 32 v°, 33 v°, 42 r°, 131 r°,

[7] Ibid. 99 v°, 131 r°.

[8] Ibid. 190 r°.

[9] Ibid. 33 v°, 35 v°, 36 r°, 36 v°, 41 r°, 43 r°, 43 v°, 44 r°, 45 r°.

[10] Ibid. 35 r°.

[11] Ibid. 289 r°, 332 v°.

[12] Ibid. 29 v°, 63 r°, 71 v°, 74 r°, 74 v°, 91 r°, 117 v°, 156 r°, 158 r°, 179 r°, 179 v°, 183 r°, 186 v°, 255 r°, 270 r°.

[13] Ibid. 48 r°.

[14] Ibid. 358 r°, 380 v°.

[15] Ibid. 55 v°, 61 r°, 65 r°, 69 v°, 71 v°, 74 r°, 75 v°, 77 r°, 81 v°, 82 v°, 97 v°, 98 r°, 101 r°, 106 v°, 148 v°, 159 v°, 176 r°, 179 r°, 180 v°, 186 v°, 187 r°, 192 r°, 201 r°, 207 v°, 209 r°, 210 v°, 211 r°, 223 r°, 241 r°, 244 r°, 273 r°, 297 v°, 314 v°, 316 r°, 338 v°, 343 v°, 345 r°, 358 r°, 412 r°, 416 v°, 419 r°, 432 r°, 448 r°, 450 v°, 459 r°, 459 v°, 461 r°, 466 v°.

[16] Ibid. 221 r°, 297 v°, 328 r°, 330 v°, 340 r°, 341 r°, 395 r°.

[17] Ibid. 314 v°.

[18] Ibid. 30 v°, 42 r°, 45 v°, 47 r°, 47 v°, 48 r°, 49 r°, 56 v°, 64 r°, 73 r°.

[19] Ibid. 63 r°, 72 r°.

[20] Ibid. 75 v°, 76 r°, 178 v°, 189 r°.

[21] Ibid. 186 r°.

[22] Ibid. 209 r°, 286 r°, 287 v°, 302 v°.

[23] Ibid. (Blond) 47 r°, 48 r°, 209 r°, 232 r°, 286 r°, 295 r°, 298 v°, 301 v°.

[24] Ibid. 241 r°.

[25] Ibid. 209 r°, 286 r°, 287 v°, 345 r°.

[26] Ibid. 184 v°.

[27] Ibid. 397 v°

[28] Ibid. (Fauchet l'appelle Henri de Huictabonne), 346 v°, 379 r°, 397 v°, 428 r°.

[29] Ibid. 413 r°, 413 v°, 423 v°, 436 v°, 437 r°, 451 v°, 452 r°.

[30] Ibid. 260 v°.

Aventinus [1], Altamer [2], Beatus Rhenanus [3], Lazius [4] et Krantz ou Crantius [5] pour les choses d'Allemagne, Guillaume de Jumièges [6] pour l'histoire des Normands. N'oublions pas Onofrio Panvinio et Carlo Sigonio dont les œuvres avaient influencé toute la méthode historique de Fauchet [7].

Quand il recourt à ses devanciers, le Président ne s'en tient pas au récit des événements, il recherche tout ce qui peut apporter une aide à l'historien. C'est ainsi qu'il essaie de déterminer l'emplacement exact des champs de bataille. A cet effet il cite Strabon [8], l'*Histoire naturelle* de Pline l'Ancien [9], Ptolémée d'Alexandrie [10], Pomponius Mela [11], la *Cosmographie* de Belle-forest [12], la *Géographie* de Munster [13]. Lorsqu'il s'agit de fixer une localité, il ne s'astreint pas à consulter les seuls géographes, mais il compare les historiens modernes entre eux. On est frappé en parcourant les *Antiquitez* de la variété des ouvrages où Fauchet puise ses témoignages et ses autorités. Il ne se borne pas à citer les historiens de profession. Il met en œuvre toute sa connaissance de la littérature de l'antiquité; nous avons mentionné ses citations d'Ausone et de Claudien. Relevons aussi un peu au hasard les noms de Homère, Virgile, Ovide, Quintilien, Cicéron, Vitruve. Parmi ses contemporains notons Guillaume Budé, Salmon Macrin et J.-J. Scaliger [14]. Une citation d'un poète comme Fortunat [15] en dit plus pour lui qu'un long récit historique, et il ne dédaigne pas d'en tirer profit.

Fauchet utilise aussi sa connaissance de l'histoire des

---

[1] *Op. cit.*, 35 r°, 55 v°, 56 v°, 57 v°, 69 r°, 82 r°, 153 v°, 157 r°, 181 r°, 191 v°, 192 r°, 194 r°, 194 v°, 197 v°, 198 r°, 208 r°, 209 r°, 210 r°, 240 v°, 243 r°, 243 v°, 244 v°, 245 v°, 249 r°, 250 v°, 252 r°, 253 r°, 255 v°, 259 r°, 260 v°, 321 v°, 329 r°, 337 v°, 339 r°, 355 v°, 375 r°, 376 r°, 378 v°, 385 v°, 389 r°, 391 r°, 392 v°, 402 r°, 404 v°, 406 v°, 407 r°, 407 v°, 414 r°, 467 v°.

[2] *Ibid.* 66 r°, 164 v°.

[3] *Ibid.* 31 v°.

[4] *Ibid.* 212 r°, 421 r°.

[5] *Ibid.* 199 v°, 209 r°, 215 v°, 216 r°, 223 v°, 250 r°, 268 r°, 272 v°, 386 r°, 387 r°, 411 r°, 412 r°, 412 v°.

[6] *Ibid.* 411 r°, 443 v°, 444 r°, 445 v°, 446 r°, 448 r°, 449 r°, 449 v°, 450 r°, 451 r°, 461 r°, 463 r°, 464 v°, 465 r°.

[7] *Ibid.* (Onuphre) 33 v°, 41 r°, 168 r°, 272 v°, 339 v°, 343 r°, 346 v°, 410 v°, 413 v°. (Sigonio) 203 v°, 204 v°, 205 r°, 206 v°, 208 r°, 209 r°, 218 r°, 219 v°, 220 v°, 221 r°, 221 v°, 222 r°, 222 v°, 223 r°, 233 v°, 237 v°, 245 r°, 254 r°, 254 v°, 255 r°, 269 r°, 292 v°, 298 r°, 301 v°, 315 r°, 357 v°, 372 r°, 387 r°, 396 v°.

[8] *Ibid.* 6 r°, 9 r°, 20 v°, 29 v°.

[9] *Ibid.* 11 v°, 75 r°, 165 v°, 190 r°, 201 r°, 205 r°.

[10] *Ibid.* 9 r°, 169 v°.

[11] *Ibid.* 205 r°. Belle-forest a traduit Munster.

[12] *Ibid.* 85 v°.

[13] *Ibid.* 221 v°, 358 r°, 418 v°, 438 v°.

[14] *Ibid.* 21 r°, 125 r° (Budé). 133 r° (S. Macrin). 159 v°, 169 v°, 179 v°, 182 r°, 186 v°, 187 v°, 214 r° (Scaliger).

[15] *Ibid.* 29 v°.

lois [1], il cite des inscriptions [2], une épitaphe qu'il avait vue à
Arles [3] : il disute la valeur des rançons, des dots [4], ayant
recours ici aux ouvrages de Guillaume Budé, — tout détail est
bon pourvu qu'il jette un peu de lumière sur l'obscurité du
passé.

Fauchet avait l'habitude d'annoter les manuscrits qu'il
lisait, et bien que nous ne connaissions pas ses « deux mille
volumes », les notes mises sur les trente manuscrits que nous
avons examinés nous permettent de voir ce qui l'intéressait
dans ses lectures.

Ses notes sont de deux genres différents, d'abord, notes
qui se rapportent au texte. Fauchet comparera le texte à un
autre texte, manuscrit ou imprimé, et il indiquera les lacunes.
On pourra voir, par exemple, le manuscrit de la Bibliothèque
nationale, lat. 14663, fol. 124 r° (texte de l'*Histoire* de Guillaume de Jumièges), où Fauchet met en marge : « Lacuna
etiam in meo veteri manuscripto. » Une note analogue se rencontre dans le manuscrit de la Bibliothèque de l'Université de
Leyde, Codex Voss. Lat. in-Fol. 39, fol. 47 r° (Liv. IV de l'*Histoire des Francs* de Grégoire de Tours) : « Multa hic desunt »,
ou dans le manuscrit du Vatican, Reg. lat. 1923, 63 r° (*Journal d'un Bourgeois de Paris*), où il note que le mot « armes »
manque dans le texte. En d'autres cas il met en marge « Def-
fault », indiquant par un trait l'endroit précis où commence
la lacune.

Le manuscrit du British Museum, Addit. 26,668, chronique de Jean Jouvenel des Ursins, nous montre qu'un manuscrit pouvait donner lieu à une étude encore plus attentive. Ici,
Fauchet met en marge bon nombre de variantes trouvées dans
le texte imprimé des Grandes Chroniques. Une note au fol. 4
donne le résultat de la comparaison des deux textes :

> Cette cronique est imprimee avecq les grandes croniques de France
> mot pour mot jusques en l'an 1403 que cet autheur poursuit plus ample-
> ment que celui des grans croniques jusques à la mort du roi Charles VI [5].

Fauchet a comparé le texte français de l'*Historia Hierosolymitana* de Guillaume de Tyr qu'il avait dans le manuscrit,
actuellement Bibliothèque municipale de Berne, 163, au texte

---

[1] *Op. cit.*, 30 v°.
[2] *Ibid.* 17 r°, 30 v°, 274 r°.
[3] *Ibid.* 41 r°.
[4] *Ibid.* 82 r°, 110 v°, 124 v°, 125 r°, 165 r°, 355 v°, 379 v°, 393 v°.
[5] Confiirmé par MOLINIER, *Sources...*, t. 4, n° 3574 : « La première partie
(1380-1402) est entrée plus tard dans le recueil des *Grandes Chroniques.* »

Fig. 15.

Rome. Bibl. du Vatican. Ottob. 2537, f. 2. Début des Antiquitez. Main de Fauchet.

latin imprimé, et une note indique que la traduction n'est pas « fidèle », car le « translateur » avait retranché beaucoup de latin. Dans le manuscrit de la B. N. lat. 14663, fol. 145 r° (Chronique de Robert du Mont), Fauchet met :

D'icy apres ce n'est plus transcript de Robertus abbas jusques a la cotte de l'an 1169 f. 158 et depuis ledit an 1164 jusques a la fin est tout divers de Robertus abbas. Annotavit. C. Fauchet [1].

Outre ces notes, Fauchet met bon nombre d'annotations qui se rapportent à la chronique des faits. D'abord, pour lui permettre de se retrouver dans un texte, il mettra en haut de la page le numéro du livre, s'il y en a plusieurs, le nom du Roi, le résumé d'une page entière. C'est ainsi que le manuscrit de l'*Histoire des Francs* de Grégoire de Tours (Leyde, Bibl. univ. Codex Voss., lat. Fol. 39), contient certaines notes en encre rouge de la main de Fauchet; « livre III », ou « livre IV « etc. en haut des pages. Il a préparé pour son usage la *Chronique de France des origines à 1380*, qui porte la cote Reg. lat. 749 du Vatican, en mettant en haut de chaque page le nom du Roi : « Louis le Jeune, Philippe-Auguste, Louis VIII, etc. » Comme la reliure de ce volume n'est plus celle de Fauchet, et qu'on a rogné les pages, quelques-uns de ces noms ont disparu. Un autre manuscrit de la même chronique, B. N. fr. 5003, a été annoté de la même façon. Dans ce manuscrit les notes dans les marges rappellent le contenu d'un paragraphe. Prenons le f. 25 : « S. Jehan Crisostome — pourquoi il fut ainsi appellé — Chef de S. Jehan Bapt. — Devotion a la Vierge Marie — Ce sont vers de Sedulius poete crestien qui pouvoit estre environ ce tems — Honoré — Oroze. » La manuscrit du Vatican, Reg. lat. 699 (Opuscules de Bernard Gui), a été annoté d'une façon analogue. On trouve, par exemple, f. 6 r° : « Regn. Childeberti. »

Fauchet cherche à savoir quand les divers chroniqueurs ont vécu. Il utilise toutes les dates susceptibles de l'aider dans cette recherche. On pourra voir la note au f. C du manuscrit de l'*Histoire de la Conquête de Constantinople* de Villehardouin (B. N. fr. 4972). En face des mots : « Francie Phylippi qui nunc regnat », il écrit : « Scripta post an. 1328 », et dans d'autres manuscrits que nous avons examinés, la note « Tempus authoris » « Temps de l'auteur » (en latin ou en français) se rencontre à maintes reprises en face d'une date ou d'un nom de Roi.

---

[1] Sur les manuscrits de Robert du Mont, voir MOLINIER, *op. cit.*, t. 4, n° 1964, qui renvoie à DELISLE, *Préface à Ordéric*, V. LXXIII à LXXVI.

Dans les manuscrits latins lus au début de sa carrière, Fauchet mettait la traduction en français de certains mots. Les *Gesta Andegavorum consulum* (Berne, Bibl. munic. 309) contient des annotations dans le genre de celles-ci : *clientelam* est traduit par *vasselage* (fol. 3), *probitatis* par *prouesse* (fol. 3), *inercie* et *nichil faciens* par *inertie* (4 r°), *legiationem* par *homage lige ou ligerie* (7 r°) ; et ainsi de suite. Ici, les noms propres ont été l'objet d'une attention particulière. *Gastinensi* est interprété par *Gastinois* (4 r°), *Ambiaziacum* par *Amboise* (4 r°), *Aurelianis* par *Orleans* (6 v°), etc. — et nous en laissons de côté.

L'idée d'écrire des traités sur les principales dignités du royaume a dû lui venir d'assez bonne heure. Les manuscrits littéraires en portent les traces, et dans les manuscrits historiques Fauchet se préoccupe également du sénéchal, du maréchal, etc. Il souligne ces mots dans une *Chronique des Francs* (Rome, Vat. Reg. 610, fol. 4 r°) ; il note dans les *Gesta Consulum Andegavorum* (Berne, Bibl. munic. 309, fol. 7 r°) que le *Camberlanus* et le *Senescalus* ne faisaient parfois qu'une seule personne. La *Chronique française*, B. N. fr. 5003, fol. 40 v°, *L'arbre des batailles*, B. N. fr. 674, f. 83, contiennent le même genre d'annotation.

Fauchet utilisait les renseignements qu'il trouvait chez les chroniqueurs pour pousser plus loin ses recherches. Voici une note de sa main mise au début du manuscrit, Vat. Reg. lat. 767 :

> Autheurs citez par le present autheur que nous n'avons point.
> Alcuin, St Odes de Cluni, Gervais d'Arles, Helinand, fol. 95.
> Riculphe, croniqueur d'Aquitaine, fol. 113.
> Hugues de Flori a pour le moins escrit cinq livres d'histoire, fol. 36.

Or, ce manuscrit, signé : « A Claude Fauchet, Parisien, conseiller du Roy », a dû appartenir à Fauchet avant 1569, autrement il aurait sans doute ajouté : « President en la Cour des Monnoies. » Il s'est mis à la recherche des auteurs dont il avait trouvé les noms, et nous constatons qu'il avait acquis ou emprunté la plupart de leurs ouvrages avant de rédiger ses *Antiquitez*.

La méthode que Fauchet employait nous est connue également par ses cahiers, B. N. fr. 24726 et Rome, Vat. Ottob. 2537. A partir du feuillet 51, le premier manuscrit contient des notes pour la plupart historiques. J'indiquerai aussi brièvement que possible le contenu de ces notes.

F. 51 r⁰ : Citation de Suétone, *Claudius*, sur les spectacles.

Ibid. « De la Bretaigne antiennement Armorique. » Citations de César de Strabon.

Ibid. Notes sur un procès de l'année 1531.

F. 51 v⁰ : Généalogie de la famille de Robert de Béthune.

Ibid. Notes prises pendant la lecture des *Coutumes* de P. de Beaumanoir. (Le manuscrit B. N. fr. 18761 qui contient les Coutumes de Beauvaisis de Beaumanoir a appartenu à A. Loisel. Fauchet a pu l'emprunter, mais les notes ne sont pas de la main de Fauchet, malgré la notice du Catalogue des manuscrits.)

F. 52 r⁰ : Continuation de ces notes.

F. 52 v⁰ : Notes sur le livre de P. de Clèves, Sieur de Ravestain « qui a escrit de l'art de la guerre ».

Ibid. Citation des *Ephémérides* de Paulinus Nolanus.

F. 53 r⁰ : Citations d'un manuscrit du *Roman d'Alexandre* qui appartenait « au cousin Gohori » (c'est-à-dire, Jacques Gohory).

F. 53 v⁰ : Court article sur la *Langue romane*, contient citations de Concile de Tours, du *Roman d'Alexandre*, de Liudprand [1].

Ibid. et f. 54 r⁰ : Notes prises pendant la lecture des Conciles. Paragraphes sur *Muid de bled et de vin*, sur *Bannum et forbannitus*. Citations de Reginon, des Capitulaires de Charlemagne.

F. 54 v⁰ : Paragraphes sur *Eulogiae*, sur *Bretons et Hungres Frisons*, sur *Mansus*, sur *Oranium*. Citation de Reginon, de *Historia Magdeburgensis*, des Conciles, du Pseudo-Turpin, du *Roman d'Alexandre*.

F. 55 r⁰ : Paragraphes sur *Mansus, Aleud, Pris de bled et vin, Mallum*. Citations de Widukindus, Aimoin, de Grégoire de Tours, des Capitulaires de Charlemagne « imprimé 1545 », commenté par Vitus Amerbachus, du *Chronicon Urspergense*, de Hincmar.

F. 55 v⁰ : Paragraphes sur *Malli, Monnoie Solidi, Ban, Eschevins*, avec notes prises dans les Capitulaires, dans Tritème, et dans le *Chronicon Urspergense*.

F. 56 r⁰ : Paragraphes sur *Homo regius*, sur *Poine des Connivolleurs, Cens et Arriereban*, avec citations prises dans les Capitulaires et dans le *Commentaire* de Vitus Amerbachus.

F. 56 v⁰ : Paragraphes sur *Eschevins, Amortissementz, Chancelier*, avec citations des Capitulaires.

F. 57 r⁰ : Paragraphes sur *Notaires, Brugne* ou *Brunne, Ducz, Camp, Comte*, avec citations des Capitulaires.

F. 57 v⁰ : Paragraphes sur *Juges, Arpent, Perche, Ville de Lion, Tholoze, Chancelier*, citations des Capitulaires, de Grégoire de Tours « imprimé 1561 » (Morel, Paris).

F. 58 r⁰ : Paragraphes sur *France, Palium, Muidz, Homage lige*, avec citations de Aimoin, des *Acta Conciliorum*, de Froissart.

F. 58 v⁰ : Notes sur *Charles le Simple, Sénéchal, Maréchal*, avec citations du *Chronicon Urspergense*, de Sigebert de Gembloux, de Froissart.

F. 59 r⁰ : Paragraphes sur *Mainbournie, Aleud*, avec citations des *Coutumes* de Beaumanoir, du testament de Charles de Valois, père du roi Philippe de Valois, trouvé à la Chambre des comptes. Citations de Hincmar, de Guichardin, des Conciles.

---

[1] Pour des renseignements sur les historiens mentionnés par Fauchet, v. notre livre de documents.

F. 59 v° : Paragraphes sur *Oriflamme*, sur *Le nom de nos Louis*, avec citations de Flodoard.

F. 60 r° : Paragraphes sur les *Monnoies*, sur les *Impositions*, avec citations de Hincmar, de Grégoire de Tours, d'un « compte et recepte ancienne de censive ». Les noms d'Aimoin et de Nicolas Gilles sont ajoutés en marge, de même qu'une citation du « Roman de Graal » (*Perceval*).

F. 60 v° : Notes sur *Nobles françois*, et sur *Impositions*, avec citations de Grégoire de Tours et de N. Gilles.

F. 60 r° : « Ceux qui ont escrit de Gaule belgique », bibliographie, quelques notes bibliographiques sur l'histoire de l'Angleterre, généalogie fabuleuse de Pépin. Notes sur *Loire, Seine, S. Martial de Limoges.*

F. 61 v° : Paragraphes sur *Baron, Chancelier, Vidame.*

F. 62 r° : Notes sur *Latin françois*, notes prises dans les Capitulaires.

F. 62 v° : Notes sur *Mots françois*, sur *Vepres de Careme*, et citations « d'ung livre des actions de Charles le Grant qui est à Monsieur Pithou le jeune ». (Voir *Recueil des historiens des Gaules et de la France*, t. 5, *Monachi Sangallensis*, lib. I, XII, p. 111.)

F. 63 r° : Notes sur *modius, muidz*, sur la *Langue gauloise ou françoise*, avec citations prises dans le livre de Pithou.

F. 63 v° : « Façons de faire et coustumes antiennes tirées d'un livre qui parle des faitz de Charles le Grand » (c'est-à-dire, le livre de Pithou).

F. 63, 64 r° et v° : Notes prises pendant la lecture de ce livre.

F. 65 r° : Suite, et notes *Ex vita Sancti Geraldi* (voir M. MARRIER et A. DUCHESNE, *Bibliotheca cluniacensis*, p. 181).

F. 65 v° : Suite.

F. 66 r° : « D'ung roman appellé Guion de Nanteuil, Du Romans Renaut de Montauban. » Citations.

F. 66 v°, 67 r° et v° : Suite.

F. 68 r° : Suite, et « D'un autre Roman que je pense estre Doon de Nantoil ».

F. 68 v° et 69 r° : Suite, et « Du Romans Aien d'Avignon et Garnier de Nanteuil ».

F. 69 v° et 70 r° : Suite.

F. 70 v° : « Roman de Guiot fils d'Aie d'Avignon et de Garnier. »

F. 71 r° : « Romans de Raol de Cambraisis. »

F. 71 v°, 72 r° et v° : « Romans de Raol de Cambraisis. »

F. 72 v° : Citations du *de Alpina Rhetia* de Aegidius Schudus. Notes.

F. 73 r° : « D'une vie de Charles le Grand. » Citations, notes. (C'est le Pseudo-Turpin.)

F. 73 v° : Suite.

F. 74 r° : « Que signifie ce mot ferrant », avec citations des chroniques, (non spécifiées), du *Roman d'Alexandre*, de *Doon de Nanteuil*, de *Raoul de Cambrai*, du *Tournoiment des dames.*

F. 75 r° : Généalogie de la famille royale de Dannemark. Paragraphes sur « Cremeville », avec citations de *Ligurinus* (notes de « Spiegel »). Notes sur *Duc.*

F. 75 v° : Notes sur *Chancelier, Pers, Maréchal*, avec de nombreuses citations de Fl. Vopiscus, de Budé, de Jacques Wimpheling, Zazius,

Pline, Tacite, Krantius, des Annales dites d'Eginard [1], « éditées par Comte de Nevenar, Cologne, 1521 », Isidore, Tritème. Notes en marge.

F. 76 r⁰ : Paragraphe sur *Histoire*, avec citation de Machiavel. Généalogie de la maison de Luxembourg.

Signum de Philippe Auguste. (Voir L. DELISLE, *Catalogue des Actes de Ph.-Auguste;* DELABORDE, *Recueil des Actes de Philippe-Auguste, Roi de France,* t. 1ᵉʳ, pp. 89-90.)

F. 76 v⁰ : Notes sur *L'origine des Francs,* avec citations de Crantz, de Tacite, *Agricola, Germanie.* Notes prises pendant lecture de Tacite.

F. 77 r⁰ et v⁰, 78 r⁰ et v⁰, 79 r⁰ : « Coustumes extraictes de Siperis. »

F. 79 v⁰ : Citations prises dans les *Annales Pippini Caroli et Ludovici.*

F. 80 r⁰ : Notes bibliographiques, qui mentionnent Grégoire de Tours, Sigebert, Tritème, Eginard, etc. Notes en marge, *Vestement de Charles, Estendue de ce roiaume.*

F. 80 v⁰ : Citations et bibliographie. Notes diverses sur les sources de l'histoire de France.

F. 81 v⁰, 82 r⁰ et v⁰, 83 r⁰ et v⁰, 84 r⁰ et v⁰ : Notes prises pendant la lecture d'Enguerrand de Monstrelet.

F. 85 r⁰ : Notes prises pendant lecture de Vitruvius Pollio, *de Architectura.*

F. 86 r⁰ : Citation de *Pathelin;* signum Philippi Augusti « d'une vieille charte de l'abbaie de Montmartre ». Citation de Prudentius, « poete chrestien ».

F. 86 v⁰ : Notes prises pendant la lecture d'un livre « intitulé des travaux des Gallaires, translaté d'espagnol en françois ».

Notes bibliographiques.

F. 87 : Blanc.

F. 88 r⁰ : « Aeneas Sylvius in Historia boemica », notes.

F. 88 v⁰ à 99 v⁰ : Notes prises pendant lecture de Grégoire de Tours.

F. 100 r⁰ : Notes prises pendant lecture de *Ex Arnobii adversus gentes,* « imprimé 1546 ».

Citations de Lucain, « imprimé 1543 ».

F. 100 v⁰ à 101 r⁰ : Suite.

F. 102, 103 : Blanc.

F. 104 r⁰ et v⁰, 105 r⁰ et v⁰ : Notes sur les chansons dans deux chansonniers de Henri de Mesmes et d'Estienne Pasquier.

F. 105 v⁰ : Note sur Blondel ou Blondiaux.

Citation du *Roman de la Table Ronde* (c'est-à-dire *Perceval*).

F. 106 r⁰ : « Pour metre ses livres d'ordre en une estude. »

Notes prises pendant lecture de Théodulph [2].

Notes rangées en casiers alphabétiques. Citations qui viennent du Roman d'*Aiquin,* et d'autres chansons de geste.

Suite sur feuillets suivants.

F. 109 r⁰ : Citations de Chrétien de Troyes, d'abord de *Perceval,* ensuite d'*Yvain.*

F. 110 et feuillets suivants, Généalogies et armoiries.

---

[1] C'est une partie des Annales royales (801-829). V. MOLINIER, *Sources de l'Histoire de France,* n⁰ 745.

[2] Fauchet met : « Ex historia Theodulphi sive Reginonis. » Théodulph n'a pas écrit une chronique. Fauchet le savait plus tard. Cf *Antiquitez,* f. 199 r⁰ : cette chronique se terminait 813. V. *Antiquitez,* f. 276 v⁰.

F. 110 v° : Comtes de « Montelhery ».
F. 111 r° : « Courtenai. »
F. 111 v° : « Angouleme. »
F. 112 r° : « Comtes de Poitiers. »
F. 112 v° : « Vicomte de Marcillac. »
F. 113 r° : « Charles Martel. »
F. 113 v° : « Saxe. »
F. 114 r° : « Duc d'Abotri. »
F. 114 v° : « Flandres. »
F. 115 r° : « Blois. »
F. 115 v° : « Bretagne. » Notes.
F. 116 r° : « Clovis. »
F. 116 v° : « Vielz Comtes d'Alençon. »
F. 117 r° et v° : « Alençon », suite.
F. 118 r° : « Evreux. Montgomeri » avec croquis pour montrer armoiries.
F. 119 r° : « Evreux, Boheme. »
F. 119 v° : « Montfort de Normandie. »
F. 120 r° : « Bretagne, Harcourt. »
F. 121 r° : « Baieux, Contentin, Ponthieu. »
F. 121 v° : « Normandie. »
F. 122 : « Evreux. »
F. 123, 124 : « Chronique de Bretagne », notes.
F. 125, 126 : « Chronique de Morigny », notes.
F. 127 r° : « Louis le Gros. »
F. 127 v° : « Louis duc d'Orléans. »
F. 128, 129 : Blanc.
F. 130 r° : *Chancelier*, extraits de Pausanias.
F. 130 v° : Les femmes de Henri VIII d'Angleterre.
   Notes prises dans Jean Lemaire de Belges.
F. 131 r° : Notes arrangées en casier.
F. 131 v° : Figures, dessins.

Le manuscrit du Vatican, Ottob. 2537, contient un grand nombre de feuilles écrites par Fauchet, ou par un de ses clercs, fol. 1-40 et 125-145. Ces feuilles ont été reliées à un manuscrit en parchemin, fol. 41-124, relatif aux droits du roi de France en Languedoc.

   Voici le contenu des notes de Fauchet :

F. 1 r° et v° : « Des François » — notes éparses sur leur origine, avec
   des références aux historiens, Jules César, Réginon, et Geoffroy de
   Monmouth. En bas, une liste indiquant la provenance des manuscrits
   utilisés : « Livres non imprimez desquelz je me pui aider. »
F. 2, 3, 4, 5 : Rédaction du début des *Antiquitez*, mis au net. Version
   antérieure à celle des *OEuvres*.
F. 5 à 8 : Rédaction non mise au net d'une partie des *Antiquitez*, et notes.
F. 9, 10 : Continuation de cette rédaction, sous le titre : « Des François,
   leur origine et habitation avant leur venue ès Gaulles. » Ecriture
   très petite.
F. 11 r° à 16 v° : Notes prises pendant la lecture de Sidoine Apollinaire :
   « Ex Sidonio Apolinari; impr. J. de Tournes, Lion, 1552, Lion. » (*sic.*)
F 17 v° : Trois lignes sur les Gaulois.

F. 18 à 35 : « De antiquitate Franciae lib. 4. cui titulus est regnum Caroli
magni. » De la main d'un copiste et annoté ou corrigé par Fauchet.

F. 35 r° et v° : Notes prises pendant la lecture d'une chronique française.
De la main de Fauchet.

F. 36 r° : Titre de la main d'un clerc : « Epistola Paulini Aquileinensis
adversus Foelicem Urgelitanum et Eliphandum Toletanos episcopos. »
Fauchet met : « Anno VCCXCIIII. Vide Annalles nostros Gallicos. »
En marge : « Vetus lib. in indice sic habebat. » Avant le commencement du texte : « Sinodus quae facta fuit tempore Karoli magni
imperatoris. »

F. 39 r° à 40 v° : « Sequuntur gesta qualiter Carolus filius Lodovici Imp.
fuit factus Imp. » Titre de la main de Fauchet.

F. 125 r° : « Hec addi possunt a Sigiberti cron. ex fragmentis quibusdam
S. V. BBB4, A fol. 133 ad 181. » Débute : « An. 1087 Obiit Gullielmus
rex Anglorum... »

F. 128 r° et 129 : Notes prises pendant la lecture d'une chronique dont le
titre n'est pas mis en entier. Commence « Gildas de Britannia
natus... », finit l'an 1223.

F. 130 r° : « Ex Roberto monacho. » Notes, 1057-1126.

F. 131 r° et suiv. : « Ex Epistolis Abonis Floriacensis et Gerberti. »
Notes.

F. 138 r° et v° : « Incipit Prologus Sinodi Remensis G Pape DCCCCXCI. »
Notes et résumé.

F. 139 r° à 144 r° : « Vie de Pierre Abellard extraicte de ses espitres. »
A la fin résumé des épîtres.

F. 145 : Notes prises pendant la lecture de la *Britannia* de Camden,
éd. 1586.

Les notes des cahiers ne diffèrent pas sensiblement des
notes mises sur les manuscrits. Fauchet a pris ces notes pour
mieux se rendre compte du contenu de tel ou tel ouvrage. Grégoire de Tours a bénéficié d'une vingtaine de pages du cahier
de Paris; c'est que Fauchet le lisait probablement pour la première fois, mais c'est aussi sans doute parce qu'il se faisait
déjà une idée nette de l'importance du Père de l'histoire française.

Fauchet a noté et résumé les événements qui le frappaient
et qui sont de toute espèce. Rien ne lui échappe, et les notes
sont toujours abondantes [1].

Ici se manifeste le même souci de connaître les noms
propres. Fauchet voudrait les fixer dans sa mémoire :

Briccius diaconus (B. N. fr. 24726, f. 88 v°), trouvé dans GRÉGOIRE DE
TOURS.

Oscara fluvius, *ibid.*, 89 v°, ID.

Sigimundus et Godomarus Burgund. reges, *ibid.*, 90 r°, ID.

Galfrid Chaucer Homerus Anglicus Rome, Ottob. 2537, f. 145 r°,
trouvé dans la *Britannia* de Camden.

---

[1] Pour en donner une idée, nous publions plusieurs pages de notes que
Fauchet a prises pendant la lecture de certains chroniqueurs. Voir notre livre de
documents.

Taranis dei Gallici nomen tonantem significat, *ibid.*
Hessus Heus Anubis Gallis fuit, pingebatur canina forma : Huath canis, je crois, *ibid.*

Les généalogies des grandes familles sont soigneusement notées :

Charlote de Bourbon seur du comte de la Marche mariée a Jehan de Lusingnan, B. N. fr. 24726, f. 82 r⁰.
Henri duc de Bar meurt laisse un filz nomme Edouart eut ung filz Henri marie a la Dame de Coucy, *ibid.*

N'oublions pas les préoccupations philologiques et littéraires de Fauchet. Il note la signification des mots *refrain, conger, irritablement,* etc., qu'il avait trouvés dans la *Chronique* de Monstrelet, et les sentences et maximes sont toujours les bienvenues sous sa plume.

Avant de terminer ce résumé des deux cahiers, faisons une mention spéciale des paragraphes mis sous un titre. Fauchet mettra, par exemple, le mot « Impositions », ou « Senechal », ou « Marechal », et au fur et à mesure qu'il lit, il note toutes les références au sujet qui l'intéresse. C'était une façon commode de préparer ses traités historiques.

En conclusion, un examen des annotations de Fauchet sur ses manuscrits et sur ses cahiers nous convainc de la probité de sa méthode. Il croyait qu'une grande documentation et une préparation prolongée étaient nécessaires pour celui qui voudrait écrire l'histoire de France.

Lorsqu'on vient à considérer son ouvrage imprimé, on voit que son *Recueil d'Antiquitez* mérite ce nom à plusieurs points de vue. Il contient naturellement l'histoire de la période traitée, mais il fait une place à l'histoire littéraire, et nous voyons apparaître les noms des romans du moyen âge [1] à côté de noms de poètes. Les coutumes anciennes sont toujours les bienvenues sous sa plume. C'est ainsi qu'on rencontre dans son livre des allusions à la coutume d'étrenner les mariées [2], de faire des contrats [3], de « jurer l'innocence [4] », c'est-à-dire, d'attester son innocence par serment, de célébrer les Saturnales [5], de baiser le pied du Pape [6], de baptiser les cloches [7] — et nous en laissons de côté.

---

[1] *Antiquitez,* f. 56 r⁰, 79 v⁰, 186 v⁰, 187 r⁰, 187 v⁰, 225 v⁰, 229 v⁰, 234 v⁰, 346 v⁰, 356 r⁰.
[2] *Ibid.* 117 r⁰.
[3] *Ibid.* 132 r⁰.
[4] *Ibid.* 136 r⁰.
[5] *Ibid.* 155 v⁰.
[6] *Ibid.* 255 r⁰.
[7] *Ibid.* 466 v⁰.

L'étymologie a également beaucoup d'attrait pour lui; il serait fastidieux d'énumérer tous les cas où il essaie de donner une dérivation satisfaisante, pas toujours avec bonheur, car il croit trop volontiers aux affirmations des chroniqueurs même sur des sujets où ils n'étaient pas compétents [1]. Le vieux Parisien qu'était Fauchet ne laisse passer aucune occasion d'identifier les quartiers qui figuraient sous divers noms dans les anciennes chroniques [2].

Comment Fauchet a-t-il utilisé son énorme documentation? Son livre est un « recueil », et le mot est déjà significatif. Mais voici qui est plus clair encore : l'auteur qualifie son travail de « marqueterie » [3], et il nous avertit plusieurs fois qu'il a tourné certains passages « mot pour mot de l'autheur ancien » [4], il a rempli ses livres « des propres paroles des auteurs du temps » [5], il a mis dans ses *Annales* « mot à mot la plus part de ce que Grégoire de Tours a escrit » [6]. Et voici la raison de cette fidélité, « pour tousjours representer la naïveté du temps » [7], ou bien « Ces lettres ... que tout expres j'ay coppiees de mot à mot pour descouvrir ce secret de nostre antiquité [8]. » En se tenant près du texte de ses autorités, Fauchet croit qu'il donne un tableau plus vrai de la simplicité de l'époque qu'il décrit. Il s'aperçoit très bien que la tâche du véritable historien n'est pas facile, et que, lorsqu'il arrive à donner une fidèle représentation du passé, c'est comme s'il révélait un secret inconnu de ses contemporains.

Fauchet est un grand laborieux, sa patience est infinie; on devine qu'il a établi son histoire année par année, recueillant un fait ici, un autre là, revoyant ses « cahiers », et ajoutant chaque fois un fait nouveau.

La part de traduction et de paraphrase est grande lorsque Fauchet n'a qu'une seule chronique à consulter pour la période en question, ou lorsqu'il juge que l'autorité d'un certain écrivain dépasse celle des autres chroniqueurs de l'époque. C'est ainsi qu'il y a des pages de traduction, — de Tite-Live, de Tacite, d'Ammien Marcellin — dans le début des *Antiquitez*. Grégoire de Tours que Fauchet estime comme principal

---

[1] V. surtout *Antiquitez*, 214 r⁰, où le Président a eu une communication de Scaliger à propos de Fronsiac, et où Fauchet préfère la dérivation donnée par Eginhard.
[2] V. *Antiquitez*, 113 r⁰, 130 r⁰, etc.
[3] *Ibid.* 337 v⁰.
[4] *Ibid.* 92 v⁰.
[5] *Ibid.* 103 r⁰.
[6] *Ibid.* 148 r⁰.
[7] *Ibid.* 92 v⁰.
[8] *Ibid.* 409 r⁰.

témoin pour l'histoire du vɪᵉ siècle est suivi de très près. Lorsque les annales sont plus nombreuses, le texte de Fauchet
devient plus « diversifié ». Il incorpore dans son récit toute
sorte de faits recueillis çà et là et la lecture de différentes versions d'une même série d'événements l'éloigne d'un seul
texte.

Le « tres docte Sigoigne » a été parfois traité comme
Grégoire, Fauchet ayant pleine confiance dans les recherches
de cet érudit. Fauchet s'est rendu compte de toute l'importance de l'histoire de Nithard; nous nous attendons alors à
le trouver tout près de son texte, ce qui ne manque pas d'arriver [1].

Mais pour donner une idée plus juste de la « marqueterie » des *Antiquitez*, il vaut mieux citer un court passage du
livre VI :

L'an sept cens cinquante & trois, Pepin fut en Saxe avec grande
armee : & combien que les Sesnes opiniastrement luy resistassent,
si entre-il jusques en un lieu nommé Rimy assis sur la riviere de Vesere.
En ce voiage fut tué Hildegare Archevesque de Cologne, en un chasteau
ou montaigne nommé Viberg, ou Nitberg. Crants tres-curieux Autheur
Allemand adjouste, que Pepin contraignit les Sesnes de lui payer trois
cens chevaux pour tribut : que tous les ans ils estoyent tenus de presenter le jour d'un Parlement. Saxe appaisee comme il sembloit, & Pepin
retourné en France, fut adverty que Griffon son frere avoit esté meurdry
en trahison, par un nommé Germain qui le suivoit, mais la Chronique
de S. Martin dict, par son Germain : sans adjouter frere : & autres
A comitibus fratris. Et encores, que voulant se retirer en Italie, en
passant la vallee de Maurienne il fut tué par Theodin Gentil-homme
Savoyart [2].

---

[1] D'ailleurs, Fauchet lui-même nous en avertit. Les érudits du xvɪɪᵉ siècle
se rendaient très bien compte de cette particularité des *Antiquitez*, comme nous
montrerons ailleurs. Voir la Conclusion.

[2] *Antiquitez*, 199 vᵒ. Voici les textes qu'il faut comparer à celui de Fauchet.
Frédégaire, 118 : « His transactis, sequenti anno iterum Saxones contra
eorum fidem, quam praefato regi dudum promiserant, solito more iterum
rebelles contra ipsum exsistunt. Unde et Pippinus rex ira commotus commoto
omni exercitu Francorum, iterum Rheno transjecto, in Saxoniam cum magno
apparatu veniens, ibique eorum patriam maxime igne cremavit, captivos tam
viros quam feminas secum duxit, cum multam praedam ibidem fecisset, et
plurimos Saxones ibidem prostravisset. Quod videntes Saxones poenitentia commoti
cum solito timore clementiam regis petunt, ut pacem eis concederet, et sacra-
menta atque tributa, multo majora quam ante promiserant, redderent, et
nunquam ultra jam rebelles exsisterent. Rex Pippinus Christo propitio cum magno
triumpho ad Rhenum ad castrum, cujus est nomen Bonna, veniens. Dum haec
ageret, nuntius veniens ad praefatum regem ex partibus Burgundiae quod
germanus ipsius regis, nomine Grifo, qui dudum in Wasconiam ad Waifarium
principem confugium fecerat, a Theodone comite Viennense seu et Frederico
Ultrajurano comite, dum partes Langobardiae peteret, et insidias contra ipsum
praedictum regem pararet, apud Mauriennam urbem super fluvium Arboris
interfectus est. Nam et ipsi superscripti comites in eo praelio pariter interfecti
sunt. »
Et voici le *Chronicon* de Réginon : « Anno dominicae incarnationis 751 Pippi-

La chronique de Frédégaire a servi de base à ce récit, mais la mort de l'évêque Hildegare vient de Réginon, et la mention de la somme exacte payée en tribut est prise dans le premier livre de la *Saxonia* de Krantz. Nous devons louer Fauchet pour ce consciencieux travail à une époque où il y avait de si grandes difficultés à se procurer les premiers instruments indispensables à tout historien, c'est-à-dire les textes.

La première impression que laissent alors les *Antiquitez* c'est celle du grand labeur de l'historien, de sa vie studieuse de recherches érudites, de la solidité de sa science. Lorsqu'on examine son œuvre de plus près, on est frappé par l'apparence disparate que présente ce travail. Nous avons fait remarquer les divers sujets traités — littérature à côté de l'histoire — dans ce recueil; on ne tarde pas non plus à s'apercevoir que des influences fort différentes ont agi sur l'esprit du savant. Il y a d'abord l'influence de l'antiquité, des historiens surtout, à travers Paolo Emilio, et cette influence se manifeste par l'introduction de discours imaginés. Le prestige du Véronais était encore trop grand, et Fauchet ne se débarrassera jamais de cette pernicieuse influence. Même au livre XII un long discours émaille le début du premier chapitre [1]. Le lecteur moderne ne peut pas ne pas se demander comment Fauchet accordait un artifice si évident avec la vérité de l'histoire qu'il préconisait si fort.

Fauchet n'échappe pas complètement à l'influence des apologistes chrétiens qui avaient imaginé le plan providentiel pour concilier les calamités de cette vie avec l'idée de la Providence, et subordonner l'histoire profane à l'histoire sainte :

La victoire que Dieu vous a donnee m'a semonds de vous ramentevoir les faits de Pepin... afin de faire voir à chacun comme Dieu par

---

nus rex in Saxoniam iter fecit, et Hildegarius episcopus occisus est a Saxonibus in castro quod dicitur Wigberc, et tamen Pippinus rex victor extitit, et pervenit usque ad locum qui dicitur Rimiae, et reversus est in Franciam, ubi ei nuntiatum est quod Gripho qui in Vasconiam fugerat, germanus ejus occisus est. »

Voici enfin le texte de Krantz (*Saxoniae* lib. I) : « Quum igitur in Saxoniam maiori apparatu ducere constituisset, audit Saxones omnes aditus communisse. Sed ille vi perfregit, & in hostico solo pugnaturus constitit : occurrentes et iusta acie decertantes vicit : imposito tributo (id erat trecentorum per singulos annos caballorum) ad tempus Parliamenti solvendo dimisit. »

[1] Il existe une copie manuscrite du livre XII à la Bibliothèque nationale. Le discours en question se trouve dans cette copie. Il est écrit sur une feuille séparée et placée avant le commencement du chapitre. Il devait être inséré par les imprimeurs. C'est donc une interpolation introduite pour orner le récit.

saisons, choisit de grands hommes pour executeurs de ses volontez secrettes à la honte & ruine des orgueilleux [1].

et ailleurs :

> Mais les Chrestiens doyvent laisser au jugement de Dieu, l'esclaircissement des recompenses ou chastimens des bonnes ou mauvaises actions des hommes, sans plus avant entrer au cabinet de sa predestination. Si est-ce que son Prophete a dit, *J'ay veu le meschant eslevé comme les cedres du Liban : & tout aussi tost je suis repassé & il n'y estoit plus.* A ceste cause il faut aller droict en tous estats : si tost ou tard, nous voulons eviter l'ire & le chastiment de Dieu. Ce sont des espouvantaux de chanevieres, dira un Athée : ce sont des oracles divins, respondra un homme de bien; amy de sa patrie : & ne vaut-il pas mieux croire le conservateur de sa patrie que le destructeur [2] ?

Mais à tout prendre, Fauchet n'applique pas souvent cette théorie de la Providence, ou bien lorsqu'il y fait allusion, c'est en se réfugiant derrière ses autorités :

> Elle fiança Ramberge sa niepce (à Flaocat), faisant ce mariage, pour quelques menees & occasions tenuês secrets entr'eux, mais qui ne sortirent point d'effect par le vouloir de Dieu, ainsi que disent les auteurs [3].

Ailleurs, nous trouvons ceci :

> Le Maire touché de la main de Dieu (ainsi qu'il sembla à plusieurs) saisi d'une fièvre... [4].

Et dans un autre passage nous voyons apparaître deux explications, l'une humaine et l'autre divine, du même événement :

> Or nonobstant la diligence de l'Empereur, le desordre estoit si grand, ou plustost Dieu tellement courroucé contre les François (car il ne le faut oublier) que la sagesse humaine ne pouvoit garder que ce grand Empire (deschiré en tant de pieces par tant de guerres civiles, & particulieres inimitiez des Seigneurs, & courses d'estrangers) il peut retourner en santé [5].

Les deux explications se retrouvent ailleurs dans les *Antiquitez.* Deux seigneurs, Guy et Béranger, s'étaient promis de s'entr'aider à la mort de Charles le Gros, mais il se trouva qu'ils furent tous deux absents au lit de mort de leur maître :

---

[1] *Antiquitez*, dédicace du second volume.
[2] *Ibid.*, f. 336 r°, 336 v°.
[3] *Ibid.*, f. 171 v°.
[4] *Ibid.*, f. 172 r°.
[5] *Ibid.*, f. 396 v°.

Toutesfois, pource qu'entre meschans ambitieux, & gens qui mesurent l'amitié par le profit particulier, il est difficile que la societé dure (n'y ayant meilleure liaison pour entretenir l'amour, que les bonnes mœurs) quand leur Seigneur mourut, l'advanture (ou plustost Dieu sans la volonté duquel rien ne se faict [1]...

On peut comparer, au sujet de ce passage, les deux manuscrits de Fauchet qui sont à la Bibliothèque nationale, et il est intéressant de noter que cette seconde parenthèse a été ajoutée dans le deuxième. L'explication providentielle ne se présente pas tout de suite à son esprit, c'est une pensée d'après coup; c'est sans doute pourquoi la Providence n'est pas invoquée plus souvent dans cette œuvre [2].

L'influence de la Renaissance apparaît dans le récit qui est nu, malgré les discours et les allusions à la Providence. C'est une narration de faits, rien que des faits, rien qui ne soit solidement établi par des documents sérieux. D'ailleurs tout est passé au crible de l'esprit critique,

car ce n'est pas assez de voir de vieux livres, & les alleguer pour garends : il faut peser ce qu'ils disent, & sçavoir s'ils s'accordent avec les autheurs approuvez, ou, s'ils les contrarient, diligemment examiner leurs raisons & le temps de la composition des livres [3].

La confrontation de tant de divers documents, et un jugement bien équilibré ont fait que l'histoire de Fauchet a parfois une allure tout à fait moderne :

La plus-part de ceux qui ont escrit des François, disent que les Troyens eschapez du sac de leur ville que les Grecs avoyent destruite, estans conduits par un nommé Francion, du lignage du Roy Priam Roy de Troye, arriverent aux paluds Meotides... où ils bastirent une cité... De tout cecy nous n'avons pas un bon autheur entre les Romains, ne les Grecs, ains seulement quelques abbregez de Chroniques, Adon, le moyne Aymon, & aussi Triteme, nouveau, & qui dit parler apres un certain Hunibald... Et neanmoins Gregoire Archevesque de Tours (qui mourut avant l'an 600 de nostre Seigneur) en son histoire ne fait mention de ceste descente de Troye, ne de la composition de Valentinian, & luy mesme ne sçait où loger les premiers Francs, ne conter leurs Rois avant Cloyon [4].

Ce paragraphe n'a pas besoin de commentaires. Nous avons ici un historien qui ne veut pas adopter les fables et

---

[1] *Op. cit.*, f. 403 vᵒ
[2] Au xviᵉ siècle Bodin, Montaigne, La Noue, du Vair, la *Satire ménippée* (discours d'Aubray) ont été influencés par cette théorie, qui a son origine chez les Pères de l'Eglise. Voir MOLINIER, *Sources de l'Histoire de France*, Paul Diacre, et R. RADOUANT, *G. du Vair*, p. 260.
[3] *Antiquitez*, 212 rᵒ.
[4] *Antiquitez*, 29 rᵒ et vᵒ.

les préjugés de ses prédécesseurs, mais qui s'adresse aux plus anciens témoignages qu'il puisse trouver, et par ce moyen devance les procédés modernes. « Je proteste, dit Fauchet, de m'esloigner des fables qui par si longtemps ont abusé aucuns de nos peres [1]. »

Fauchet ne croit ni à la « sainte Ampoulle » ni à l'origine divine des fleurs de lis :

C'est un grand cas, que Gregoire Archevesque de Tours(nay au plus tard XL ans apres ce Baptesme) oublie le miracle de la saincte Ampoulle. Et toutesfois, Hincmar qui fut Archevesque de Reims l'an 965 & a escrit la vie de S. Remy, laquelle il tira d'un livre si vieil (comme il dit) qu'à peine on le pouvoit lire, recite que la presse fut tres grande lors du Baptesme de Clovis, & que le Chresme ne pouvant estre apporté par ceux qui en avoient la charge, un pigeon (ou le S. Esprit en ceste forme) apporta une fiolle, à ceste heure là appellée Ampoulle (du mot ancien *Ampulla*, faite comme une fiolle), pleine d'huile; de laquelle Clovis fut oinct... Aymon et les autres venus depuis, ont eu ceste mesme opinion. Et comme un miracle une fois creu donne place à un autre, l'on adjouste qu'un Ange apporta l'escu d'azur semé de fleurs de lis d'or, pour servir à Clovis... je n'ay point leu en pas un auteur de marque ceste revelation d'escu. Aussi les hommes de sçavoir croient que les blasons & armoiries sont plus modernes... si nos Chrestiens n'avoyent pas suyvi beaucoup de ceremonies de la Religion des Juifs, prinses du Vieil Testament, je penseroy' que ceste onction faite au Baptesme de Clovis eut donné occasion aux Roys (qui en ont depuis usé) de l'imiter en leur couronnement : ne regardans pas que ce Roy fut oinct, pource qu'il estoit baptizé par un Evesque Catholique : lequel suyvant la discipline de longue main gardée en ladite Eglise, usa de Chrisme [2].

Fauchet touche en passant à la théorie de l'apostolicité, suivant laquelle chaque région de France avait été évangélisée par un apôtre de l'Eglise primitive. A toute la littérature hagiographique née longtemps après les événements, Fauchet préfère les témoignages anciens et assurés :

Les Provençaux soustiennent la Magdeleine et le Lazare avoir presché en leur pays... je dirai (apres Sulpice Severe) [3].

Il ne croit pas non plus que saint Denis l'Aréopagite ait prêché à Paris,

---

[1] *Op. cit.*, avant-propos, 1 v°.
[2] *Op. cit.*, f. 57 v°.
[3] *Ibid.* 58 r°. Voir MOLINIER,*Sources de l'Histoire de France : Premiers textes chrétiens.* « Pour les anciens auteurs, la question (de l'origine des Eglises gauloises) ne se posait même pas, et jusqu'au VIIᵉ siècle on a admis sans discussion que la nouvelle foi ne s'était qu'assez lentement répandue dans notre pays : c'est du moins l'opinion d'écrivains tels que Sulpice-Sévère et Grégoire de Tours. Mais au VIIᵉ siècle apparaît la théorie de l'apostolicité. Tout le monde au moyen âge a donc cru fermement au voyage de la Madeleine et des trois Maries en Provence, à l'identité de saint Denis de Paris et de saint Denis l'Aréopagite. »

puisque du temps de sainct Denys Aeropagite Paris estoit peu de chose, & que l'on ne parloit point encores des François... [1].

Fauchet rejette aussi la fable du cerf vu par le roi Dagobert[2]. La question de l'authenticité du Pseudo-Turpin ne se pose plus pour lui; il mentionne la« fauce Cronique [2] donnee à Turpin Archevesque de Reims ».

Les critiques de Fauchet témoignent de son indépendance. Cette qualité se manifeste hautement dans son attitude envers le Roi. Dans plusieurs passages, le Président lui dit fermement ce qu'il attend de lui [3]; il lui enseigne son devoir envers les hommes « doctes », et envers tout son peuple en général. Le devoir du Roi est bien défini. Il ne devrait pas négliger les œuvres de paix; il devrait favoriser l'éloquence, les lettres, les vraies sciences. L'histoire est écrite pour « éterniser » les faits et gestes des rois, « car qu'est-ce que les armes, voire de la vertu si elles ne sont pas immortalisées par les lettres? » [4] Et Fauchet cite Horace, qui a pleuré le destin des hommes célèbres nés avant Agamemnon, — hommes qui sont restés dans l'obscurité parce qu'aucun poète ne les a chantés. Puisque les historiens existent pour glorifier les rois, c'est le devoir des rois de les récompenser. Dieu a donné à Henri IV « tant de miraculeuses victoires & ceste triomphante Paix »; Dieu a fait naître au même instant « des hommes de lettres, désireux d'approcher du bien dire de l'Antiquité, s'ils voyoient l'espoir de la récompense ». On ne pouvait pas parler plus clairement [5].

L'histoire n'existe pas seulement pour conter les actions des rois, elle doit aussi enseigner aux monarques comment il faut gouverner. « Inutilement tant d'histoires seroient publiees si l'on n'y trouvoit des preceptes pour regner [6] », et pour illustrer sa leçon, le Président revient en arrière et retrace l'origine de la royauté.

Les premiers rois furent choisis pour être les protecteurs et les pasteurs de leurs peuples, et « il ne faut donc autrement douter que la prudence, modestie & vaillance approuvée par les plus gens de bien n'ait eslevé au thrône Royal, ceux qui premier furent choisis ». Ces vaillants princes primitifs ont été corrompus par le désir de la gloire et surtout par leurs mauvais conseillers :

---

[1] *Antiquitez*, 165 v°.
[2] *Ibid.*, 168 v°.
[3] On notera que les chroniqueurs du xve siècle avaient prodigué des conseils aux princes. Haranguer le roi sur l'art de gouverner n'est pas rare dans la poésie du xvie siècle.
[4] *Antiquitez*, 336 v°.
[5] *Ibid.*, dédicace.
[6] *Antiquitez*, 196 r°.

Il est vray, que les Rois, plus que les autres hommes privez, sont empeschez à cognoistre de qui ils se doivent servir en leurs affaires de consequence : car... cinq ou six courtisans enveloperont le Prince, ne faisans qu'une teste en un chaperon; tellement que le Roy qui ne peut estre par tout, ou voir la plus part de ses affaires que par autruy, bien souvent sera pipé & vendu, quelque bon & advisé qu'il puisse estre [1].

Pour que le pays soit bien gouverné, le roi devrait assister aux audiences de la Justice, « la distribution égale de laquelle gaigne merveilleusement le cœur des sujets ». Et le roi qui ne peut surveiller ses magistrats est bien à plaindre. « O que malheureux est le Roy qui est contraint s'aider des estrangers, ou qui trouve des capitaines & les chefs de sa justice avaricieux, des larrons tresoriers [2]. » Et à ce propos, le Roi ferait bien de voir que les charges ne deviennent pas héréditaires :

Les Rois qui voudront s'asseurer, doivent tenir pour regle fondamentale de leur puissance : de ne laisser enveiellir aux grandes charges une maison : ains les communiquer aux autres familles, selon le merite & sagesse des Gentils-hommes de nom. Car, outre que c'est la raison d'honorer la vertu de plusieurs nobles (& principalement en France, où l'on peut dire que la Noblesse est le bras dextre du Roy) tel entreject fera esvanouyr les mauvaises praticques de ces officiers continuez : et asseureront l'authorité du Roy; que chacun en aymera davantage, voyant que la parenté, ne la faveur de Cour, n'auront plus de lieu, & les grands estats & charges estre distribuez comme par tour, à ceux qui en seront capables [3].

Cette idée tient au cœur de Fauchet. Il y revient à plusieurs reprises :

La continuation des charges & magistrats en mesme famille & comme par heritage, a esté cause de la ruine des Merovingiens, aussi bien qu'elle avoit esté des Romains, & le sera de tous Princes nonchalans de faire justice [4].

Fauchet s'excuse s'il a parlé trop passionnément.

Il y avait évidemment au xvie siècle des cas où les fils n'avaient pas hérité des vertus de leur père, même s'ils avaient hérité de leurs charges. Toutes les familles ne pouvaient montrer dans la magistrature un passé aussi glorieux que celui de la famille du Président.

Toute cette « remonstrance » se trouve à la fin du premier volume des *Antiquitez*. Le livre X qui est le dernier [5] qu'ait

---

[1] *Op. cit.*, 195 v°.
[2] *Ibid.*, 414 v°.
[3] *Ibid.*, 196 r°.
[4] *Ibid.*, 196 r°.
[5] Voir f. 402 v°.

revu Fauchet avant sa mort, comprend également un discours
au Roi sous forme de portrait :

> Il sied bien aux Rois d'estre sçavans, mais en l'histoire principa-
> lement de leurs predecesseurs & voisins, aux coustumes & loix de leurs
> Royaumes. Afin qu'en leurs conseils & tenans l'audience de leur justice
> ils ne soient trompez par leurs faux Conseillers. Je veux qu'ils aiment la
> chasse de chiens et d'oiseaux, les chevaux et les armes. Qu'en s'exerçant
> à dresser les bataillons de leurs legionnaires & gens d'ordonnances : tant
> pour s'en prevaloir en la necessité qu'à se faire cognoistre pour vigilans.

Se souvenant sans doute des manies religieuses de
Henri III, Fauchet continue :

> Qu'ils monstrent à leur peuple exemple comme il faut servir Dieu
> sans superstition : qu'ils soient magnifiques, mais sans superfluité, en
> leurs vies & mœurs : qu'ils laissent aux gens d'Eglise prier Dieu pour
> leur santé & celle du peuple.

Le Président s'excuse de se répéter :

> Je sçay bien que je l'ay dit autre-part, mais ces advertissements
> ne se peuvent assez repeter quand les exemples se remonstrent... Les
> vrayes Histoires & Annales doyvent estre comme leur oreiller de nuict...
> les Roys... doyvent en terre representer l'image de Dieu tout-puissant,
> tout bon, tout juste. Et pource crions vive le Roy qui sera tel, ou en
> approchera le plus pres : & Dieu nous delivre de ceux qui ne montrent
> point d'amandement.

En bon patriote, Fauchet tient la tête haute. Il parle en
magistrat qui appartient à la plus illustre compagnie du
royaume, compagnie qui, toute dévouée qu'elle était au Roi,
n'avait pas l'habitude de se dérober à son devoir, même lorsqu'il s'agissait de dire la vérité à Sa Majesté.

Le gallicanisme de Fauchet qui éclate à tout instant dans
les *Antiquitez* témoigne également de son indépendance. Il ne
s'est pas borné à écrire son *Traité des libertez de l'Eglise Gallicane*, il ne laisse pas passer une seule occasion d'attirer l'attention sur la grande liberté dont jouissait l'église de France à
ses débuts. Dans les *Antiquitez* nous avons noté au moins cinquante passages où Fauchet fait volontairement des digressions
pour parler de ce sujet. Ses allusions sont brèves, mais leur
sens n'est pas douteux. Est-ce à dire qu'il n'admet pas la
primauté de Rome? Ce serait aller trop loin que de l'affirmer,
mais il la rétrécit singulièrement. Il essaye de l'expliquer [1].
Pendant les invasions, la plupart des évêques de France étaient

---

[1] *Antiquitez*, 105 r°.

des Italiens, et furent naturellement portés à soumettre leurs
difficultés à leur mère-patrie, Rome. Rome était la capitale de
l'empire, et selon la tradition, saint Pierre en avait été le premier évêque. De plus, les prêtres français qui devaient être
jugés pour leurs méfaits et qui étaient véritablement vicieux, tenaient à porter leur plainte à Rome, car leurs propres évêques,
trop bien informés, ne pouvaient que les juger sévèrement.
Fauchet fait remarquer aussi que la primauté de Rome a mis
de longs siècles à s'établir, que ce n'est qu'au vııᵉ siècle avec
Boniface III que le siège de Rome devient le principal siège
de l'Eglise [1].

Ce Boniface fut le premier qui en ses rescrits mit les mots : Nous
voulons, vous mandons, commandons & enjoignons; & lequel pour confirmer sa Primauté, assembla un Concile de soixante & douze Evesques,
laissant le second lieu à l'Archevesque de Constantinople : & à ses successeurs Romains l'occasion de s'eslever par dessus les autres Evesques : &
avec le temps debatre la principauté, & maistrise que maintenant nous
leur voyons deffendre par livres & par armes.

Selon Fauchet, la puissance spirituelle de la papauté est
intimement liée à sa puissance temporelle. Grégoire III ex-
communia l'empereur Léon en 731, « donnant par là occasion
au peuple romain... voire aux Papes depuis venus, d'usurper
sur les Rois l'authorité que peu à peu de là en avant ils gaignerent du consentement des peuples Chrestiens, comme cor-
recteurs des Rois : mais avec la confusion & danger de la
Chrestienté, pour l'ambition démesurée de plusieurs de leurs
successeurs [2]. » Le Président note toutes les occasions où les
évêques de Gaule et de France ont pris des décisions sans avoir
recours à Rome [3]. Il indique le moment où commencent leur
« submission » [4], soulignant tous les incidents qui marquent
l'augmentation du pouvoir des Papes. Il attire l'attention sur
le fait que Charlemagne n'attend pas le consentement du Pape
pour déclarer empereur son fils [5]. Il refuse d'accepter les témoignages de Flavio Biondo et de Paolo Emilio en ce qui concerne
le choix de juges civils à Rome [6], parce que ces Italiens favori-
sent trop la Papauté. Il revient plus loin sur la même question [7],
et préfère s'appuyer sur le récit de Sigonio. Il note le mauvais effet de l'intervention des papes dans le gouvernement

---

[1] *Op. cit.*, 152 rº.
[2] *Ibid.*, 188 rº.
[3] *Ibid.*, 106 rº, 121 rº, etc.
[4] *Ibid.*, 204 vº.
[5] *Ibid.*, 275 vº.
[6] *Ibid.*, 295 ro.
[7] *Ibid.*, 298 rº.

d'un pays. « Les Papes se sont tousjours aidez de nos dissentions pour hausser leur jurisdiction [1]. » Fauchet va même plus loin, et accuse les papes d'avoir causé les guerres [2]. « Qui de pres regardera l'histoire universelle de la Chrestienté, il trouvera par les Autheurs que les Papes par ambition, ont esté cause de la pluspart des guerres d'entre les Princes Chrestiens. » Il fait remarquer que la couronne impériale a été comme l'appât dont les papes se sont servis pour avoir la soumission des rois et des princes. La liberté des évêques français a été vendue par Charles le Chauve « pour la couronne impériale au dommage de tous les Rois et Princes Chrestiens que depuis les Papes ont soumis à leurs pieds » [3]. Mais malgré tous ces empiétements du pouvoir papal sur le pouvoir royal, il a fallu attendre jusqu'au xe siècle pour voir un pape rassembler un grand Concile d'évêques [4].

Fauchet nourrit toutes les préventions gallicanes contre les ordres religieux. Les moines des premiers siècles furent utiles à la chrétienté : ils vivaient frugalement. Ce furent des hommes « saincts, vertueux. sçavans, et paisibles » [5]. A présent ce sont des « gens sans Dieu, vitieux, ignorans ou quereleux ». La vie des anciens moines était « bien autre que celle qu'ils mènent aujourd'hui ». Mentionnant la défense faite aux prêtres de se marier, Fauchet s'exclame : « Dieu sçait l'ordure que telle rigueur engendra [6]. » Il n'est guère tendre pour les abus qui se sont introduits dans l'Eglise. Les empereurs, les rois et les papes furent si occupés par leurs luttes continuelles que l'ancienne discipline se perdit peu à peu,

et la Simonie se fit maistresse : de maniere que les benefices se vendoient au premier venu : & les Prestres ne voulurent plus estre mariez : non pas pour estre plus delivres, à fin de mieux estudier pour prescher la parole de Dieu, sans avoir soucy de leur mesnage comme les mariez, ains pour paillarder plus à leur aise : ainsi qu'il appert par la vie de plusieurs Papes [7].

Le ton de toutes ces allusions est peu favorable sinon nettement hostile à la papauté. Dans la pensée de Fauchet, la papauté se dressait ou semblait se dresser contre les aspirations

---

[1] *Op. cit.*, 344 v⁰.
[2] *Ibid.*, 359 r⁰.
[3] *Ibid.*, 381 v⁰.
[4] *Ibid.*, 453 v⁰.
Fauchet dit exactement « *un des premiers* exemples de commandement sur les Rois, pour faire telles assemblées, car les Papes n'entreprenoient encores si grande puissance ».
[5] *Ibid.*, 72 r⁰.
[6] *Ibid.*, 131 r⁰.
[7] *Ibid.*, 395 v⁰.

françaises, et c'est surtout pour cette raison qu'il laisse libre
frein à sa passion gallicane. Mais son attitude frondeuse ne
doit pas nous faire illusion. Fauchet est un croyant et un très
bon catholique. S'il paraît assez sceptique sur certains « faux
miracles », s'il parle en s'indignant de « fables » que les moines
ont inventées, il semble néanmoins avoir admis les avertisse-
ments de Dieu, et enfin, il croit d'une façon générale à l'intervention de la Providence dans la marche des affaires humaines.

*
* *

Lanson a dit des *Antiquitez* que c'est « de la science sans
art ». L'érudition de Fauchet est en effet solide, mais manque-
t-il complètement de préoccupations esthétiques? Lanson s'est-
il donné la peine d'approfondir la question?

Les livres I et II des *Antiquitez* ont paru sans nom d'auteur
en 1579, et n'ont été republiés qu'en 1599 dans le volume qui
comprend les livres I à V. Les livres VI, VII et VIII ont vu le
jour en 1601, et les livres IX à XII en 1602 après la mort de
l'auteur. En 1610 le volume des *Œuvres* comprend naturellement les *Antiquitez;* ici le texte est celui des années 1599, 1601
et 1602. Nous possédons donc un seul texte imprimé des
livres III à XII, mais deux textes des livres I et II, qui révèlent
certaines différences faciles à énumérer.

Dans l'édition de 1579, les noms de personnes ne sont pas
francisés. Ainsi Claudius Marcellus, qui devient Claude Marcel
dans le texte de 1599, et ainsi de suite.

Sans remanier son texte, Fauchet y a fait quelques additions, qui montrent que ses lectures sont devenues plus variées.
Il a continué ses visites aux « anciennes librairies »; il a lu des
chroniques postérieures aux événements qui ont été utiles pour
la période romaine. Il connaît mieux la littérature française,
et la littérature chrétienne latine. Son expérience aussi s'est
diversifiée, et le voyage dans le Midi lui permet de mentionner avec autorité « quelque forme d'Estats encores retenus en
Provence et Languedoc » (fol. 41 r°). Mais à tout prendre le
texte de la seconde édition est celui de la première.

Si nous n'avons qu'un seul texte imprimé des livres III
à XII, par contre il existe à la Bibliothèque nationale deux
manuscrits du livre XI (fr. 4942, et fr. 4959) et un du livre XII
(fr. 4959). Une comparaison des différentes versions nous
montre que sans rien retrancher de son texte primitif, Fauchet
l'avait surchargé de quatre-vingts additions. Il cite d'autres
autorités, parfois pour les critiquer, — le Chanoine de Tours

408 r°, etc.), Richard de Wassebourg (469), Guillaume de Nangis (482 r°), le Maréchal d'Arles (463 v°). Il ajoute certains menus faits (467 r°), de nombreuses remarques explicatives (405 v°, etc.), des réponses aux objections que le critique pourrait faire (431 r°), des commentaires qui soulignent sa passion gallicane (442 r°) ou sa croyance à l'intervention de la Providence (403 v°), de brèves allusions aux guerres contemporaines ou au roi Henri IV (427 r°). Deux ou trois remarques font voir que Fauchet pense aux leçons que l'histoire doit donner aux rois : comment il faut « tenir une frontière en seureté » (428 r°) ou dompter les vassaux en ne leur accordant pas trop de territoire (469 r°).

Les additions nous montrent donc que l'œuvre de Fauchet vit, se modifie, se transforme, et s'adapte aux nouvelles lectures de son auteur. Les remaniements sont dus à cette préoccupation.

Mais on peut encore approfondir la question. La version imprimée en 1579 représente la mise au net de plusieurs versions primitives. Le cahier de Fauchet, Rome, Vat. Ottob. 2537, nous en fournit la preuve, car une lecture attentive des premiers feuillets de ce manuscrit nous fait connaître un brouillon de l'avant-propos et d'une partie du premier chapitre du livre Ier. Ce brouillon est remanié en plusieurs endroits. Il subsiste, parce qu'en 1579, Fauchet n'a pas imprimé le début de son ouvrage. Il a sans doute livré le reste de son manuscrit aux imprimeurs et une fois le livre imprimé, le manuscrit a été détruit. Lorsqu'il vient à republier son œuvre en 1599, Fauchet remanie beaucoup — ou plutôt il refait complètement le début, en développant les mêmes idées, mais en les enrichissant considérablement. Pour donner une idée de l'aspect de ce brouillon, nous ne pouvons mieux faire que de transcrire quelques phrases, où l'on trouvera : 1° la version primitive de Fauchet; 2° la version corrigée [1].

1° Claude Fauchet... s'est mis à recueillir...;
2°   peine de
1° Les choses de marque;
2° Les guerres et choses de marque.
1° La France... recueil et entretenement des letres...;
2°   ...   des sciences et letres.
1° (les rois)... grans et excellens personnages pour avoir sceu maintenir si longuement la possession de cette terre;
2° ... grans et excellens personnages, joint leur bon ordre a maintenir pour environ douze cens ans et plus par le plaisir de Dieu la possession de cette terre.

---

[1] Pour le texte entier, voir page suivante.

1° Depuis le passaige des François...;

2° Depuis la descente des François...

1° Les Gaullois... fachez de la froidure estoient retournez en leurs premieres maisons qui a la verite valloient mieux que les bois...;

2° ... leurs premieres maisons plus commodes que les bois...

1° Aussi la Gaulle estant assize soubz le septiesme climat est estimee une des plus commodes provinces de l'Europe...;

2° Car la Gaulle estant assize soubz le septiesme climat et s'estendant en long depuis le 42 degre jusques au 51 avecq (blanc) de largeur est estimee une des plus commodes provinces du monde.

1° Ammien Marcellin qui vivoit du tems de Julien en descrit les Gaulles en ceste facon au 15 livres de son Histoire lequel j'ai plus tost suivi que Caesar...;

2° Ammien Marcellin qui vivoit du tems de l'empereur Julien m'a semble tant bien decrire les premiers habitans des Gaulles en son histoire que j'ai delibere mettre ici un eschantillon que j'ai mieux aime suivre que Caesar...

Cette comparaison est assez probante, et n'a pas besoin d'un long commentaire. Les additions au texte primitif sont nombreuses. Elles sont faites avec le dessein arrêté de traduire plus exactement la pensée de l'auteur, parfois aussi pour arrondir la phrase. Les corrections visent aux mêmes buts. Fauchet enlève le mot « passaige » et le remplace par « descente ». Il barre complètement une citation des *Commentaires* de César, et la remplace par cette allusion à Ammien Marcellin que nous avons citée, et qui est suivie d'une citation prise dans cet historien.

On ne peut donc accuser Fauchet de négliger l'harmonie de ses phrases. Et le texte imprimé en 1599 a encore subi des remaniements. Voici le brouillon et le texte imprimé :

1. Claude Fauchet Parisien, conseiller du roi et president en la cour des monnoies, peine de recueillir par annees les guerres et choses de marque faites au pais des Gaulles depuis le passaige des François et commencement de leur roiaulme, tant estime pour sa longue duree, bonnes loix, observation de piete et justice, recueil et entretenement des sciences et letres et amateurs d'icelles, de proesse, chevalerie et vaillance, des forces et conduite duquel le reste de la crestiente a fait bouclier et espee pour se deffendre en tout besoin, tant que les roix d'icelui ont este estimez dignes (au jugement non seullement d'Italie, mais de tout le reste de l'Europe) de recepvoir l'empire Romain.

2. Je Claude Fauchet, Conseiller du Roy, premier President en la Cour des monnoyes, natif de Paris, en mon aage soixante et dixiesme, et l'an de nostre Seigneur Jesus-Christ, Mil cinq cens quatre vingts dix et neuf, publie et mets par années les guerres et autres choses de marque advenuës ès Gaules : l'origine et advancement du Royaume François, tant estimé pour la pieté, la Justice, l'entretenement des lettres, et de ceux qui les ont aimées : les grandes victoires, et sage gouvernement de ses Rois : la longue et incomparable continuation de leur Monarchie, sous le bonheur de laquelle (joint ses forces invincibles) la Chrestienté

s'est maintenuë jusques aujourd'huy : et en a faict espée et bouclier, pour assaillir ou se deffendre en toutes ses necessitez; avec telle recognoissance de la vertu Françoise, que du consentement de l'Italie mesme, nos Rois ont esté jugez dignes, de ramener en l'Occident l'Imperiale dignité.

Ce morceau, très instructif, est apparenté au genre oratoire, qui faisait les délices de tous les humanistes. Une lecture attentive des *Antiquitez* nous fait connaître plusieurs passages de ce genre. La dédicace au Roi du début du livre, la « remonstrance » du livre V sont évidemment des morceaux rapportés, et nous sommes frappé par la structure aisée et naturelle des phrases. Fauchet a dû faire un effort, et le lecteur en profite.

Est-ce à dire que les *Antiquitez* ont subi le même travail d'un bout à l'autre? Nous ne le croyons pas. Le style ordinaire de l'ouvrage reproduit des bouts de phrases des chroniques, où l'on trouve plusieurs noms d'auteurs allégués en peu d'espace.

Et l'Archevesque ne vouloit (dict Meier) que les biens de l'Eglise fussent possedez par laics : rebutant le Comte avec bien aigres paroles : (ainsi que tesmoigne Reginon).

Six lignes plus loin une autre phrase se termine par les mots « si vous croyez Floard ». On pourrait multiplier les exemples. Ces bouts de phrases sont ennuyeux en eux-mêmes, et au cours d'une lecture des *Antiquitez*, on souhaite maintes fois que Fauchet eût donné une liste de ses autorités sur une feuille séparée au début ou à la fin de son ouvrage. L'ennui qu'on éprouve fait penser que ces allégations sont beaucoup plus nombreuses qu'elles ne le sont en réalité.

Fauchet a dit qu'il avait un « simple et commun langage » (148 r°), « un style plus mince que ne semblent desirer les choses que j'escriray ». Il ne pensait pas sans doute à l'effet que produiraient tous les noms d'autorités, mais plutôt aux expressions familières et proverbiales dont il aimait à émailler son récit [1] :

Aucuns Ecclesiastiques sçavoient bien tordre le nez à l'Escriture.
(145 v°)

Ailleurs il cite les noms de certains princes qui avaient été généreux envers leurs adversaires, et il termine par un trait tiré de Philippe de Commynes :

---

[1] Ici, il suivait l'exemple des chroniqueurs du xve siècle.

Car qui tire le proffit d'une paix a l'honneur de la guerre comme disoit notre Louys unziesme.

(353 vᵒ)

Dans un autre passage il voudrait faire voir que la personne qui est dans une situation difficile n'a pas toujours le choix des moyens :

Ne voyons-nous pas ceux qui se sauvent d'une maison ardante marcher pieds nuds sur la braize ? et un qui se noye empoigner la premiere chose qu'on lui presente ?

(414 vᵒ)

Voici d'autres expressions du même genre :

Le corbeau n'arrachera point l'œil d'un autre corbeau.

(102 rᵒ)

Faire d'une mouche un éléphant.

(381 rᵒ)

De cuir d'autruy faire trop large couroye.

(206 rᵒ)

Ces rappels à la réalité commune, ce parler familier sont des signes du voisinage de la vie, de la fraîcheur de ce xviᵉ siècle si jeune encore.

Si l'on excepte les morceaux de rapport, les meilleurs passages des *Antiquitez* sont assurément les descriptions.

Le détail précis et pittoresque de certains portraits fait du Président un précurseur du réalisme moderne :

Charlemaigne... eut le corps large et robuste... il fut de haute stature; mais non toutesfois plus qu'il apartenoit... il avoit le sommet de la teste rond, de fort grands yeux, et vifs, le nez un peu plus grand que de raison (jaçoit qu'autres disent qu'il fut camus) ses cheveux et poil blancs et beaux; avec la face joyeuse et plaisante. Et soit qu'il fut assis ou debout, il monstroit une grande majesté, voir encores qu'il eut le col gras, et court, et le ventre grand, toutesfois la proportion de tous ses autres membres cachoit ce deffaut : mais sa voix trop claire ne convenoit et seoit pas bien à la forme de son corps.

Après une description de ses habillements, Fauchet passe à la question de la nourriture de l'empereur :

Il estoit sobre en boire et manger, mais plus en sa boisson : car il ne beuvoit que trois fois, et encores rarement : tant s'en faut qu'il prist plaisir à l'yvrognerie qu'il avoit en horreur toute personne qui s'enyvroit : mais il ne se pouvoit pas si bien garder de manger, parce qu'il se plaignoit que le jeusne luy estoit contraire. Il banquetoit peu souvent, et seulement aux principales festes solennelles : et encores estoit-ce en grande compagnie. Tous les jours il n'estoit servy que de quatre mets (possible escuelles) sans le rost, lequel il se faisoit aporter par

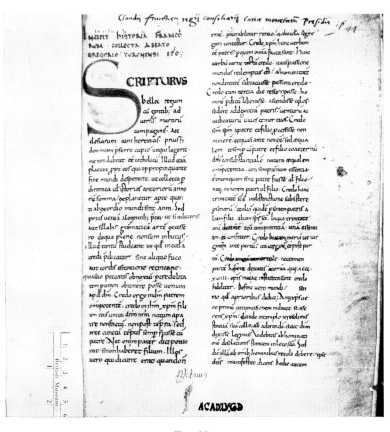

FIG. 16.

Bibl. de l'Université de Leide. Manuscrit de Grégoire de Tours.
Signature de Fauchet.

les Veneurs tout embroché, et dont il mangeoit plus volontiers que de toute autre viande. Durant le manger, il oyoit deviser quelqu'un, ou lire des histoires, ou les faits des Anciens Rois.

(Antiquitez, f. 278 v°.)

Citons aussi le portrait de Louis le Pieux :

Il estoit de mediocre stature, et avoit les yeux grands et clairs, le visage luysant, le nez long et droit, les levres ne trop espesses ne trop tenues : l'estomac fort, les espaules larges, les bras tresforts; et tant, qu'il n'avoit son pareil à enfoncer un arc, ou donner coups de lance, les mains longues, les doigts droicts, longues jambes, et de bonne proportion, grands pieds, la voix qui sentoit son homme... Il estoit fort agille de ses membres, laborieux et tardif à se courroucer, sobre en son manger et boire, moderé en habillements... Jamais on ne luy ouyt hausser sa voix en riant : non pas mesme quand aux festes de recreation, il faisoit venir des jongleurs et basteleurs, plaisans chantres, et joüeurs d'instruments, pour resjouyr le peuple.

(Antiquitez, f. 320 r°.)

Fauchet a trouvé ces détails dans ses autorités, mais il se rend compte de l'importance du physique des personnages historiques quand il essaye d'expliquer leurs actions, et c'est un point remarquable à son époque.

L'exactitude de la description des combattants à la bataille de Tours fait de Fauchet un ancêtre lointain du Gustave Flaubert de *Salammbô* :

Incontinent les enseignes qui marchoient devant gaignerent la plaine : suyvis de pietons et chevalerie estrange à voir, d'autant que partie montez sur Chameaux, s'aydoient de forts longs Verduns : et partie de Fleches, desquelles sans faillir ils perçoient leurs ennemis, quand par semblant ou de vray ils fuyoient : partie conduisoit avec houssines leurs chevaux, sans brides et sans freins. Quant aux pietons, aucuns portoient des Javelots, autres des Frondes, autres de courbes Cimeterres, d'autres estoient couverts de Gobissons ou Hocquetons contrepointez d'œillets, faits à la mode de leur pays, pour resister aux coups : mais bien aysez à ceindre et devestir. La plus grand' partie garnis de Picques ou Lances, ferrees d'un fer bien poinctu, avec la Banderolle voletant au bout par cointise, ou pour donner frayeur, comme s'elles fussent en mains de gens signalez, commencerent le combat; ayans le visage et les membres bruslez du Soleil, les barbes longues : et aucuns la teste bandee d'un linge estroit, et d'autres couverte d'un plus haut et relevé en façon de tour (qui s'appelle Turban) sembloient des monstres aux François, non accoustumez à les voir ainsi accoustrez [1].

(Fol. 184 v°.)

Le pittoresque d'une telle description sera dépassé par

---

[1] Les dessins que Fauchet a mis sur son cahier (B. N. fr. 24726) montrent qu'il savait observer et qu'il savait dessiner. Voir la planche.

les successeurs de Fauchet, mais leur tâche aurait-elle été aussi
aisée s'ils n'avaient pas trouvé déjà le chemin frayé? Fauchet
a été obligé de voler de ses propres ailes. Au xvie siècle, le
style n'était pas « formé », et tel autre de ses contemporains,
Jacques-Auguste de Thou, préféra le latin.

Reste à savoir si les *Antiquitez* peuvent se lire encore
aujourd'hui avec plaisir. Pour notre part, nous devons avouer
qu'une fois habitué aux manies de notre auteur, — qui aurait
dû mettre ses sources dans des notes en bas des pages ou sur
une feuille séparée, — nous avons passé bien des heures
agréables en sa compagnie; il en sera de même de ceux qui ne
sont pas rebutés par la langue du xvie siècle et par l'excès de
conscience du savant Président.

CHAPITRE IV

Origine des Dignitez et Magistrats

Les deux livres de l'*Origine des Dignitez et Magistrats*, écrits à la demande de Henri III, présentés au Roi en février 1584, publiés avec dédicace au duc de Bouillon en 1600. Recueil de notes juxtaposées.

Prédécesseurs de Fauchet. Caractère de l'ouvrage de du Tillet, sérieux et documenté. La Loupe, style plus aimable.

Apport personnel de Fauchet indiqué dans sa préface : l'emploi des poésies du moyen âge pour définir telle ou telle charge.

Livre Ier. Origine de la royauté; l'hérédité; l'élection. Six chapitres sur le Roi et la famille royale. Chapelains, etc. Fauchet retrace l'histoire des offices suivants : le Sénéchal, le Chambrier, le Bouteiller, les Gardes du Roi, le Roi des Ribauds.

Livre II. Introduction. Ensuite Fauchet retrace l'histoire des charges des Patrices, Ducs, Comtes, Barons, Châtelains, Vassaux, Connétable, Maréchaux, Amiral, Maréchaux et Fourriers du logis.

Les deux livres de l'*Origine des Dignitez et des Magistrats* [1] furent présentés à Henri III au mois de février 1584 lorsqu'il tenait, comme dit Fauchet, « une forme d'estats » à Saint-Germain-en-Laye. La dédicace au Roi n'indique pas que c'était Sa Majesté même qui avait demandé à Fauchet de faire ces recherches, mais lorsqu'il allait les publier en 1600 en les dédiant cette fois au duc de Bouillon, le Président s'exprime nettement à ce sujet :

---

[1] Les deux livres des *Origines des Dignitez et Magistrats de France* furent écrits en 1584 sur l'ordre de Henri III à qui Fauchet les dédia. Ils ne furent publiés qu'en 1600 avec une dédicace au duc de Bouillon.

Le livre de l'*Origine des chevaliers, armoiries et hérauts* paraît avoir été écrit aussi pour Henri III (d'après la note placée à la fin de ce traité), mais ne fut publié qu'en 1600 avec une dédicace à Gilles de Souvré.

Les *Meslanges* n'ont pas de dédicace.

Encores que le suject de ce livre aye esté traicté par plusieurs doctes et grands personnages de ce temps; toutes fois il pleust au feu Roy Henry III de bonne memoire, que j'y misse la main : pour dire avecques liberté, ce qui luy sembloit en avoir esté sciemment obmis, ou trop negligemment discouru.

Il s'exprime aussi sur ses propres sentiments à ce moment-là, comment le labeur d'ajouter aux travaux « d'autruy » ou de les contrôler lui semblait « dur et fâcheux », mais étant un fidèle et obligé sujet de Sa Majesté, il ne pouvait que lui obéir. En fait, pour tirer du « corps de ses *Antiquitez* » les deux livres, il mit un mois seulement, ce qui est peu, si l'on réfléchit qu'il était toujours pris par sa profession, et qu'il n'avait pas, à cette date, demandé de congé extraordinaire [1]. Il fait connaître au duc de Bouillon que la promptitude avec laquelle il avait obéi avait plus « contenté » le Roi que lui-même, et nous verrons que ces deux livres ressemblent beaucoup plus à un recueil de notes juxtaposées qu'à un ouvrage lentement digéré. Dans la dédicace au Roi, le Président indique aussi qu'il aurait voulu faire quelque chose de plus étendu, des chapitres sur la justice, la Cour des Aides et sur l'armée, mais que le temps lui avait manqué.

Une phrase de cette dédicace est intéressante parce qu'elle semble exprimer les désirs de la royauté.

Qui entendra bien la première forme de l'Estat, tant en chef qu'en membres, il sera plus aisé de remettre ce que le temps y peut avoir alteré.

Fauchet espère que son ouvrage et ceux d'autres personnes sur les mêmes sujets pourront être utilisés pour remédier aux abus que Sa Majesté voulait réformer.

Pourtant Fauchet n'écrit pas un traité de science politique, mais il expose sur le gouvernement de l'Etat quelques vues qui nous obligent à le rattacher nettement au parti des politiques. Au reste, il n'y a rien là qui doive nous étonner; la protection de Michel de l'Hospital vingt ans auparavant, l'amitié de Jean Bodin, toutes les traditions de sa famille de parlementaires devaient l'y pousser. Rappelons que la *Franco-Gallia* de François Hotman en 1573 avait préconisé l'élection comme remède à tous les maux. Antoine Matharel et Papire Masson avaient répondu dans des pamphlets en 1576. Jean Bodin la même année avait publié sa *République*, du Plessis-

---

[1] Les registres de présence indiquent sa présence continue à la Cour avec les autres présidents et conseillers généraux.

Mornay ses *Vindiciae contra tyrannos* en 1578. Lorsqu'il parle des « travaux d'autruy », le Président doit penser aussi aux purs historiens, tels que du Tillet, par exemple, qu'il mentionne dans sa préface au lecteur, et qui avait décrit tous les anciens offices. Il est permis de douter de l'utilité pratique de traités tels que ceux de Fauchet et de du Tillet, mais il faut dire que Henri III avec toute sa frivolité d'esprit avait témoigné de bonnes intentions après les États de Blois en faisant dresser des ordonnances si nombreuses que M. Hauser [1] leur a donné le nom de « sorte de Code Henri III ». En tout cas, une phrase de la dédicace au duc de Bouillon explique que le Roi voulut que la publication de l'ouvrage fût retardée jusqu'à une autre saison. Sans doute Henri III était assez intelligent pour comprendre, après en avoir pris connaissance, qu'il n'y avait rien d'utile dans ces traités et comme la dépense de la publication lui aurait peut-être incombé, et à un moment où il n'avait pas d'argent, il n'avait pas voulu donner suite à son premier projet.

Le reste de la dédicace à Bouillon, — la bienveillance de celui-ci à l'égard de Fauchet et du jurisconsulte Denis Godefroy, les intentions exprimées par Fauchet qui se montre prêt à écrire l'histoire des ancêtres du duc, — ajoute quelques faits aux rares renseignements que nous possédons sur les dernières années du Président [2].

Il serait injuste de critiquer sévèrement des traités écrits dans les circonstances que nous venons de rapporter, d'autant plus que lorsqu'il vint à les publier après les troubles, Fauchet ne put rien vérifier faute de livres. Considérons ces traités, ainsi que Fauchet a voulu qu'on les prenne, comme des notes rassemblées à la hâte.

Dans son avertissement au lecteur, il mentionne trois prédécesseurs, les deux du Tillet et Vincent de la Loupe. On peut laisser l'évêque de côté, parce qu'il n'a fait qu'une Chronique des roys de France qui est un simple résumé historique de leurs règnes [3].

---

[1] Henri HAUSER, *La Prépondérance espagnole*, Paris, 1933, p. 126 : « La grande ordonnance dite de Blois constituait une sorte de Code Henri III. »

[2] V. p. 108.

[2] Les deux frères, le greffier et l'évêque ont le même prénom Jean, et sont tous deux morts la même année 1570. Le titre de la chronique de l'évêque est exactement *Chronicon de regibus Francorum*, 1543.

Parmi les prédécesseurs qui ont traité le même sujet et que le Président n'a pas mentionnés. Nommons les suivants :

Bartholomaei Chassanaei jurisconsulti catalogus gloriae mundi..., Lugduni. 1529. De nombreuses éditions;

De diversis ordinibus Gallorum vetustis et hodiernis, auctore Juliano TABOETIO, Lugduni, 1559;

Le livre du greffier auquel Fauchet fait particulièrement
allusion est intitulé : *Recueil des rangs des grands de France,*
« faict par M. Jean du Tillet, greffier en la Court de Parlement
à Paris, dédié au roy Charles neufiesme ». Le titre du recueil
indique que son contenu [1] est à peu près le même que celui du
traité de Fauchet. Celui-ci a en toute occasion cherché à dire
ce que du Tillet avait laissé de côté. Si, par exemple, en parlant d'une magistrature quelconque, du Tillet ne remonte pas
aux Romains, Fauchet se hâte de le faire; sa manière de traiter
son sujet dépend en quelque sorte de son prédécesseur. Une
autre différence entre les deux antiquaires, c'est que le greffier
donne des listes de noms, les noms de tous ceux qui avaient
tenu tel ou tel office. Certes il y avait là de quoi intéresser vivement les nobles contemporains, qui voulaient chercher des ren-

---

*L'Harmonie et conférence des magistrats Romains avec les officiers François,
tant Laics qu'Ecclésiastiques* par Jean DURET, Lyon, 1574;
*Traité des offices et dignités tant du gouvernement de l'Estat que de la Justice
et des Finances de France* par Charles DU FIGON, Paris, 1580;
En 1594 a paru *Des maréchaux de France et principal charge d'iceux* par
le président DE L'ALLOUETTE, conseiller du Roi et maître des requêtes ordinaires
de son Hôtel, Sedan, 1594.

[1] *Recueil des Roys de France leur couronne et maison ensemble le rang
des grands de France,* par Jean du Tillet, Sieur de la Bussiere, Protenotaire et
Secretaire du Roy, Greffier en son Parlement*, Paris, 1602. Chez Jean Houzé au
Palais en la gallerie par où l'on va en Chancellerie.
En voici le contenu :
Tiltres Grandeurs et Excellence des Roys et Royaume de France.
De l'auctorite et prerogative des Roynes de France.
Des Sacres et Couronnemens des Roys et Roynes.
Des Regences du royaume.
De Messeigneurs fils de France, leurs Appenages et bien faicts.
De Mesdames filles de France.
Des Princes du sang de France.
Des Escus et Armoiries des Roys, et Messeigneurs Fils de France.
De l'extraction et remise des corps saincts, Oriflamme et foire du lendit
S. Denis en France.
Des derniers jours, exeques, et enterrements des Roys et Roynes de France.
Des Pairs de France.
Des grands offices de France.
Des maires du Palais, Ducs et Contes officiers.
Des Connestable, Mareschaux, et maistre des Arbalestriers de France.
De l'admiral de France.
Du grand maistre de France.
Du grand queux de France.
Du grand bouteiller ou eschançon de France.
Du grand panetier de France.
Du grand chambrier de France.
Du grand chambellan de France.
Du grand escuyer de France.
Des grands veneur et fauconnier de France.
Du grand maistre enquesteur, et general reformateur des eauës et forests
de France.
Du conseil prive du Roy.
Des Gouverneurs et Lieutenans generaux du Roy ès provinces.
Des chevaliers de l'ordre du roy et estat de Chevalerie.
Des grand aumonier et confesseur du Roy.
Du prevost de l'Hostel du Roy.
Des officiers domestiques des Roys, Roynes, Messeigneurs fils et Mesdames
filles de France.

seignements sur leurs illustres ancêtres, mais pour nous c'est plutôt ennuyeux. Un seul exemple suffira :

Les noms des subséquens qui ont tenu ledit office jusques à present, ensuivent par leur ordre messire Dreux de Mellon, messire Matthieu de Montmorency, sire de Laval Guyon, à cause de sa seconde femme; messire Amaury conte de Montfort; messire Ymbert de Beauvieu; sire de Montpensier; messire Gilles le Brun de Trassenyes, messire ... messire ...

L'ouvrage de du Tillet est très sérieux et très documenté. Il cite des exemples, et Fauchet [1] arrivant à l'office du Panetier, et du Keux (Queux), avoue qu'il ne peut rien ajouter à ce que le greffier avait fourni. Selon Fauchet, du Tillet doit être tenu pour « nostre premier Antiquaire ».

Le style de du Tillet est beaucoup plus aride que celui de Fauchet. C'est le style des actes notariés, plein de « ledit », « mouvant », « size », etc. Le greffier a cherché et retrouvé les titres authentiques de l'histoire de France, mais son traité n'est pas d'une lecture facile. Son mérite est d'avoir compris l'importance d'une accumulation de petits faits pour attester un certain grand fait qu'il veut établir.

Le traité de Vincent de la Loupe écrit en latin [2], fut publié en 1551, puis traduit en français et publié en 1553. Il eut plusieurs éditions et fut augmenté d'un « tiers livre ». Les divers titres des chapitres [3], La Majeste royale, Le Dauphin, Le Regent

---

[1] Œuvres, f. 488 v°.
[2] Commentarii Vincentii Lupani de magistratibus et praefecturis Francorum, Parisiis, apud G. Nigrum, 1551.
[3] Premier et second livre des dignitez, magistrats, et offices du Royaume de France. Ausquels est de nouveau adjousté le tiers livre de ceste matiere outre la reveue et augmentation d'iceux. Avec privilege. A Paris. Par Guillaume Le Noir, Rue sainct Jacques à la Rose Blanche Couronnee, 1560.
    Voici le contenu des trois livres :
Premier livre :
    La Majesté Royale.
    Le Dauphin.
    Le Regent de France.
    Maire du Palais et Conestable de France.
    Les Pers de France.
    Les Quatre Mareschaux de France.
    L'Amiral.
    Chevaliers de l'ordre.
    Les lieutenants generaux pour le Roy.
    Les Gouverneurs des Pays.
    Les Grands maistres de l'Artillerie et des Arbalestriers.
    Les Herauts.
    La Maison du Roy.
    Le Grand-chambellan, et les Gentilshommes et Valets de chambre.
    Le Grand maistre de France.
    Le Grand-escuyer et escuyers d'escuyerie.
    Le Grand-veneur et Fauconnier.
    Les maistres d'Hostel.

de France, etc. donnent une première idée du contenu. Celui-ci est plus vaste que chez Fauchet, et quant aux chapitres où les deux auteurs ont traité le même sujet, le Président, comme il avait fait pour du Tillet, ne répète pas son prédécesseur. Fauchet diffère d'un érudit moderne en ce qu'il ne résume pas le travail des autres : il suppose que le lecteur, qui s'intéressera assez à son livre pour le lire, ne pourra manquer aussi de connaître celui de la Loupe.

Le livre de la Loupe nous offre à l'occasion d'aimables causeries sur les divers offices, où l'auteur n'hésite pas parfois à se corriger. Il commence, par exemple, son chapitre sur les Pairs de France en affirmant que Charlemagne les créa avant d'aller en Espagne. Un peu plus bas il déclare que quelques historiographes disent que ces Pairs avaient été institués par Artus, Roi d'Angleterre. Il cite ensuite Robert Gaguin et Paolo Emilio pour arriver à la conclusion que lui-même ne sait pas quelle est leur origine; il sera « tresaise de l'apprendre d'un autre » [1]. Les excursions dans l'antiquité pour nous parler des sénateurs romains, les petites scènes où l'auteur lui-même joue un rôle [2], sont parmi les plus attachantes du livre. Son style aussi est plus agréable que celui de du Tillet, et est parfois très

---

Le Grand-panetier et gentilshommes servants; c'est à sçavoir, Panetiers, Escuyers ou Valets trenchants, et Eschansons.
Les Secretaires.
Le Roy des Ribaux et Prevost de l'Hostel.
Les Cent Gentilshommes.
La Garde.
Le Capitaine de la porte.
Mareschaux des logis et Fourriers.
Second livre :
Les Trois Estats.
L'Estroit ou Privé Conseil.
Le Chancelier.
Les Maistres des Requestes.
Le Parlement.
Le Procureur general et deux Advocats du Roy.
Le Grand Conseil.
Baillifs et Seneschaux.
Tresorier des Chartes.
Le tiers livre des Dignitez Magistrats et Offices :
Le Domaine.
Les quatre Tresoriers de France.
La Chambre du Tresor.
Les Magistrats des Aides.
La Taille.
Les quatre generaux de France.
Les Eleus.
Les Generaux de la Justice des Aydes.
La Chambre des Contes.
[1] Ed. de 1561, p. 32.
[2] Début du chapitre sur le Roy des Ribaux : « Estant un jour allé veoir Jean le Ferron homme fort curieux des antiquitez de la France, il me bailla un vieil Edict contenant l'office du Roy des Ribaux : duquel Edict j'ay faict un extraict pour les plus principaux poincts à fin qu'on voye quelle difference il y avoit entre luy et le Prevost de l'Hostel. »

concis : « Il n'y a rien mieux seant un Roy que la chasse »,
affirme-t-il, en se souvenant, à n'en point douter, des chasses
furieuses des derniers Valois. Il discute aussi pour savoir si
l'étude rend les rois efféminés, et il voudrait qu'on tienne le
juste milieu entre trop d'étude et pas assez. Somme toute, son
livre est un recueil curieux de faits intéressants qui touchent
à beaucoup de sujets. Il n'est pas toujours très ordonné, et
comme La Loupe ne connaissait pas les romans du moyen âge,
son livre est à certains égards moins complet que celui de Fauchet, mais son traité est loin d'être méprisable, et il ne se
heurte pas si souvent à l'écueil du livre de du Tillet, — les
listes interminables de noms propres.

Fauchet mentionne dûment ses prédécesseurs, mais son
mérite est d'avoir recouru aux sources. Il sait très bien lui-
même qu'il est le seul à puiser dans les romans du moyen
âge : « quant ausdits romans qui en parlent, je les tiens pour
miens » [1], et il importe de signaler cette originalité, d'autant
plus que l'usage qu'il en fait est extrêmement judicieux. Il
avait pris la peine de dater autant que possible tous les vieux
livres qu'il lisait, et ses assertions sont si bien fondées que
même de nos jours elles font autorité. Ses discussions sont
toujours utiles même alors qu'il se trompe, parce qu'il a le
mérite d'exposer toutes les opinions pour et contre la sienne.

Origine des Dignitez et Magistrats

Voici la table des chapitres du premier livre de l'*Origine
des Dignitez et Magistrats de France* :

Epistre au Roy Henry III de ce nom sus l'occasion de la composition
de ce present Livre.

Des Rois François.

Que le Royaume François est hereditaire entre les prochains masles,
et pourquoy les filles en sont deboutees.

Sacre et Couronnement des Rois.

Du nom de Tres-Chrestien, et habillements Royaux.

Des Roynes, de leurs droicts et Officiers.

Des enfans du Roy, Dauphin et Monsieur.

Des Chappellains, Archichappellains, maistres de l'Oratoire, et Clercs
de la maison du Roy.

---

[1] En utilisant les textes, romans et chroniques, Fauchet suit toujours la
même méthode. Pendant ses lectures il notait chaque emploi qu'il rencontrait
d'un certain mot.

L'accumulation de tous les passages qu'il avait notés suffisait généralement
pour donner une idée très précise du sens du mot en question, et par conséquent
des différentes fonctions d'un officier d'autrefois.

Des Officiers domestiques.
Des sieges Royaux.
Des Maires du Palais, Seneschal, Grand Maistre, Grand Escuyer de
France.
Du Chambrier et Chambellan.
Du Bouteiller.
Des Gardes du Roy.
Du Roy des Ribaux.

Fauchet débute en énumérant trois formes de gouvernement, la démocratie, l'oligarchie et la monarchie. Il ne tient
pas à discuter les mérites de chacune, il se contente de dire
qu'il serait facile de trouver des raisons pour les louer toutes,
mais que pratiquement toutes ont aussi des défauts. Pour lui
la royauté est la plus ancienne des trois, et, comme disait également son ami Jean Bodin, elle dérive de l'autorité paternelle
exercée dans la famille. Deux citations de Tacite viennent
témoigner de la constitution de la monarchie chez les anciens
Germains, dont les Rois étaient très nobles et très modestes, et
dont la succession était de père à fils. « Ce que Tacite a dit des
Germains semble estre le vray pourtraict de nos premiers Rois
François [1]. » Les premiers Rois furent élevés sur un bouclier et
promenés trois fois « par l'ost ».

Fauchet exprime ici ses idées sans les développer. Ailleurs [2] dans un chapitre publié en 1599, il nous laisse apercevoir qu'il suivait Jean de Meung, qu'il cite, en croyant à un
contrat passé entre le Roi et le peuple. Comme les huguenots il
pardonnera au peuple qui désobéit, si le Roi ne remplit pas ses
promesses : « Si (les Rois) ou leurs successeurs (qui sont obligez aux faits de ceux qui leur ont laissé la couronne) se departent de leur serment, il semble n'estre raisonnable qu'ils jouys-
sent du contract passé entr'eux et leur peuple : n'estant croyable
que si les esleus eussent refusé de jurer ces loix, on les eust

---

[1] *OEuvres*, f. 472 vᵒ, cf. début du livre II des *Antiquitez*.
[2] *Ibid.*, f. 194 vᵒ et suiv.
  Pour les théories politiques au xviᵉ siècle, v. Paul MOUSSIEGT, *Hotman et du
Plessis-Mornay. Théories politiques des Réformés au xviᵉ siècle*, Cahors, 1899;
Henry LUREAU, *Les Doctrines démocratiques chez les Ecrivains protestants français
de la Seconde Moitié du xviᵉ Siècle*, Bordeaux, 1900; A. SAYOUS, *Etudes littéraires
sur les Ecrivains français de la Réformation*, t. 2; Rodolphe DARESTE, *François
Hotman, sa Vie et sa Correspondance*, Nogent-le-Rotrou, 1876; Etienne BLOGAILLE,
Etude sur François Hotman, le « Franco-Gallia », Dijon, 1902; Piere RONZY, *Papire
Masson*, 1924.
  Pour les idées politiques en général voir Bodin.
  Divers chapitres de la *République* étudient la nature du pouvoir souverain.
Voir liv. 1ᵉʳ, ch. viii, ix et x; liv. 2, ch. 1ᵉʳ, ii, iii, iv, v; liv. 3, ch. iv et vii.
  Voir : G. WEILL, *Les Théories sur le Pouvoir royal en France, pendant les
Guerres de Religion*, Paris, 1892, pp. 162 et suiv.; R. PATRY, *Ph. du Plessis-
Mornay*, Paris, 1933, p. 275; G. T. VAN YSSELSTEIN, *L'Auteur de l'Ouvrage « Vindi-
ciae contra tyrannos »* (*Revue historique*, 1931, t. CLXVII, pp. 46-59).

assis au thrône royal. » Au même chapitre il semble entrevoir
une autre origine, ce qui en ferait un précurseur de Voltaire [1] :
« Les hommes ont choisi et receu pour gouverneur les plus
sages, les plus forts ou les plus vaillans d'entr'eux. » Personne,
avant Fustel de Coulanges, ne paraît comprendre que beaucoup
de royautés ont leur origine dans l'idée d'une descendance
divine, et que les premiers Rois n'ont pas été des soldats mais
des magiciens, habiles et souvent intelligents, qui exploitaient
le peuple qui s'était confié à eux [2].

Dans la préface au lecteur de sa *Responsio* à la *Franco-Gallia* de François Hotman, Antoine Matharel nous avertit que
son ouvrage est le fruit d'une collaboration multiple. Il avait
« consulté des hommes très savants et d'un jugement à toute
épreuve ». Or, nous savons qu'avant la publication de son
Recueil en 1581, Claude Fauchet avait eu des relations avec
Matharel, lui empruntant le livre des jeux-partis qu'il utilise
pour dresser sa liste d'auteurs. N'est-on pas en droit de supposer que Fauchet figurait parmi « les hommes savants » ? Cette
conjecture est confirmée lorsqu'on constate que le Président se
donne la peine de faire deux allusions à cette discussion, la
première dans son *Recueil* [3], la deuxième dans les chapitres II
et III du premier livre des *Origines*. Remarquons aussi qu'un
traité technique comme celui que Fauchet préparait aurait pu
se passer d'allusions à la polémique contemporaine. Il faut
enfin dire qu'il garde toute son impartialité et toute sa sérénité.

Le chapitre II est consacré à démontrer « que le Royaume
François est hereditaire entre les prochains masles : et pourquoy les filles en sont deboutees »; Fauchet cite beaucoup de
textes pour prouver que les filles ne succèdent pas à la couronne. Le mariage des princesses avec des étrangers pourrait
faire tomber le royaume aux mains de leurs maris [4].

Ensuite, il affirme que la couronne est héréditaire, mais
qu'on garde encore quelque marque de l'élection primitive au

---

[1] « Le premier qui fut roi fut un soldat heureux. »
[2] V. J. G. FRAZER, *Lectures on the Early History of the Kingship*, London,
1905, in-8º, p. 84.
[3] P. 17.
[4] Fauchet utilise la loi salique : « Nulle part de la terre Salique vienne à
femme », pour montrer que les héritages n'allaient pas aux femmes, mais il
fait ces citations dans un chapitre qui veut se rapporter à la couronne. Cf.
E. LAVISSE, *Histoire de France*, Paris, 1903, t. 2, I, p. 109, note : « Ceux qui ont
voulu trouver dans la loi salique une règle pour la succession du royaume se
sont entièrement mépris et ont fort mal interprété le texte : *De terra nulla ad
mulierem hereditas perveniat*, où il s'agit simplement de l'héritage de la terre.
Dans la suite, la femme fut admise à la succession de la terre et l'on ne comprit
plus la défense absolue de la loi salique. On corrigea dès lors : *De terra salica
nulla ad mulierem hereditas perveniat;* la femme restait simplement exclue de
l'héritage du *mansus indominicatus* qui entourait la maison. »

couronnement; et il raconte la cérémonie où le grand Chambellan tenait la chambre royale fermée attendant la venue des barons qui demandaient leur Roi. Quand ils l'avaient amené à l'Eglise, l'archevêque de Rheims demandait également au peuple s'il le voulait pour Roi. Fauchet a soin d'ajouter que ces questions n'augmentaient pas le droit du monarque. Elles étaient faites pour le confirmer et renouveler le contrat réciproque entre lui et le peuple :

> A sçavoir le Roy de garder les loix du païs, et de faire justice à chacun, et le peuple d'obeyr à son Roy.

Le chapitre suivant qui touche à des idées analogues, allègue de nombreux exemples pour souligner qu'en fait la royauté a été héréditaire [1]. Ici Fauchet répète qu'il croit qu'il y a eu une élection au commencement de la royauté [2] : « Les merites des premiers Rois qui furent esleuz par les François, acquirent ce privilege à leur heritiers; d'estre preferez à tous autres tant qu'ils sont capables. » Tout en faisant cette concession aux partisans de l'élection, il ne voit que les calamités qui suivent un tel mode de gouvernement :

> Tesmoings les troubles advenus pour l'Empire d'Allemaigne, subject à election : et des roiaumes de Hongrie, Pologne, Boëme, Dannemarch et Sveden : où les brigues et l'ambition se trouvent (bien souvent) avoir autant de lieu, que les merites et la preud'hommie.

Fauchet, qui ne trouve absolument parfaite aucune forme du gouvernement, est donc d'avis qu'il faut choisir la forme la moins mauvaise, c'est-à-dire la monarchie.

C'est le gallicanisme de Fauchet qui lui a dicté le reste de

---

[1] Fustel DE COULANGES, *Hist. des Instit. politiques de l'Ancienne France*, Paris, 1888, et Achille LUCHAIRE, *Hist. des Institutions monarchiques de la France*, Paris, 1883, sont d'avis que le droit d'hérédité a toujours prévalu chez les rois francs. Aux xie et xiie siècles la France a été le théâtre d'une lutte entre les deux principes de l'hérédité et de l'élection. Mais cf. J. FLACH, *Les Origines de l'Ancienne France*, Paris, 1904, t. 3, p. 155 : « Nous voici au xie siècle. Loin que le principe de l'élection triomphe alors, comme on l'a prétendu, il est endigué de plus en plus. »

[2] Cf. J. FLACH, *op. cit.*, t. 3, p. 238 : « Même à l'époque mérovingienne où la royauté était devenue en fait héréditaire, l'élection se survivait, au moins en la forme, dans l'acclamation du peuple ou des grands et l'élévation sur le pavois. Elle reparut avec la seconde race et servit de marche-pied à la troisième. » Cf. *ibid.*, p. 241 : « Les Capétiens furent beaucoup plus dépendants de l'Eglise que les Carolingiens ne l'avaient été. Son alliance leur était indispensable pour atteindre la stabilité que l'élection populaire mettait sans cesse en péril. C'est par cette alliance inéluctable du trône et de l'autel que le caractère sacré de la royauté prévalut définitivement sur son caractère populaire et que dès la seconde moitié du xiie siècle l'hérédité put être acquise par *droit divin* à la dynastie capétienne. »
Voir pour ce chapitre et les chapitres suivants A. LUCHAIRE, *op. cit.*, t. 1er, pp. 159-200.

ce chapitre, où il indique, en citant des exemples, que le Roi
ne tient pas sa couronne des ecclésiastiques ou du peuple mais
de Dieu [1], et par conséquent qu'il n'a pas besoin d'être cou-
ronné ou sacré par un évêque. Il développe à nouveau l'idée
du contrat : « A l'instant mesme qu'un Roy prend la Couronne
et le Sceptre, il s'oblige de rendre justice à son peuple : sous
la mesme promesse que son pere ou predecesseur s'obligea au
mesme peuple ou (plustost) à Dieu, qui jadis establit les Rois,
pour pasteurs de leur peuple, afin que par la justice ils repre-
sentassent comme une vive image de Dieu leur autheur. » Les
idées de Fauchet sont donc analogues à celles de Bodin.

Les trois chapitres qui suivent « Du nom de Tres-Chrestien, et des habillements royaux », « Des roynes, de leurs
droicts et officiers » et « Des enfants du Roi, dauphin et monsieur » ne présentent aucune discussion étrangère au sujet.
Fauchet énumère les faits qu'il a rassemblés en lisant ses autorités, et il nous fait part de bien des particularités sur la famille
royale. Il ne se contente pas de décrire les vêtements des Rois
en général, il prend quelques exemples particuliers, tels que
ceux de Charlemagne et de Charles le Chauve, et le chapitre
ne perd rien à être plus détaillé.

En parlant des reines, il ne se laisse pas entraîner par un
examen des qualités et des défauts de Catherine de Médicis —
dans un chapitre sur les reines on aurait pu s'attendre à ce
qu'il fasse quelque allusion aux régentes — il traite la question
du *pretium puellae*, mentionne le « morgan-gheba » [2], et parle
des propriétés possédées par les reines, et de leurs officiers particuliers.

Il sait que le nom « Dauphin » vient de Dauphiné [3], et
venant à parler du titre de Monsieur, il montre que le royaume
n'est plus partagé entre les fils du Roi, pour éviter qu'il soit
affaibli.

Le chapitre suivant, intitulé « des Chapellains, Archicha-
pellains maistres de l'oratoire et Clercs de la maison du Roy »
a été ajouté au livre présenté à Henri III. Il serait aisé de le

---

[1] Cf. J. Flach, *op. cit.*, t. 3, p. 238, confirme ce que dit le Président : les
reges Francorum étaient revêtus d'un caractère sacré. « Ils l'étaient de plein
droit, indépendamment de toute consécration religieuse, de toute onction par
le saint chrême, de tout sacre. Le sacre corroborait, il ne conférait pas le caractère
sacré. »

[2] Par la loi Gombette que le roi des Burgondes, Gondebaud, fit rédiger.
Cf. E. Lavisse, *op. cit.*, t. 2, I, p. 89 : « Le mari achète la femme à ses parents :
le prix de cet achat est le *wittimon*. A la femme, le mariage accompli, il doit
le présent du matin, *morgengabe*. »

[3] Il dit que le Dauphiné « est ainsi appellé pour ce que plusieurs Princes
nommez Dauphin l'ont tenu ». Il donne la date de l'annexion du Dauphiné
(1349).

critiquer, car ayant à parler d'officiers français, Fauchet s'étend trop longuement sur les Romains et escamote les Capétiens et les Valois.

Les anciens avaient chez eux, leurs *lares* et *penates* et dans leurs camps leurs aigles, leurs enseignes et les images des empereurs conservées dans les *principia*. Le Président aime à signaler une continuité entre le paganisme et le christianisme. Pour parer aux reproches que les païens faisaient aux chrétiens, ces derniers « voulans monstrer qu'ils avoient soin de le chose publique, au lieu de *Pervigilia* et *Lectisternia* des payens, se resjouyrent aux veilles et anniversaires des martyrs » [1]. L'empereur Constantin avait son *tabernaculum* portatif, de même que Justinien.

Fauchet a cherché l'origine des *Chapelains*, et il note que les Rois de la première race avaient « des Clercs en leur maison », mais ne trouve pas de Chapelain à cette époque [2]. En donnant la dérivation de *Chapelain*, qui vient de *chapelle*, qui à son tour dérive de *cappa* [3], Fauchet raconte comment les Rois, ne pouvant pas avoir le corps de saint Martin, devaient se contenter de sa *chape*. Les « gardes-chapes » furent nommés *Chapelains*. Le premier exemple de « ces Chapelles et Chapelains » que cite Fauchet se trouve dans les Capitulaires de Charlemagne, — en fait c'était Pépin qui créa l'Archichapelain lorsqu'il commença la réforme de l'Eglise [4]. Fauchet a raison de souligner le fait que cette charge était toujours occupée par « de grands et honorables prélats ».

Il note ensuite que les « Clercs de la Chapelle » étaient probablement « petits Chancelliers, c'est-à-dire Secrétaires », remarquant que les moines étaient les plus aptes à délivrer des diplômes royaux, puisqu'ils savaient lire et écrire.

« Les derniers Rois » avaient des clercs laïques aussi bien qu'ecclésiastiques, mais Fauchet ne sait pas à quelle époque

---

[1] *Antiquitez*, f. 59 vº.
[2] C'est exact. Cf. J. FLACH, *op. cit.*, p. 458 : « Les rois francs de la première race avaient commencé par emprunter à l'administration romaine l'organisation de leur chancellerie. Elle constituait un office laïque... mais elle trouva bientôt une rivale dans la chapelle du Roi. »
[3] V. notre appendice sur les étymologies de Fauchet.
La *capella* de saint Martin était son revêtement de dessous, qu'un miracle avait glorifié. V. FORTUNAT, X, 6e éd., Didot, p. 239. Pour prouver ce qu'il dit, Fauchet cite (d'après Beatus Rhenanus) le moine de Saint-Gall : « Quendam optimum dictatorem et scriptorem in Capellam suam assumpsit, quo nomine Francorum Reges Cappam Sancti Martini quam secum ob sui tuitionem et hostium oppressionem iugiter in bello portabant et sancta sua appellare solebant. »
[4] V. LAVISSE, *op. cit.*, II, I, p. 309.

ces clercs ont pris le nom de « Notaires et Secrétaires de la maison et couronne de France » [1].

Il rappelle les noms de quelques Secrétaires royaux, entre autres ceux d'Alain Chartier et de Guillaume Budé.

Le chapitre VIII sur les « officiers domestiques » ne contient rien de très remarquable, se rapportant entièrement aux Rois des deux premières races. Les serviteurs privés des Rois de cette époque étaient des esclaves ou des affranchis, qui s'occupaient du ménage et des provisions de l'hôtel royal. Les haras royaux se trouvaient en Touraine et étaient surveillés par un Mariscalcus.

Dans son chapitre sur les sièges royaux, le Président, après avoir énuméré les résidences des Rois, a soin de noter que ce n'était que depuis Hugues Capet que Paris était devenu le principal siège de la royauté.

Le copieux chapitre X a pour titre : « Des Maires du Palais, Seneschal, Grand Maistre, Grand Escuyer de France. » Fauchet définit ainsi le maire [2] de l'époque mérovingienne : « Il fut comme un Lieutenant General ... Le Maire eut premierement charge de la maison du Roi, et de la jurisdiction sus les officiers domestiques ... estans aucune fois employez hors de la maison à choses de la Police. » Puis il rappelle que le maire est monté sur le trône en la personne de Pépin. Cette charge disparaît avec les Carolingiens, étant absorbée par le Comte du palais et le Sénéchal [3].

Fauchet a soin de distinguer le premier sens de *Sénéchal* — serf — qui se rencontre dans la loi des Alamans, et l'autre sens, le plus usité : « hommes francs et gentils-hommes notables : qui avoient intendance sus le boire et le manger du Roi, et tout l'ordre de sa maison, soit pour la Salle, parement de Chambres, que de chevaux, et generallement de toute la despence domestique. » Certaines de ces fonctions sont attribuées au Sénéchal sous la deuxième race, et les romans composés du temps de Philippe-Auguste montrent clairement que sous la troisième cet officier avait « la principale charge de couvrir les tables de viandes », fonction que Fauchet souligne par des citations tirées de *Raoul de Cambrai*, la *Charrette* et *Guillaume de Dole* [4].

---

[1] V. Lavisse, *op. cit.*, III, I, p. 233. Les légistes de profession, qui n'apparaissent que par exception à la Cour de Louis VII sont mentionnés en plus grand nombre sous le règne de Philippe Auguste.

[2] et [3] V. notre appendice sur les étymologies de Fauchet.

[4] Au xie siècle le sénéchal était « le maître de l'hospitalité du palais, il admettait les nouveaux venus à la table royale ou les en excluait ». (J. Flach, *op. cit.*, t. 3, p. 465.)

Une note ajoute : « C'est la fonction où nous le montrent sans cesse nos vieilles chansons de geste. »

Notre érudit apporte ensuite d'autres témoignages pour montrer que les fonctions du Sénéchal étaient fort diverses, ressemblant à celles du Grand Maître et du Grand Ecuyer.

En citant des chartes Fauchet fait voir que Sénéchal et Dapifer sont exactement deux noms pour le même personnage.

La fin du chapitre nous présente une allusion au célèbre *Scriptum Hugonis de Cleeriis de majoratu et senescalia Franciae, comitibus Andegavorum collatis* [1]. Fauchet ne peut pas accorder le contenu de ce traité — suivant lequel les comtes d'Anjou tenaient l'état de Sénéchal en fief — avec les mentions d'autres sénéchaux dans des chroniques et des chartes contemporaines. Pourtant même s'il voit les faiblesses de ce traité, Fauchet est disposé à l'utiliser pour discerner quels étaient les droits du Sénéchal, et il prend la peine d'en traduire un long passage dans un style très attachant.

Fauchet a bien saisi les principales attributions du Chambrier. Son chapitre commence par la dérivation de *chambre*, *camera*. Ce mot ayant eu en latin et en grec le sens de *courbé*, Fauchet croit que les mots *courbé*, *courbe*, *courver* viennent aussi de *camera*, pour cette raison que les anciennes chambres étaient voûtées. Fauchet sait que sous la première race le Chambrier est un agent du trésor, mais il n'ignore pas qu'il y avait aussi des trésoriers. Sous la deuxième race, cette charge était tenue par des personnes nobles, et sous les Capétiens le Chambrier contresignait les chartes, et était aussi très probablement Grand Trésorier [2]. Arrivant aux « Chamberlans petits », Fauchet fait voir que ceux-ci étaient employés dans la chambre du Roi. Distinguant entre ceux-ci et le Chamberlan, il indique que ce dernier avait le droit d'assister aux hommages. La juridiction du Chambrier sur les merciers, marchands de drap, etc. n'échappe pas à Fauchet. Plusieurs citations des romans du *Doon de Nanteuil*, du *Tournoiement d'Antichrist*, de *Raoul de Cambrai*, d'*Aubry le Bourgoing* émaillent sa description de l'office, et il note enfin que Char-

---

[1] V. Molinier, *Sources...*, t. 2, n° 1309. Le Président avait trouvé le livre dans l'abbaye de Saint-Aubin d'Angers. Il n'est pas sans intérêt de noter que la critique moderne accuse de fausseté la seconde partie du traité. Fauchet ne parle que de cette partie-là. Ce traité fut composé par ordre de Henri II au moment où il préparait son expédition de Bretagne. Le livre de Saint-Aubin est actuellement à la B. N. manuscrit latin, 3839 A.

[2] Fauchet remarque que l'état de Chambrier en Angleterre et en Italie est tenu par les grands seigneurs. Ici nous avons une des rares phrases que Fauchet ait citées en Italien. Elle est tirée de Villani : « Car Jean Villany au IX livre chapitre CLXI dict : Papa Ioanni & soi Cardinali contra dissero à cio, provando che Christo e gli Apostoli hebe proprio, & commune : si come si monstra per li Evangeli : & che Iuda Scarioth era Camerlingo & despienciere de beni loro dati per Dio. »

lemagne avait un Chambellan qui lui faisait la lecture pendant les repas. Le chapitre manque de précision sur certains points, et il n'est pas bien composé, Fauchet ayant une tendance à sauter d'une période à une autre sans avoir épuisé tout ce qu'il y avait à dire.

Le début du chapitre XII contient une intéressante dérivation du mot *bouteille*, qui a le mérite d'être correcte [1]. A part les renseignements que le Bouteiller était l'échanson du Roi, qu'il avait la juridiction sur les taverniers, et que la famille de Moussi-sous-Dampmartin qui habitait à Senlis [2] a possédé longtemps cet état, ce chapitre est un des plus courts de ce livre. C'est que du Tillet avait parlé longuement de cet officier.

Le chapitre sur les « Gardes du Roi » est très complet en ce qui concerne le passé, mais laisse de côté plusieurs faits importants pour le xvie siècle [3]. Fauchet prouve par une référence à Grégoire de Tours que l'historien écossais David Chamber se trompe en supposant que saint Louis fut le premier Roi français qui ait eu une garde. Quelles étaient les armes de ces Gardes? Sans doute, les armes du temps, tels que des « arcs, flèches, javelines, ançons et francisques, masses ». La garde se composait de chevaliers et de « sergens à pied » lesquels, comme du Tillet l'a dit, se distinguèrent notamment à la bataille de Bouvines. Cette victoire était commémorée sur des pierres gravées et placées au portail de l'église de Sainte-Catherine-du-Val-des-Ecoliers, fondée par saint Louis. Fauchet confronte l'affirmation de du Tillet sur les Sergents, avec ce qu'il trouve dans la Grande Chronique, dans Rigord [4] et dans son continuateur, qui avait été un témoin oculaire de la bataille. « Le moine de S. Denis ne remarque aucune particularité signalee des Sergens d'armes du Roy. » Il est évident cependant à Fauchet que les Sergents d'armes ont « augmenté ladite église », ce qui explique leurs rapports avec elle. Passant ensuite à la Garde Etrangère, le Président note que Charles VII

---

[1] « Le nom de *Bouteiller* vient de *Bouteille*, et *Bouteille* de *Boutis* ou *Bout* et *Bouts* (car il se trouve ainsi escrit) vaisseau nommé entre les ustencilles d'eschançonnerie de la maison du Roi sainct Louis pour l'an 1261..., les Bouts d'eschançonnerie representent ce que les Latins appelloient *Uter*, en François *ouldre*, une peau dans laquelle se porte le vin par les lieux malaisez au charroy, comme dans les montaignes d'Auvergne et autres... »
[2] Cf. J. FLACH, *op. cit.*, t. 3, p. 466 : « Ce n'est qu'au xiie siècle que la charge de bouteiller jeta de l'éclat, grâce à sa transmission ininterrompue dans la maison de la Tour de Senlis. »
[3] Les *Meslanges* donnent des renseignements supplémentaires.
[4] Rigord étant mort vers 1209, Fauchet parle en cet endroit de la continuation de cette histoire par Guillaume le Breton, et de la traduction en français dans les *Grandes Chroniques*. V. MOLINIER, *op. cit.*, t. 3, n°s 2211, 2212.

avait des Ecossais. Les Français de la Garde étaient des « archers du corps », mais Fauchet ne mentionne pas les Suisses.

Le dernier chapitre contient une recherche sur le « Roy des Ribaux ». Fauchet énumère les différents « Rois », — Roi des merciers, Roi des barbiers, Roi de « la maison du Roy », Roi d'armes — et quoiqu'il n'ait trouvé aucune définition précise du sens du mot « Roi », il ose « presque asseurer » que ce fut « correcteur ou chef ».

Le Roi des barbiers avait le droit de visitation sur les barbiers; le Roi d'armes « souloit regler les ceremonies des joustes »; le Roi des merciers était un officier subordonné du Grand Chambrier qui visitait les « marchandises, poids et aulnages ». Le Roi des Ribauds « ne faisoit pas l'estat de grand Prevost de l'Hostel, comme aucuns ont cuidé : ains estoit celuy qui avoit la charge de bouter hors de la maison du Roy, ceux qui n'y doivent manger ou coucher ». Ici Fauchet contredit du Tillet [1], qui avait abouti à la conclusion que le Roi des Ribauds était un officier domestique du Roi, dont la charge était « de faire justice des crimes commis a la suite du Roy hors son Hostel », c'est-à-dire de remplir les fonctions du prévôt de l'hôtel du Roi, mais Fauchet n'apporte rien à l'appui de sa définition, qu'il amplifie dans le paragraphe suivant :

> Au temps passé, ceux qui estoient delivrez de viandes (qui est ce que depuis l'on a dit avoir bouche à cour) apres la cloche sonnee se trouvoient au Tinel, ou Salle commune pour manger : et les autres estoient contraincts vuider la maison : et la porte fermee, les clefs estoient apportees sur la table du grand Maistre. Et pour ce qu'il estoit deffendu à ceux qui n'avoient leurs femmes de coucher en l'hostel du Roy, et aussi pour voir si aucuns estrangers s'estoient cachez, ou avoient amené des garces, ce Roy des Ribaux, une torche au poing alloit par tous les coings et lieux secrets de l'hostel, chercher ces estrangers : soit larrons ou autres de la qualité susdite.

Ensuite, Fauchet énumère plusieurs sens de *Ribaud*, s'appuyant sur des citations du *Roman de la Rose*, « gens de peine et forts hommes, comme crocheteurs et porte-faix », « homme de basse condition, fort et puissant de corps », mais il remarque aussi, suivant le même roman, que l'état du Roi des Ribauds était « une charge de cour », sans aller jusqu'à penser que ce personnage

> faisoit l'estat de Prevost de l'Hostel, car dès le temps mesme de Charlemaigne, il y avoit un *comes palatij*, qui jugeoit des differends

---

[1] *Recueil des Roys de France, leurs Couronne et Maison*, Paris, édit. de 1607, p. 435, première partie.

des gens de la suitte de la Cour. Ainsi qu'on void dans Aeginard qui escrit la vie de cet Empereur.

Notre lettré essaye ensuite d'expliquer comment on a pu prendre le Roi des Ribauds pour le prévôt de l'hôtel. Il pense que

l'erreur peut venir de ce, que l'on dit que les filles de joye qui suivoient la Cour estoient tenuës en May, venir faire le lict du Prevost de l'Hostel : et lesquelles pour leur hardiesse impudente et impudique estoient nommees Ribaudes : comme Ribler signifie courre [1], et rauder pour Ribauder. De maniere que cet Officier commandant à des gents insolents qui suivoient la Cour, fut appellé Roy, comme visiteur et correcteur des Ribaux, et impudents.

Toutes ces considérations, fort intéressantes, contiennent une large part de vérité. En refusant de souscrire à la définition de du Tillet, Fauchet ne s'est pas entièrement trompé [2]. Le Roi des Ribauds est un officier subalterne qui possédait certaines fonctions de justice sommaire. *Ribaud* et *Ribaudes* se sont appliqués en vieux français, comme plus tard, aux gens de mauvaise vie, — fait que le Président n'a pas suffisamment souligné. Il a aussi laissé de côté un point très important, parce qu'il ne savait pas qu'au temps de Philippe Auguste les ribauds formaient un corps de troupe d'aventuriers peu disciplinés. D'autre part, un officier, chargé de maintenir l'ordre dans la foule qui suivait la Cour, avait été nécessaire dès le temps de Charlemagne. Cet officier devint chef de la bande d'aventuriers, et acquit le titre de Roi des Ribauds; il le garda longtemps après la disparition de sa compagnie à la fin du règne de Philippe Auguste.

Malgré ce manque de précision, on doit louer le Président d'avoir avancé d'un grand pas dans une recherche sur laquelle la lumière n'est pas absolument faite même de nos jours.

Livre II

Voici la table des chapitres du livre II :

Des Patrices.
Des Ducs.
Des Marquis.
Des Comtes.

---

[1] V. notre appendice sur les étymologies.
[2] V. Ludovic Pichon, *Les Curiosités de l'Histoire : Le Roy des Ribauds*, Paris, 1878.

Des Barons.
Des Chastellains, Vassaux, et Fiefs
Du Connestable.
Des Mareschaux.
De l'Admiral.
Des Mareschaux et Fourriers de logis.

Le livre II des *Origines des Dignitez et Magistrats de France* détaille en dix chapitres les attributions des officiers publics. Le premier chapitre intitulé « Des Patrices, Ducs et Comtes » sert d'introduction. Au début, Fauchet explique que les Rois des deux premières races ont usé de « plaids generaux, sanes et conciles », respectant beaucoup les prélats avant la déposition de l'Empereur Louis le Pieux, mais que les Capets ont été les vrais fondateurs de l'Etat français parce qu'ils associaient les grands seigneurs au gouvernement, créant « le grand Parlement, audience et generalle justice de toutes les doleances du peuple ».

Fauchet comprend bien le sens de « Pair » qu'il interprète par « pareil », à l'aide de citations tirées du *Roman d'Alexandre*, de *Judas Machabée*, d'*Aye d'Avignon*; ensuite il attribue au mot « paraje » le sens de « parentage », ce qui semble être accepté par la critique moderne [1]. Puis il distingue entre « Pair » et « Patrice », expliquant le dernier dans ses deux significations, d'abord comme équivalent de « Patricien », ensuite comme dignitaire des derniers temps de l'empire. Clovis a été honoré de cette dignité par l'empereur Anastase, mais le titre n'a existé qu'en Bourgogne et Gothie « c'est-à-dire Languedoc », tandis qu'au nord on a usé de « Duc ».

En réalité, Fauchet fait des remarques très justes, mais il n'énumère nulle part les fonctions des Pairs, il ne donne même pas leurs noms. Evidemment, tout cela lui paraît trop bien connu, et il est obsédé par l'idée qu'il n'est pas le seul à en parler. Peut-être aussi aurait-il donné des renseignements plus amples s'il avait vécu assez longtemps pour remplir la promesse faite dans ce chapitre de décrire « autre part » l'origine du Parlement.

Fauchet oppose le sens de « dux » dans Tacite à celui qu'il prit plus tard sous les derniers empereurs où il s'appliqua aux gouverneurs des provinces, « et ceux qui commandoient à grand nombre de gens de cheval et de pied aux frontières ».

---

[1] V. HATZFELD, DARMESTETER, THOMAS, *Dictionnaire*, où il est dit « origine incertaine : on le considère généralement comme dérivé de *pair* ». Ici Fauchet fait des citations de *Fauvel*, de *Meraugis*, du dit *Pour orgueilleux humilier*, du *Roman d'Alexandre* et d'une prière à la sainte Vierge.

C'est ce sens qui a été retenu par les premiers Rois. Des citations de Grégoire de Tours montrent que les Ducs étaient plus importants que les Comtes, que leur principale fonction était de « mener a la guerre » mais qu'ils levaient aussi les tributs. Leur juridiction n'est pas mentionnée, mais le Président indique la rareté de ce titre sous les Capets, « quand ledit Capet et Robert son fils vindrent à regner, il est croyable qu'ils ne voulurent point ceder le tiltre à pas un autre Seigneur, sinon au Duc de Bourgongne leur fils ... ce qui dura jusques à Philippe de Valois [1]. »

Le dernier paragraphe nous apprend que la curiosité avait amené Fauchet à lire l'histoire de Pologne. Il note qu'en ce pays deux seigneurs seulement sont honorés de ce titre.

Le chapitre sur « les Marquis » contient une discussion sur l'origine de ce mot, qui paraît avoir excité beaucoup plus que d'habitude l'intérêt de Fauchet. Il cite une dizaine d'autorités [2], et trois textes d'anciennes lois. Il suppose que Marquis vient de *mark*, et voici comment il accorde cette dérivation avec le sens de *marche* : « Ceux qui commandoient aux gens de cheval estoient appellez marquis. Mais depuis, parce qu'on les tenoit aux frontieres affin de plus facilement descouvrir la venue et surprise des ennemis, ils donnerent leur nom au païs où ils demeuroient. De sorte que les limites et confins prirent le nom de Marche. » C'est très ingénieux, même si Fauchet se trompe. Du reste, son erreur n'a rien d'étonnant, puisque même les Allemands ne sont pas ici d'accord. Le mot *Maréchal* aussi a contribué à le fourvoyer.

Fauchet avait commencé ses études sur les attributions du Comte en 1555, et son chapitre imprimé dans le traité des *Origines* reproduit en grande partie celui du cahier, B. N. fr. 24726, livre III, chapitre Ier.

Il débute en résumant le développement des fonctions des *comites* sous la république romaine, les *comites, contubernales* et *cohors praetoria* étant la suite des préteurs et proconsuls envoyés par les Romains au gouvernement des provinces. Plus tard, comme l'empereur Hadrian aimait fort à voyager « ceste compagnie, qui le suivoit partout, fut dite *Comitatus Caesaris*, la suitte de Cesar, et les amis de l'Empereur *comites* ». Fauchet note l'extension que ses successeurs donnèrent au mot, men-

---

[1] Cf. Lavisse, *op. cit.*, II, I, p. 181 : « Dans le royaume de Bourgogne, les ducs portaient souvent le nom de patrice. » Une note ajoute : « On donnait particulièrement ce nom à l'officier qui commandait en Provence; sans doute ce nom a été pris aux Ostrogoths. »

[2] Pausanias, Alciat, Beatus Rhenanus, etc., des lois. V. notre appendice sur les étymologies de Fauchet.

tionnant à ce propos les *comes largitionum et privatarum*, et remarquant que le nom *Comte* fut employé par les barbares après la chute de l'empire. Utilisant des renseignements pris dans Grégoire de Tours, dans Adémar et dans la Grande Chronique, Fauchet résume ainsi les fonctions de ces officiers : « Ils tenoient l'audience de la justice, menoient à la guerre les gens qu'on levoit en leur pays : faisoient venir le tribut... Somme, ils n'estoient autre chose que ce que sont nos Baillifs, ou les Vicomtes de Normandie, qui encores ont jurisdiction, et levent les tailles de leurs ressorts. » Il fait remarquer qu'ils étaient des commissaires, mais note que les guerres continuelles et le fait d'avoir occupé leur charge pendant de nombreuses années les aidèrent à devenir possesseurs des terres dont ils jouissaient par commission. Fauchet attire ensuite l'attention sur certaines particularités de Bretagne et de Gascogne, et il termine en disant que « les anciens Comtes ne furent jadis autre chose que ce que depuis ont esté les Baillifs et Seneschaux en leur première institution ».

Ces remarques sont très justes, mais elle sont à compléter par les renseignements fort divers sur les Comtes que Fauchet a mis çà et là dans ses *Antiquitez*. Il aurait pu parler ici, par exemple, de certains Comtes notoires comme Leudaste ou entrer dans de plus grands détails sur leurs fonctions.

Selon Fauchet « les ancienne loix françoises ou allemandes » montrent que le mot « Baron » [1] vient du « septentrion » et signifie « seigneur ». Fauchet note l'usage qui est fait de *Bers* et *Bernage* dans les coutumiers, et il suppose que ces mots « peuvent venir » de Baron, sans remarquer qu'il n'y a qu'une simple différence de cas. Il voit le sens *homme* ou *mari* qui apparaît dans les lois des Ripuaires, et que les femmes de Picardie avaient encore retenu au XVIe siècle, appelant leurs maris, « men Baron » [2]. Il n'a pas relevé le sens spécial de Baron, — tout seigneur qui tenait des fiefs directement du Roi.

Le chapitre VI porte le titre *Des Chastellains, Vassaux et Fiefs*, mais les Châtelains n'y occupent qu'une place restreinte. Ce sont « ceux qui avoient droict de tenir chastel, et je croy que c'estoient Capitaines de places fortes, plus petites que les bonnes villes, volontiers la demeure des Comtes ».

Fauchet annonce qu'il n'épuisera pas le sujet des Vassaux

---

[1] V. notre appendice sur les étymologies.
[2] Ici, il faut faire un rapprochement avec le manuscrit Vat. Reg. 1501, f. 95 v°, où l'on trouve une note de la main de Fauchet : « Mari-baron » en face des mots proférés par une femme : « Il est voir que je sui femme au dux... et un ior... mon baron com tote sa gent oissi alla meslee. » (*Giron le Courtois.*)

et des fiefs, mais son chapitre est néanmoins assez long. Il affirme que les Grecs, les Perses, les Romains — tous les anciens peuples, croit-il, — ont eu des vassaux. Mais il va modifier lui-même ce qu'il vient de dire, en ajoutant que « la pratique des fiefs a été plus commune en Occident », et se demande si elle ne dérive pas de celle des derniers empereurs, qui donnaient des terres aux soldats qui gardaient les frontières.

En fait, le Président ne distingue pas d'une façon claire et nette entre les différentes époques : il a une tendance à confondre les Mérovingiens et les Carolingiens, et il ne retrace pas le développement du régime féodal comme le ferait un érudit moderne.

Poursuivant son idée que ce régime date de l'empire romain, il dit « nos Rois venus et arrestez en Gaule, laisserent des terres aux guerriers, pour en jouyr aux charges susdites », et voici sa définition de *leud* et d'*alleud* :

Or d'autant que ces hommes en prenant et acceptant ces terres, faisoient serment aux Rois de les accompagner à la guerre : et telles donations furent appellees Fiefs, comme tenues sous l'obligation de la foy [1], que cet homme avoit juree. Et pour ce qu'en langaige Thiois (c'est-à-dire, Teutonique ou Germain dont les François usoient) un heritage s'appelloit Leud ou Alleud : ceux qui prirent ces terres furent nommez Leudes, que nos Peres ont appelez loyaux sujets : et feaux pour la Foy qu'ils juroient en prenant leur fief. Avec si grande subjection que du temps des Rois Merovingiens et Charliens, depuis que ces Leudes avoient juré tel service, ils ne pouvoient chercher autre Seigneur : ains estoient poursuivis et redemandez à ceux qui les avoient retirez, jaçoit qu'ils fussent de franche condition...

Bien que les affirmations de Fauchet soient justes, elles sont un peu sommaires.

Aux VIe et VIIe siècles les *leudes* [2] sont les personnes qui se sont recommandées au Roi, à un fonctionnaire ou à un particulier riche et puissant, et qui se sont placées sous sa protection. Tous ces recommandés contractent avec le Roi un lien plus étroit que celui du sujet à souverain. On se recommandait pour diverses raisons, — pour obtenir des honneurs, le gain d'un procès ou quelque autre désir. Le recommandé reçoit souvent

---

[1] On voit que Fauchet suppose des rapports entre *fief* et *foi*. V. notre appendiec sur les étymologies.

[2] V. Fustel de Coulanges, *Histoires des Institutions politiques de l'Ancienne France*, le volume intitulé *L'Alleu et le Domaine rural pendant l'Epoque mérovingienne*, Paris, 1889, et celui qui a pour titre *Les Origines du Système féodal...*, Paris, 1890; E. Lavisse, *Histoire de France*, II, I; J. Flach, *Les Origines de l'Ancienne France*, 4 vol., Paris, 1886-1887; F. Lot, *Fidèles et Vassaux*, Paris, 1904; P. Lacombe, *L'Appropriation du Sol*, Paris, 1912.

de son protecteur une terre qui le nourrit. Cette donation n'est
d'abord qu'une clause accessoire, le lien entre le protecteur et
le protégé étant un lien personnel. Celui-là prend le nom de
senior, et celui-ci est le « leude » du seigneur, ou vers la fin
du vɪɪ^e siècle, le *vassus*.

Quant au mot *alleu*, on disait du patrimoine de la famille
qu'il était possédé « ex alode » ou « de alode parentum », et
ce mot *alleu* arrivait à désigner les biens patrimoniaux eux-
mêmes, et en particulier la terre ancestrale. Quand les béné-
fices — terres concédées par l'Eglise ou par des propriétaires
laïques à titre précaire — furent devenus nombreux, le mot
alleu désigna la terre qu'on avait en propre, par héritage, par
achat, par donation, par opposition à celle qui relevait d'une
autre terre. Quand le bénéfice sera devenu, sous le nom de *fief*,
le mode ordinaire de la possession territoriale, l'alleu appa-
raîtra comme chose exceptionnelle — c'est la terre absolument
franche d'impôt.

Le mot *fief* s'emploiera pour *bénéfice* lorsque l'hérédité
sera établie; il paraît se trouver pour la première fois à la fin
du ɪx^e siècle [1].

Ces considérations nous démontrent que Fauchet a trop
condensé ses explications. Les paragraphes suivants distin-
guent entre les terres inféodées et les « propres héritages » des
leudes, auxquels les héritiers mâles ou femelles succédaient sans
le consentement des seigneurs des fiefs. Si le détenteur d'un
fief mourait sans enfants, le seigneur pouvait le donner à qui
bon lui semblait; s'il n'y avait qu'une héritière, fille du def-
funt, « volontiers » le seigneur mariait la fille à quelqu'un qui
en prenait la terre du père de la fille [2], … « Ce qui depuis fut
appellé hommage, pour ce qui ces obligez devenoient hommes
et de la suitte du Seigneur de qui ils recevoient ces terres. »
Continuant Fauchet précise les dates. Louis, fils de Charlemagne, fut le premier à donner ses terres en fief héréditaire [3],
mais le règlement de la plupart des fiefs tels que « nous
les avons, n'est guieres devant Hugues Capet » [4]. Ensuite le
Président explique l'usurpation des droits régaliens par les
grands vassaux; les attribuant aux guerres civiles des fils de

---

[1] V. E. Lavisse, *op. cit.*, II, I, p. 424.
[2] Cf. E. Lavisse, *Histoire de France*, II, 2, ch. 1ᵉʳ. Ici Fauchet décrit la
condition du pays à l'avènement de Hugues Capet.
[3] Ici, Fauchet explique que c'est le *privatum patrimonium*.
[4] Cf. E. Lavisse, *Histoire de France*, II, 2, p. 8 : « Au début de l'ère capétienne, le régime des fiefs est formé, pourvu de ses organes essentiels, orienté
dans ses directions principales. »

Louis le Pieux, à la faiblesse du roi Charles le Simple, et aux invasions des Normands.

Fauchet croit que « tous Leudes Nobles de ce temps là estoient hommes d'armes et servans à cheval, parce que la force des François (c'est-à-dire Nobles) [1] gisoit en la gendarmerie et Chevaliers vestus de loriques ». Le Président suppose ici une certaine hiérarchie entre les armes qui correspondrait à la grandeur des fiefs :

> Je croiroy bien que ces guerriers Haubergeonniers ou feudataires de loriques, avoient sous eux d'autres Nobles, lesquels n'estant pas en aage de servir avec le Haubert, portoient les escus ou targes de leurs Seigneurs et maistres... Encores peut bien estre que les grands Seigneurs amoindrissans leurs liberalitez, et ne donnans plus tant de terres qu'elles fussent suffisantes pour entretenir un homme d'armes, ou Chevalier (plus pesamment armé et qui par consequent avoit besoin de plus fort cheval et suitte d'hommes) se contenterent d'avoir des Fiefs d'Escuyers, c'est-à-dire, de gens plus legerement armez [2].

Fauchet note ensuite que plus tard des fiefs « sans terre » ont existé; même les grandes charges comme celles du Sénéchal, du Chambrier, du Bouteiller sont devenues des fiefs. Une autre espèce de fiefs « fiefs de revenue » a également existé où le Roi concédait une somme d'argent en échange du service militaire. Puis Fauchet revient aux Suzerains et Vassaux ordinaires, notant deux sortes d'hommage, hommage « de bouche et de mains » et « hommage lige », et remarquant pourtant que ces distinctions étaient inconnues aux deux premières races, durant lesquelles les Leudes suivaient leur seigneur partout sans exception. Fauchet répète différents serments de vassaux qu'il a trouvés, le plus ancien sous Charlemagne, un plus récent du temps de saint Louis, indiquant pour terminer que depuis les Croisades, et la guerre de Cent ans, les fiefs sont entrés dans la possession des villes et des bourgeois

> au grand prejudice de la militie françoise : qui en fut tellement affoiblie, que l'arrière-ban (jadis la principale force du Royaume) pour le jourd'huy est un secours inutile et de petit effect.

On s'aperçoit que Fauchet a assemblé un certain nombre de détails intéressants, mais que son exposé manque de pré-

---

[1] V. notre appendice sur les étymologies.

[2] Fauchet a consulté la coutume de Normandie, où il a trouvé la mention du *feudum loricae et scutiferi* « fief de haubert et d'escuyer ». Il cherche à expliquer ces termes. En fait, sous Charlemagne le propriétaire de douze manses servait à cheval, celui de quatre manses servait personnellement, les propriétaires de deux manses devaient s'unir pour armer un combattant. V. *Mediaeval France*, éd. A. Tilley, Cambridge, 1922, article de Pierre Caron sur l'armée.

cision. Nous avons noté qu'il s'excuse au début du chapitre
annonçant qu'il va dire quelques mots des fiefs et de leur
origine, laissant à ceux qui en ont fait « traicté expres » la
description plus ample. Son chapitre, à vrai dire, n'est qu'un
ensemble de considérations éparses sur le sujet, — des notes
juxtaposées sans aucun souci de composition. Il a le mérite
d'attirer l'attention sur certains textes d'histoire et de droit,
et cette qualité rachète en quelque sorte les défauts qui défi-
gurent son exposé.

Fauchet résume les fonctions du Connétable dans le premier paragraphe de son chapitre VII. C'est le premier de tous
les officiers de la couronne, et comme le chef et conducteur
des armées,

voire (comme j'ay leu dans un vieil broüillar) le premier Sergent
du Roy pour executer ses commandemens, et à un besoin mettre la
main sus les grands, pour les faire prisonniers, et les representer à
Justice.

Ensuite Fauchet discourt sur la dérivation du mot [1]. Il
laisse de côté la suggestion de certaines personnes qu'il ne
nomme pas, qui avaient dit que ce mot venait de *comes* et
stable, c'est-à-dire, comte qui est perpétuel, trouvant cependant
qu'il y a « grande apparence » en la dérivation *comes stabuli*.
Il sait que cette dignité a existé sous les Mérovingiens et les
Carolingiens; néanmoins il affirme que le Connétable a été en
usage plus tard qu'on ne pense, voulant dire sans doute que ce
n'est que sous les Capétiens que le Connétable contresignait
les chartes avec les autres grands officiers, le Dapifer, le Buti-
cularius, et le Cancellarius. Fauchet cite la charte octroyée par
Louis le Gros aux bourgeois de Paris pour montrer l'importance de ce dignitaire, officier de la maison du Roi.

Une série de citations tirées du *Roman des sept Sages*, de
Ciperis de Vignevaux, de *Judas Machabée*, du *Roman de
Troie* démontre que Connétable veut dire généralement *capitaine*, « conducteur d'une compagnie de gens de guerre ». Le
capitaine du château de Carcassonne s'appelait encore Connétable au xvi⁰ siècle, et ce mot que les Anglais « ont pris de
nous » s'emploie à Londres pour désigner ceux dont la charge
consiste à empêcher les séditions. Un autre sens est « escuyer
tranchant, gentilhomme servan », comme on peut voir aussi
par les romans du moyen âge.

L'autorité de cet officier, le « Connétable de guerre »,

---

[1] V. notre appendice sur les étymologies.

augmente avec le temps : elle est très grande au xiii⁰ siècle. Le
Connétable avait « justice sur les soldats, et estoit comme lieutenant general en l'armée du Roy, ce que monstre le Roman
de la Roze... ». Mais la connétablie n'était au xiii⁰ siècle qu'une
commission : « Les connestables d'armes, avant l'an MCCL
ou environ n'estoient que Commissaires. Et tel portoit ce nom
en une guerre, qui l'ayant exploictee la mesme annee n'estoit
plus ainsi appellé. »

Le dernier paragraphe rappelle la cérémonie usitée « en
l'institution du Connestable », le Roi « en le pourvoyant de
l'office, luy met une espee nuë en la main ». Le Connétable de
son côté « fait foy et homage lige au Roi, promettant de n'en
user que bien et legitimement ». Fauchet, qui aime les bons
mots et les dictons remarquables, se souvient du

mot que l'Empereur Trajan dit au Prevost de son Pretoire (à qui
les Maires du Palais de noz Rois ressembloient : et apres eux les Connestables)... Pren, disoit le Romain, ceste espee, pour en user contre
moy-mesme, si je fay mal.

En terminant, Fauchet détaille quelques privilèges de
l'officier en question mais arrête la liste avec la remarque :
« Et souloient prendre de grands droits sur les hommes de
guerre... outre assez d'autres preeminences declarees par le
Greffier du Tillet. »

Comme les dérivations jouent un grand rôle dans tous ces
chapitres, la page consacrée à celle de *Maréchal* n'est pas pour
nous étonner [1]. La première moitié du mot signifie *cheval*,
comme nous l'avons vu, mais Fauchet insiste pour que *scal* aie
le sens de *maître*, au lieu de *serviteur*. En fait, ceux qui « ont
intendance » sur les chevaux, et ceux qui « ont soin » des chevaux peuvent bien être les mêmes personnages, — fait dont
Fauchet ne semble pas s'être rendu compte.

Quant aux attributions de ces officiers, ils ont été avancés
en dignité au moment de l'avancement de leurs chefs, les
Connétables, et leur principale fonction a été de mener
l'avant-garde, et de choisir l'emplacement du camp. Fauchet
donne quelques renseignements sur les écussons des Maréchaux [2], et sur certains droits que possédaient les Maréchaux
de France sur ceux de Bourges. Il indique qu'au xiii⁰ siècle ces
officiers avaient connaissance « des choses appartenans a leur
mestier », mais note que cette juridiction ne leur appartient

---

[1] V. notre appendice sur les étymologies.
[2] Ils avaient des haches.

plus. Les grands seigneurs du royaume ont imité la royauté
en ayant des Chambriers, des Maréchaux et des Echansons
parmi leurs domestiques.

Si les anciens Francs ont aimé la mer, et y ont fait beaucoup d'exploits, leurs descendants, dit le Président, ont été
moins remarquables à cet égard, et l'Amiral est un des derniers offices « introduicts en France », ne paraissant pas avant
les Capétiens. Le Connétable était chef des forces de terre et
de mer des monarques précédents. Quant à la dérivation du
mot, Fauchet a le mérite de ne pas se tromper, car il l'avait vue
dans le chroniqueur Sigebert, et dans Guillaume de Tyr [1].
Notre lettré essaye de dater le premier emploi du mot [2]. Il a vu
un mémoire de la Chambre des Comptes de l'année 1327 où
amiral est déjà employé, et il pense que le titre doit dater du
siècle précédent. Il note que cette charge était probablement
d'abord en commission et que « le droict d'Amirauté » ne s'applique qu'à la province de Normandie, parce que les gouverneurs des autres provinces maritimes « pretendent avoir tout
droict d'Amirauté en leurs ressorts et gouvernemens ».

L'explication de *Fourrier* qui commence le chapitre suivant, est satisfaisante. Fauchet dérive le mot de *fourrage*, qui
vient de *foderum*, « qui signifioit la paille et avoine que le
plat pais bailloit aux gens de guerre ». A Paris encore on appelle foüarre « l'estraire ou paille battue pour faire litière »,
qui est un sens apparenté au sens primitif (que Fauchet laisse
de côté) de « nourriture pour les animaux ».

Des citations des romans d'*Aye d'Avignon* et d'*Alexandre*
montrent que les Fourriers préparaient le logis et avaient parfois les fonctions de Maréchaux.

Un dernier paragraphe de ce chapitre est adressé au Roi,
l'avertissant que l'auteur a laissé de côté « la justice et les
Aides » qu'il réserve pour un autre livre. Il termine en demandant au Roi de recevoir « de bon œil » son labeur « plus
penible qu'il ne semblera à ceux qui n'ont pas couru par les
espineux champs des vieils Romans : sans la lecture desquels
il est difficile d'achever mes entreprises et laborieuses conceptions ».

Au cours de l'examen de ces deux livres, nous avons
signalé les principales qualités, de même que les quelques
défauts qui s'y rencontrent. Répétons que ces derniers tiennent

---

[1] Sigebert, MOLINIER, *op. cit.*, t. 2, n° 2193.
Guillaume de Tyr, MOLINIER, *op. cit.*, t. 2, n° 2187.
[2] V. notre appendice sur les étymologies.

surtout à un manque d'ordre. Il y a des lacunes, mais peu d'erreurs véritables; les unes et les autres diminuent quand on replace le travail de notre auteur au milieu des travaux analogues de la Renaissance. Ici, comme dans ses autres ouvrages, le mérite de Fauchet réside dans l'accumulation de documents et de textes authentiques. Un érudit moderne ayant à envisager les origines des institutions ne procède pas autrement, et il est curieux de retrouver les mêmes textes cités par Fauchet et par Flach, ou tel autre érudit. Naturellement, les XIXe et XXe siècles bénéficient de tous les travaux antérieurs : ils sont plus précis, plus minutieux, ils connaissent un plus grand nombre de documents, mais la méthode reste la même. Il faut le reconnaître, et c'est là le principal mérite de Fauchet.

CHAPITRE V

Origine des chevaliers, armoiries et hérauts; les Mélanges; Libertez de l'Eglise gallicane, et le Traité pour le couronnement du Roi, Henri IV

Origine des chevaliers : le cheval, l'adoubement, influence de l'Eglise. Les tournois, devoirs des chevaliers; les bacheliers, les écuyers : signification de ces termes. Damoisel, valet, page, laquet.
Les armoiries : de la fleur de lis, où Fauchet se trompe. Les armoiries datent du XIIe siècle; armoiries « parlantes ».
Les hérauts : Chez les anciens. A l'époque de Philippe Auguste, c'est une charge insignifiante. Leur vogue sous Philippe de Valois.
Les Mélanges : Dictionnaire d'armes depuis le temps de Clovis. Divisions de l'armée; les armes à feu. Immense vocabulaire de Fauchet. Une note moderne, pitié pour les humbles.
Les Libertez de l'Eglise gallicane : Le gallicanisme des parlementaires au XVIe siècle : circonstances qui ont entouré la rédaction du traité de Fauchet, écrit après le *fulmen* de Grégoire XIV. On avoit posé trois questions au Président : Si le Roi pouvait être excommunié par le Pape ? Quelle était la puissance des papes en France ? Quelles sont les libertés de l'Eglise gallicane ? Ses réponses.
Traité : Dans son traité sur le couronnement du Roi, Fauchet suggère que Henri IV aille prendre la couronne lui-même, suivant l'exemple de quelques-uns de ses prédécesseurs.

Origine des chevaliers, armoiries et hérauts, et Meslanges

Les deux premiers livres de l'*Origine des Dignitez et Magistrats* « furent presentés » à Henri III en 1584, mais l'*Origine des Chevaliers, Armoiries et Héraux* « fut fait » également — nous ignorons à quel moment — pour le même Roi, ainsi qu'une note [1] placée à la fin du livre nous l'apprend. Nous pouvons supposer que Sa Majesté sans vouloir se charger de la

---

[1] *Œuvres,* f. 519 v°.

dépense de la publication de l'*Origine des Dignitez et Magis-*
trats avait néanmoins poussé le Président à continuer son travail. Il rédige alors les trois chapitres sur les chevaliers, les
armoiries et les hérauts [1].

Nous ne savons pas si c'est l'encouragement royal qui a
opéré le miracle, mais le chapitre « des chevaliers » se lit —
j'allais dire comme un essai de Montaigne [2] — mettons plutôt
comme un chapitre d'Estienne Pasquier. Ici Fauchet a eu le
souci de la composition, de l'arrangement de sa matière. Du
reste, moins d'érudition rébarbative, pas un texte juridique,
et une seule digression pour parler de François Villon, — que
nous ne voudrions pas voir disparaître — au total, du savoir
très agréablement présenté.

Une courte introduction pour parler du cheval, « le plus
propre animal... pour la guerre », une allusion à Neptune et
à Pallas, et ensuite un peu d'exotisme américain — qui aurait
cru que notre érudit s'intéressait aux exploits des Espagnols
au nouveau monde [3]? — « les Brésiliens en ayant tué un (cheval) l'escorcherent, et en pendirent dans un de leurs temples
la peau remplie de foin, comme d'un animal le plus estrange
que jamais ils eussent veu ».

Il est fort difficile de décider qui de l'infanterie ou de la
cavalerie est le plus utile dans les combats; en fait, une armée
qui manquerait de l'une ou de l'autre serait imparfaite. En tout
cas, il arriva que ceux qui possédaient des chevaux furent plus
estimés parce que « les richesses haussent le courage à ceux
qui en sont pourveus ».

Quelle est l'origine de la cérémonie d'adoubement? Doit-
on la dériver de la remise du *balteus* par les empereurs romains,
ou doit-on se reporter à ce que dit Tacite des jeunes Germains?
Toutes ces cérémonies semblent bien « maigres » au Président
a côté de celles qui se pratiquaient vers l'an 1100. Pourtant il
rappelle que Charlemagne ceignit l'épée à son fils Louis, et
celui-ci à son fils Charles, « sans aucune cérémonie ». Mais,
ajoute Fauchet, sous Capet et ses successeurs il y eut plus de
« misteres », que notre lettré croit avoir été « introduits pour
retenir la violence des guerriers montez a toute insolence »,

---

[1] En 1600 ce livre est dédié à Gilles de Souvray. V. p. 80.
[2] Cf. MONTAIGNE, *Essais*, liv. 1er, ch. XXXI, *Des cannibales :* « Le premier
qui y mena un cheval, quoy qu'il les eust pratiquez à plusieurs autres voyages,
leur fit tant d'horreur en ceste assiete qu'ils le tuerent à coups de traicts... »
[3] V. G. CHINARD, *L'Exotisme américain dans la Littérature française au*
xvie *Siècle*, Paris, 1911, p. 80, pour l'expédition de Villegaignon et des Français
au Brésil; p. 113, M. Chinard note que J. A. de Baïf a connu André Thevet, le
voyageur et cosmographe. Fauchet a pu le connaître aussi.

pendant l'anarchie causée par les invasions des Normands. Les guerres des grands feudataires continuent « jusques à ce qu'environ l'an 1100 le Damoisel Louys fils du Roy Philippes premier... eut essarté le beau jardin François ».

L'insolence des barons ne connaissait pas de bornes, car de ce temps-là « il ne se trouvoit hault-ber qui ne pretendit tenir sa terre avec tous droicts royaux » jusqu'à battre monnaie, imposer tels « treuz » qu'il leur plaisait, donner « champs de bataille », c'est-à-dire duels en champs clos. L'intervention de l'Eglise alors fut efficace pour « ranger cette noblesse brutale », du moins jusqu'à un certain point. L'Eglise institua la *treuga domini* ou *dei*, encouragea Guillaume Chapuis [1], dont Fauchet raconte l'histoire, en traduisant un passage de la chronique de Sigebert de Gembloux. Que cette paix de Chapuis fût invention humaine ou volonté de Dieu, les nobles et guerriers dressèrent les lois de chevalerie. L'histoire de l'ancienne littérature souligne l'influence « des preux de la table ronde que le Roy Artus, fort renommé de vaillance et de preud'homie tenoit près de soy en Angleterre, ou des Pairs de la Cour de Charlemagne tant renommez pour leur prouesse [2] ». L'idéal chevaleresque se retrouve tout entier dans les chansons de geste et les romans.

Les tournois furent inventés pour « entretenir » les chevaliers en quelque « exercice », et Fauchet détaille ces exercices, définit l'*estour*, le *behourd* « ou ils coururent les uns contre les autres et encores en foulle ». Ensuite, il expose, d'après Sebastien Muenster, les lois que devaient respecter ceux qui étaient reçus aux tournois. Il y a douze articles que Fauchet croit avoir été « communs pour tous les pays ». Defendre la foi et le Roi, et protéger les femmes, tels sont les principaux devoirs des chevaliers. Mais les morts occasionnées par ces tournois soulevaient l'indignation de l'Eglise, qui lançait des protestations.

La mention des tournois amène celle des Bacheliers et des Ecuyers. Une intéressante discussion sur la dérivation de *bachelier* introduit les noms de Beatus Rhenanus, de Louis Vivès

---

[1] Sur le soulèvement de 1182, effort des nobles et des vilains pour organiser une force militaire et détruire le brigandage, et dont le point de départ était une vision céleste d'un charpentier nommé Durand Dujardin, v. E. LAVISSE, *op. cit.*, III, I, p. 301.

[2] Léon Gauthier n'a pas dû connaître ce passage. V. ce qu'il dit de Fauchet dans *Les Epopées françaises*, t. 2, pp. 642 et suiv. Il dit que le Président refusait aux romans ce respect que Pasquier leur accordait. L'attitude de Fauchet est plus complexe que Gauthier ne croyait.

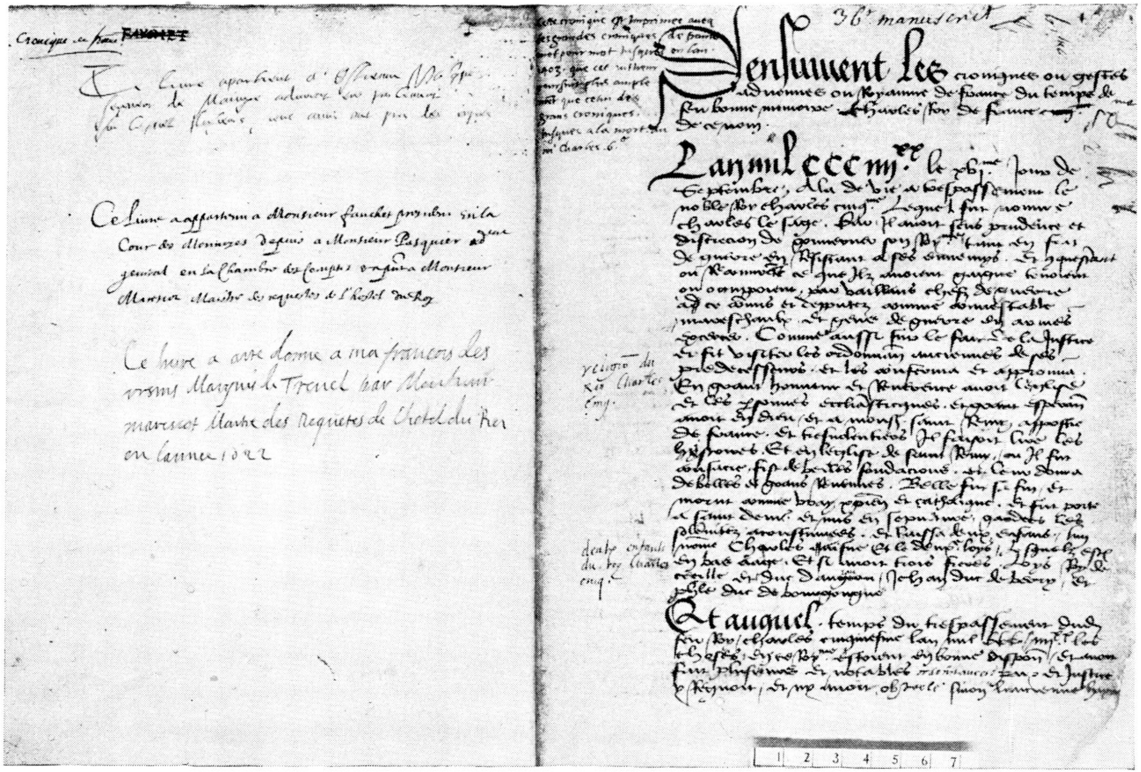

Fig. 17.

Londres, British Museum, manuscrit Add. 26668. Chronique de Jean Jouvenel des Ursins. Ce manuscrit a appartenu à Claude Fauchet et ensuite à Estienne Pasquier.

et d'Adamantius Martyr [1]. Elle a le mérite de grouper un certain nombre de textes et de références, même si Fauchet, tout en connaissant l'ancienne forme *bacillier*, préfère sa propre invention *bas chevalier*. En tout cas, si l'origine du mot est incertaine, sa signification n'est plus douteuse, et de cette discussion se dégage aussi la véritable origine de *bataille*, que Fauchet tire de *batuere* [2].

Les cérémonies qui marquaient l'investiture des nouveaux chevaliers, « l'accollée » sont exposées d'après le *Roman du Nouveau Renart*, tandis qu'une attribution des chevaliers assez douteuse — leur juridiction — est indiquée par des citations du *Roman de Carité* et du *Fabliau de la Robe vermeille*.

Les termes *Damoisel, Valet, Page, Laquet* sont ensuite passés en revue, et Fauchet a des remarques très justes sur le mot *Narquois* [3] « jargon de guex, qui semble avoir commencé de courre, du temps de Charles VI ou VII (au moins j'en ay veu des Balades, et Rithmes de ce temps là) qui signifie mandian, contrefaisant le soldat destroussé ».

La dernière page « amasse » au sujet des chevaliers quelques faits laissés de côté dans les pages précédentes; nous apprenons, par exemple, que seuls les chevaliers avaient le droit de porter des éperons dorés, et de « paraffer leurs écus de timbres ou heaulmes ».Fauchet promet en terminant de parler « en autre endroit » des ordres, l'ordre de l'Etoile, de Saint Michel et du Saint-Esprit, promesse qu'il n'a pas remplie.

Le chapitre sur les armoiries mérite aussi des louanges. Il débute par une sorte de définition :

> C'est chose bien asseuree qu'elles sont appellees Armoiries, pour ce que les gens de guerre portoient les couvertures de leurs armes (appellees Cottes) parees de couleurs et figures de leurs blasons (c'est-à-dire devises et inventions) desquelles ils embellissoient leurs escus : j'entends nos vieils François, qui ont vescu il y a cinq cens ans.

Il n'est pas facile de dire l'origine des armoiries, quoique les anciens eussent des « marques et signes pour faire recognoistre leurs personnes ès batailles ». Arrivant à la fleur de lis, dont il avait déjà parlé dans les *Antiquitez* [4], Fauchet contredit à nouveau Paul Emil, et nous expose cette fois sa propre pensée :

---

[1] Sur ce personnage, v. KEIL, H., *Grammatical Latini*, vol. 7. *Adamantit sive Martyrii liber de B muta et V vocali.*
[2] Il l'écrit avec un seul *t*.
[3] Il suggère que *naquet* et *narquois* peuvent avoir des rapports.
[4] F. 57 v°.

Il y a plus d'apparence que les blasonneurs de l'escu de France, voulans monstrer, que les premiers François estoient sortis des Sicambres, habitans des marets de Frise (vers Hollande, Zelande et Gueldres) donnerent à nos Rois la fleur de pauillee (qui est un petit lis jaune, lequel vient pres et dedans les Marests, et fleurist au mois de May et de Juin) en champ d'azur qui ressemble à l'eauë, laquelle reposee prend la couleur du ciel.

La critique moderne n'a pas ratifié cette idée ingénieuse, mais il faut noter aussi que la fleur de lis n'a aucune origine distincte : ce n'était que la décoration la plus habituelle des diadèmes royaux depuis les temps de la chute de l'empire romain [1]. Fauchet n'est pas de l'avis de du Tillet [2], qu'il critique dans le paragraphe suivant, remarquant en même temps que les armoiries n'ont pas été fixées « il y a cinq cens ans », mais seulement depuis « trois ou quatre cens », ainsi que les « surnoms », pour montrer de quel sang on était.

Les armoiries « parlantes » appartenaient ausi bien aux nobles qu'aux roturiers, ce que Fauchet expose en citant beaucoup d'exemples. Mais ce ne fut que pendant les croisades que ces coutumes utiles s'établirent. Quelques détails techniques sur les couleurs employées avec leurs véritables noms *or*, *argent*, *gueulles*, *azur*, *sinople* et *sable*, une critique de la vanité de ses contemporains — les bourgeoises qui bordent leurs robes de « petit gris » et de « vair » — viennent clore le chapitre.

Les *caduceatores* et le *caduceus* et Mercure messager des dieux, l'armée « Gregeoise », les Egyptiens, les Romains avec le *pater patratus*, Homère, Tite-Live, Plutarque proclament que les hérauts exercent un très ancien office. En France ils portaient des verges sacrées, et leurs armoiries étaient celles de leurs seigneurs. Fauchet se prononce pour une origine allemande du mot héraut, mais il voudrait qu'il eût des rapports avec *héri*, *armée*. La faconde de ces officiers peut être très utile, parce qu'ils ont le privilège de dire tout ce que leur chef leur a commandé. Les paroles mêmes des défis des hérauts sont rapportées *verbatim* « Dieu ayde le noble Roy N. ou Chevalier N. et confonde ses ennemis. »

Quel a été le développement de leur office? Ils prétendent avoir reçu un privilège de Charlemagne, mais le Président démontre que ce privilège [3] ne peut dater que du début du xive siècle, et le *Roman de la Charrette* qui appartient à l'époque

---

[1] V. Augustin Thierry, *op. cit.*, article sur du Tillet.
[2] Du Tillet avait trouvé ce qu'il croyait être des fleurs de lis sur des statues de rois mérovingiens.
[3] Fauchet dit qu'il l'a trouvé dans un de ses « vieils livres ».

de Philippe Auguste décrit leur état comme étant bien insi-
gnifiant. C'est sous Philippe de Valois, un des « plus pompeux » de tous les rois, que les hérauts ou rois d'armes ont été
le plus en vogue. Ils étaient sous les ordres du grand Ecuyer de
France, et l'état était tenu par « des gens nobles et vertueux » [1].
Ils avaient voyagé aussi, et appris diverses langues, se trouvant
aux fêtes, jeux, mariages, festins, tournois, batailles, « et autres
actions remarquables des grands Roys, Princes et Seigneurs de
tous pays », qui les gratifiaient de nombreux cadeaux.

Fauchet énumère les hérauts de France dont il rapporte
les noms pittoresques. Ensuite il reproduit un long passage
qu'il avait lu dans un livre « écrit à la main du temps de
Charles VII », et où l'on voit le « tres noble et puissant Roy
Alexandre, le très noble Empereur Julius Cesar » octroyant
des armoiries à leurs capitaines.

La citation est suivie d'une remarque fort judicieuse :

> Je croy bien que les ordonnances que cest Autheur dict estre
> d'Alexandre et de Cesar, ne se trouveront pas confirmées par Arrian ou
> Q. Curse, Suetone, et autres qui ont parlé de ces deux tres vaillants
> Princes, mais il y a bien grande apparence, que quand l'on arresta les
> Armoiries aux familles, que les Roys et Princes lors vivans s'en meslerent,
> et que pour le reglement et ordre des Tournois et autres faicts d'armes,
> des gens experimentez en guerre furent appellez, pour dresser les statuts.

La fin du chapitre fait allusion à une particularité de
l'histoire contemporaine. Evidemment, bon nombre de roturiers avaient usurpé la noblesse, et Fauchet suggère que si les
hérauts savaient leur métier, une entreprise aussi présomp-
tueuse ne serait pas possible. Le roi Henri IV était sûrement de
cet avis, car après son arrivée à Paris il annula tous les titres
de noblesse octroyés pendant les vingt années précédentes [2].

Le dernier livre des *Meslanges* est un véritable dictionnaire [3] d'armes et d'armures, commençant à l'époque de Clovis et finissant au XVIᵉ siècle. Fauchet parle d'abord des anciens
Gaulois, qui ont dû être armés comme les auxiliaires des
armées romaines, ayant en plus la francisque, leur arme natio-

---

[1] Fauchet remarque que depuis la mort de Henry II « à l'occasion des
troubles » l'Etat a été rabatârdi « par aucuns qui y sont entrés indignes de telle
charge ». Un peu plus loin, il montre qu'à l'élection de Henry duc d'Anjou
au Royaume de Pologne « l'on fit les armoiries de Pologne de blanc et noir
par faute d'en sçavoir les blasons et couleurs... ce qui ne fut advenu si nos
heraux eussent esté sçavants en leur office ».

[2] Voir p. 106 et notre livre de documents.

[3] Voici quelques-uns des mots expliqués par Fauchet : *gastadours, pionniers,
toraces, hoquetons, arcs, francisque, ançon, scramasaxe, cotereau, brugne,
cetaie*, etc.

nale. Il passe aux armes employées par les nobles et les
« vilains » sous les Capets, qu'elles aient servi à l'attaque
ou à la défense. Suit la description de l'armure complète des
chevaliers [1] avec toutes leurs armes et la housse de leurs chevaux. Il mentionne les divisions de l'armée pendant les différentes périodes avec leurs enseignes, parle ensuite des soudoyers, des hommes d'armes et des archers sous Charles VII,
distinguant entre les archers nobles et les francs qui furent
d'abord choisis parmi les roturiers. Il explique qui étaient les
« pensionnaires », et quelle fut l'origine des « aventuriers »,
devenus si nombreux pendant les guerres d'Italie. Il passe
aux engins de guerre, — les mantelets, les balistes, etc.,
pour terminer avec ceux qui utilisent la poudre, canon, arquebuse, etc., et il ajoute des explications sur le mécanisme de
toutes ces armes. Fauchet estime que l'artillerie n'est pas entièrement un bien pour l'humanité [2]; pourtant il conclut son
chapitre en citant Muenster qui disait qu'on avait tort de blâmer l'inventeur de l'artillerie parce que sans les canons

les gens de bien ne sçauroient vivre en seureté... les villes mesmes
ne seroient point tant puissantes et fortes, ne si riches, pource que les
marchands ne pourroient exercer leurs marchandises... A ceste cause que
les ennemis de l'artillerie cessent de mespriser les dons de Dieu : sinon
qu'ils veulent condamner aussi les dents du chien et l'ouverture de sa
grande gueule, faictes pour mordre les loups et les larrons.

L'admiration de Muenster pour tous ces instruments se
trahit par l'étendue de son vocabulaire quand il en parle :

Or il n'y a nulle magnanimité, nulle force corporelle, nulle astuce
de guerre, nulles armes, nulles forteresses, et roches qui puissent servir
et resister contre telle impetuosité. Car tout est brisé, fracassé, ruiné,
rompu, abbatu, et reduict à neant par ces machines, qui jettent pierres,
fer, feu, flambe tout ensemble, et d'un seul coup abbatent cent et deux
cents hommes rangez en bataille.

---

[1] On trouve les mêmes renseignements dans la lettre intitulée : *Des armes
et bastons des chevaliers*, et envoyée à « Monsieur de Galoup sieur de Chastoil
à Aix ». Cette lettre est publiée dans les *OEuvres* à la suite de la lettre sur l'emplacement de la ville de Paris. (Non paginé.)

[2] Cf. RABELAIS, *Pantagruel*, ch. 8 : « l'artillerie par suggestion diabolique »,
et v. la note de M. Plattard dans l'édition des *OEuvres* de Rabelais publiée sous
la direction de M. Lefranc.

Etienne PASQUIER, *Recherches*, liv. 4, ch. XXIV, oppose l'artillerie à l'imprimerie, « l'Artillerie estant inventée pour la guerre, l'Imprimerie pour la paix :
celle-ci faisant mourir les hommes illustres qui vivent, et cette-cy leur redonnant
la vie apres qu'ils sont morts ». V. la note de A. Boulanger, éd. *L'Art poëtique
de Jacques Peletier du Mans*, Paris, 1930, p. 170, où l'on trouve la citation de
Rabelais et deux autres, l'une de J. du Bellay et l'autre de G. Budé, où l'imprimerie est opposée à l'artillerie.

Hélas, les inventions « diaboliques » et « infernales » de Muenster n'ont pas cessé d'augmenter de force et de puissance depuis le xvie siècle!

Ce qui distingue particulièrement ce chapitre, c'est l'étendue du vocabulaire. Pour désigner la même arme ou le même engin Fauchet énumérera parfois une dizaine de noms, avec des citations pour prouver ses dires [1].

Ce chapitre est également un des plus riches en citations latines. Dans ses *Antiquitez* Fauchet traduit généralement sans mettre le latin : ici nous tenons probablement le premier travail, alors qu'il n'a pas eu le temps de corriger le style.

Nous ne songeons pas à critiquer par le détail ce très copieux chapitre — comment d'ailleurs faire l'examen d'une étude qui est présentée par un « Advertissement » de ce genre :

> Courtois Lecteur, il ne te faut pas attendre en ce Livre qui suit, un ordre; Car il te doit souvenir qu'en celuy des *Antiquitez Gauloises et Françoises*, n'agueres par moy publiées, je t'avoy ja adverty, que ceux que cy apres je te donneroy, ne sont que ce que j'ay peu sauver du bris de mon estude, et encores les plus entieres pieces de mon ravage, selon que je les ay trouvées mieux escrites et plus amples... cependant joüy de ce que je te donne, et le pren en patience, comme une meslange plustost qu'Origine, car ce sera un surpoidz et liberalité de ma marchandise.

Ce serait manquer de courtoisie envers l'aimable vieillard qui parle d'une façon si charmante, si peu prétentieuse, des études auxquelles il avait consacré ses loisirs que de le chicaner parce qu'il n'a pas eu l'idée de nous donner des images pour illustrer son livre.

Ce dernier livre contient quelques fragments très remar-

---

[1] Les livres des *Origines* ne sont que des extraits de l'histoire de France écrite par le Président. Il l'affirme à plusieurs reprises : « Ce recueil... tiré du corps de mes *Antiquitez* et autres mémoires » et « Encores qu'aux livres d'*Antiquitez Gauloises et Françoises* j'aye au long discouru de la façon de faire, des mœurs, habillements et armes des anciens François, je ne lairray de (confusément) ramasser en ce lieu un abbregé de leur ordonnance militaire, principalement depuis mille ans : pour soulager ceux qui desirent d'en cognoistre d'avantage et n'auront loisir de les chercher estant esparses çà et là dedans mesdictes *Antiquitez* ».

Par conséquent, la documentation des *Origines* est aussi riche que celle des *Antiquitez*. Fauchet utilisait livres imprimés, manuscrits, documents et chartes de la Chambre des Comptes et de la Cour des Monnaies. Il a eu accès aux bibliothèques. Les mêmes sources ont été mises à profit, et le même esprit critique sait juger de la valeur de tous les documents. Voici Grégoire de Tours, « pere de nostre Histoire Françoise », « le plus ancien et fidele Autheur qui ait parlé des Roys et du Gouvernement François », le greffier du Tillet, qui « doit estre tenu pour nostre premier Antiquaire », « Aymon, assez mauvais Antiquaire Romain ». Ici les sources sont plus nombreuses.

Voir *Bibliothèque* dans notre livre de documents, où nous les énumérons.

quables, où l'on surprend une note toute moderne de sympathie pour les pauvres et les humbles, les « pauvres villageois
(sans lesquels nous ne pouvons, soient Nobles ou Bourgeois,
vivre des biens que nous avons aux champs) ». Fauchet n'hésite pas à critiquer celui qu'il appelle « le tiran Gem-pille-
homme » qui était habitué à « prendre le poulet, le chapon,
mouton et bœuf, et quelquefois la servante, la fille ou la femme
de son subject ». Gardons-nous de penser que Montaigne fut le
seul au XVIᵉ siècle à s'émouvoir sur le sort des petites gens!

Traité des Privileges et Libertez de l'Eglise gallicane [1]

Le gallicanisme des parlementaires est proverbiale. Au
cours du XVIᵉ siècle il se montre maintes fois. Fidèle à la doctrine conciliaire et à la théorie des Eglises autonomes, et mé-
content du Concordat de Bologne (1516), qui semblait lier la
royauté française aux intérêts temporels du Saint-Siège, le
monde du Palais accueille avec empressement les commentaires du jurisconsulte Charles Du Moulin sur l'édit de 1550,
que le gouvernement français oppose aux fraudes de la fisca-
lité romaine. En 1551, Henri II paraît sur le point d'établir
une Eglise nationale, mais empêché probablement par le cardinal de Lorraine, conclut en 1552 une trêve avec le Saint-
Siège et consent à l'établissement des jésuites dans le royaume.
Les envoyés français à la reprise du Concile de Trente qui
s'ouvre en 1562 [2], Arnaud du Ferrier, Pibrac et Lansac, galli-
cans fervents, se séparent de la politique du cardinal de Lorraine que l'assassinat de son frère, François de Guise, avait
arraché au gallicanisme, et refusent de signer le Concile.

---

[1] V. P. Dupuy, *Preuves des Libertés de l'Eglise gallicane*. Recueil-traité par
Pierre Pithou, *Remonstrances au Roy Louis XI par la Cour de Parlement*, traités
par Jacques Capel, Noël Brulard, Jean du Tillet, *Arrest de la Cour... contre
Jean Tanquerel, Bachelier en la Faculté de Théologie*, 1561, traités par Baptiste
du Mesnil, Claude Fauchet; *Discours des raisons et moyens pour lesquels
Messieurs du Clergé assemblés à Chartres ont déclaré les Bulles monitoriales
decernées par le pape Grégoire XIV... nulles et injustes.* Charles Faye : traités
par François Pithou, Antoine Hotman, Extrait du livre de Guy Coquille. *Arrest
de la Cour contre Florentin Jacob...* Nous avons consulté l'édition de 1731.
V. Bibliographie.
   V. J. Thomas, *Le Concordat de 1516, ses Origines, son Histoire au XVIᵉ Siècle*,
Paris, 1910.
   H. Hauser et A. Renaudet, *Les Débuts de l'Age moderne*, Paris, 1929.
   H. Hauser, *La Prépondérance espagnole*, Paris, 1933.
[2] Avant cette date, les Etats d'Orléans (1560) avaient demandé des élections
ecclésiastiques, voulant asssurer à l'élément local la plus grande part d'influence.
Les députés du tiers éprouvaient d'autres inquiétudes au sujet des sommes con-
sidérables, qui devaient être fournies au Pape pour le payement des annates, etc.
Voir G. Picot, *Les Etats généraux*, t. 2, pp. 83, 84.

Les publications de Baptiste de Mesnil, *Advertissement sur le Concile de Trente faict en 1564*, et de Charles du Moulin, *Conseil sur le faict du Concile de Trente*, entretiennent l'hostilité gallicane. Mais malgré le plaidoyer d'Estienne Pasquier pour l'université contre les jésuites, ceux-ci ouvrent le collège de Clermont en 1564.

La crise dynastique qui survint après la mort du duc d'Anjou, où le Pape Sixte-Quint lance une bulle déclarant Henri de Navarre et Condé déchus de leurs droits, soulève l'indignation du Parlement de Paris, qui considère cette bulle comme un empiétement sur les droits temporels de la couronne. Les réponses ne manquent pas, et la controverse s'engage sur la loi salique qui est comme le symbole de la liberté française [1]. L'assassinat de Guise en 1588 déchaîne un monitoire de Sixte-Quint contre Henri III, mais à la mort de celui-ci, le Pape paraît accueillir les propositions des navarristes. Cependant son successeur, Grégoire XIV, ordonne aux cardinaux qui étaient devenus les partisans du nouveau roi de le quitter et somme tous les bons catholiques français d'en faire autant. Exaspérée, une assemblée de cardinaux, archevêques, évêques, abbés, chapitres et autres ecclésiastiques se tient à Chartres, et déclare « les dites monitoires, interdictions, suspensions et excommunications nulles tant en la forme qu'en la matière injustes et suggérées par les artifices des estrangers ennemis de la France, et ne pouvant lier ny obliger les François Catholiques estans en l'obeissance du Roy ». Cette décision invoquait « l'authorité de l'Escriture Saincte, des saincts décrets, conciles généraux, constitutions canoniques, exemples des sains Pères dont l'antiquité est pleine, droicts et libertez de l'Eglise Gallicane, desquelles les évesques se sont toujours prévalus et défendus contre de pareilles entreprises » [2].

Le traité de Claude Fauchet, quoiqu'il ne soit pas daté a dû être écrit à ce moment, alors que celui-ci était à Villiers, « Chasteau domicile de Mars plustost que d'Apollon » comme il appelle sa demeure à la fin du traité. Il semble, toujours d'après les renseignements fournis par le traité, que quelqu'un (Fauchet ne le nomme pas) lui avait posé trois questions, à

---

[1] Pierre de l'Estoile écrit une réponse à « Monsieur Sixte, soi-disant Pape ». V. François HOTMAN, *Brutum fulmen Papae... adversus Henricum Reg. Navarrae;* du Plessis-Mornay, du Belloy, etc.

[2] Le « Discours » se termine par des « Vœux pour la conversion du Roi » : « Nous admonestons au nom de Dieu tous ceux qui font profession d'estre Chrestiens, vrays Catholiques et bons François... de joindre leurs vœux et prieres aux nostres pour impetrer de sa divine bonté qu'il lui plaise illuminer le cœur de nostre Roy et le reunir à son Eglise Catholique Apostolique et Romaine. »

savoir : « Si nostre Roi peut estre excommunié par le Pape; quelle puissance ont euë en France les Pontifes Romains; quelles sont les Libertez de nostre Eglise Gauloise? » Le Président essaye de répondre de son mieux, mais il a trouvé peu de livres au domicile de François de Menuau — soldat plutôt que docte — et les « trois ou quatre auteurs » qu'il a apportés sont insuffisants à ses yeux pour satisfaire son correspondant. C'est pourquoi il termine sa lettre par une courte bibliographie, citant « Pierre de Gugnieres [1], *Deffensor Pacis* [2], le *Songe du Vergier*, les actes du concile de Constance et Basle [3]; Jean Lemaire [4] de Belges en son *Promptuaire des Conciles*; Du Moulin [5] sur les petites dates. »

Malgré toutes les difficultés et le manque de livres, Fauchet a rassemblé dans une vingtaine de pages les faits les plus importants au sujet des relations de l'Eglise de France avec la Curie.

Il débute par une courte histoire des commencements du christianisme, mentionne la « modestie » des apôtres au premier concile, « escrit au 15 des Actes des apostres », et assure que saint Pierre avait bien été à Rome puisqu'il date « sa 1. Epistre de Babylone, que les anciens disent avoir esté Rome ». Suivent des citations de Tacite, Pline le Jeune, Ammien Marcellin et des pères de l'Eglise, saint Irénée, Tertullien et saint Cyprien pour montrer les progrès de l'Eglise chrétienne pendant les premiers siècles.

Pour ce qui concerne l'Eglise de Gaule, la période des invasions est importante, parce que à ce moment, beaucoup de Gallo-Romains sont entrés dans les ordres, et ont reporté la haute estime qu'ils avaient pour Rome, l'ancienne maîtresse du monde, sur l'Eglise de Rome.

Ici Fauchet fait une digression sur l'organisation de l'an-

---

[1] Sur Pierre de Cugnières, v. MOLINIER, *op. cit.*, t. 4, n° 3187. Les articles proposés par Pierre de Cugnières sont publiés dans les *Libertez de l'Eglise gallicane*, éd. de 1731, I.

[2] Sur *Defensor Pacis*, v. MOLINIER, 1022. Sur le *Songe du Verger*, v. MOLINIER, *op. cit.*, t. 4, 3343.

[3] Sur les Conciles, v. J. D. MANSI, *Sacrorum conciliorum... collectio*, Paris et Leipzig, 1903.

[4] Jean LEMAIRE, *Le Promptuaire des Conciles de l'eglises Catholique avec les Seismes et la difference d'iceulx...*, imprimé nouvellement, Lyon, 1532. Cf. H. CHAMARD, *Les Origines de la Poésie française de la Renaissance*, Paris, éd. de 1932, p. 156. C'était pour aider le roi Louis XII dans sa lutte contre le pape Jules II que Lemaire écrivit ce pamphlet en 1511. Lemaire y développe la thèse que les conciles ont tendu constamment à maintenir l'unité de la religion.

[5] Les œuvres du jurisconsulte C. du Moulin ont été éditées par Simon Bobé, son gendre en 1608. V. Pierre RONZY, *Papire Masson*, p. 583. Les *Petites Dates — Commentarius ad edictum Henrici secundi contra parvas datas et abusus curiae Romanae*, Lyon, 1552, trad. en fr. 1554. Sur le retentissement des *Petites Dates*, v. C. LÉNIENT, *La Satire en France au XVIᵉ siècle* t. 1ᵉʳ, p. 208.

cienne Eglise, comment les évêques gaulois vivaient avec leur
« clergé », puis il essaie de définir les limites de l'autorité du
Saint-Siège, indiquant que les conciles gaulois sont tenus sans
qu'il y ait besoin de demander l'autorisation du Pape, qu'aucun cas n'est fait du *pallium*, que les évêques sont nommés par
le Roi, et que les procès qui surviennent entre les évêques sont
jugés devant le Roi et le Parlement. Le pouvoir du pontife a
augmenté pour plusieurs raisons. Certains empereurs — Fauchet nomme Justinien, Pépin et Charlemagne, car il ne croit
pas à la donation de Constantin le Grand — ont octroyé des territoires au Saint-Siège, et Pépin et Charlemagne ont été cou-
ronnés par le Pape. Les territoires possédés par le Pape lui ont
donné une certaine juridiction, quoiqu'il reconnaisse toujours
l'autorité des empereurs. Quant à l'excommunication, Fauchet démontre que sous Louis le Pieux, cette arme n'avait
aucune force, quoiqu'elle devienne très efficace par la suite.
Charles le Chauve renonça à l'élection du Pape pour avoir
l'empire, et Nicolas II fit tenir un concile où il fut ordonné que
les papes fussent élus par les cardinaux seuls; mais ce fut Hil-
debrand, Grégoire VII, qui assura la domination de la papauté
contre l'empereur Henri IV. « L'avilissement » de cet empereur
fut cause que les papes suivants portèrent moins de respect aux
autres rois, et « plus hardiment despouillerent les Evesques
Provinciaux de leurs tiltres et privileges honorables... car
depuis l'abaissement dudit Henri IV, ils oserent ouvertement
citer à leur Cour tous Evesques, et sans attendre l'authorité
des Empereurs et des Roys, envoyer leurs Legats pour assister
aux Conciles des Provinces, et eux-mesmes y presider en personne, se monstrans Juges et arbitres des differents survenus
entre les Roys ».

Fauchet rappelle ensuite la résistance que ces « entreprises » ont rencontrée chez saint Louis et Philippe le Bel, qui
malgré l'excommunication d'abord prononcée contre lui par
Boniface VIII, ne fut pas excommunié par son successeur.

Arrivant à l'origine des exactions papales, Fauchet énumère les principales dates qui importent pour les libertés de
l'Eglise gallicane. Il est très sévère pour les rois qui, levant
les décimes sur les évêchés, « remirent sus » les annates, grâces
expectatives et réservations. La conclusion du traité résume
tout le raisonnement et ne manque pas d'une certaine vivacité :
« Je puis dire avec les Anciens que toutes les entreprises papales
sont procédées des exemptions de jurisdiction octroyées par les
Empereurs et Rois aus Papes ou Ecclesiastiques, lesquels en
usants mal contre leur Majesté doivent perdre ces privileges... »

La papauté n'a donc aucune autorité en elle-même contre des rois qui lui ont donné toute l'autorité qu'elle possède.

Il est évident que le Pape n'a en France que la juridiction qu'on veut bien lui concéder puisque le Parlement contrôle les « lettres et rescrits » des Papes. L'histoire nous apprend que, depuis 800 ans, les Papes se sont « avancez en l'authorité que maintenant tout ouvertement ils defendent, et par armes s'efforcent d'agrandir ». Bien des guerres sont ainsi dues à l'instigation des Papes. Il est vrai que la papauté n'a pas toujours assailli nos rois, les anciens papes surtout n'ont prétendu en France aucune souveraine juridiction ecclésiastique que de gré à gré. Mais quand ces derniers ont voulu l'avoir, ils ont été contredits par les rois, qui non plus n'ont observé les décrets des Conciles tenus en dehors de leurs royaumes, et en l'absence de leurs évêques, ... « laquelle ancienne liberté Françoise, le Roy nostre Sire, nos reverens et Chrestiens Prelats, nostre gentille Noblesse et peuple fidelle doivent maintenir et conserver par tous bons moyens pour laisser aux heritiers de Hugues Capet entiere la couronne... » Les vaines et impuissantes foudres de Grégoire XIV ne sont pas à craindre, car il n'est point « nostre Evesque », et ne se montre point chef digne de l'Eglise catholique, « ains souldrier et gendarme partial »; il n'a aucune puissance en France.

Ces quelques citations indiquent le ton du traité. L'emploi de certains termes, comme par exemple « Romipetes », — le manque de respect que le Président témoigne à l'égard de Grégoire XIV [1] qu'il appelle « soy disant Pape », qui essaye de « transporter la couronne en Espaigne à nostre honte », suggèrent immédiatement que Fauchet éprouve, comme il était naturel, des sentiments très violents quand il croit que l'indépendance du pays est en jeu. La dernière phrase du traité nous avertit cependant qu'il reste bon catholique. Il n'a pas voulu employer les arguments des « pretendus reformez, escrits contre la Primauté du Pape, ayant entendu traiter ceste question plutost en historien que Théologien, et neantmoins comme François, je n'ay sceu me contenir d'arracher le masque à ce pere feint, qui ingrat veut esteindre le plus bel œil de la

---

[1] Cf. *Antiquitez*, f. 195 vº. « Je ne croy pas qu'aucun Ecclesiastique ait puissance de deslier un sujet du serment qui l'oblige a son Prince. »

Quant aux sources du traité, il est évident que Fauchet a utilisé les mêmes sources que pour ses *Antiquitez*. Il y a une cinquantaine d'auteurs allégués dans ces pages. S'il y a une différence, elle tient au fait que le Président parle ici en homme de loi, citant Justinien, le canoniste Gratien et C. du Moulin quelquefois avec le latin au lieu d'une traduction en français. Notons aussi les noms de Jean Lemaire de Belges et de du Tillet dont Fauchet appréciait toujours les recherches. Voir à *Bibliothèque* dans notre livre de documents.

Chrestienté pour nous rendre marranes » [1]. C'est en tant que
Français patriote qu'il a écrit sa conclusion avec une ardeur
inaccoutumée qui nous fait regretter que les événements tragiques qu'il avait vus n'aient pas tenu une plus grande place
dans ses œuvres.

Pour le couronnement du Roy Henry IV [2]

Fauchet ne s'est pas contenté d'écrire son *Traité des Privileges et Libertez de l'Eglise gallicane* en 1591, il a encore
réuni quelques faits qui se rapportaient au couronnement de
Louis, fils de Charlemagne, et à celui de Charles le Chauve; il
y a ajouté une suggestion hardie, en a fait une brochure de
quelques pages et l'a offerte au Roi en février 1593.

Il présente ainsi une réponse à ceux qui prétendaient que
Henri IV n'était pas le roi légitime parce qu'il n'avait pas été
sacré de mains d'évêques. D'abord Henri IV tient la couronne
de sa maison, de sa famille qui est issue de saint Louis. Ensuite,
le sacre n'ajoute rien au droit que le Roi possède à la couronne.
Les rois de la première race n'ont pas été sacrés : Charlemagne
couronna son fils Louis, et Louis en fit autant pour Charles le
Chauve. Fauchet alors fait la proposition suivante :

Devant une église ou sur une grande place, le Roi fera
élever un dais royal. Il choisira un dimanche, et accompagné
d'une suite de princes, de seigneurs et d'évêques, fera porter
devant lui une couronne. Ensuite, il racontera à l'assemblée
comment, étant appelé au trône, il a pacifié le royaume, mais
que certains rebelles voulant couronner un autre, il a fait
cette réunion de ceux qui étaient ses bons et loyaux sujets.
C'est son ardent désir de gouverner l'Eglise par bonnes lois;
il promet et jure devant Dieu de vivre selon l'Eglise catholique,
de faire justice au grand et au petit, de garder la liberté de ses
sujets, sans transgresser les lois faites par ses prédécesseurs.
« Lors chacun ayant crié *Vive le Roy*, il commandera aux
Princes du Sang Royal prendre la Couronne et la luy apporter :
ce fait, luy mesmes se la mettra sur la teste [3]. Puis chacun
derechef criera *Vive le Roy*. »

---

[1] *Marrane* : juif converti, sobriquet des Espagnols au xvie siècle (Godefroy).
[2] Sur le début du règne de Henri IV, voir : P. ROBIQUET, *Histoire municipale
de Paris*, t. 3, *Règne de Henri IV*, 1904; P. RICHARD, *La Papauté et la Ligue
française, Pierre d'Epinac, Archevêque de Lyon*, Paris et Lyon, 1901; Michel
DE BOUARD, *Sixte-Quint, Henri IV et la Ligue, la Légation du Cardinal Caëtani
en France*, Bordeaux, 1932.
[3] Plus tard, Napoléon se couronna lui-même, pour bien constater qu'il ne
devait son pouvoir qu'à lui-même.

Cette proposition montre bien l'esprit indépendant du Président. Il conseille au Roi de renverser les habitudes de ses prédécesseurs, et de remonter sept cents ans en arrière. On remarquera aussi qu'il lui a dicté les promesses et le contrat que le Roi doit faire au peuple. Il lui a, en réalité, enseigné son devoir. Fauchet avait eu l'habitude de parler ainsi à Henri III, qui écoutait tous les conseils, mais Henri IV avait déjà autour de lui un assez grand nombre de personnes qui lui prodiguaient leurs avis, et il n'a pas accueilli la proposition de Fauchet. Le but du nouveau roi n'était pas d'aliéner les sympathies mais plutôt de les gagner, et un acte tel que Fauchet le préconisait, tout en ayant des précédents historiques, n'aurait pas manqué de froisser une grande partie de la nation.

Conclusion

La vie de Claude Fauchet, telle que nous avons pu la reconstituer, offre un exemple typique d'une carrière de magis-
trat-érudit au xvie siècle. Son enfance et sa jeunesse passées au
milieu d'hommes de loi, dans la maison paternelle, ses études
aux universités de Paris et d'Orléans, son voyage en Italie avec
François Perrot où il fait la connaissance des savants d'outre-
mont et admire leurs méthodes de documentation précises, le
préparent au métier qu'il viendra exercer à Paris. Apparenté
aux premières familles du monde parlementaire, il ne tardera
pas à entrer comme conseiller au Châtelet, et à se lier d'amitié, avec ce groupe d'avocats érudits qui s'intéressait aux entreprises patriotiques de la Pléiade. Il aura ses entrées à la bibliothèque de Henri de Mesmes et assistera aux *pulcherrimis
disputationibus* des doctes qui s'y réunissent pour discuter de
littérature et de philosophie. Le groupe présentera un recueil
collectif de vers à Michel de l'Hospital sur la médaille antique
où figure un Aristote ressemblant au chancelier; Fauchet y
insère quelques vers latins, où les louanges du roi Charles se
mêlent à celles de son ministre.

C'est vers l'âge de quarante ans qu'il commence sa belle
carrière de Président à la Cour des Monnaies. Désormais très
occupé par les devoirs de sa charge, voyageant comme député
de la Cour, jouissant de la confiance de la royauté, il séjour-
nera en Normandie et en Champagne. La mort de Charles IX
le fait passer au service de Henry III. Pendant la crise monétaire il prend une part honorable aux discussions de tous les
« notables », et lorsque le hasard laisse vacant l'office le plus
important de la Cour, il est désigné pour l'occuper. En même
temps, il poursuit ses études sur l'histoire de France, et sur
l'origine de la langue : il prend en mains aussi la traduction
de Tacite, commencée jadis par Estienne de la Planche, et peine
pour la terminer.

Installé après son second mariage dans le bel hôtel de la rue de Grenelle, il vit entouré d'amis, estimé par tous. Son mérite professionnel lui vaut l'anoblissement. Il semble toutefois que vers la fin du règne de Henri III il ait pris conscience des défauts du souverain et qu'il se soit éloigné de Paris avec le dessein arrêté de prendre sa retraite. Mais les ligueurs ne le laissent pas en repos. La maison de son fils est brûlée, les chevaux enlevés; son hôtel de Paris pillé et ses livres volés. Celui qu'il avait désigné pour lui succéder dans sa charge reste à Paris, et le gouvernement transféré à Tours choisit deux collègues de Fauchet qui se trouvent sur les lieux, sans avoir aucun égard à l'argent que le vieux Président avait dépensé jadis pour acheter son état. Obligé de se réfugier dans le château de François de Menuau, il peut enfin rassembler l'équipage nécessaire pour faire le voyage de Tours, où il est rétabli dans sa charge. L'avènement de Henri IV l'envoie dans le Midi où il sert les desseins du Roi en vue de rétablir les finances. Revenu à Paris il prend sa retraite, s'installe à Orgerus, et occupe ses dernières années à la mise au point et à la publication de ses œuvres. Il ne jouit pas lontemps de son repos, car la mort coupe court à ses occupations d'érudit.

Cette vie si simple est bien celle d'un fonctionnaire qui accomplit son devoir journalier avec toute sa conscience. Toutefois, Claude Fauchet n'était pas estimé seulement pour le zèle qu'il montra dans ses fonctions, mais aussi pour son honnêteté et pour son esprit libéral et tolérant en matière de religion. En gallican convaincu, il ne ferme pas les yeux sur les défauts de l'Eglise, mais esprit surtout conservateur il ne voudrait pas se séparer de celle-ci. Il est sincèrement attristé par les luttes qui déchirent la France. Il les attribue moins aux sujets qu'au souverain et aux flatteurs indignes de celui-ci, et c'est pourquoi les bons conseils aux rois couvrent des pages émues de ses *Antiquitez.* Cette forte empreinte de nationalité, ce riche fonds de bon sens doivent protéger Fauchet contre l'oubli.

Mais le trait le plus frappant de son caractère aux yeux des contemporains est bien cette modestie qui a attiré l'attention d'Estienne Pasquier, et cette droiture qui fait qu'il ne se dérobe jamais, mais avoue franchement quand la lumière ne s'est pas faite sur un point douteux.

Il existe deux portraits de Claude Fauchet, pris à l'âge de cinquante ans et à l'âge de soixante-dix ans. Tous deux révèlent un physique agréable. « Fauchet étoit de très belle représentation avec une grande barbe », dit une note de M. Falconnet.

dans la *Bibliothèque françoise* de La Croix du Maine. L'œil vif,
le nez puissant, les rides et la belle barbe du deuxième portrait
montrent le magistrat majestueux qui a demandé à avoir
« séance, entrée et voix déliberative » en la Cour des Monnaies
après avoir pris sa retraite, et qui n'a pas craint — il y a tout
lieu de le croire — d'écrire des vers moqueurs sur la parcimo-
nie de Henri IV.

Cependant son œuvre aussi bien que ses qualités personnelles expliquent le succès qu'il trouva auprès des érudits de
son temps.

Un historien autorisé [1] a dit qu'au xvie siècle l'érudition
et l'art sont seuls en crédit. L'œuvre entière de Fauchet est faite
d'érudition.

Son goût pour l'étude et pour les occupations sérieuses
se révèle par la traduction honnête et fidèle qu'il donne de
Tacite. Celle-ci est faite juste au moment où elle devait être
faite, c'est-à-dire, elle comble une lacune : il n'y a pas encore
de traduction complète de Tacite, et celle qu'avait commencée
La Planche demandait à être « parachevée ». Malgré le style
un peu lourd, la réelle compétence du traducteur surmonte les
difficultés d'un auteur réputé justement parmi les moins faciles,
à rendre en langue étrangère.

Depuis sa jeunesse Fauchet prenait à la lecture des chroniques, des épopées et des romans du moyen âge un vif et réel
plaisir. Il prit l'histoire pour son domaine, et quoiqu'une
œuvre écrite en latin eût sans doute recueilli des suffrages plus
variés et plus nombreux qu'une histoire en français, Claude
Fauchet, influencé probablement fort jeune par ses amis de la
Pléiade, se mit à « bâtir le cors d'une belle histoire, y entremes-
tant à propos ces belles concions et harangues à l'immitation
de celuy que je viens de nommer (Tite-Live), de Thucidide,
Saluste ou quelque autre bien approuvé » [2].

Augustin Thierry [3] observait jadis que « de tous ses contemporains, Fauchet est presque le seul qui ait apprécié Grégoire de Tours à sa valeur; qui ait senti toute l'importance de
cet historien ». Ce n'est pas là un mince mérite.

Nous avons aussi remarqué l'immense documentation, et
l'esprit critique qui caractérisent les *Antiquitez*. Fauchet compare, choisit, combine ses autorités diverses, et il en résulte

---

[1] Pierre VILLEY, *Marot et Rabelais*, Paris, 1923, avant-propos, pp. XIII, XIV, XV.
[2] DU BELLAY, *Deffense...*, éd. H. Chamard, pp. 237-238.
[3] *Œuvres complètes* d'Augustin THIERRY, t. 3, *Lettres sur l'Histoire de France,
Notes sur Quatorze Historiens antérieurs à Mézerai*, Paris, 1851.

une histoire de la Gaule et de la France sous les deux premières races, presque entièrement purgée de fables.

Les *Antiquitez* témoignent d'une prodigieuse activité intellectuelle, mais l'ouvrage le plus original de Fauchet est incontestablement le *Recueil*. Il est clair qu'il a tiré de ses lectures personnelles la matière de l'histoire de la langue. Entraîné par l'exemple des grands Italiens, Dante, Bembo, Speroni et Varchi, il leur emprunte peut-être l'idée d'écrire son livre, mais c'est tout. Les documents sur l'histoire du français doivent nécessairement différer de ceux qui concernent une autre langue, et l'originalité de notre savant reste intacte. Claude Fauchet passe tout à l'étamine de sa critique, et arrive à donner un des premiers traités véritablement judicieux sur la langue française.

Son histoire de la poésie bien que fort sommaire est le premier aperçu que nous ayons sur une période de la littérature presque complètement ignorée au xvie siècle.

Au livre II du *Recueil*, utilisant les nombreux manuscrits qu'il avait rassemblés ou empruntés, Fauchet se fait l'éditeur des « poëtes françois vivans avant l'an 1300 », alimentant ses notices biographiques de nombreuses citations. C'est la première vue d'ensemble qui nous soit parvenue sur la poésie française du moyen âge, et Estienne Pasquier n'ayant exprimé que des idées très superficielles sur l'ancienne littérature, le *Recueil* de Fauchet restera bien longtemps le seul livre de cette sorte.

S'ils (les hommes de sçavoir) me font cest honneur de lire ces *Antiquitez* : je prieray ceux-là, soy contenter de mon travail, comme de memoires simples et non fardez... je les puis asseurer qu'ils trouveront en ce livre d'assez bons preparatifs, pour l'advancement d'un plus grand ouvrage que le mien.

On se rappelle la modestie habituelle de Fauchet lui-même en face de son travail. Il a souligné la difficulté de ses recherches, le caractère hypothétique de ses conclusions, la nécessité de coopération entre les érudits. Il est au pôle opposé des poètes, ses contemporains, et la gloire qu'il attend ne ressemble nullement à celle d'un Ronsard ou d'un Desportes, — Fauchet espère avoir apporté un peu de lumière en « telle obscurité », et c'est tout. Il invitait les futures générations à se servir de son œuvre. Elles y ont puisé à pleines mains.

Notre chapitre sur les amis de Fauchet [1] apporte de nom-

---

[1] Voir pp. 63 et suiv.

breux témoignages de l'estime où on le tenait pendant la
seconde moitié du XVIe siècle. Malgré les précautions dont on
doit user à l'égard des faits rapportés par Scévole de Sainte-
Marthe, on pourra croire sans difficulté que ce dernier donne
l'opinion courante sur notre auteur, qu'il appelle « homme
exact et judicieux dans la recherche des antiquités, et particulièrement celles du royaume de France ». Nous n'avons rien à
reprendre aux autres expressions de Sainte-Marthe, qui parle
de la « haute intelligence de l'histoire » qu'avait Claude Fauchet, de « ses soins assidus » et de son « immense diligence ».
Les *Bibliothèques* [1] de La Croix du Maine et de du Verdier gla-
nent quelques faits dans les Préfaces de Fauchet lui-même,
mentionnant sa « docte traduction » de Tacite, son « travail
infini », sa « diligence merveilleuse », s'accordant, en somme,
parfaitement avec le jugement de Sainte-Marthe.

Au XVIIe siècle subsiste d'abord la tradition de la visite de
Fauchet à Saint-Germain-en-Laye en 1599. Antoine Mornac,
admis au barreau du Parlement de Paris en 1579 a pu connaître le Président, — au moins de vue — et il a recueilli l'histoire de la visite en question pour la consigner dans ses *Feriae
forenses* [2] :

> Falcetij sors arcta doluit optimis.

Dans les *Patiniana* [3], on retrouve un écho de l'amitié de
Fauchet et de Bodin, et l'ami de Patin, Gabriel Naudé [4], bibliothécaire du président de Mesmes et de la reine Christine de
Suède — pour ne citer que ces deux noms illustres parmi ses
mécènes — semble avoir été au courant des relations de Fauchet et de Henri de Mesmes. Naudé doit avoir feuilleté des
manuscrits de Fauchet dans la bibliothèque de la reine. Au
surplus, la bibliothèque de Fauchet est mentionnée par le Père
Louis Jacob [5].

Ses activités à la Cour des Monnaies sont notées par l'historien de cette Cour, Germain Constans [6], qui rappelle les titres
des œuvres de Fauchet, et ajoute : « Par tous lesquels volumes
il est aisé de juger qu'il ne possédoit pas seulement cette science

---

[1] Voir les *Bibliothèques françoises* de LA CROIX DU MAINE et DU VERDIER,
t. 1er, p. 138 et t. 3, p. 342 (éd. Rigoley de Juvigny).
[2] *Feriae forenses et elogia illustrium togatorum Galliae ab anno 1500*, Paris,
1619, p. 71.
[3] Voir p. 65.
[4] G. NAUDÉ, *Advis pour dresser une Bibliothèque*, Paris, 1876 (réimprimé
d'après la 2e édition, 1644), p. 72.
[5] *Traité des ... bibliothèques*, Paris, 1655, p. 528.
[6] *Traité de la Cour des Monnoies*, Paris, 1658, p. 258.

particuliere des monnoyes... mais qu'il estoit très sçavant de l'histoire et des plus belles choses et plus remarquables de l'antiquité. » Et le petit neveu de Fauchet, Claude Bouteroue [1] ne manque pas de rappeler sa parenté avec le Président pour expliquer la genèse de son livre.

Ces témoignages doivent quelque chose à la tradition, — ils ne sont pas uniquement constitués par la lecture des œuvres de Fauchet. Nous passons maintenant aux écrivains qui ne semblent connaître Fauchet que par ses livres.

L'édition parisienne de 1610 des *OEuvres* fut réimprimée à Genève l'année suivante par les soins de Pyrame de Candolle [2]. Certains exemplaires portent le nom de la société en commandite établie à Yverdon par Candolle et les patriciens bernois qui l'encouragaient, *Société helvétiale Caldoresque*, et d'autres exemplaires, celui d'un imprimeur genevois qui devait plus tard souffrir l'emprisonnement, Paul Marceau. La traduction de Tacite qui émane de Genève en 1612 est due à Candolle, qui supprima toute indication du traducteur originel et mit une dédicace de son cru. Mais c'est bien la traduction de Claude Fauchet qu'il utilise.

Les *Antiquitez* sont connues de Scévole II et Louis de Sainte-Marthe [3], d'André Duchesne [4], de Peiresc et des frères Dupuy [5]. Peiresc parle d'un manuscrit des *Gesta Dei par Francos* qui avait appartenu à Fauchet, et qui était devenu la propriété de son neveu, Denis Godefroy. En fait, les Godefroy, les Dupuy, Jean Besly, lisaient les *Antiquitez* la plume à la main, en faisaient des extraits, les comparaient aux sources où Fauchet avait puisé [6]. Un correspondant des Dupuy, Frère Jean de Saint-Paul, remarque que La Popelinière n'a « jamais rien veu de Fauchet » [7]. C'est en vain aussi qu'on cherche le nom du Président dans les *Discours des vertus et des vices de l'histoire* [8]

---

[1] *Recherches curieuses des monnoyes de France*, Au Lecteur; voir aussi pp. 162, 189, etc.

[2] Voir E. GAULLIEUR, *Etudes de Typographie genevoise du XIVe au XIXe siècle*, Genève, 1855, p. 190.

[3] *Histoire généalogique de la maison de France*, 1619, t. 1er, p. 11.

[4] *Bibliothèque des Autheurs, qui ont escript l'histoire et topographie de la France*, 1618, p. 6.

[5] *Lettres de Peiresc aux frères Dupuy*, lettre du 5 juin, 1627, t. 1er, p. 265.

[6] Voir à la Bibliothèque nationale, manuscrits Dupuy 816, 817, 702, 821, 488, 896, 897. Voir aussi Dupuy, vol. 34, f. 50 : « Notes de Théodore Godefroy sur l'ouvrage de Fauchet. »

[7] Voir Bibliothèque nationale, manuscrit Dupuy 712, f. 97.

[8] Gomberville critique presque tous les historiens. Voici le genre de critique : « Je ne voy jamais du Haillan et Serre (ignorans et ridicules ennemis des Papes) que je n'aye un extraordinaire envie de rire. » (1680.)

de Gomberville, mais celui-ci mentionne Fauchet dans la dédicace de sa *Doctrine des Mœurs* [1].

Dans son *Histoire générale de France* [2], Scipion Dupleix
passe en revue tous ses prédécesseurs, et c'est ici que nous rencontrons la première note qui détonne dans le chœur des
louanges :

> Fauchet qui n'a cédé en rien à Vignier touchant la cognoissance
> de nostre histoire, ne l'égale pourtant en l'ordre ny en la méthode. Car
> celuy-ci est grandement confus, entassant toute sorte d'affaires de
> diverses nations et de diverse considération les unes sur les autres, et
> si son style n'est nullement limé, ains rude, grossier et désagréable.
> Mais ce qui est le plus a blasmer en lui, c'est la passion déréglée qu'il
> tesmoigne a tous propos à l'encontre su Sainct-Siege.

L'esprit étroit de Dupleix l'a empêché de tirer tout le profit possible des *Antiquitez*, et des critiques plus récents [3] ne
manquent pas de faire remarquer que l'érudition de Fauchet
dépassait de beaucoup celle de Dupleix.

Les *Bibliothèques françoises* de la seconde moitié du siècle
jugent plus équitablement l'œuvre de Fauchet. Charles Sorel [4],
qui avait les connaissances nécessaires pour apprécier la solidité du travail de Fauchet, le loue hautement, tout en lui
reprochant son désordre :

> Cet auteur (Fauchet) a ecrit plus amplement que luy (Dupleix) en
> de certains endroits et a rapporté des choses dont il n'a fait aucune
> mention. Veut-on sçavoir pourquoy M. du Pleix n'a pas sceu tant de
> belles particularitez ? C'est qu'il n'avait pas en main tous les manuscrits
> que le Président Fauchet avoit feuilletez et que les livres de M. du
> Chesne n'estoient pas encore imprimez... Il y a des incidens qu'on prend
> plaisir a voir decrits dans Fauchet...

Sorel trouve le langage de Fauchet « antique », et en fait, on
commençait à être rebuté par le style du xvie siècle, mais pour
Sorel la solidité de l'érudition de Fauchet est incontestable.

Les Bullart avaient eu l'intention de mettre une notice sur

---

[1] Le Père l'Enfant, dans son *Histoire générale de tous les Siècles*, dit que le
roi Louis XIII « se lassa tellement dans la lecture utile mais desagreable des
Antiquitez de Fauchet qu'il eut une aversion si générale pour toutes sortes de
Livres qu'elle n'a pû être bornée que par la fin de sa vie », et il renvoie à Gomberville dans *La Doctrine des Mœurs*. Nous y avons trouvé cette histoire que
nous avons essayé de contrôler en nous adressant au *Journal sur l'enfance et la
jeunesse de Louis XIII* de J. Héroard, réimprimé en 2 vol. Paris, 1868, mais
nous n'y avons rien trouvé. Croyant qu'il y aurait plus de chance de voir une
allusion aux *Antiquitez* dans le *Discours des Vertus et des vices de l'Histoire*, nous
l'avons consulté, mais nos recherches sont restées infructueuses.
[2] Paris, 1631, au début.
[3] Voir la critique de Sorel, et cf. la *Biographie* de Hœfer, article *Dupleix*.
[4] *Bibliothèque françoise*, 2e édit., 1667, p. 377.

Fauchet dans leur *Académie des Sciences et des Arts*, comme on l'apprend par un manuscrit de la Bibliothèque de Lille [1]. Ils n'ont pas réalisé leur projet.

Adrien Baillet dans ses *Jugemens des Savans* [2] rapporte les jugements de ses prédécesseurs sur Fauchet, et le *Dictionnaire* de Bayle [3] recueille également des renseignements, mais ces dernières notices ne sont que des compilations et ne décèlent aucune opinion personnelle.

Fauchet est resté dans la mémoire du xviie siècle pour son étude de la langue. Deux d'entre ses successeurs pillent son *Recueil*, — Claude Duret, président au présidial de Moulins, — dans son *Trésor de l'histoire des Langues de cest univers* [4], paru en 1613, et Antoine de l'Estang, « magistrat » à Toulouse, — dans son *Histoire des Gaules* et dans son *Traité de l'Ortografe franzece* [5].

On s'attendrait à trouver une mention de Fauchet dans les discussions littéraires du cercle du Coadjuteur, et M. Gillot appelle Sarasin « le disciple de Claude Fauchet » [6]. Aux environs de 1646, Sarasin avec Chapelain soutient l'importance de la lecture des vieux romans, mais bien que Ménage fît partie du cercle, le nom de Fauchet n'est pas relevé dans le *Dialogue*. En fait, la connaissance des romans témoignée par les interlocuteurs nous paraît assez superficielle : ils semblent avoir connu les romans arturiens en prose, mais ils n'avaient pas feuilleté d'une main « nocturne » tous les vieux manuscrits, et Sarasin n'est nullement à comparer à Fauchet.

Gilles Ménage [7], dont nous venons de parler, est un érudit d'une autre trempe. Celui-ci a évité de dire du mal de Fauchet quand il passe en revue les étymologies de ses prédécesseurs :

Les étymologies... Françoises de Budée, de Bayf, de Henry Estienne, de Nicod, et Perrionius, de Sylvius, de Picard, de Tripault, de Guischard, de Pasquier ne sont pas seulement vraysemblables : et on peut dire que

---

[1] Voir à la B. N., *Catalogue des manuscrits de Lille* p. 332.
[2] *Jugemens des sçavans*, Paris, 1685-1686, t. 2, p. 89, t. 3, p. 119, t. 4, p. 282.
[3] L'article sur Fauchet dans le t. 2.
[4] Publié à « Cologny », c'est-à-dire, Genève, 1613 et 1619, pour la Société Caldorienne; voir pp. 643, 808, 809, 1015.
[5] Bordeaux, 1618.
Voir notre édition du *Recueil*, livre 1er.
[6] Voir H. GILLOT, *La Querelle des Anciens et des Modernes*, Paris, 1914, p. 248; CHAPELAIN, *De la Lecture des Vieux Romans*, éd. A. Feillet, 1870; G. COLLAS, *Jean Chapelain*, Paris, 1912, p. 185.
[7] Voir G. MÉNAGE, *Anti-Baillet*, La Haye, 1690, t. 2, p. 200; *Les Origines de la langue Françoise*, 1650, aux mots *Alexandrin, amiral, senechal, Picardie, page, Roman*, etc. Dans les *Menagiana* (éd. Paris, 1725, p. 47), on trouve une allusion à Louis XIII et les *Antiquitez* avec la référence à la *Doctrine des mœurs* de Gomberville.

les Etymologies jusques icy ont esté l'écueil de tous ceux qui en ont escrit.

Ménage connaissait les divers traités de Fauchet, car il discute les opinions, et relève les erreurs de celui-ci. On voudrait seulement des éloges plus positifs.

Le *Recueil* est utilisé par Sorel [1] et par Baillet [2], qui y puisent des renseignements sur l'histoire de la langue française et sur les poètes du moyen âge. L'évêque d'Avranches, Pierre Daniel Huet, a recours à ce même traité pour écrire sa *Lettre à Monsieur de Segrais sur l'Origine des Romans* (1671), où on retrouve non seulement, de nombreux renvois au *Recueil*, mais parfois les expressions mêmes de Fauchet [3].

Cette façon d'utiliser le *Recueil* caractérise aussi *la Deffense de la langue françoise pour l'inscription de l'arc de triomphe dediée au Roy* [4] de François Charpentier, partisan de Perrault dans la querelle des anciens et des modernes, mais Charpentier ne reconnaît pas ses emprunts à Fauchet, tout en le suivant de près.

On peut en dire autant de Fontenelle, qui, dans sa *Vie de Pierre Corneille avec l'histoire du théâtre françois jusqu'à lui* [5] (écrite vers 1690) a feuilleté Fauchet, Pasquier et probablement Jehan de Nostredame, sans mentionner ses sources. Nous savons par ailleurs que Fontenelle avait parcouru l'œuvre de Fauchet; son *Recueil des plus belles pièces des poètes françois* (1692) le nomme expressément, et Fontenelle suit Fauchet en appelant « Corbueil » le poète François Villon et en donnant l'épitaphe apocryphe que nous avons déjà citée [6].

L'attitude du xviiie siècle envers le moyen âge diffère totalement de celle du xviie.

Naturellement, les *Bibliothèques françoises* et les *Biographies générales* — telle, celle de Lelong [7] — même les ouvrages des antiquaires comme Sauval [8] et Lebeuf [9], continuent à répéter les notices de La Croix du Maine et de du Verdier.

Tous ceux qui ont la prétention d'écrire une histoire ou même un simple résumé de l'histoire de la littérature fran-

---

[1] Voir *op. cit.*, pp. 241 et suiv.
[2] Voir *op. cit.*, t. 4, p. 282.
[3] Voir pp. 48, 54, 61.
[4] 1676.
[5] Voir les *Œuvres de Fontenelle*, Paris, 1825, t. 4, pp. 145 et suiv.
[6] Voir *supra*, p. 225
[7] *Bibliothèque historique de la France*, 1re éd., 1719. Dans l'éd. 1768, no 3868.
[8] H. SAUVAL, *Histoire et Recherches des Antiquités de la Ville de Paris*, 1724, t Ier, p. 321.
[9] J. LEBEUF, *Dissertations sur l'Histoire ecclésiastique et civile de Paris*, t. 2, pp. 67, 68, 69.

çaise ont nécessairement recours à Fauchet. Titon du Tillet dans l'édition de 1732 de son *Parnasse françois* [1] suit le *Recueil* pas à pas dans ses notices sur Thibaud de Navarre et sur les auteurs du *Roman de la Rose*. L'abbé Massieu [2] ne fait que reproduire Fauchet presque mot à mot, mais un autre érudit ecclésiastique, dont les remarques sont plus judicieuses que celles de Massieu — l'abbé Goujet [3] — note qu'il « est aisé de voir » que Fauchet « avoit lu tout qu'il avoit pu découvrir des œuvres » des anciens poètes, et qu'il « n'avoit point été rebuté par la barbarie et l'obscurité de leur langage ». Juvenel de Carlencas se sert également du *Recueil* dans ses *Essais sur l'Histoire des belles Lettres des Sciences et des Arts* [4] (1749), mais Estienne Pasquier semble être plus connu de cet historien. La Curne de Sainte-Palaye connaît aussi les recherches de Fauchet sur l'ancienne chevalerie [5], et le *Tableau historique des Gens de lettres* [6] de l'abbé de Longchamp (1767) prend chez le Président tous ses renseignements sur les poètes de langue vulgaire. *La Bibliothèque d'un Homme de Goût* [7] de 1772 fait une simple mention du *Recueil*, mais le *Discours sur le Progrès des Lettres en France* de Rigoley de Juvigny ne semble rien connaître avant Malherbe [8]. *Les trois Siècles de la Littérature française* de l'abbé Sabatier de Castres [9] ont quelques paragraphes sur Fauchet, tout en suivant les notices des anciennes *Bibliothèques françoises*.

Mais le dédain orgueilleux à l'égard de l'ignorance de « l'onzième » siècle, le rapide coup d'œil sur le traité de Fauchet et sur les livres VII et VIII des *Recherches* de Pasquier, qui caractérisent le xviie siècle cèdent à un désir de connaître les œuvres elles-mêmes. On voit paraître des rééditions ou des extraits des anciennes poésies, où les éditeurs ont recours aux manuscrits ou aux éditions imprimées au xvie siècle. Le *Recueil* de Fauchet continue pourtant à être utilisé, et comme bon nombre de ces éditeurs croient devoir joindre à leur texte une courte histoire de la langue, le *Recueil* est tout indiqué. Les

---

[1] Voir pp. 100, 102, 104.
[2] *Histoire de la Poésie française*, Paris, 1739 (écrite vers 1705). Voir pp. 109, 124, 125, 132, 134, etc.
[3] *Bibliothèque françoise*, t. 1er, pp. 34, 294, 339, mais particulièrement t. 8, p. 311. Voir aussi t. 9, pp. 5, 10, 15, 35, 103, 187, 289.
[4] Lyon, 1749, t. 1er, pp. 39, 183.
[5] *Mémoires sur l'Ancienne Chevalerie*, Paris, 1759, 3 vol. Voir t. 1er, p. 236, t. 2, p. 112.
[6] Voir t. 5, p. 450, t. 6, pp. 219, 227, 238, 242, aussi t. 6, pp. 197, 198.
[7] Voir *Bibliothèque d'un Homme de Goût*, par L.M.D.V., bibliothécaire de Mgr le Duc de XX, Avignon, 1772, t. 2, p. 308.
[8] Rigoley de Juvigny connaît les *Recherches* de Pasquier; voir p. 77.
[9] *Les Trois Siècles de la Littérature Française...* Par ordre alphabétique, article *Fauchet (Claude)*. Plusieurs éditions.

idées générales sur l'étendue de l'emploi de la langue latine, sur la perte de la langue gauloise par la population des Gaules, etc., que Fauchet avait tirées de ses immenses lectures et rassemblées dans son traité, se rencontrent dans le même ordre dans le *Supplément au Glossaire du Roman de la Rose* de J.-B. Lantin de Damerey (1737) [1]. En éditant les poésies du Roy de Navarre en 1742, Levesque de la Ravallière écrit une *Histoire des Révolutions de la Langue Françoise depuis Charlemagne jusqu'à saint Louis* [2], et l'influence de Fauchet se manifeste une fois de plus. L'*Introduction* d'une édition d'*Extraits de quelques Poésies du XII, XIII et XIV siècle* (sic), parue à Lausanne en 1759 [3], résume tout simplement le premier livre du *Recueil*, en y ajoutant quelques faits glanés dans les *Recherches* de Pasquier, mais pour trouver les *Extraits* des poètes, l'éditeur a eu recours à un manuscrit de Berne, qu'il compare aux notices du second livre du *Recueil*. Mentionnons aussi l'édition des *Fabliaux* de Barbazan [4], qui contient au premier volume une dissertation sur l'*Origine de la Langue*, où Fauchet est mentionné.

Les articles de l'*Histoire littéraire de la France* et des *Memoires tirez des registres de l'Académie des Inscriptions et belles lettres* [5] ne se dispensent jamais de voir ce que Fauchet avait dit sur tel ou tel auteur, mais une fois que ces « modernes » prennent le temps de lire les manuscrits du moyen âge et de se former une opinion personnelle, il est évident que l'utilité du *Recueil* est terminée, ou presque. En tout cas, il ne nous servira de rien d'énumérer les mentions de Fauchet dans ces ouvrages.

Si l'ouvrage de Fauchet a été à ce point estimé de tous ces érudits, comment se fait-il qu'il n'a jamais eu l'honneur de la réimpression? Les *Antiquitez* où il fallait chercher les passages colorés perdus au milieu de chapitres alourdis par de continuels renvois aux autorités, étaient peu faites pour plaire au souci d'élégance du siècle de Louis XIV. Le gallicanisme têtu de l'auteur, son attitude indépendante, déplaisaient également aux catholiques à l'esprit étroit et à la royauté devenue absolue. Pour ces raisons, après les éditions de Paris et de Genève en

---

[1] J.-B. LANTIN DE DAMEREY, *Supplément au Glossaire du Roman de la Rose*, Dijon, 1737, pp. 14, 15, 23.
[2] *Les Poésies du Roy de Navarre... précédées de l'Histoire des Révolutions de la Langue Françoise...* Paris, 1742, pp. 119, 227.
[3] Ed. Sinner, Lausanne, F. Grasset, 1759; le manuscrit qu'il utilisait est à la Bibliothèque de Berne, n° 389.
[4] Voir p. 2.
[5] Voir t. 2, pp. 728-746.

1610 et 1611, ses *Antiquitez* ne furent jamais réimprimées. De nos jours la concentration des collections de manuscrits dans les dépôts publics de France, conséquence des mainmises révolutionnaires, et le progrès normal de leur aménagement dans ces dépôts a facilité les recherches méthodiques et permis beaucoup de trouvailles interdites à un érudit d'autrefois. Les *Antiquitez* et les traités historiques ont été dépassés, et ne sont guère lus que par des curieux.

Le *Recueil* a eu de nos jours le même sort que les *Antiquitez*, et pour la même raison. L'érudition de Fauchet est dépassée. Le savoir encyclopédique n'est plus notre fait; nous nous bornons à étudier une courte période d'histoire littéraire ou un seul auteur, et nous approfondissons plus qu'il n'était possible pour un érudit de la Renaissance.

Pourtant, l'œuvre de Fauchet mérite l'attention à plus d'un titre. Non seulement elle offre, à l'historiographe aussi bien qu'à l'homme de lettres, une véritable mine de renseignements utiles ou curieux; mais elle constitue aussi un document non sans importance du point de vue strictement littéraire. Augustin Thierry observait jadis [1] que Fauchet se distinguait par son amour du moyen âge et par son « désir de rendre la couleur particulière, les mœurs et le langage du vieux temps ». Fauchet parle un langage qui, certes, n'a pas encore une grande finesse, et qui n'est point exempt de lourdeur, mais dont la liberté facile, les expressions familières, énergiques ou pittoresques ont aussi leur charme. Le nombre et la dignité oratoire se font sentir dans les dédicaces et les préfaces. Enfin, Fauchet demeure fidèle au vieux français. Si les doctrines de réforme littéraire que proclame Du Bellay dans sa *Deffence et Illustration de la langue françoise* trouvent en lui un partisan enthousiaste, Fauchet veut innover en rappelant les mots du terroir tombés en désuétude. Augustin Thierry [1] qui est à peu près le seul à lui pardonner sa « manière d'écrire l'histoire plus vraie et plus naïve que ne comportait le goût de son temps », lui rend cette justice parce que le vieil historien sentait déjà « ce que les faits réels ont de piquant et de poétique ».

Aujourd'hui, cependant, le grand intérêt des *Antiquitez* et des divers traités est un intérêt psychologique. A ceux qui se donnent le loisir de connaître même une partie de l'œuvre qui a fait le sujet de notre étude, cette lecture révèle une personnalité non sans charme qu'ont aimée les contemporains.

Fauchet est très caractéristique de son époque, par son

---

[1] Voir l'article cité.

érudition copieuse, par son goût des sentences, par son gallicanisme fougueux et son patriotisme ardent. En somme, l'on
voit en lui un digne représentant des humanistes français de
la seconde génération de la Renaissance. L'on y trouve encore
un précurseur non indigne des Gaston Paris, des Paul Meyer,
des historiens comme Augustin Thierry lui-même. Si, à côté de
travaux solides et élégants de l'érudition française moderne,
l'œuvre de Fauchet paraît élémentaire, n'oublions pas que le
Président lui-même était sans prétention :

> Ce qui estoit espars et delaissé
> Ha ce Fauchet aux François amassé.

APPENDICE

Etudes d'Etymologie

———

Au cours de ses œuvres, Fauchet donne de nombreuses étymologies. C'est une passion qu'il avait déjà à l'âge de vingt-cinq ans; son cahier en témoigne, — *sergent, corfeu, comte maltôte, marquis, connétable,* reçoivent chacun un chapitre. Les mots qu'il choisissait à cette époque montrent clairement que ce sont ses études historiques qui lui ont suggéré la recherche des étymologies, et nous verrons que beaucoup des mots qu'il étudie ainsi désignent d'anciennes dignités. Une autre catégorie de mots qui l'intéressent, ce sont les noms de lieu.

Rappelons que Charles de Bouelles et Henri Estienne s'occupent d'étymologies. Le dictionnaire de Jean Nicot date de 1584. A vrai dire, le seul qui compte est Estienne, quoique Fauchet ait utilisé tous les travaux antérieurs. Il serait intéressant de savoir si quelques-unes des étymologies qu'on retrouve chez plusieurs savants avaient été discutées dans les réunions auxquelles nous avons déjà fait allusion. En ce qui concerne Fauchet, il est difficile de savoir s'il a fait des emprunts à H. Estienne. En réalité, la question a moins d'importance qu'on ne croirait. Aucun des érudits de la Renaissance ne fonde sur la phonologie ses études d'étymologie. Ils peuvent donner des dérivations correctes, mais le hasard y est pour beaucoup.

Ce n'est pas dire que les étymologies données par Fauchet sont dénuées de valeur. Si on le compare à Estienne et à Pasquier, il leur est supérieur. C'est un esprit plus critique et plus pénétrant que Pasquier, et Fauchet a moins de parti pris qu'Estienne.

Nous signalons tous les cas où ce dernier avait parlé d'un mot que Fauchet indique à l'attention de ses lecteurs. Fauchet n'est pas toujours d'accord avec le grand humaniste, mais la discussion de ce dernier a probablement stimulé la pensée de notre érudit [1].

———

[1] Nous citons les traités de Henri Estienne dans les éditions suivantes :
De latinitate falso suspecta expostulatio H. Stephani. Anno 1576. Excudebat H. Stephanus.

Les dictionnaires étymologiques utilisés sont les suivants :

HATZFELD, DARMESTETER, THOMAS;
GAMILLSCHEG;
BLOCH.

En cas de difficulté ou de doute, nous nous sommes adressée à :

DU CANGE;
FORCELLINI.

Alexandrin.

B. N. fr. 24726, f. 3 r° : « Le genre de vers duquel ils userent fut de douze sillabes, depuis surnommé Alexandrin, tant pour le nom de son autheur Alexandre de Paris, que pour le suget qui fut les faits d'Alexandre, Roi de Macedoine. »

> alexandrin dans *vers alexandrin* : on y voit généralement un dérivé de *Alexandre*, l'alexandrin étant employé dans la version remaniée au XIIIe siècle de l'ancien poème français sur Alexandre le Grand.
>
> (*Dict. H. D. T.* confirmé par GAMILLSCHEG et BLOCH.)

Allouette, Bouge, Banneau, Compagnon.

OEuvres, f. 536 r° : « Nous avons encores des mots recogneus pour anciens Gaulois... *Alauda* Aloete, *Bulga* Bouge et Bougete, *Benna* Banneau (qui est une sorte de charroy à ridelles closes pour porter du sablon ou autre chose, qu'on ne veut espandre par la voye), et *Combennones*, dont je soustiens que vient Compaignon, le B se tournant en la prononciation bien aisement en P... »

> alouette : dérivé de l'anc. français *aloue*, du lat. *alauda;* m. s. [1], d'origine gauloise, devenue *aloe, aloue*.
>
> bouge : du lat. *bulga*, m. s. *bulga*, d'après Festus, est un mot gaulois (cf. irlandais *bolg*, sac, outre).
>
> banneau : dérivé de *banne; banne* dérivé du lat. *benna*, que Festus donne comme d'origine gauloise et qui signifie « chariot en osier. »
>
> compagnon : du lat. pop. *companionem*, proprt., « celui qui partage le pain avec un autre », de *cum*, avec, et *panis*, pain, devenu *companyon, compaignon, compagnon*.
>
> (*Dict. H. D. T.*, confirmé par GAMILLSCHEG et BLOCH.)
> Sur *bulga* et *benna*, voir *De latinitate...*, pp. 353 et 358.
> Sur *compagnon*, voir *Précellence*, p. 176.

La *Précellence du langage françois*, réimprimé avec des notes, une grammaire et un glossaire par E. Huguet, Paris, 1896
Conformité du langage françois avec le grec. Nouv. édition par L. Feugère. Paris, 1853.
Le titre exact de la thèse de M. Louis Clément sur H. Estienne est le suivant : *Henri Estienne et son OEuvre française*, Paris, 1899.

[1] m. s. veut dire : même signification.

Amiral.

OEuvres, f. 505 r° : « L'on pense que le mot Admiral est Arabe : pource que les Sarrazins ont appelé Amiras, aucuns de leurs Rois et Seigneurs : Et Sigebert le Chroniqueur soubs l'an VCXXX dict que Mahommet establit quatre Prevosts, qui s'appellerent Amir : ou Emir et luy Amiras : comme premier au conseil. »... (Suit une citation de Guillaume de Tyr.)

amiral : Anc. franç. *amiral, amirail, amiré,* etc. Emprunté de l'arabe, *amir,* chef, émir, avec diverses finales de dérivation. Dozy y voit une abréviation de *amir-al-bahr,* chef de la mer; mais *amiral* en anc. franç. signifie seulement chef. Au xvi⁰ siècle *admiral,* par confusion avec la prépos. *ad,* forme qui est encore dans Acad. 1718.

(*Dict. H. D. T.*)

Conformité du langage françois... « admiral, de ἁλμυρά, selon l'étymologie commune, ... mais je tiens de bon lieu que ce mot vient de l'Arabie. »

Ampoule.

OEuvres, f. 57 v° : « Une fiolle, à ceste heure-là appellée Ampoulle (du mot ancien *Ampulla,* faite comme une fiolle) pleine d'huile... »

ampoule : du lat. *ampulla.*

(*Dict. H. D. T.* confirmé par Gamillscheg.)

Haubert, « Aulbin », Aubier, Aube.

OEuvres, f. 523 r° : « Une chemise de mailles... appellée Auber ou Hauber, je croy du mot *Albus* : car *Albumen* se tourne en François Aulbin : *Alburnum* Aubier, qui est le blanc de tout bois. *Alba* Aube, et autres semblables : et celuy-cy en Auber : pource que les mailles de fer bien polies, forbies et reluisantes, en sembloient plus blanches. »

haubert : pour *hauberc,* plus anciennement *halberc,* emprunté du german. *halsberg,* m. s. proprt « protection (*bergen,* protéger; cf. héberge) pour le cou (*hals*) ».

aulbin : pour *aubun,* qui est encore dans Cotgrave. Du lat. *albumen,* m. s. (vieilli) blanc d'œuf.

aubier : dérivé du lat *albus,* blanc.

aube : du lat. *alba,* fém. de *albus,* blanc (proprt. la blanche), devenu *albe, aube.*

Dict. H. D. T. (*aubier < alburnum,* selon Gamillscheg et Bloch.)

Précellence, p. 189, pour *aube < alba, aubépine < alba spina, baube < balbus.*

Arbalète.

OEuvres, f. 530 r° : « Quant au mot Arbaleste, il vient de *Arcubalista,* pource que cest instrument tenoit de la Baliste ou scorpion, tres-ancien instrument : et lequel n'estoit qu'une tres-grande Arbaleste, arrestée sus une bien large muraille... Pour le regard du mot Arbalestre, il est vieil, et cogneu par nos Jurisconsultes : puis qu'ils

en ont faict mention en la loy derniere, *de Jure immu.* aux Digestes :
mais un vieil Glosaire, tournant le mot *Balistra* σφενδύη qui est
fonde, μάγγανον, semble vouloir dire que ce fut un Mangonneau,
qui estoit plus gros instrument qu'une arbalestre... »

Etymologie d'*arbalête* confirmée par les dictionnaires H. D. T.
et G.

Arquebuse et Pistolet.

OEuvres, f. 530 v° : « Cest instrument s'appella depuis Haquebute, et maintenant... Harquebuze : que ceux qui pensent le nom
estre Italien lui ont donné : comme qui diroit Arc à trou, que les Italiens appellent *Bouzo*, finalement ces bastons ont esté reduits à un
pied, et moins de longueur : et lors ils sont nommez Pistolles et Pisto-
lets : pour avoir premierement esté faicts à Pistoye : comme aussi
ayans les escus d'Espagne esté reducts à une plus petite forme que les
escus de France, ont pris le nom de Pistolet, et les plus petits Pisto-
lets, Bidets : comme l'on appelle aussi les plus petits chevaux. »

arquebuse : emprunté de l'ital. *archibuso*, m. s. altération par
étym. pop. (*arco-buso*, arc-trou) de l'allem. *hakenbüchse*,
proprt. boîte à croc. *Arquebuse* a supplanté *haquebute*
venu directement de l'allem. Dict. H. D. T. Bloch dit que
l'étym. est douteuse, à cause de la multiplicité des formes;
il énumère les formes.

pistolet : emprunté de l'ital.*pistolese*, proprt. « de Pistoie »
devenu, par substition de suffixe, pistolet.
(*Dict. H. D. T.*)

< pistole < Pistoja. *Dict.* GAMILLSCHEG.

Sur *Pistolet*, voir *Conformité du langage françois...*
Préface. Même étymologie.

Arrièreban

OEuvres, f. 526 r° : « Arriereban a pris son nom du vieil mot
François, dont ceux de la premiere et seconde famille de nos Rois
ont usé. Car Heré lors signifoit Armée, ou Camp : et Ban, Appel et
Semonce : comme si Heriban (depuis par corruption nommée Arriereban) fut un Appel de Nobles et hommes de fief, pour venir à la
guerre, Camp, ou lieu destiné pour assembler l'armée. »

arrière-ban : composé de *arrière* et *ban. Ban,* subst. verbal de
bannir, bannir du francique *bannjan,* proclamer. Au sens
primitf se rattache le subst. *ban.*
(*Dict. H. D. T.*, confirmé par BLOCH.) GAMILLSCHEG
donne arrière-ban, — hariban < *heriban.*

Engin, Artillerie.

OEuvres, f. 529 v° : « Tous lesquels instruments de ject s'appelloient Engins et Artillerie, et les maistres inventeurs et conduc-
teurs ingenieux : pource qu'il falloit avoir vif et subtil esprit que

nous appellons engin, du mot Latin *ingenium*, et de l'art pour faire et composer ces ouvrages subtils. »

> engin < *ingenium*. Dict. GAMILLSCHEG.
> Même dérivation *De latinitate...* p. 350.

Bachelier et Bataille.

OEuvres, f. 510 r° : « Il y en a qui disent » qu'il « vient de bataille, comme s'il falloit dire Batailler. Mais il y a plus d'apparence, que c'estoit à dire jeune, et entrant en la virilité, comme ceux que les Latins appelloient *Adolescens* et les Grecs *Ephebes* ».

» Car encores en Picardie, Bachelier et Bachelette, sont appellez... les jeunes garçons de seize et dix-huict ans : et les filles prestes à marier... Et comme encores aux escholes de tous arts et sciences, l'on appelle Bacheliers, ceux qui sont advancez aux lettres, et prests d'estre licentiez (c'est a dire congediez) pour enseigner et parvenir au degré de Docteur lisant... Et pource que avant qu'ils eussent permission de lire, on leur mettoit un baston en la main, (qui en Latin s'appelle *Bacillus*) il furent nommez Bacilliers en François : et voilà ce qu'un si grand personnage (Beatus Rhenanus) dit : De fait les anciens livres portent Bacillier. Mais je suis d'advis que Baschelier est un abregé de Baschevallier : et que les jeunes hommes qui se sentoient forts pour endurer le faix des armes du commencement, prirent le nom de Bachelliers, comme estans plus bas et moindres que les haults et anciens Chevaliers... qui (à mon advis) est etymologie la plus apparente... Louis Vives tres-sçavant Espagnol, dit que les Bacheliers aux sciences, peuvent avoir pris leur nom de *Baccalaureatus* : et je croy, qu'il l'entend, pource que les Poetes, souloient jadis estre couronnez de Laurier en grande solemnité... Et toutes-fois, je croy bien que Bataille vient du mot Latin *Batuere*, qui vouloit dire escrimer, avec un baston de bois : que les Latins appelloient *Baculus*. Car Adamantius Martyr dit : *Batualia quae vulgo Batalia dicuntur exercitationes Gladiatorum vel militum significant : Batualia*, que vulgairement l'on nomme Bataille, est l'exercice des gens de guerre. De maniere que le mot d'exercice et apprentissage des gens de guerre, est passé jusques au vray effort de la guerre. »

> bachelier : altération, par substitution de suffixe, de l'anc. franç. *bacheler*, du bas lat. *baccalarem*, mot d'origine incertaine, qui désigne à l'origine un personnage de rang inférieur.
>
> baccalauréat : emprunté du lat. du moyen âge *baccalaureatus*, dérivé de *baccalaureus*, mot par lequel les clercs de l'université traduisent *bachelier*, le rattachant à tort à *bacca lauri*, baie de laurier.
>
> bataille : du lat. pop. *battalia, battualia*, proprt. « escrime », dérivé de *battuere*, battre.
>
> (*Dict. H. D. T.*)

Etymologies de *baccalauréat*, et de *bataille* confirmées par BLOCH et GAMILLSCHEG mais *bachelier* présente des différences. G. donne *bachelier, bacheler* <* *bacalacos* < *bacculum* *bacillum.* B. donne « Lat. méd. * *baccalaris,* forme usuelle *baccalarius,* d'origine inconnue (les rapprochements avec le celtique se heurtent à de graves difficultés); on trouve dès le ixe siècle *baccalarius,* possesseur d'une *baccalaria* « domaine de plusieurs *mansus,* propriété rurale ». Seulelement gallo-romain, cf. anc. prov. *bacalar* « jeune homme » avec nuance péjorative emprunté par les langues voisines.

Bachove.

OEuvres, f. 138 v° : « Deux tasses en façon de celles de bois lors appellées Bachivon, possible pour Bacchus, (car près Paris nous appellons encores Bachoves des hottes d'ozier serré, et propres pour porter la vendange pilée)... »

> Voir Ducange au mot *Bacholata : bacholata* quantum vase, *bachole* vel *bachoë* dicto, contineri potest, sporta pice illita. Charta ann. 1305 in Reg. 37 Chartoph. reg. ch. 67. *Item unam Bacholatam racemorum non pressorum censualem, cum vendis et mutagiis.* Lit. remiss. Ann. 1415 ex Reg. 168 ch. 405 : *Et après mist les raisins en ses Bacholes. Bachoë* in Lit. ann. 1372 tom. 6, Ordin. reg. Franc. p. 511, quomodo etiam legendum, pro *Bachoc,* in aliis ann. 1366 tom. 4 earumd. Ordinat, pag. 709, art. I, Costumae Paris in Reg, sign. *Noster* Cam. Comput. fol. 33 v° : *Item la charretée de pain*
>
> > *iij den.*
> > *la bachoë de pain*
> > *iij ob. etc.*

Pour le mot *bachove* Huguet ne donne que cet exemple pris dans les *Antiquitez.*

Bail.

OEuvres, f. 140 r° : « Des Maieurs et des Bails, ou Nourriciers (les Italiens appellent encore les Nourrices Balié). »

> baile : emprunté au sens de nom que portait, dans le midi de la France, un agent royal dont les fonctions correspondaient à celles du bailli ou prévôt dans le nord, du provenç. *baile,* m. s. qui représente le lat. *bajulus,* proprt. porteur. L'italien correspondant est *bailo* [1].
>
> (*Dict. H. D. T.* confirmé par les dict. plus récents.)
> *Précellence* p. 266 parle de *baillie,* puissance.

Bannière.

OEuvres, f. 525 v° : « Les empereurs Chrestiens paroient de joyaux leur principale Enseigne, lors nommée *Labarum,* dont (possible) vient le mot Banniere, par corruption, jaçoit qu'il puisse mieux venir de Ban : et publique assemblée. »

> bannière : dérivé du radical german. *ban,* drapeau, qui se

---

[1] Le dictionnaire italien de Melzi explique *bailo* : quegli çui era commessa l'educazione d'un principe.

retrouve sous une forme un peu différente dans le goth.
bandi (cf. *bande* au sens de *réunion.*)

(*Dict. H. D. T.*)

BLOCH dit : XII⁰ s. Dérivé, avec altération d'après *ban* d'un
mot germanique correspondant à celui d'où vient *banda*
de l'ital. et de l'anc prov. L'anc. français *ba(n)ne* est
si mal assuré pour la forme et le sens qu'il ne permet pas
de restituer le francique *banna* correspondant au gothique
bandwa et d'où dériverait bannière. Le sens même du
suffixe est obscur : on suppose que *bannière* a d'abord
désigné le lieu où la bannière était placée au centre de
l'armée, puis la bannière elle-même.

Baron.

OEuvres, f. 496 v⁰ : « Je sçay qui a voulu tirer le mot de
Baron du langage Grec, et dire qu'il signifie grave. Mais les anciennes
loix Françoises ou Allemandes monstrent bien qu'il vient du Septentrion, et signifie Seigneur. »

Fauchet mentionne le mot « bernage », « qui est suitte de
Noblesse, au lieu de Baronage », et « ber » : voir p. 403.

baron : probablement du lat. *baronem*, soldat mercenaire, courageux.

(*Dict. H. D. T.* et GAMILLSCHEG.)

BLOCH dit : « *baron* : Xe S (St Léger)... comme titre féodal
emprunté du francique *baro*, cf. *saci barone*, Loi Salique
« fonctionnaire royal au dessus du comte, chargée de percevoir les amendes » ... Le latin *baro* « lourdaud » n'a
aucun rapport avec ce qui précède. » Bloch note qu'avant
l'invasion des Francs * *baro* avait déjà été introduit dans le
monde romain avec son sens propre d' « homme libre,
guerrier ».

Charles de Bouelles avait dit que les « Belgae plus-
quam caeteri Galli » utilisent « baron » au sens de
« mari ». Voir aussi H. ESTIENNE, *Le latinitate*, p. 338.
Voir le Père LABBE, *Les Etymologies de plusieurs mots
François...*, Paris, 1661, pp. 68, 69.

Baudrier.

OEuvres, f. 243 r⁰ : « Ceux qui estoient destinez au service
guerrier... portoient une ceinture, appellée Baltheus, et par nos François Bauldrier, pource que ceste courroye estoit volontiers de cuir
sec, portée pour marque de leur vocation ou qualité. »

OEuvres, f. 506 v⁰ : « Ceste courroye s'appelloit *balteus* et de
nos François bauldrier...

OEuvres, f. 523 r⁰ : « une ceinture... appellée *balteus* et des
anciens François Baudrier, pource qu'il estoit fait de cuir sec et
manié par un Baudroyeur qui est un ouvrier qui baudroye et endur-
cit les peaux en les maniant. »

26

baudrier : altération de l'anc. franç. *baudrei*, emprunté de
l'anc. haut allem. *balderich*. Le mot allem. paraît se rattacher au lat. *balteus*, ceinturon.

(*Dict. H. D. T.*)

baudrier : altération par substitution de suffixe de l'anc. franç.
baldre(i); cf. de même anc. pro. *baldrei, baldrat*, d'origine inconnue. Le moyen haut allem. *balderich* (cf. angl.
baldric) vient du français.

(Bloch.)

Bedaine, « Besaigue », Brouette, Besace, Balance, Besson, etc.

Œuvres, f. 529 r° : « Un autre instrument appellé Dondaine,
lequel jettoit de grosses boules de pierres rondes... et a donné le
nom aux femmes grosses, grosses et courtes, qu'on appelle dondon :
et de Bedaines, aux grands ventres de gens de bonne chère. Comme
si on vouloit dire, qu'ils estoient ou ressembloient aux doubles
Dondaines, ainsi que beschevet signifie double chef ou chevet,
Besagüe qui est deux fois agüe, et vient de *Bisacula*. Broüette, de
Birota, pour ses deux Roües, Besas de deux As, Besace, de deux sacs.
Balance de *bis lancs* pour les deux plats ou bassins qu'elle a :
Besson de *bis homo*, pour estre sorti du ventre avec un autre homme,
et autres noms pareils. »

Les étymologistes modernes donnent *besaigue* <* *bisacuta*,
brouette, berouette < *bis + roue* < *bis + rota*; besace < *bisaccia*;
balance, < **bilancia* < *bilanx*; besson **bissone* < **bissus* < *bis.*

Bedaine : Etymologie douteuse. Autre forme de l'anc. franç.
 boudine, « nombril, ventre » ... d'où aussi *bedon*... Au
 XVI° s. on trouve aussi *bedondaine*... dû à un croisement de
 bedon et *bedaine;* le sens de « machine à lancer des pro-
 jectiles » vient de *dondaine.*

dondon : mot expressif à rapprocher de *dandiner* et *dodeliner.*
 Le sens de « balancement » se trouve dans l'ancien mot
 dondaine, ancienne machine de guerre.

(Bloch.)

Voir *Conformité*, Estienne dérive *balance de* τάλαντον
 Précellence, p. 349 : il mentionne *domdaines* et *dom-
 dom* sans donner l'étymologie. *De latinitate...*, p. 319,
 il donne *besace* < *bis + saccus.*

Bedeau.

Œuvres, f. 521 v° : « bidaux... ont donné le nom aux Bedeaux
que les Latineurs François appellent *Bidellos.* »

bedeau : emprunté du haut allem. *putil*, crieur public, latinisé
 en *bidellus.*

(*Dict. H. D. T.*)

bedeau : emprunté avec changement de la terminaison en *el*
 du francique **bidil*, de la famille de l'allem. Büttel, sergent archer...

(*Dict.* Bloch.)

Berceau.

OEuvres, f. 383 v° : « « il demeura... vivant des commoditez de sa forest : comme ceux que les mesmes Bretons appeloient Brigrios, et nous François... *Brissarios* et Paedicarios : Possible pource qu'aux bourses et pieges, ils prenoient les bestes et animaux sauvages. Toutesfois, berser et bersauder, jadis signifioit tirer de l'arc, et un arc de voulte s'appelle encor en bastiment berceau, de sorte qu'il faut croire, que celuy-ci fut de ce mestier. »

    (« nous François » se rattache à une citation d'une Chronique.)

berceau : dérivé de *bers*. Ordinairt. en anc. franç. *bercueil.*

    Bers origine inconnue.

        (*Dict. H. D. T.*)

    Le sens de *charmille* est venu par analogie.

berceau : dérivé de l'ancien franç. *bers*... en anc. franç. en outre *bercuel*... attesté au viiie s. par le dérivé *berciolum*, qui, rapproché des formes romanes, permet de restituer des formes du lat. pop. **bercium*, **berciare* ou **bertium*, ** bertiare* d'origine celtique cf. l'irlandais *bertaim*, je secoue.

    (Bloch.)

bersaudé : employé par Villon, veut dire *frappé* (comme de flèches).

Bouc.

OEuvres, f. 138 r° : « On tenoit Bouciouald pour superbe, ce qui le faisoit appeler d'aucuns Bouc valide, ou puissant : car bouc, est vieil mot François. »

bouc : emprunté du german. *bukk*. (allem. *bock)*. Le même radical paraît avoir existé en gaulois (anc. irlandais *boc*).

    (*Dict. H. D. T.*, Bloch.)

Bouclier.

OEuvres, f. 522 r° : « Boucliers, ainsi nommez à cause des boucles ou plutost bosses de fer ou autre métal, que les Latins nommoient *bubulae* (sic) et *umbones.*

bouclier : altération de *boucler*, dérivé de *boucle* au sens de *bosse*. On dit d'abord *escu boucler*, écu dont la partie centrale est en bosse puis absolument *un boucler*, pour un écu en général.

boucle : du lat. *buccula*, proprt. petite joue, bosse de bouclier, sens ordinaire de *boucle* en anc. franç.

    (*Dict. H. D. T.* confirmé par dict. plus récents.)

Bourguignotes.

OEuvres, f. 524 r° : « Bourguignote (heaume), possible à cause des Bourguignons inventeurs. »

bourguignotte : fém. de *bourguignot*, autre forme de *bourguignon*, originaire de Bourgogne, xvie-xviie s. sorte de casque léger.

    (*Dict. H. D. T.* confirmé par dict. plus récents.)

Bouteille.

OEuvres, f. 488 r° : « Le mot de Bouteiller vient de Bouteille, et Bouteille de Boutis ou Bout et Bouts (car il se trouve ainsi escrit) vaisseau nommé entre les ustencilles d'eschançonnerie de la maison du Roi sainct Louis, pour l'an 1261, là où le Barillier, et le Chartier des Bous sont nommez parmy les autres servans, et encores en l'estat qui fut faict l'an 1265 le porte Bouts est nommé. Et dit le memoire. L'on n'acheptera ne Bouts ne Bouciaux ne Barils sans le congé du Maistre d'hostel. De maniere que les Italiens en pourroient avoir pris (comme beaucoup d'autres mots) leur Bota : si vous ne dites qu'il vient de Boutis : que le Glossaire Grec interprete *Seria* : c'estoit un vaisseau longuet de terre propre à mettre vin ou huille. De sorte que les Bouts d'Eschançonnerie, representent ce que les Latins appelloient *Uter*, en François *Ouldre*, une peau dans laquelle se porte le vin par les lieux mal-aisez au charroy : comme les montagnes d'Auvergne et autres, ou pour ce vaisseau, l'on dit ce vin sent la Boute : c'est à dire la peau ou la poix dont elle est enduite et courroyée. »

  bouteille : du bas lat. *butticula*, m. s. diminutif de *buttem*,
    outre, (cf. *boute*).
  (*Dict. H. D. T.* confirmé par dict. plus récents.)

Braquemart.

OEuvres, f. 523 v° : « Je ne trouve pas que ce soit arme ordinaire des Chevaliers : et croy ceux qui disent que ces courtes espées veinnent de Grece : ainsi que le mot le porte Brakimakera, signifiant courte espée. »

  braquemart : origine incertaine. Les archéologues rangent le
    braquemart à cause de sa forme, parmi les armes venues
    de l'Orient : cette observation donne quelque vraisemblance
    à l'explication du mot comme étant une altération du
    grec βραχεῖα μάχαιρα, épée courte.
    (*Dict. H. D. T.*)
  braquemart : *bragamas, bergamas,* < ital. *bergamesco* de
    Bergamo.
    (GAMILLSCHEG.)
    Etymologie inconnue.
    (BLOCH.)
    H. ESTIENNE, *Précellence*, p. 196, donne la même éty-
    mologie que Fauchet.

Brigand.

OEuvres, f. 521 v° : « Brigans, lequel mot est Alleman à mon advis, et viens de Brig, ou Brug, pris du vieil Gaulois Brive, qui signifie Pont. Tesmoin *Briva Isare* etc... Et d'autant que les Ponts sont volontiers assis aux endroits necessaires aux passages, commodes, pour les destrousses qui s'y faisoient, ou les fascheries des gardes, le mot de brigands en est venu. Si ce n'est, que quelqu'un vueille dire que ce soit à cause d'une arme deffensive, en vieil langage Thiois, appellée Brunie et *Brunico* au Capitulaire de Charlemagne, et depuis Brugne. Telle (possible) que la brigandine maintenant faite de lames de fer, de la longueur et largeur d'un bon doit, cloüées les unes sus les autres dont ces gardes des Ponts, ou brigands s'armoient le corps... Mais il y a bien autant d'apparence, que les hommes ont donné le nom aux harnois, que les harnois aux hommes qui les ont portez tels. »

> brigand : emprunté de l'ital. *brigante*, de *brigare*, proprt. qui va en troupe, en brigade; le mot a d'abord désigné des soldats à pied (texte de 1350 dans Du Cange *brigancii*).
>
> (*Dict. H. D. T.* confirmé par dict. plus récents.)
>
> H. Estienne, *Précellence*, p. 348, mentionne *brigand*, sans en donner l'étymologie.

Campane, Sing et Cloche.

OEuvres, f. 467 r° : « L'on dit qu'elles (les cloches) furent premierement fondues a Nolle, ville de la campagne de Naples, ce qui a fait appeller les plus petites Nolles, et les plus grosses *Aes Campanum* ou Campanes. Mais nos anciens François les nommoient sings du mot Latin *signum*, pour ce que leur son servoit de signe à se trouver à l'Eglise, dont nous est demeuré ce proverbe, l'on n'en faict pas les sings sonner...

» Quant au mot de cloche, je croy qu'il est tout François et represente l'aller et le venir de la Campane esbranlée, comme l'alleure d'un boiteux eshanché s'appelle *clocher*, et dans les loix Capitulaires est faicte mention de *Cloquas*. »

> campane : emprunté du bas lat. *campana*, cloche, mot dont l'origine est incertaine.
>
> (*Dict. H. D. T.*, Gamillscheg et Bloch.)
>
> cloche : du bas lat. *clocca*, m. s. d'origine incertaine peut-être simple onomatopée. Les mots analogues des langues germaniques et des idiomes celtiques paraissent empruntés du bas lat.
>
> (*Dict. H. D. T.*)
>
> clocher : du lat. pop. *cloppicare*, d'origine incertaine.
>
> (*Dict. H. D. T.*)
>
> sing <*signum*. Etymologistes d'accord.
>
> cloche est plus incertain. Bloch dit « Latin de basse époque *clocca*, viie s. (*Vie* de Saint-Colomban) semble être d'origine celtique : cf. l'anc. irlandais *cloc* de même sens, qui aurait été apporté sur le continent par les moines irlandais; se trouve en outre dans les dialectes italiens du nord et et le portugais *choca* « sonnaille ».
>
> H. Estienne, *Précellence*, p. 179, parle de « sonner le tocsin ». « Il vaut mieux écrire *toquesing*... on approchera plus près de l'étymologie ». Il ne donne pas précisément l'étymologie, mais explique que *toquer*, c'est toucher, et *sing* cloche, « et principalement une grosse cloche ».

Caparaçon.

Œuvres, f. 514 v° : « Housses que nous appellons Caparassons d'un mot Italien ou Espagnol, qui, à mon advis, signifie grande chappe. »

caparaçon : emprunté de l'espagnol *caparazon*, m. s. dérivé de *capa*, cape.
(*Dict. H. D. T.*).

caparaçon < *caparassoun* prov. < *capa*. (Gamillscheg. Bloch.)

Caser.

Œuvres, f. 263 v° : « Serfs (*casati*) je croy manans et habitans (car encores en Provence et Languedoc, l'on appelle Cazé celuy qui demeure sur le lieu, et Chazeau signifie héritage). »

caser : dérivé de *case*. Case, emprunté du lat. *casa*.
(*Dict. H. D. T.* Gamillscheg. Bloch.)

Chambre et Courbe.

Œuvres, f. 486 r° : « Chambrier vient de chambre, et chambre de *camera*, mot Latin et ancien, ce dit Festus. Et je pense que de là soient venus les mots Courbé, Courbe, Courver et Cambrer pour fleschir en arc : d'autant que les anciennes chambres estoient voutées... »

chambre : du lat. *camera*, proprt. « voûte, pièce voûtée ».

cambrer : du lat. pop. *camerare*, courber en voûte, de *camera*.
La forme régulière serait *chambrer;* le mot a été refait au xvie siècle d'après le latin.

courbe : du lat. *curvum*, en lat. pop. *curbum*, devenu *corps*, *courp*, puis *courbe* par réaction de la forme du fém. sur le masc.
(*Dict. H. D. T.* Dict. plus récents sont d'accord.)
H. Estienne, *De Latinitate...*, p. 336, donne les mêmes étymologies de *Chambre* et de *cambrer*. Du Bois (Sylvius) avait dérivé *chambre* de *camurus*, curvus.

Chapelle.

Œuvres, f. 252 v° : « Lieu d'oraison... appellé Chappelle à cause de la Chape de sainct Martin. »

Œuvres, f. 479 v° : « Noz Rois François ne pouvans avoir le corps de sainct Martin tout entier, pour leur servir de garde ordinaire, trouverent moyen d'en obtenir la chappe, laquelle selon l'advis des plus devotieux, estant la principalle relique de leur Oratoire... il peut bien estre que de vray ou par sobriquet ces gardes-chapes furent appellez Chappellains au lieu de Clercs, ainsi que souloient estre nommez leurs predecesseurs. »

chappelle : dérivé de *chape*. Chape, du lat. pop. *cappa*, sorte de coiffure, mot enregistré par Isidore de Séville (v[e]-vi[e] s.) rattaché à tort par lui au lat. *capere*, contenir, et dont l'origine est inconnue.
(*Dict. H. D. T.* confirmé par dict. plus récents.)

Chemise.

OEuvres, f. 169 v° : « Sayons de couleurs, qu'encor aujourd'huy ils nomment Camits, d'ou est venu Camisia, ou chemise(ce dit le mesme de la Scale) qui seulement leur cachent les parties honteuses. »

> chemise : du lat. pop. *camisia*, employé par saint Jérôme, m. s. mot d'origine inconnue.
>
> (*Dict. H. D. T.* GAMILLSCHEG. BLOCH.)

Comte.

OEuvres, f. 495 r° : « Les Preteurs et Proconsuls jadis envoyez par les Romains au gouvernement des Provinces leurs subjectes, avoient à leur suitte des gens appellez *Comites, contubernales et cohors Praetoria.* C'est à dire gens de sa suitte, Camerade, et compagnons du Praeteur : pource qu'ils faisoient compagnie à ces dignitez et grands officiers. »

> comte : du lat. *comitem*, m. s. devenu *comte*, et *conte*, puis par restauration orthographique *comte*.
>
> (*Dict. H. D. T.* confirmé par dict. plus récents.)

Connétable.

OEuvres, f. 500 v° : « Plusieurs disputent sus l'origine du mot, les uns disent qu'il a pris son nom de Connestable : pour ce qu'il ne se changeoit pas comme les autres Comtes, ains estoit stable et perpetuel... Les autres le prennent de Comte de l'Estable, qui estoit une dignité cogneuë, mesme du temps des Empereurs Romains et anciens Rois François... Il y a bien grande apparence en ceste derniere etymologie. Toutes-fois, je pense quant à moy, que le mot de Connestable est François, et encores qu'il a esté mis en usage plus tard beaucoup qu'on ne pense... »

> connétable : du bas lat. *conestabulum*, m. s. devenu *connestable, connétable.* Le bas lat. paraît être une corruption inexpliquée de *comes stabuli*, comte de l'étable.
>
> (*Dict. H. D. T.* GAMILLSCHEG. BLOCH.)

Cordouan.

OEuvres, f. 182 v° : « A Cordube, maintenant Cordova : d'où viennent les peaux de chèvre, que pour ceste cause nous appellons Cordouan. »

> Voir *Cordonnier*, altération par étymologie populaire de l'anc. franç. *cordouanier*, ouvrier en *cordouan*, c'est-à-dire en cuir de Cordoue.
>
> (*Dict. H. D. T.* confirmé par dict. plus récents.)

« Corfeu ».

B. N. fr. 24726, f. 27 r° (voir tout le chapitre) : « Il commanda que chacun oiant le son d'une cloche... couvrit son feu de cendres... et que cela en langaige normant fut appellée cover feu. Il est possible que son opinion (celle de Polydore Virgile) soit vraie, mais

couver feu est bon François, et le duc pouvoit avoir pris ceste coustume de nous... J'ay trouvé des gens lesquelz m'ont dit que l'origine de ce mot venoit de Cors funct et que veritablement c'est un
advertissement de prier Dieu pour les cors defuntz, mais que l'on
osté le *de* pour faire la parolle plus briefve. Elisez de toutes opinions laquelle vous semblera la meilleure. »

>   curfew : AF *coeverfu* f. OF *covrefeu* (*couvrir*, cover + *feu*
>   fire). (*Concise Oxford Dict.* AF = Anglo—French; OF = Old
>   French.)

Créneaux et Crête; Parapets.

Œuvres, f. 522 v° : « Creneaux ou cresteaux... lesquels mots
vennent de Cran, c'est à dire hoche : ou de Creste, que l'entre-
coupeure inegalle que les dernieres pierres du hault des murs des
forteresses representent. Et principalement, quand elles ressemblent à creste des coqs, et ces Creneaux (unis et non entrecoupez)
depuis peu de temps ont esté nommez Parapetz, d'un nom emprunté
des Italiens, pource qu'ils couvrent et parent aux coups de la poi-
trine qu'ils appellent Petto. »

>   créneau : dérivé de *cran*, d'après l'anc. forme *cren*...
>   Cran : du lat. pop. **crennum*, forme hypothétique pour *crena*,
>   entaille, devenu *cren*, *cran*.
>   crête : du lat. *crista*, m. s. devenu creste, crête.
>   parapet : emprunté de l'ital. *parapetto*, m. s. proprt., « garde-
>   poitrine ».
>
>>   (*Dict. H. D. T.* GAMILLSCHEG.)
>>   H. ESTIENNE, *Précellence*, p. 352, donne *parapet para-
>>   petto : ibid.*, il parle de « murs crenelez » (p. 358),
>>   mais n'en donne pas l'étymologie. « Murs crestelez »,
>>   *ibid.*, p. 358, sans étymologie. *De latinitate*, p. 347,
>>   donne creneau < *crena*.

Crousles.

Œuvres, f. 201 r° : « Ces tremblemens (que nos anciens par un
mot tout Grec appelloient crousles). »

>   crouler : du lat. pop. **crotulare*, m. s. On considère générale-
>   ment le lat pop. comme représentant *corrotulare*, composé
>   de *cum* avec, et *rotulus*, rouleau; toutefois cette étymologie
>   n'est complètement satisfaisante ni pour le sens ni pour
>   la forme. Crouler se rattache peut-être au lat. *crotulum*,
>   grec χρόταλον, castagnette devenu en lat. pop. **crotelum*.
>
>>   (*Dict. H. D. T.* confirmé par GAMILLSCHEG et BLOCH.)
>>   H. ESTIENNE, *Conformité du langage françois*, donne
>>   *crouler* < χρούειν.

Déguerpir.

Œuvres, f. 226 r° : « Le Latin des Annales de S. Martial dict
Ingenuitatem et Alodem guerpierunt, d'où vient nostre desguerpir,
qui signifie lascher. »

déguerpir : composé de la particule *de* et l'anc. franç. *guerpir*,
abandonner, quitter. *Guerpir* est d'origine germanique.
Cf. allem. mod. *werfen*, jeter.
> (*Dict. H. D. T.*)

BLOCH dit que *guerpir* est emprunté du francique *werpan*,
auquel correspondent l'allem. *werfen* et l'anglais *to warp*.

Dépouilles.

OEuvres, f. 161 r⁰ : « Les despouïlles, que les anciens appelloient
optma spolla. »
> dépouille : subst. verbal de dépouiller : dépouiller, du lat. *des-
> poliare*, m. s. de *de* et *spolium*, dépouille.
>> (*Dict. H. D. T.*)

> H. ESTIENNE, *De latinitate...*, p. 184, donne despouiller
> < *despoliare*.

Dome et Monstier.

OEuvres, f. 90 v⁰ : « Mesmes les bastimens où les Chrestiens
s'assembloient, volontiers s'appelloient *Martyrium*, à cause des Martyrs; *Dominicum*, à cause du nom de Dieu, par excellence nommé
Dominus, dont vient le mot Italien *Dome*, et *Monasterium*, à cause
des Moines, qui nous les ont fait appeler *Monstiers*. »
> dôme : emprunté de l'ital. *duomo*, dialect. *domo*, m. s. d'après
> le lat. *domus Dei*, maison de Dieu.
>> (*Dict. H. D. T.*)

> moutier : Pour moustier, du lat. *monasterium*, grec μοναστήριον,
> qui semble être devenu de bonne heure *monsterium*.
> **mosterium*, d'où *mostier*, *moustier*.
>> (*Dict. H. D. T.*)

> moustier <*moni/sterium. (BLOCH.)

> H. ESTIENNE, *De latinitate*, p. 323, donne *monstier* et
> *monasters* < *monasterium*.

Donjon.

OEuvres, f. 514 r⁰ : « Ceste grosse tour est par nous appellée
Donjon de *Domicilium*, pource que c'est la retraicte et domicile
du Seigneur, comme le plus fort endroit de son Chasteau... »
> donjon : du bas lat. **domnionem*, m. s. dérivé de *domnus*,
> (pour *dominus*), seigneur ».
>> (*Dict. H. D. T.* GAMILLSCHEG. BLOCH.)

Duc.

OEuvres, f. 493 r⁰ : « Il n'y a aucune doute que le mot de Duc
ne vienne du Lati *Dux*, signifiant celuy qui va devant, et conduit
les autres. Qui est aussi la cause pourquoy les Chefs et Capitaines
d'armées ont esté ainsi appellez entre les Romains : d'autant qu'ils
doivent conduire... »
> Duc : emprunté du lat. moyen âge *dux*, m. s. transcrit littérale-
> ment au nominatif *ducs* (plus tard par euphonie *dus*),
> d'où l'on a tiré l'accusatif *duc*, qui a seul survécu.
>> (*Dict. H. D. T.* et dict. plus récents.)

Echanson.

OEuvres, f. 488 v° : « Le Roi voulut avoir un grand homme pour luy presenter sa coupe, appellé Eschanson, en vieil langage, pource qu'il versoit à boire, ce que l'on dit encores signifier le mot Alleman Schank. »

> échanson : mot d'origine germanique, lat. méroving *scancio-nem*, allem. actuel *schenken*, verser à boire, *schenk*, échanson.
>
> (*Dict. H. D. T.*)
>
> échanson < fr. *skankjo*.
>
> (GAMILLSCHEG et BLOCH.)

Ecu.

OEuvres, f. 522 r° : « Escus, venus de *scutum* mot latin. »

> écu : du lat. *scutum*, bouclier, devenu *escu* et *écu*.
>
> (*Dict. H. D. T.* et dict. plus récents.)
>
> H. ESTIENNE, *De latinitate*, p. 345, donne *escu* < *scutum*.

Ecurie.

OEuvres, f. 484 v° : « Le nom d'Escuyer ne vient pas seulement du service de ceux qui portoient l'Escu des Chevaliers, mais aussi de *Scuria*, c'est à dire en vieil François Estable : dont vient le mot Escurie et d'Escuyer : celuy qui maintenant a la charge d'amener le cheval au Roy, et de porter son espée. Je confesse bien que l'on appelle aux vieilles Chartres *Scutifer* celuy que nous disons Escuyer : et *Miles* le Chevalier : mais c'est tard, et pour le plus tost c'a esté du regne de Charlemagne, que ces mots ont eu lieu. Car au temps de la première famille, il y avoit un Comte de l'Estable (voire soubs ledict Empereur) qui avoit soin des chevaux Royaux. Et comme j'ay dit *Scuria* signifioit Estable, ainsi que vous trouvez au dixhuictiesme tiltre de la Loy Salique, article troisième, *Si quis Scudem cum Porcis, Scuriam cum animalibus, aut foenile incenderit*. etc. C'est à dire, si aucun a bruslé la Porcherie avec les Porcz, l'Escurie avec les bestes, ou le fenil etc. »

> écurie : pour *écuierie*, dérivé de *écuyer*. *Ecuyer* du lat. *scuta-rium*, proprt. « celui qui porte le bouclier ».
>
> (*Dict. H. D. T.*)
>
> écurie : d'abord *escuerie, escuyerie*, d'abord l'état d'écuyer. Le sens moderne date du XVIIᵉ siècle. N'a rien à faire avec le mot germanique représenté par l'anc. haut allem. *scura*, d'où l'allem. *scheuer*, « grange », d'où viennent le lat. médiéval *scura*, et l'anc. prov. *escura* « grange », et non « écurie », comme il est parfois traduit.
>
> (BLOCH.)
>
> H. ESTIENNE, *De latinitate*, p. 345, dit à propos d'*écuyer* : « Neque vero pro escuyer, quod ex illo Escu deductum est, magis verear *scutarius* dicere quam scutifer ubi prima huius Gallicae vocis significatio exprimenda fuerit. »

Encombrer.

OEuvres, f. 81 r° : « Vint loger en un lieu appellé Combros, c'est... qui est dans la forest... (un abrégé dit, *fecitque Cumbros*, dont possible vient encombrier, et peut estre la mesme fortification). »

> encombrer : composé avec la particule *en*, lat. *in* et le bas lat.
> * *combrus* barrage, d'origine inconnue.
> > (*Dict. H. D. T.*)
> encombrer : < combre < *komberos, lat. *cumera, cumerus*.
> > (*Dict.* Gamillscheg.)
> Bloch dit que * comboro(s) est gaulois.

Esquiver.

OEuvres, f. 558 r° : « Eschiver, fuyr, l'Italien schifare, dont vient esquif. »

> esquiver : emprunté de l'ital. *schivare*, m. s. A remplacé l'anc.
> franç. *eschiver, eschever*, qui, comme l'ital., se rattache à
> l'anc. haut allem. *skiuhan*, allem. mod. *scheuen*, avoir
> peur.
> > (*Dict. H. D. T.*, et dict. plus récents.)

Estropié, estropiat.

OEuvres, f. 509 v° : « Ils estoient mes-haignez (possible vient-il de mutilez, et que maintenant par un mot italien nous appellons, *estropiats*). »

> estropiat : emprunté de l'ital. *stroppiato*.
> estropier : emprunté de l'ital. *stroppiare*, m. s. d'origine incer-
> taine.
> > (*Dict. H. D. T.*)
> estropier : < ital. *stroppiare* < * *extorpiare* < *extorquere*.
> > (Gamillscheg.)
> H. Estienne mentionne ces mots, *mehain* et *estropié*,
> mais n'en donne pas les étymologies. Cf. L. Clément,
> *op. cit.*, p. 352.

Etude.

OEuvres, f. 238 v° : « Il n'y avoit aucune estude en France (je croy que par le mot de *studium*, ils entendoient université ou Colege public d'arts liberaux). »

> étude : pour *estude*, emprunté au lat. *studium*, devenu *estudie*,
> *estude*, sous l'influence des mots populaires.
> > (*Dict. H. D. T.*)

Faisceau.

OEuvres, f. 528 v° : « Faisseau qui vient du Latin *fascis*. »

> faisceau : du lat. pop. * *fascellum*, diminutif du lat. class.
> *fascis*, m. s. devenu *faissel, faisseau*, écrit *faisceau* par
> réaction étymologique.
> > (*Dict. H. D. T.* Gamillscheg. Bloch.)

Fief.

OEuvres, f. 497 v° : « Telles donations furent appellez *Fiefs*, comme tenues sous l'obligation de la foy. »

OEuvres, f. 499 r° : « Feudum loricae et scutiferi, c'est à dire fief de Haubert et d'Escuyer. »

> fief : mot d'origine german. (anc. haut allem. *fehu*, allem. mod. *vieh*, troupeau, introduit en Gaule à l'époque carolingienne sous la forme *feuum*, devenu régulièrement *fief*). On trouve plus récemment les formes latines *feudum* (cf. *feudiste*, *feudataire*) et *feodum* (cf. féodal, féodalité), où la présence d'un *d* est inexpliquée.
>
> (*Dict. H. D. T.*)
>
> Bloch dit que la forme *feudum, feodum* est faite d'après *allodium*.

Fourrage.

OEuvres, f. 230 r° : « La provision Royalle, lors appellée *Foderum* : du mot Thiois, dont vient fourrage, fouriers et foarre... qui estoit une charge que ceux du plat pays fournissoient aux gens de guerre et de la suite du Roy. »

OEuvres, f. 481 r° : « Des provisions que l'on y avoit retirées, pour soulager le peuple, du *Foderum* (qui est le Fourage) que les gens de la suitte des Rois prenoient sur le plat païs. »

OEuvres, f. 505 r° et v° : « Les Fourriers donc viennent de Fourrage : et ce mot de *Foderum*, qui du temps de la seconde lignée de nos Roys, signifioit la paille et avoine que le plat pays bailloit aux gens de guerre et de la suite des Ducs et Comtes, ainsi qu'on lit en la vie de Louys le Debonaire... lesquelles choses ainsi ordonnées, il deffendit aux paysans de plus bailler des provendes aux gens de guerre, que communement l'on appelle *Fodrum* : Encores en Allemagne, l'avoyne, paille et foin, distribuez aux domestiques des Princes, s'appelle *Foeter*. Et mesmes à Paris, l'on appelle Foüarre (car il faut ainsi prononcer ce mot) l'estrain (c'est *stramen*) ou paille batuë pour faire litiere. »

> fourrage : dérivé de *feurre* : Feurre, *foerre* et *foarre*; emprunté du gothique *fodr*, qui à côté du sens de « fourreau », seul attesté, paraît avoir eu aussi le sens de « nourriture des animaux », qui se retrouve dans l'allem. mod. *futter*, anc. nord. *fodr*, etc.
>
> (*Dict. H. D. T.* Gamillscheg et Bloch.)

Gonfanon.

OEuvres, f. 525 r° : « Or jaçoit que chacun Baron eut banniere, il y en avoit une principale, nommée *Banniere* par excellence, et encores Gont-fanon; Que du Tillet dit signifier linge et drappellet en vieil langage Thiois : la moindre enseigne s'appelloit Fanon, et Gont-fanonier celuy qui portoit ce Fanon. L'estendard et l'enseigne ont pris leur nom, pour ce que le linge ou drap estendu au vent, enseignoit la route que l'armée devoit tenir et suivre. »

gonfanon et gonfalon : emprunté de l'anc. haut allem. *guntfano*,
m. s. proprt. «bannière (cf. fanon) de combat ».

fanon : emprunté de l'anc. haut allem. *fano*, pièce de toile,
d'étoffe, et, spécialement drapeau.

étendard : dérivé de *étendre*, du lat. *extendere*, m. s. devenu
estendre.

enseigne : du lat. *insignia*, plur. de *insigne*, m. s. employé
comme fém. sing.

enseigner : du lat. pop. *insigniare*, m. s. (class. *signare*, indiquer) devenu *enseignier, enseigner*.

(*Dict. H. D. T.* Gamillscheg. Bloch.)

Haro.

Œuvres, f. 418 v° : « Raoul fut bon Justicier... Tellement que
la memoire de sa justice est demeurée en la bouche de ceux du
païs : qui estans grevez, l'appellerent encores à leur ayde, criant
Haro, contre ceux qui les forcent. Jaçoit que d'autres pensent, que ce
mot vienne de Harouenna : qui en vieil François Teulch, signifioit le
lieu où se tenoit la Justice : comme si celuy qui crie, Haro, appelloit
sa partie à l'harouenne ou lieu de la justice, pour avoir raison de
sa violence... »

haro : origine incertaine, peut-être simple onomatopée. Quelques-uns y voient un appel à Rou (Rollon) ancien duc de
Normandie, mais l'anc. forme *hareu* ne favorise pas cette
opinion.
(*Dict. H. D. T.*)
Bloch dit : *haro* onomatopée analogue à *hare*. *ha Rou* est
une fausse étymologie.

Héraut.

Œuvres, f. 516 r° : « Il y a grande apparence que l'etymologie
et derivation du mot Heraud est Alemande : puis quon dit que
Heral en ce langage, signifie vieil gendarme ou guerrier. Car il me
souvient avoir ouy nommer Altfranc, les vieilles Eglises basties en
ce païs par nos anciens Roys. Autres disent Herald, c'est à dire,
Sergent d'armes. Car Heré signifie Camp, Herisclit, abandonnement
d'armes : Herisban appel ou semonce en l'armée : Heristal logis, ou
lieu auquel l'armée a sejourné : Herald, vieil gendarme. »

héraut : origine incertaine; peut-être dérivé de l'anc. haut allem.
haren, crier, appeler. Pour les autres mots mentionnés par
Fauchet, cf.

héberge : pour *herberge*, emprunté de l'anc. haut allem. *heri-
berga*, m. s. proprt. « tente de campement », de *heri*,
armée, et *bergan*, protéger (cf. haubert).
(*Dict. H. D. T.*)

héraut < heriwald, dérivé de *harên*, cf. harer et haler.
(Gamillscheg.)

héraut : emprunté du francique *hariwald*, proprt. « chef d'armée »; cf. Chariouwalda, chef Batave, Tacite, *Annales* II, ancien saxon Heriold, nom propre.

(BLOCH.)

Hurepois.

Œuvres, f. 542 r° (voir tout le passage). « Le païs de Hurepoix pourroit avoir pris son nom de ce que les habitans portoyent leurs cheveux droits et herissez comme poil de Sanglier, la teste duquel en venerie s'appelle Hure. De Hurepé donc vient par syncope Hupé... et encore Houpé... Le mot de Hurepé pour poil levé et mal pigné, dure encores en la bouche d'aucunes femmes de Paris, en mesme signification que le Latin *arrecta coma*. »

GAMILLSCHEG confirme cette étymologie.

Keux.

Œuvres, f. 482 v° : « Lequel Seneschal lesdites loix... font differend de *Coquus*, c'est-à-dire, Keux ou Cuisinier. »

Correct.

Léonine.

Œuvres, f. 545 v° : « Depuis l'an DC les vers rymez ont eu plus de vogue. L'autheur est jusques icy incertain... il y en a qui l'attribuent à un Pape nommé Leon... lequel on dit avoir reformé le chant et les Hymnes de l'Eglise : tant y a qu'une sorte de ryme s'appelle Leonine ou Leonime. »

léonin : paraît dérivé de Léon, chanoine de St Victor de Paris, qui aurait mis à la mode les vers latins léonins.

(*Dict. H. D. T.* GAMILLSCHEG. BLOCH.)

Maire.

Œuvres, f. 482 r° : « Aussi s'appelloit-il *Maier*, de *Maior* : nom tiré du Latin qui signifie Majeur, et premier ou plus grand. »

maire : du lat. major, proprt. « plus grand ».

(*Dict. H. D. T.*, GAMILLSCHEG. BLOCH.)

Maltôte.

B. N. fr. 24726, f. 33 v° et 34 r° (voir tout le chapitre). « Il me souvint qu'un jour l'on me demanda pourquoi les impositions estoient appellées malletottes, et de fait aiant un petit pensé... malletotte seroit mauvaise exaction. Ce mot de toultes peut venir de tollo Latin qui signifie en françois, j'oste. Nos antiens en ont usé, ceux d'apres ont dit tollir un lieu. Et vous dis que c'estoit le langaige de lors. La malletotte fut premier instituée sous Philippe le Bel... »

maltôte : composé de *male*, fém. de *mal*, adjectif, et l'anc. franç. *tolte*, impôt, subst. particip. de *toldre* ou *tolir* (lat. tollere) lever.

(*Dict. H. D. T.*, GAMILLSCHEG. BLOCH.)

Maréchal.

Œuvres, f. 503 r° : « Pausanie Autheur Grec dict, que **Mark** signifioit cheval en vieil langage Gaulois, qui me faict croire que celuy qui ferre et medecine les chevaux en a pris son nom : comme aussi il y a grande apparence que la dignité de Mareschal vienne de la charge qu'ils avoient des chevaux Roiaulx, soubs les Comtes de l'Estable leurs chefs... leur nom donc vient du commandement qu'ils avoient sur les gens de cheval. Car Mark... signifioit cheval : et Scal maistre : Comme Seneschal maistre des cuisiniers. De laquelle opinion est Chastel Vetro, sçavant Italien : lequel en sa responce faite à Fl. Varchi, dit que *Scal*, signifie qui a soin. Et que pour cette cause celuy qui a soin des chevaux s'appelle Mareschal... mais je croy que *chal* est mot Allemand. Et que le livre intitulé Grace... monstre que Scal signifie maistre. »

> maréchal : pour *mareschalc*, emprunté du german. *marahscalc*,
> proprt. domestique (*scalc*) qui a soin du cheval (marah).
> (*Dict. H. D. T.* Les autres d'accord.)

Le dict. de Nicot avait dit que selon Pausanias *mark* signifiait « cheval » chez les Gaulois. C'était en lisant le commentaire de Beatus Rhenanus sur Tacite que Fauchet avait appris l'étymologie de *maréchal*. Il le note dans son cahier, B. N. fr. 24726, f. 75 v°.

Marguilliers.

Œuvres, f. 213 r° : « Il nomme ces garde-roolles, *Matricularios* : dont vient le mot de Marguilliers, lesquels sont encores retenus aux corps des Eglises Cathedrales de Paris, et aux parochiales ont l'administration du temporel, aumosnes, et dons faicts pour l'œuvre et fabrique des lieux. »

> marguillier : altération de *marglier*, plus anciennement *marre-*
> *glier*, emprunté du lat. ecclés. *matricularius*, proprt. « qui
> tient un matricule ».
> (*Dict. H. D. T.* Gamillscheg et Bloch.)

Mas et Manant.

Œuvres, f. 116 v° : « On les appelloit en langage Francteusch, Aldiones, c'est à dire serfs afranchis, Leudes, *Manssarii*, *Fiscalini*, *Indominicati*, quand ils labouroient les terres du Roy; *Ecclesiastici*, ou *serviles* quand ils appartenoyent aux Eglises ou particuliers. Le mot de *Manssarii* vient de *Mansus*, qui signifie un héritage des champs, lequel devoit contenir le labeur de deux charruës à bœufs. Et l'on en use encores en Provence, Languedoc et Gascogne, où ces terres s'appellent *Mas* et *Mais*... Et je croiroy volontiers que ces mots *Cum mansis* et *Commanentibus* remarquent ceux qu'on nome de present manans et habitans. Pource qu'encores au pays Chartrain et le Perche on appelle manant ou manante, un païsan et femme de village. »

Œuvres, f. 379 v° : « Comme le tribut seroit levé... voulant qu'on levast de chaque *Mansus*, je l'interprète Manant : combien que je sçache qu'il signifie certaine portion de terre (que les Gascons appellent encore Mas) *indominicatus* (c'est-à-dire Roial) un sol : de *Manso ingenuo* (je croy franc et noble) quatre deniers de cens Royal,

et quatre pour le bien et faculté dudit Manant. Ce qui monstre qu'il
ne faut pas entendre ceste levée avoir seulement esté faicte sur les
Mansus de terre... »

    manant : subst. particip. de l'anc. verbe *manoir*, demeurer.
          (*Dict. H. D. T.*)
    mas : voir. A. Longnon, *Noms de Lieu de la France...* Paris, 1923,
        961 : « A l'époque franque, le mot *mansus* qu'on ne trouve
        dans aucun document antérieur, désignait une sorte de
        petite ferme ou d'habitation rurale à laquelle était attachée
        à perpétuité une quantité de terre déterminée, et en prin-
        cipe, invariable. Quoique ce nom se rapporte d'ordinaire à
        la seule habitation, comme on le voit très nettement dans
        plusieurs passages du Polyptique d'Irminon, il désignait
        aussi... les terres qui en dépendaient. Dans la langue d'oc...
        il est devenu *mas*, mot encore employé à Arles dans le
        Languedoc, en Dauphiné, en Forez et en Cerdagne au sens
        de « maison de campagne », de « ferme ». »

Massacrer et Escrime.

    OEuvres, f. 98 r° : « Des glaives appellez Scramasaxes [1] (massa-
crer en pourroit venir, n'estoit que les loix Gotthiques appellent
Scrama un ferrement ou arme, et les Allemans, *Scram*, ce que nous
disons escrime). »

    OEuvres, f. 520 v° : « Espée nommée Scramasaxes duquel ferre-
ment Gregoire... dit que Sigisbert fut tué... dont peut estre vient le
mot de massacrer si vous ne dites que en Alleman *scram* signifie
escrime. »

    massacrer : anc. franç. *macecle, masecre, macacre*, boucherie,
        lieu où l'on égorge le bétail, d'origine inconnue.
          (*Dict. H. D. T.*)
    escrimer : a remplacé l'anc. franç. *escremir*; emprunté du ger-
        man *skirmjan*, m. s.
          (*Dict. H. D. T.* Bloch.)
    Pour massacre, Bloch dit : origine inconnue. Ne peut pas être
        une altération de l'anc. franç. maisel, boucherie, lat.
        macellum « viande de marché ». L'allem. *metzger* est lui-
        même d'origine latine.

Marquis.

    OEuvres, f. 222 v° : « Quant aux villes de la frontière du Royaume
de Lombardie qu'il retint, il les bailla en garde aux Comtes, avec
l'intendance de toutes choses publiques, et l'administration de la
justice et des frontières; que lors on appelloit *Marquizats*, principalement quand elles estoient sur la Mer, eurent des gouverneurs pour
ceste cause nommez Marquis. »

    OEuvres, f. 494 r° et v° : « L'on tient pour certain que le mot de
Marquis vient de Mark : qui de tout temps en langue Gauloise et

---

[1] Pour *scramasaxe*, voir Ducange.

Germanique (jadis commune et presque semblable) signifioit cheval, ainsi que dit Pausanie Autheur Grec. Voire, pour monstrer que ce mot a longuement duré par deçà; il est dit : en la Loy des Bavieriens, au tiltre des vicieux Animaux, s'il luy a coupé la queüe, ou l'aureille (si le cheval est de ceux que nous appellons Mark) il l'amendera de... solz... Ceux qui commandoient aux gens de cheval estoient appellez Marquis. Mais depuis, parce qu'on les tenoit aux frontieres affin de plus facilement descouvrir la venüe et surprise des ennemis, ils donnerent leur nom au païs où ils demeuroient. De sorte que les limites et confins prirent le nom de Marche...

»Toutesfois l'Empereur Frideric donne une autre raison de l'etymologie du nom Marquis, laquelle semble differente à aucuns, et non pas à moy : qui soustiens que le mot vient de cheval : ayant de mon opinion ce grand et sçavant Jurisconsulte Alciat, au livre qu'il a faict du Duel : et Beat Rhenan en ses Annotations sur Tacite. Car le susdit Empereur au deuxiesme livre des Feudes au dixisme tiltre dit. Celuy qui par le Prince est vestu de quelque Duché, est communement appellé Duc : et qui de Marche, est Marquis, et la Marche est ainsi nommée, pource que le plus souvent elle est assise près de la Mer, etc. De faict, vous voyez que la Marche d'Ancone, Trevisane, celle de Brandebourg, et de Danemarck, sont assises sur la Mer. Et lors on pense que ce soit, comme si l'on eut voulu dire, *regio marica*, pour *marina*. Mais je ne trouve point que *maricus* pris pour *marinus*, soit Latin : quelque chose que dise Castel Vetro Italien. Et en la loy des Bavieriens tiltre des Bornes, il est dit. Toutesfois et quantes qu'il se meut differend de terres Commarchanes, quand les signes ne sont apparentes, etc. Il est certain qu'il entend par Commarchanes, parler des terres qui marchisent et se touchent. Quant à nous François, nous appellons Marche, ce que les Latins disoient *Limes*, et quant l'on dit ces Provinces Marchisent, c'est à dire, elles sont limitrofes, ou se touchent l'une à l'autre.

» Altamer au commentaire sus le livre des mœurs des Germains, composé par Corneille Tacite, dit : Que les Allemans appellent Marche un païs conquis par armes : Marquis le seigneur d'un tel païs. Volaterran, en son quatriesme livre soubs *Venetia*, donne encores une autre raison, disant : Que les Lombards faits maistres d'Italie, la commirent au Gouvernement, partie de Ducs, partie de Marquis : qui en leur langue signifioient Magistrats hereditaires et perpetuels. Car les Ducs ne venoyent à tels dignitez par succession. Vadian les estime comme ceux qu'en Latin l'on appelloit *Praefectos militum*, Gouverneurs des frontieres, appellez Marquis en langue Allemande ou Germanique. Et qu'avant la venüe des Romains en ce païs-là, ils avoient des Margraff.

» Jacques Vuinfeling, Autheur de la vie de Dretheric Archevesque de Majence dit, les Comtes avoir esté appellez Graff, pour la gravité de leurs mœurs : Et a trouvé Zaze sçavant Jurisconsulte : qui a suivy son opinion au traicté *de Usibus feudorum*. Comme si dès ce temps-là les Germains eussent parlé et entendu Latin. Je confesse bien que Tacite dit : Que chacun Prince ou chef des armées Germaniques avoit douze *Comites*, c'est à dire, Compagnons, ou gens qui ne partoient point d'auprès d'eux, mais non pas qu'ils s'appellassent Graff, ainsi que veut Vvinfeling. »

marquis : anc. franç. *marchis*, dérivé du radical germanique *marche* à l'aide du suffixe lat. *ensis*, d'où *marchieis*, *marchis*. *Marchis* a été remplacé par *marquis* sous l'influence de l'ital. *marchese;*

marche : emprunté du german. *marka*, allem. mod. *mark*.

(*H. D. T.* Gamillscheg. Bloch.)

Ici le commentaire de Fauchet est extrêmement riche. Mais on trouve presque tous ces renseignements dans son cahier dans un court chapitre écrit en 1555. Voir B. N. fr. 24726, f. 34 v°.

Voici les titres des livres auxquels Fauchet fait allusion :

Sur Pausanias, voir *Recueil*, p. 10, et plus haut au mot maréchal. La citation est Pausanias, X, XIX.

Alciat : *Andreoe Alciati mediolanensis de singulari certamine seu duello tractatus*, Paris, J. Kerver, 1541.

Beatus Rhenanus : *P. Cornelii Taciti Equitis Romani Annalium... sive Historiae Augustae libri sedecim... recogniti per Beatum Rhenanum*, Basileae, 1533.

Les textes des anciennes lois ont été publiés dans les *Monumenta Germaniae historica* (les volumes *Leges*), de Pertz. Voir *supra* p. 278.

Altamer : *Althameri Brenzii scholia in Cornelium Tacitum de situ, moribus populisque Germaniae*. Excudebat F. Peypus... Norimbergae, 1529 (diverses éditions).

Volaterran : *Commentariorum urbanorum R. Volaterrani*, Parrhisiis, 1526.

Vadian : *Pomponii Melae de orbis situ una cum commentariis J. Vadianii*, 1557.

Sur Jacques Wimpheling, voir A. Molinier, *Sources de l'Histoire de France*, n° 4668. Voir notre liste d'auteurs.

Zaze : Ulric Zazius ou Zasius, 1461-1536, jurisconsulte et humaniste.

Mire.

OEuvres, f. 489 v° : « Ceux qui guerissent les playes jadis appellez *Mires*, du mot Grec Miron, qui signifie unguent. »

mire : < *medicum*.

(Clédat, *Dict. étym.*)

H. Estienne, *Précellence*, p. 251, mentionne *mire* sans en donner l'étymologie.

« Mon Joye Sainct Denis ».

OEuvres, f. 56 r° : « Mon Joye Sainct Denis, — comme s'ils vouloient dire en brief, Christ que Sainct Denys a presché en Gaule, est mon Jove : c'est-à-dire mon Jupiter. Et comme tout se change avec le temps, ce *mon Jove*, s'est tourné en *Mon Joye* : par corruption du v de Jove en l'y Grec de Joye : ainsi que plusieurs escrivent : si

cé n'est qu'on veuille dire, Christ est ma Joye, d'autant que la
raison de grammaire veult que Joye soit féminin, et non pas
masculin : comme il faudroit, si Monjoye estoit bon langage. »

montjoie : paraît composé de *mont* et *joie*, proprt. « Mont de la
joie ». Ce mot a été adopté au moyen âge comme cri de
guerre des Français (Vieilli). Petit monticule de pierres
qu'on élevait autrefois de distance en distance sur les routes
pour indiquer les bons chemins.

(*Dict. H. D. T.*)

La Grande Encyclopédie donne *montjoie* < *mons Jovis*, et
dit que les montjoies servaient de frontières entre deux territoires, et par suite, d'objectifs militaires, de rendez-vous
pour le ban.

Oursel.

Œuvres, f. 54 r⁰ : « Un vaisseau d'argent d'excellente manu-
facture... en Latin appelé *Urceolus*, et de nos anciens, *Oursel*, mot
encore retenu en aucunes provinces de ce Royaume ».

urceolus : Inter ministeria seu vasa sacra recensetur. Lan-
francus Cantuar. Epist 13 : *Urceolus quid sit, lquido
patet, est enim vas superius, unde lavandis manibus
aqua infunditur.*

(Du Cange).

Pair et Parage.

Œuvres, f. 492 r⁰ : « Par toute l'antiquité, vous voyez que toutes
les parties plaidantes, demandoient d'estre jugées par leurs Pairs :
c'est-à-dire, Vassaux du haut Ber, et Suserain : que j'interprete
Pareils... En Allemaigne ils ont encores ces Pairs, qu'ils appellent
Heulent et en Latin *Pares Curiae*. Aussi Othon de Frisinghen, chapitre trente uniesme au premier livre des Gestes de Frideric dit : le
Prince suivant nostre coustume demanda l'advis de plusieurs de ses
Pairs. Et de fait, il semble que les Pairs de France avoyent esté
choisis comme égaux : et pour estre Juges aux Parlements generaux.
... Ceux qui ont composé les Romans ne les estime et prennent
que pour compagnons... Si est-ce que le mot se prend aussi pour
parent... Et tenir en Parage ou Pareage, c'est estre suject de quelqu'un, comme ayant partagé avec luy, ainsi que Parent. Car Parage,
Pareage, et parentage est tout un... »

(Suivent des citations de divers poèmes du moyen âge.)

pair : du lat. *parem*, m. s. devenu régulièrement *per* en anc.
franç. écrit plus récemment *pair* sous l'influence du subst.
paire.

parage : origine incertaine; on le considère généralement comme
dérivé de *pair.*

(*Dict. H. D. T.*)

Gamillscheg; *parage* est formé du vieux franç. *per* sur
l'analogie de *ber, barnage.*

Peril

Œuvres, f. 555 r° : « Puisque nous disons peril pour *periculum...* »

peril : du latin *periculum*.
(*Dict. H. D. T.* et dict. plus récents.)

Phare et Fanal.

Œuvres, f. 274 r° : « Ces tours jadis s'appelloient Fares, à cause de celle que pour mesme usage fut bastie devant le port d'Alexandrie d'Egypte : et possible que pour ceste lanterne qu'une Galere Capitanesse porte s'appelle pour cela Fanal. »

phare : emprunté du lat. *pharus*, grec φάρος m. s. proprt, nom propre d'une île près d'Alexandrie, où l'on avait établi une tour surmontée d'un foyer lumineux.

fanal : emprunté de l'ital. *fanale*, qui est dérivé du grec φανός m. s.
(*Dict. H. D. T.*)
Gamillscheg et Bloch d'accord pour *phare*, mais mentionnent l'arabe *fanar*, le sicilien *fano*, à côté du grec, pour fanal.

Pique.

Œuvres, f. 530 v° : « Possible que la Picque vient du pays, qui pour telle sorte d'arme en a retenu le nom de Picardie, d'autant que les gens de pied de ce pays-là (plus volontiers que les autres nations) usoient de ce long bois : appellé aussi *Hokebos*, d'autant que son effect consistoit au heurt que le Piquenaire faict, apres avoir secoué et esbranlé son Hokebos depuis appellé, Picque, pource qu'il poind et picque. Car le mot de Picardie n'est pas ancien, ains se trouve seulement depuis CCCC ans : et Pierre de Blois en ses Epistres, semble estre le premier qui en face mention, si j'ay encores bonne mémoire. »

pique, dérivé de *pic;* pic : outil d'ouvrier, paraît être un emploi figuré de *pic*, oiseau.
(Bloch, *H. D. T.*)

Reître.

Œuvres, f. 530 r° : « Les gens de cheval arbalestriers... estoient tirez d'Allemagne. Comme aujourd'huy ceux que l'on appelle Reistres : pource qu'ils font leurs factions à cheval. Car *Ridher* en leur langue, signifie courre : et les pieces d'or appellées Rides, ont la figure d'un Chevalier eslançant son cheval pour courre. »

reître : emprunté de l'allem. *reiter*, de *reiten*, chevaucher.
(*Dict. H. D. T.* confirmé par les dict. plus récents.)

Roman.

Œuvres, f. 540 v° : « Tant de livres de divers dialectes... portans le nom de Romans : voulans les poëtes donner à cognoistre par ce tiltre, que leur œuvre ou langage n'estoit pas Latin ou Romain

Grammatic, ains Romain vulgaire. » (Voir tout le passage et comparer notre chapitre, p. 119.)

> roman : emprunté du lat. *Romanus*, de Rome, adjectif appliqué au moyen âge, à la lanque vulgaire de chaque pays, par opposition à la langue des clercs ou latin.
>
> > (*Dict. H. D. T.* confirmé par les dict. plus récents.)

Routiers et Roturiers.

Œuvres, f. 521 r° : « De ces gens à pied, les aucuns s'appelloient Routiers, et en Latin François, *Ruptarii* : possible pource qu'ils marchoient en route, et longue fille d'hommes, allans l'un apres l'autre : et possible Roturiers à cause qu'ils rompoient tout, car le Latin du temps les appelle *Ruptarii*. Autres disent, que Routiers, sont appellez quasi Roturiers : lesquels doivent plustost tirer leur nom de *Ruricola* et *Rusticus*... Il est vray que les gens de bois, et de forests appellent Routes ces longues allées et tranchis faits au travers des forests...

> routier : dérivé de *route*; route, du lat. *rupta*, part. passé de *rumpere*.
>
> > (*Dict. H. D. T.* Bloch.)
>
> roturier : dérivé de *roture*; roture, pour *routure*, du lat. *ruptura*, « action de rompre ».
>
> > (*Dict. H. D. T.* Bloch.)
>
> > H. Estienne, *Précellence*, p. 135, mentionne *route* et *routier*, et *routes*, terme de vénerie, mais sans donner l'étymologie. Cf. L. Clément, *Henri Estienne...*, pp. 404 et 409.

Salle.

Œuvres, f. 242 r° : « Cependant le Roy se fit mener par la riviere de Meing en son Palais nommé Salle, à cause de la rivière sur laquelle il est assis, et que l'on pense avoir donné le nom aux plus grandes habitations des autres Chasteaux, Palais, et nobles maisons. Jaçoit qu'il puisse aussi tost venir du Latin *Aula*.

> salle : emprunté du german. *sal*, demeure.
>
> > (*Dict. H. D. T.*)
>
> salle : *salla* < *sal* < halla.
>
> > (Gamillscheg.)

Scadron et Scare.

Œuvres, f. 155 r° : « Une Scare... l'on appelloit ainsi un nombre de gens de guerre, et s'abusent ceux qui pensent que scadron en vienne, car Scadron est mot Italien, qui signifie grand carré, nouvellement usurpé comme assez d'autres par nos guerriers. »

Œuvres, f. 524 v° : « Compagnies de gens de cheval, appellees *Scares* (Scadron n'en vient pas, car je croy qu'il est italien et signifie un grand Carré). »

> escadron : emprunté de l'ital. *squadrone*, bataillon. L'ital. squadra veut dire « bataillon carré ».
>
> > (*Dict. H. D. T.* Gamillscheg.)
>
> scare : V. Ducange.

H. Estienne, *Dialogue*, I, 345, avait mentionné *esquadron* et *squadron*.

Seigneur.

Œuvres, f. 54 r° : Quant aux Gentils-hommes Romains que l'on appeloit Senateurs (dont vient le mot Seigneur ou Senieur). »
seigneur : du lat. *seniorem*, proprt. « plus âgé ». Doublet, *sénieur*.

> (*Dict. H. D. T.* et dict. plus récents.)
> Charles de Bouelles, *De Differentia*, XII, H. Estienne, *Deux dialogues du langage fr. italianisé*, I, 127, avaient déjà donné l'étymologie.

Sénéchal.

Œuvres, f. 229 v° : « Egibart Comte de la table du Roy; un Annaliste Latin dit Scalco, qui estoit Maistre d'hostel, que depuis on a appellé Seneschal... »
Œuvres, f. 482 v° : « Il avoit un autre officier appellé *Praepositus mensae*, *Scalco* ou *Siniscalco* en langaige Franc Theuch, qui entendoit sur la viande... Cet officier s'appella depuis Seneschal : qui est un mot François : qu'autresfois suivant l'opinion d'autres, j'ay pensé signifier vieil Chevalier, comme s'il eust esté composé du Latin *senex* ou *senior* dont vient Seigneur, et de *Chal* que l'on veut dire signifier Chevalier en vieil François. Toutesfois j'ay depuis changé d'advis. »
Œuvres, f. 483 v° : « Il est bien certain, par les Chartes, portans le nom des premiers Rois de la famille de Capet, que *Senescallus* et *Dapifer* est tout un. »
sénéchal : du bas lat. *siniscalcum*, m. s. du german, *sini-scale*, le plus vieux, le chef (sini) des serviteurs (scalc), devenu *seneschalc* et, par confusion de la terminaison avec le suffixe *al*, *seneschal*, sénéchal.

> (*Dict. H. D. T.* et dict. plus récents.)

Sergent.

Œuvres, f. f. 489 r° : « Ils avoient des Sergens (c'est-à-dire, Servans) à pied. »
Dès 1555, Fauchet avait écrit un chapitre dans son cahier, intitulé *Etimologie du mot Sergent*, voir B. N. fr. 24726, f. 26 r° : « Tous les vieus autheurs françois usent de ce mot sergent pour servant », et Fauchet cite « un assez vieil livre escript a la main presenté au Roi Charles le Quint », *le Roman d'Alexandre*, *le Roman de la Rose*, les Grandes Chroniques et Froissart.
sergent : du lat. *servientem*, part. de *servire*, servir, pris substantivt.

> (*Dict. H. D. T.*)
> H. Estienne, *De Latinitate...* p. 346, et *Précellence*, p. 166, donne l'étymologie du mot.

Soldat.

OEuvres, f. 5 v° et 527 v°.

Parlant des « solduriers » : « La condition de ces Solduriers, estoit de courre mesme fortune, et à la vie et à la mort, que ceux à qui ils s'estoient donnez ou voüez en amitié : Et peut estre que les anciens vassaux François, voire les mots de soudoyers et soldats, en sont venus. »

F. 527 v°, Fauchet dit : « Les adventuriers François depuis menez aux guerres d'Italie... prirent le nom de soldats, pour la solde et paye qu'ils touchoient : et laquelle ne passoit la somme de six livres tournois. »

soudoyer : dérivé de l'ancien franç. *soude*, solde.

> (*Dict. H. D. T.*)

soldat : emprunté de l'ital. *soldato*, m. s. proprt. « qui touche la solde ».

> (*Dict. H. D. T.*)
>
> Le mot *soldurius* dont l'existence est attestée par César, *Commentaires*, III, 21, est mentionnée par H. Estienne, *Précellence*, p. 349; il dit que *soldat* en vient plutôt que de l'italien.

Tournoi.

OEuvres, f. 509 r° : « Assemblées d'armes appellées Tournois de *Troia* (ce disent aucuns). Mais le jeu de *Troia* représenté dans le cinquiesme de Virgile... n'estoit qu'une course. Et il y a plus d'apparence, que ce dernier jeu d'armes fut premierement appellé Tournoy, pource que les Chevaliers coururent par tour. »

tournoi : subst. verbal de *tournoyer*. *Tournoyer*, dérivé de *tour*. *Tour* du lat. *tornum*, grec τόρνον, m. s. devenu *torn*, *tourn*.

> (*Dict. H. T. D.* Gamillscheg. Bloch.)
>
> H. Estienne, *Précellence*, p. 358 dit que l'ital. *torniamento* est pris du français.

Tricheur.

OEuvres, f. 465 r° : « Thiebault... surnommé le vieil et le Trescheur, c'est à dire danseur, et possible Trichart, pour trompeur, (car il fut trop leger et inconstant au service des Seigneurs qu'il suivoit, qui est l'occasion pourquoy aucuns l'appellent *Tricator*). »

tricher : origine incertaine, probablement germanique : l'anc. franç. oscille entre les formes *trechier*, et *trichier*.

> (*Dict. H. D. T.*)
>
> Gamillscheg donne tricher < * triccare.
>
> Selon Bloch, étymologie inconnue.

Vair et « **Verolle** ».

OEuvres, f. 515 r° : « Quant au mot de Vair, il vient de *variare* puisque les médecins appellent *Variola* la maladie des petits enfans, qu'on doit escrire Vairolle, pource qu'elle tache et varie et diversifie la couleur du visage. »

    vair : du lat. *varium*, varié.

    vérole : emprunté du lat. du moyen âge *variola*, m. s. rendu
        d'abord par *vairole*. (Cf. le doublet *vérole* et *vair*.)

                (*Dict. H. D. T.* et Gamillscheg.)

Viguier.

    Œuvres, f. 5 v° : « Ceux d'Augstum appelloient leur grand
magistrat Vergobret, que d'aucuns pensent avoir donné le nom aux
Viguiers, mais faussement : car ceux-cy le tiennent de *Vicarius* mot
Latin, et qui estoit comme Lieutenant d'un plus grand. »

    viguier : emprunté du provenç. *viguier*, m. s. qui est le latin
        vicarius.

                (*Dict. H. D. T.* Gamillscheg. Bloch.)

Noms propres

Nous avons vu qu'en rédigeant ses *Antiquitez*, Fauchet avait
recours à de nombreuses chroniques latines, et qu'il s'astreignait
souvent à les traduire et à juxtaposer ses traductions. Au cours
de son travail il essaye d'identifier tous les lieux, mais il ne se
flatte pas d'y réussir. Il prend la précaution d'en avertir le lecteur
au début de ses *Antiquitez* :

Je prieray le lecteur m'excuser en cest endroit et par tout où j'auray
oublié ou ignoré le nom moderne des peuples, villes, et provinces. Car
outre qu'il est impossible (et à tout le moins tres-difficile) d'en esclaircir la vérité ,il est aussi dangereux d'en asseurer quelque chose de peur
d'abuser ceux qui n'entendent les langues anciennes.

En ayant son attention attirée sur les noms propres, il est
amené à penser à leurs étymologies. Les origines qu'il propose
sont pour la plupart correctes. Ici il paraît reproduire ce qu'il
trouve dans les sources qu'il utilisait pour son histoire. Un mot
comme *Fronciac* en fait foi. Et on n'a qu'à regarder les remarques
de Du Cange sur tel ou tel mot pour se rendre compte que Fauchet
qui connaissait parfaitement un nombre énorme d'anciennes chroniques et d'anciens historiens avait eu entre les mains précisément
le texte cité par le philologue du xviie siècle.

Fauchet a le souci d'être complet, et il rapporte parfois l'étymologie populaire de tel nom, *Celtes*, par exemple, sans y croire
lui-même.

Louis.

    Œuvres, f. 53 r° et 57 r° : « Luduin, ou Louis, et par le commun
Clovis, ainsi qu'il se trouve escrit aux vieils livres; parce que les
anciens François avoient une fascheuse prononciation, adjoustans
coustumierement aux lettres douces, l'aspiration avec un C : comme
à Lothaire, Hlotaire, et Clotaire, à Huns, Chuns; laquelle rudesse de

langage a esté remarquée par Agathie, et celuy qui a composé l'abbregé de la vie de Sainct Grégoire. »

F. 57 r° : « Emil dit que son nom de Clovis luy fut changé en Louis : mais je ne sçay où il l'a trouvé, car l'un vaut l'autre. »

Merovée.

OEuvres, f. 49 v° et 50 r° : « L'enfant qui en vint fut nommé Merovée, pour la mer, ou les taches qu'il avoit au visage, ressemblans à celles d'un veau marin, appellé Merveich... toutesfois ceux qui ne croyoient pas ces nativitez monstrueuses, disent, que la plus part des noms de nos anciens, estoient significatifs des vœux des peres, ou naturel des enfans... partant, que ce mot Merveich signifie en vieil langage François, Prince excellent : comme Clotaire, puissant : Chilperic, riche secours : Dagobert, vaillant et noble, et ainsi des autres. »

Pharamond.

OEuvres, f. 43 v° : « Je n'asseureray point que Faramond fut nostre premier Roy... aussi d'aucuns pensent que les Francs ayans un Roy mineur, au temps de ceste election, il fut gouverné par un Vuarmond, qui signifie Tuteur... la plus commune opinion soustient que Faramond est nom propre d'homme; qui en langage ancien Franc, signifioit bouche veritable, et non pas un nom de charge ou dignité. »

NOMS DE LIEU [1]

Aix.

OEuvres, f. 247 v° : « A Aix... où il y a des bains d'eau chaude, qui luy a donné le nom d'Aix, tiré du Latin Aquae. »

Bagaudes.

OEuvres, f. 28 r° et 44 r° : « Les Gaulois s'esleverent... sous la conduite de Amand et Elian, qui prirent le nom de Bagaudes, que d'aucuns disent signifier en vieil langage Gaulois rebelles ou traistres forcez; et d'autres les estiment avoir esté païsans, et que le mot signifie tribut, comme encores il n'y a pas longtemps, qu'en certains endroits de France l'on appelloit les Maletoltes, Bagoages. »

Baltes et Amales.

OEuvres, f. 42 v° : « Les Baltes (c'est à dire *hardis*) commandoient aux Wisigots. Les Amales (qui avoient pris le nom d'un de leurs Capitaines) estoient chefs des Ostrogots. »

Bourgongne.

OEuvres, f. 75 r° : « Quant au nom de Bourgongne, la plus commune opinion est qu'il vient du mot de Bourg. D'autant que ce peuple estant encor en Germanie, plus volontiers habitoit en des chasteaux ou forteresses, lors appellez Bourgs (du mot grec *pyrgos*, corrompu) et non pas de la rivière d'Ongne, laquelle passe à Dijon. »

---

[1] Nous n'en donnons que les plus intéressants.

Casaneuil, Longigni.

Œuvres, f. 249 v° : « Ces Palais s'appelloient Theodual, Cassinogil (que les Chroniques de S. Denis appellent Longigny, et disent estre assis entre Dort et Garonne rivieres) : Mais le Sieur de la Scale dit, que Cassinol est Cassianeil ou *Cassianeuil* en Agenois, et Longigni le *Lucaniacus* d'Auzone : lieu fort celebré par les vers de son maistre. »

Catalogne.

Œuvres, f. 187 r° : « Pour le regard des Alains et Wissigoths, ils demeurerent en Espagne, et meslez ensemble par mariages par un nouveau nom (selon aucuns) s'appellerent Gotalans, comme qui eust voulu dire Gots-Alains : ce que je pense estre advenu plus tard que ne dit Paul Emil. Pource que je ne trouve point, que le pays voysin de Barcelone, soit appellé Cathalongne du temps de Charlemagne... et les ennemis que les François eurent de ce costé, vivant ledit Roy, sont tousjours nommez Gotz et Sarrazins : toutesfois je ne veux pas nier que l'Andalouzie n'ait pris son nom des Vandales. Mais aussi je maintien, que lors du Siege de Sens, ces Vandales et Alains n'estoient en aucune reputation... ledit Seigneur de la Scale dit, que sa Geographie Arabique appelle toute l'Espagne Andalouzie. »

Cf. f. 258 v°.

Celtes, Galates.

Œuvres, f. 3 r° : « Les anciens auteurs semblent avoir douté de l'origine des Gaulois, toutes-fois l'opinion commune est, que les premiers qui furent veus en ce pays estoient appellez Celtes, pour un Roy ainsi nommé... et Galates à cause de Galatée sa mère, comme encores ils sont appellez en langue Grecque, et selon Josephe Gomerites, de Gomer. »

Cimbres.

Œuvres, f. 17 r° : « Voicy les Cimbres (aucuns disent ce mot signifier brigands en vieil langage Gaulois : et ceux qui pensent que ce fut un peuple, disent, qu'ils ont tenu le païs de Frize, Dannemark et Saxe... »

Fez.

Œuvres, f. 257 r° : « Abraham Amiras d'un lieu nommé *Fossatum* : ainsi appellé, pour le lieu ou jadis les Romains planterent et fortifierent leur camp, et aujourd'huy Fez. »

Foix.

Œuvres, f. 257 r° : « Le comté de Foix, plutost que de Fesenssac, qui est en Guyenne : jaçoit que celuy-cy s'appelle aussi bien *Fidentiacus comitatus* que celuy de Foix, qui est dans les Monts Pyrenees. »

Fronciac.

Œuvres, f. 214 r° : « Un chasteau... qu'il nomma Fronciac, ou Franciac, à cause (dit Eginard) des François qui le bastissoient :

plustost que pour avoir ce lieu esté devant nommé *Frons Saracenorum*, ainsi que pense Nicoles Gilles contredit par les Autheurs du temps, qui soustiennent mon opinion. Mais le Seigneur de la Scale dit, qu'il ne peut avoir pris son nom des François : veu qu'il s'écrit *Fronciacus :* et non pas *Franciacus :* et que ce mot *Acus*, par les anciens Gaulois se mettoit avec le nom du maistre du lieu : *Acus* lors signifioit village ou maison champestre comme *Martiniacus, Martini villa : Lucaniacus, Lucani villa, Frontiacus Frontini villa*, et que là où un nom se trouve composé d'*Acus*, la première partie de la composition est tousjours un nom propre, et que la langue Theutonique en use ainsi, disant *Martins-dorph, Hans-dorph* pour Martinville, et Janville : voilà ce que c'est de communiquer avec les hommes de sçavoir : car j'avoy suyvi le meilleur chemin (ce me sembloit) en gardant l'opinion d'Eginard, ja né, ou peu après la fondation de ce chasteau, et il nous faut croire que Martinville, Romain-ville, Jan-ville et autres pareils sont de mesme origine. Si me tiens-je à l'opinion d'Eginard, et que Fronssac estant bastiment de François en a retenu le nom. »

Franc, Franchise.

OEuvres, f. 29 v° : « Aucuns des plus sçavans de nostre temps, cuident que les Francs sont venus des Francones, nommez entre les peuples Germains... (Les Allemans pensent que les Francs sont venus d'eux). Et pour le confirmer davantage, ils disent que les Brenkes, ou Vrenkes par Strabon geographe grec logez entre les Noriques... tenoient la mesme province, qu'on appelle encore aujourd'huy Franconie. Toutesfois Tacite... ne fait aucune mention des Francones, ne des Brankes... On pourroit aussi tost croire ce qu'un très-sçavant personnage a laissé en doubte, sçavoir si les Francs sont point les Phirassi que le mesme Strabon met en Scandinavie. »

Ibid., f. 30 v° : « Je crois bien que franchise vient de Franc, et il y a de l'apparence, que ce peuple ayant occupé une partie de la Gaule, il ne se voulut assujetir de payer semblables imposts, que les anciens habitans des terres par eux conquises, et que depuis, si quelcun descendu de ces Francs, estoit molesté par les collecteurs de subsides, il se disoit issu de Francs, et par consequent exempt de tribut : dont est venu le mot de franchise. Cela peut estre recueilly et appris de maints passages qui sont çà et là par les histoires, et les anciennes loix Françoises : qui taxent à moins l'amende et composition des fautes commises par les Francs, que celles des Romains... »

« Pays nommé Gaudine ».

OEuvres, f. 181 r° : « Lors se voyant paisible Godefroy de Viterbe dit, qu'il fit appeler Charolie, le pays qui est entre Seine et Loyre; en ce temps nommé Gaudine, je croy pour les bois, qui en Gaulois se nommoient *Gault* : comme encore en bas Breton, *Goy* signifie bois ou forest. »

Gibraltar.

OEuvres, f. 182 r° : « Douze mil hommes, conduits par un capitaine nommé Tarif, et des Arabes Tarak... lequel ayant... conquis la coste du destroit... donna son nom à une forteresse par luy bastie et proche du mont Calpe, lequel fut lors appellé Gibel Tarafer, c'est à dire, mont de Tarife, ou plustost de Tarak, et aujourd'huy par corruption Gibraltar. »

Iveline.

OEuvres, f. 482 r° : « La Forest d'Iveline : en ce temps appellée *Aquilina ab aquis* : c'est à cause des eaux ou des yves (en vieil langage appellées Juments) contenans presque tout le Comté de Mon-fort. »

Languedoc.

OEuvres, f. 41 v° : « Aucuns veulent dire qu'elle souloit estre nommée Landtgot (qui signifie pays des Gots), mais que le mot s'est changé en Languedoc, comme si l'on vouloit dire le pays où l'on use de langue de Gots : combien que d'autres pensent que c'est pource que le peuple dit Oc, pour, Ouy. »

Lombard.

OEuvres, f. 218 v° : « Aucuns Lombards ayans fait tondre leurs cheveux et barbes a la façon Romaine, s'estoient retirez à Rome. Toutesfois les Allemands ne veulent pas confesser que les Lombards ayent pris leur nom des longues barbes qu'ils portoyent, ains d'un ancien peuple de Scandinavie ou de Germanie, cognu du temps de Tacite, par le nom de Lombards. Mais les Allemands ne peuvent nier cela : veu que par toutes leurs conditions et disputes, ils ne sçauroyent faire que Lombard ne veuille dire longue barbe. Et que ce peuple pense avoir pris son nom des longues barbes : comme *Gallia comata* de la longue chevelure, et *bracata* des brayes : et les *Melanchlenes Scythes* des hocquetons noirs. »

Milan.

OEuvres, f. 8 v° : « Ils y trouverent un sanglier ou truye, couverte au lieu de poil à demy de laine, en bastissant une ville sur le giste de ceste beste, ils la nommerent Mediolanum, aujourd'huy Milan. Laquelle peut aussi bien avoir pris son nom de la capitale ville de Xainctonge, lors ainsi appellée et dont Stephane auteur Grec fait mention en son livre des villes : ou bien de Meung en Berry, qu'Aymon appelle encore Mediolanum : et de Medes, que le livre donné à Caton, dit avoir esté capitaine des Insubriens. Si vous ne dites que le mot Mediolanum, estoit general entre les Gaulois pour les lieux d'une semblable assiette, que celle qu'ils trouverent lors en Italie. »

Montmartre.

OEuvres, f. 162 r° : « Se retirer au mont de Mars, Mercure, ou

Marcomer, (car tous ces trois noms se trouvent), qui est celuy de Mont-martre, que neantmoins le commun pense avoir prins ce nom pour le Martyre de sainct Denis : et de ses compagnons decapitez (ce croit-on) en ce lieu. »

Mortara.

OEuvres, f. 218 v° : « Il y eut bataille donnée entre Novarre et Pavie, en un lieu qui pour la grand'tuerie et mortalité a retenu le nom de Mortara. »

« Oestrich ».

OEuvres, f. 253 r° : « Le païs conquis... fut appellé Oestrich : c'est à dire en Thiois, Royaume Oriental. »

Paris, Rheims, etc.

OEuvres, f. 65 v° : « Il est bien certain, que la ville aujourd'huy nommée Paris, du temps que Cesar vint en Gaule, s'appelloit Lutece... Il ne faut douter que Paris ne soit la mesme Lutece, dont les anciens ont parlé. Combien qu'avec le temps, soit advenu qu'elle a changé de nom, ainsi que d'autres villes capitales, qui ont prins celuy de leur communauté, et laissé le leur propre; comme *Duro-cortum Rhemorum*, Rheims; *Divodorum Mediomatricum* Mets; *Agendicum Senonum*, Sens; *Avaricum Biturigum*, Bourges; *Duro-catthilaunum*, Chalons en Champagne; *Augusta Suessionum*, Soissons; *Augustoritum Pictonum*, Poictiers; *Bratuspantium* (Grate-pense village, en retient le nom) *Bellovacorum*, s'est faict Beauvais, et autres villes semblables. »

Savoye.

OEuvres, f. 45 r° : « Prosper dit que Sapaudia (que je pense estre Savoye... »

Septimanie.

OEuvres, f. 41 r° : « Une grande piece de Gaule... nommée Septimanie. Les sept provinces furent les Archeveschez de Narbonne, Aix, Tarentaise, Embrun, Arles, Auch et Bordeaux... »

Tifauges.

OEuvres, f. 89 r° : « De ces gens (les Theifales) auparavant souldoyers des Romains, mais d'origine Scythes (ce dit Zosime) Tifauges, place de Poictou peut avoir pris son nom. Toutesfois je n'ose pas assurer s'ils estoient de ceux, dont Ammien Marcellin parle, au vingt et sixiesme livre de son histoire, ou d'autres venus depuis pour tenir garnison en ce pays : car le livre intitulé *Notitia Imperii Romani*, loge les Theifalois en Gaule. »

Venise.

OEuvres, f. 9 r° : « Les Venetes d'Armorique... pource qu'ils estoient gens de mer... se logerent en un quartier depuis appellée Venetie; comme celuy duquel ils estoient partis : qui a donné le nom

à Venize, grande et admirable ville... Toutesfois, aucuns disent qu'elle a pris le nom des Venetes, peuples d'Asie. »
    Cf. r. 271 r°.

    Une comparaison des étymologies suggérées par Fauchet et de celles qui sont données par les plus récents dictionnaires nous montre que le Président tombe juste assez souvent. Ménage, critique sévère des philologues du siècle précédent, ne comprend pas Fauchet dans la condamnation générale où il enveloppe Budé, Baïf, Henri Estienne, Nicot, Perion, du Bois, Picard, Trippault, Guischard et Pasquier : « La pluspart de leurs Etymologies ne sont pas seulement mauvaises, elles sont pitoyables. » Non seulement Ménage, mais des philologues plus récents, tel Godefroy, ont utilisé Fauchet.
    La valeur particulière de ses recherches ne vient pas du fait que ses dérivations sont assez souvent correctes, mais de ce que ses affirmations s'appuient généralement sur une documentation très copieuse pour l'époque, comme, par exemple, dans le cas des mots *bachelier* et *marquis*. Les documents serviront toujours même si Fauchet lui-même se trompe : les conjectures malheureuses ne sont jamais complètement dénuées de valeur.
    Notons pour terminer que Fauchet semble avoir été bien doué pour cette sorte de recherches. Entraîné aux études de la langue par ses travaux historiques, il y apporte une mémoire prodigieuse, un vaste savoir, des lectures étendues. C'est pourquoi ses conclusions sont généralement si judicieuses.

LES PROVERBES

    Claude Fauchet, à la différence d'Estienne Pasquier et de Henri Estienne, ne disserte pas sur les proverbes. Il en emploie un certain nombre, comme nous l'avons fait remarquer, mais il laisse au contexte le soin de les expliquer.
    Pendant la Renaissance, les recueils de proverbes sont nombreux. Les *Adages* d'Erasme eurent une vogue énorme, et la collection de Jean de la Véprie fut très populaire. Charles de Bouelles publia trois livres de proverbes (Paris, 1531).
    Pour vérifier ceux que Fauchet mentionne nous avons consulté (outre les recueils que nous venons d'énumérer) :

Apophthegmatum ex optimis utriusque linguae scriptoribus libri VIII : Pauli Manutii studio atque industria, Venetiis, 1577.
Thesaurus adagiorum gallico-latinorum per Philippum Garnerium, Francofurti, 1612.
Sententiae proverbiales, sive adagiales Gallicolatinae ab authore auctae et recognitae. Authore Maturino Corderio, Parisiis..., 1559.

Gabriel MEURIER, *Thrésor de sentences dorees et argentees*, A Cologny, 1617.

Antoine OUDIN, *Curiositez françoises pour supplement aux dictionnaires*, Paris, 1640.

L'Intermédiaire des Chercheurs et Curieux, 10 août 1885.

Jaques MOISANT DE BRIEUX, *Origines de quelques coutumes anciennes et de plusieurs façons de parler triviales par Moisant de Brieux*, Caen, 1874, 2 vol.

P.-M. QUITARD, *Dictionnaire des proverbes*, Paris, 1842.

C. DE MÉRY, *Histoire générale des Proverbes*, Paris, 1828-1829, 3 vol.

J. MORAWSKI, *Proverbes français antérieurs au xve siècle*. Paris, 1925.

Voici les proverbes que cite Fauchet avec un renvoi au recueil où l'on peut les trouver :

Œuvres, f. 12 r° : « Il a de l'or de Thoulouze. » V. *L'Intermédiaire des Chercheurs et Curieux*, 10 août 1885, qui renvoie au Dictionnaire de Charles Estienne, et à Erasme, *Adagia*, Chil. première, proverbe 109, puis aux textes de Cicéron.

Ibid., f. 102 r° : « Le corbeau n'arrachera point l'œil d'un autre corbeau. » V. G. MEURIER, *op. cit.*, p. 35.

Ibid., f. 145 v° : « Tordre le nez à... » V. A. OUDIN, *op. cit.*, p. 370.

Ibd., f. 195 v° : Ne faire qu'une « teste en un chaperon » V. *Apophtphegmatum... libri VIII*, p. 476.

Ibid., f. 229 v° : « Autant que Charles fut en Espagne. » V. LE ROUX DE LINCY, *Le livre des proverbes français*, t. II, p. 32; C. DE MÉRY, *op. cit.*, t. II, p. 217.

Ibid., f. 206 r° : « De cuir d'autruy trop large couroye. » V. *Sententiae proverbiales...*, authore M. Corderio, p. 8; A. OUDIN, *op. cit.*, pp. 131 et 141; G. MEURIER, *op. cit.*, p. 56; MORAWSKI, 453.

Ibid., f. 259 r° : « Pour amy le François ayez
Mais son voisin point ne soyez. »
V. LE ROUX DE LINCY, *op. cit.*, t. Ier, p. 348. Le Roux ne donne que le nom de Fauchet pour ce proverbe.

Ibid., f. 341 r° : « Chercher chappe cheute. » V. P.-M. QUITARD, *op. cit.*, p. 204; A. OUDIN, *op. cit.*, p. 82.

Ibid., f. 381 r° : « Faire d'une mouche un éléphant. » V. ERASMUS, *Adagia*, Chil. 1, Cent. IX, 69. *Thesaurus adagiorum...*, p. 459.

Ibid., f. 417 r° : « Mettre l'emplastre sur le bonnet. » V. A. OUDIN, *op. cit.*, p. 179.

Ibid., f. 467 r° : « L'on n'en faict pas les sings sonner. » V. MOISANT DE BRIEUX, *op. cit.*, p. 166.

Ibid., f. 542 r° : « L'orgueil des plus houpez. » V. QUITARD, *op. cit.*, p. 462.

Ibid., f. 101 r° : « Tel pense venger sa honte qui l'accroist. » MORAWSKI, n° 2351.

Index alphabétique

29

Addenda

Œuvres de Fauchet. Manuscrits

Deux lettres du manuscrit de la correspondance Corbinelli-Pinelli, Milan, Ambrosiana, T 167 *sup.*, f. 84 et f. 133.

Cotes des « Œuvres ». « Antiquitez »

Antiquitez, liv. Ier et II, 1579 : B. N. 4° L a² 23 et Rés L a² 23.
Antiquitez, liv. Ier à V, 1599 : B. N. Rés L a² 24.
Fleur de la maison... 1601, B. N. Rés L a² 25 et 25 α.
Declin de la maison... 1602, B. N. 8° L a ² 26.

Traduction de Tacite

1582 B. N. J 1015 (in-fol.) Ne contient pas le *Dialogue.*
1584 B. N. J 13633 (1) et 13698. Ne contient pas le *Dialogue.*
1594 British Museum 588 c 17 (ne contient pas le *Dialogue*).
1612 British Museum 09039 ddl. (contient le *Dialogue* en latin seulement).
Dialogue des Orateurs 1585. B. N. J 13633 (2).

« Œuvres »

Paris, 1610 B. N. Rés Z 1675 Notes manuscrites de Huet.
          Z 8781.
          Rés Z 1674.
Genève, 1611 B. N. 4° La ² 27.

« Recueil » 1581

B. N. Rés X 894, 895, 896.
      X 2366.
      Rés X 230.

« Origines des dignitez »

1600 B. N. 8° Lf ³ 9.
1606 8° Lf ³ 9A et 8° Lf ³ 9B. Seconde Partie — Rés Lf ³ 9A.
1611 : B. N. 4° Lf ³ 9C.
Roy des Ribauds, réimpression 1878 B. N. 8° Li ³ 556.

Traité des libertez de l'église gallicane

1609 B. N. 4° Ld ¹⁰ 2. Traité de Fauchet, pp. 164-197.
1612 B. N. 4° Ld ¹⁰ 2A (1). Traité de Fauchet, pp. 223-256.
1639 B. N. Rés Ld ¹⁰ 7. Traité de Fauchet, t. Ier, 169-198.
       La seconde édition de Pierre Dupuy, 1651, ne contient que 2 vol.
de *Preuves* revues et augmentées.
1751 B. N. Fol. Ld ¹⁰ 7B, t. Ier, pp. 71-86.

Dissertations publiées par E. Langlois

Tirage à part B. N. 8° Z 23376 (6).
Dans les *Etudes romanes* B. N. Rés p Z 597.

P. 4, note 4 : Voir les *Œuvres* de C. Marot, éd. Guiffrey, t. 2, p. 155.

P. 6, note 6 : Pour Marie-Lourdel-Fauchet, voir les *Divers Opuscules...*, p. 585.

P. 9, note 4, et p. 13, note 2 : Douen, *op. cit.*, t. Ier.

P. 13, note 1 : Sur Tournon, v. E. Picot, *Les Français italianisants*, t. Ier, pp. 105 et suiv.

P. 13, note 2 : Sur la Cour de Ferrare, v. l'édition Guiffrey, t. Ier, ch. XII; t. 2, p. 273; t. 3, p. 281.

P. 36 : *Les Esdicts et Ordonnances* ont été continués par G. Michel, publiés en 1611. C'est cette édition que nous citons, p. 55, note 1.

P. 48 : « Gannetz » il faudrait peut-être lire *Gametz*, aujourd'hui Gometz-le-Châtel, Seine-et-Oise.

P. 52, note 3 : Voir aussi Z 1B 72, fol. 21 v° et 29 r°.

P. 58 : Sur le mariage de Hélène Brosset, voir Minutier central XC, 139.

P. 59, note 1, ajouter : t. Ier, ch. III.

P. 60, notes, ligne 15, ajouter : 4e édition 1818.

      ligne 18 : *Documents sur Montfort*, t. 9.

P. 63, notes, ligne 4 : *Histoire de la représentation diplomatique...*, ajouter : t. 2.

P. 71, note 1, ligne 5, voir les *Mémoires* de de Thou, Collection Petitot, pp. 502 et suiv.

P. 75. On trouve probablement le début du dictionnaire dans le cahier, B. N. fr. 24726, ff. 106 r° à 108 v°.

P. 75, notes, ligne 3 : La correspondance de Pinelli a été conservée dans deux manuscrits de la Bibl. Ambrosiana, T 167 *sup.* et B 9 *inf.*, et aussi dans la Collection Dupuy de la B. N.

P. 82 : Le registre des présences de la Cour des Monnaies « rebelle au roi » existe toujours, Z 1B 195. Il n'existe aucun registre des officiers qui étaient allés à Tours, que je sache.

P. 85, note 2 : Voir Z 1B 72, fol. 346 v°.

P. 87 : Pour la citation de Pasquier, voir *Œuvres*, Amsterdam, 1723, t. 2, col. 897.

P. 90 : Sur la résignation de la charge de premier président, voir documents LXXII et LXXIII. Note 2 : Z 1B 137, fol. 172 v°, 19 mai 1594.

P. 95, note 4, ajouter : fol. 103 r°.

P. 98, note 3 : Z 1B 389, Documents sous date du 10 juin 1598.

P. 99, ligne 12 : Z 1B 388, documents sous date du 21 nov. 1597.

P. 101, note 1 : Montperlier avait contracté des dettes pendant ses commissions.

P. 102, note 2 : Pour Fauchet à Toulouse, voir Z 1B 390, documents sous date du 5 janvier 1599. « Fait à Toulouze le 6 febvrier 1598. C. Fauchet. »

P. 103, note 4 : Z 1B 250, fol. 71.

P. 108. Il existe plusieurs versions de ces vers. Voir notre bibliographie des *Œuvres* de Fauchet. Nous avons donné une version manuscrite qui se trouve dans l'exemplaire des *Œuvres* B. N. Z 8781, et non celle de L'Estoile.

P. 111, note : Les sept volumes de Lebeuf, avec rectifications, 1883-1893.

P. 127, note 1, ajouter : p. xxxix.

P. 134, notes : Poliziano, 1454-1494.

P. 143, notes, ligne 38 : H. L. F., t. 18, p. 715.

P. 145, note 5 : Vers d'*Aquin* cités : 8, 82, 248, 355, 399, 763, 894, 1090, 1540, 1558, 1639, 2021, 2296.

P. 162 : Le *Roman d'Outremer* (comme l'appelle Fauchet) contient les branches suivantes : *Les Enfants-Cygnes*, *Le Chevalier au Cygne*, *Les Enfances Godefroy*, puis dans certains manuscrits *Le Retour de Cornumarant*, la *Chanson d'Antioche*, la *Chanson des Chétifs* et la *Chanson de Jérusalem*.

H.-A. Todd a édité les *Enfants-Cygnes* d'après le manuscrit B. N. fr. 12558, Baltimore, 1889; P. Paris la *Chanson d'Antioche* d'après les six manuscrits connus; et C. Hippeau les autres branches d'après le B. N. fr. 1621 : *la Chanson du Chevalier au Cygne... et de Godefroid de Bouillon, suivis des extraits de la Chanson des Chétifs*, 1874-1877, 2 vol.; la *Conquête de Jérusalem*, 1868.

P. 163 : Pour les notes que Fauchet a mises sur le manuscrit B. N. fr. 1621, voir notre livre de documents.

P. 166 : *Roman d'Alexandre* : pour les comparaisons, etc., voir R. L. G. RITCHIE, *The Buik of Alexander*, t. Ier, laisses 57, 58, 60, 78, 79.

P. 167 : Pour les identifications qui ont été proposées, voir E. C. ARMSTRONG, *op. cit.*, p. 43.

Henri Ier, le Libéral, protecteur de Chrétien de Troyes, a recueilli le plus grand nombre de suffrages. Fauchet se trompe en pensant qu'il s'agit de Henri II, qui devint roi de Jérusalem, mais Fauchet est plus près de la vérité que ne l'était Paul Meyer.

B. N. fr. 786 et fr. 789 contiennent le *Vengement* de Gui de Cambrai. Les branches du *Roman d'Alexandre* qui ont déjà paru : E. B. Ham, *Jehan le Nevelon, La Venjance Alixandre*, Princeton, Paris, 1931; du même, *Five Versions of the Venjance Alixandre*, ibid., 1935; L. P. G. Peckham, *La Prise de Defur et le Voyage d'Alexandre au paradis terrestre*, ibid., 1935; B. Edwards, *Gui de Cambrai, Le Vengement Alixandre*, ibid., 1928.

Schultz-Gora avait édité *Die Vengeance Alixandre von Jehan le Nevelon*, Berlin, 1902 (50 exemp.), et R. L. G. Ritchie, *Li Fuerre de Gadres et Les Vœux du Paon* dans son édition du *Buik of Alexander*, Scottish Text Society, Edinburgh and London, 1921-1929.

P. 171 : Fauchet a tiré d'autres citations des *Vœux du Paon*, qu'on trouvera dans notre livre de documents.

P. 176, *Yvain* : Voir l'édition Foerster, vers 496, 833, 1366-1367, 5420, 5421.

P. 178 : Hilka donne :

Fuellent boschage, pré verdissent (v. 70).

P. 179, *La Charrette* : Voir l'édition Foerster, vers 2321, 2727, 5977, 6046, 6167.

P. 180 : Voir aussi J. Douglas BRUCE, *La Mort Artu*, Halle, 1910; E. FARAL, *La Légende arthurienne*, Paris, 1929, 3 vol.

P. 185 : Dans les notices du *Recueil* sur le Châtelain de Couci et sur Gace Brulé, Fauchet ne mentionne pas *Guillaume de Dole*. Il ne relève pas le nom de Renaud de Beaujeu. Par contre, il a donné comme poètes les noms de certains ménestrels, Hues de Braie-Selve, Jouglet et Doète de Troies. Le nom du Vidame de Chartres est Guillaume de Ferrières. Fauchet ne parle pas des chansons provençales.

Les derniers travaux attribuent les trois romans, *L'Escoufle*, *Galeran* et *Guillaume de Dole* au même auteur, Jean Renart. Voir

C.-V. Langlois, *La Vie en France au moyen âge...*, Paris, 1924, t. Ier, pp. 72 et suiv., l'édition de R. Lejeune, *Introduction*.

P. 189 : Delbouille a montré que le chroniqueur a connu le roman en prose.

P. 191 : Sur Marie de France, voir les articles de L. Foulet, *Zeitschrift für Roman. Phil.*, 29 et 32, et les travaux d'E. Hoepffner, édit. des *Lais*, Strasbourg, 1921, 2 vol., et ouvrage de critique littéraire, Paris, 1935.

P. 192 : *Roman du Renard*. Sur le manuscrit du Vatican, voir l'édition d'E. Martin, t. Ier, pp. xviii, xix, xx.

P. 193 : *Roman du Renard*, vers cités. Edit. Martin, t. Ier, p. 37, 1318; p. 43, 1521; p. 66, 2364, 2365; p. 69, 2481; p. 80, 2852; p. 91, 5; t. 2, p. 196, 1504. B. N. fr. 837 contient « La confession Renart », f. 46.

P. 193 : Sur le *Roman de Renard*, voir L. Foulet, *Le Roman de Renard*, Paris, 1914, *Bibl. Ec. Htes Etudes*, fasc. 211; sur les manuscrits, le travail de Buttner.

P. 194 : Fauchet a intitulé la *Complainte de Sainte Eglise* « La Complaincte de saincte Eglise pour maistre Guillaume de Sainct-Amour ». La citation de la *Plainte d'Anceau de Lille* est donnée d'après Fauchet. Le manuscrit et Jubinal donnent « non-savoir » (vers 6).

P. 199 : Les fabliaux 6, 7, 15, 29, 46 et *Li Droit* se trouvent dans les deux manuscrits B.N. fr. 837 et 1593.

P. 199 : Sur la littérature didactique, scientifique, sur la vie spirituelle du moyen âge, voir C.-V. Langlois, *La Vie en France au moyen âge...* Paris, 1924-1928, 4 vol. t. Ier, *Romans mondains*, t. 2, *Moralistes*, t. 3, *Littérature scientifique*, t. 4, *Vie spirituelle*.

P. 200 : Manuscrit « A » de Guiot, B. N. fr. 25405, « B » B. N. fr. 25437.

P. 202, note : Ajouter « des Chansons ». — *Die Lieder des Hugues de Bregi*.

P. 202 : Un érudit américain, élève de M. Mario Roques, prépare une édition de la *Bible* de Hugues de Berzé.

P. 207, note 2 : Strophes citées : 25, 28, 36, 87, 149, 150, 163, 183, 206, 208, 222. B. N. fr. 837, fol. 203 v° contient strophes LVI à LXVIII du *Miserere*, pub. par Jubinal, *Nouv. Recueil*, II, 290 à 296.

P. 210 : *Les Crieries de Paris* : ce poème se trouve dans le ms. B. N fr. 837, f. 246.

P. 211, note 2. *Le Bestiaire d'Amour*, publ. par Långfors, Helsingfors, 1925.

P. 211 : *L'Outillement au Vilain*, Montaiglon et Raynaud, t. II, 148 suiv.

P. 214 : Les citations que Fauchet a faites dans l'article sur Jean de Meung sont : vers 10565-67, 10584-85 et 10587-90, 4056-58. Les vers cités dans le cahier qui ne paraissent pas dans le *Recueil* sont : 6631-6633, 6637-6643 et 10657-10660.

L'*Apparition Maistre Jean de Meun* de Honoré Bonet a été éditée en 1845 pour les Bibliophiles françois, et en 1926 par Ivor Arnold dans les *Publications de la Faculté des Lettres de Strasbourg*, fasc 28.

Fauchet a eu deux manuscrits de cet ouvrage entre les mains, Vat. Reg. 1683 et B. N fr. 811.

Le *Testament* et le *Codicille* sont publiés par Méon à la suite du *Roman*, Paris, 1814, 4 vol.

Le poème appelé *Codicille* dans le Vat. Reg. 1683 est en réalité « Les sept articles de la foi de Jean Chapuis », voir E. Langlois, *Notices et extraits*, t. XXXIII, 2e partie, sur ce manuscrit.

Langlois a étudié la traduction de Boèce dans la *Romania*, t. XLII, 1913, pp. 331-369.

Dans son article sur le *Roman de la Rose*, Fauchet parle de la *Chronique d'Aquitaine*. Il ne s'agit pas du *Chronicon Aquitanicum* (qu'il cite ailleurs), mais des *Annales d'Aquitaine* de Jean Bouchet. V. E. Langlois, éd. *Le Roman de la Rose*, t. Ier, pp. 15, 16.

P. 224 : Sur Villon, voir les articles de Marcel Schwob, *Revue des Deux Mondes*, juillet, 1892, et *Mémoires de la Société de linguistique* de Paris, t. VII, 1890; *François Villon, rédactions et notes*, p. p. P. Champion, 1912; P. Champion, *François Villon*, Paris, 1913, 2 vol. La révision du texte par M. Lucien Foulet a paru dans les *Cl. fr. du moyen âge*. V. aussi l'édit. L. Thuasne, 3 vol., 1923, où on trouve d'amples renseignements sur les personnages mentionnés dans les citations.

P. 224, note 2 : Voir l'édition de du Chesne, 1617 du *Lay de Paix*, pp. 543 et 548.

P. 229, note 1, ajoutez : p. 381. Le manuscrit possédé par Fauchet est le Vat. Reg., 1923.

P. 243 : Dans notre article sur « Fauchet et Pasquier » nous donnerons plus de détails sur la connaissance qu'avait Pasquier de la littérature du moyen âge.

P. 275, note 2 : Les coupures faites au latin ne sont pas indiquées.

P. 276, note 1 : Le livre de Gillot, éd. 1914, p. 131.

P 277, note 3 : Le manuscrit est à la Bibliothèque municipale de Lille. Nous remercions M. Favière, bibliothécaire, de nous avoir fourni la calque de la Notice sur Fauchet.

P. 277 : Pasquier et les Bourgeois de Calais, voir *Recherches*, VI, XLV.

P. 285 : Vignier est mentionné par Fauchet aux feuillets : 186 vo, 343 vo, 412 ro et vo, etc.; du Tillet aux feuillets : 77 ro, 81 vo, 86 vo, 89 vo, 93 vo, etc.

P. 289, note 5 : Sur la première citation, voir notre livre de documents.

P. 297 : Voir Molinier, *op. cit.*, t. 2, nos 1236 et 2204 pour Robert du Mont.

P. 306 : Citation de Frédégaire, Migne, *P. L.*, t. 71, col. 685; de Réginon, Migne, *P. L.*, t. 132, col. 47; de Krantz, *Saxonia*, lib. I., derniers mots.

P. 309 : Paul Diacre, Molinier, *op. cit.*, t. Ier, p. 36.

P. 325, note 3 : Les *Recherches*, liv. II (1565), de Pasquier contiennent des chapitres sur les dignités.

P. 328 : Fauchet lisait Jean le Feron, voir B. N. fr. 24726, f. 9 ro. Voir son *Catalogue des noms... des connestables, chanceliers...*, Paris, Vascosan, 1555, Réédité au xviie siècle par Denis Godefroy, 1658.

P. 331, note 1 : Cette citation est prise dans l'article « Royauté » de la *Grande Encyclopédie*, mais Voltaire a exprimé d'autres opinions sur l'origine de la royauté. Voir par exemple le *Dictionnaire philosophique* au mot « Roi ».

P. 343, note 2 : Le titre exact du livre de M. Lot est *Fidèles ou Vassaux?*

P. 358 : L'édition 1731 du Recueil de *Traitez des droits et libertez de l'Eglise Gallicane* contient deux volumes de traités et deux volumes de Preuves.

T. Ier des *Traités* : renferme des traités par Noël Brulard, C. Fauchet, Fr. Pithou, Ant. Hotman, etc., et d'autres documents concernant les droits de l'Eglise de France.

T. II : Une dissertation sur le *Songe du Verger*.

Le Songe du Verger qui parle de la disputacion du Clerc et du Chevalier.

Remonstrantia Hibernorum contra Lovanienses, etc. vindicata.

Les *Preuves* renferment des documents, Bulles des Papes, Extraits d'Actes, d'historiens, etc.

P. 369, note 5 : Voir l'édition de 1655, pp. 552 et 676.

P. 372 : La citation de Ménage vient de l'Epistre à Monsieur du Puy, qui précède les *Origines de la langue françoise*.

P. 372, note 2. Nous citons l'édition de 1722. Note 7, nous citons l'édition de 1715, t. 2.

P. 374, note 6. Nous citons l'édition de 1770.

P. 375, note 2, ajouter : t. 1er. Note 4, nous citons l'édition de Méon.

P. 375 : L'éditeur des *Extraits* parus à Lausanne avait plusieurs manuscrits (qu'il énumère) entre les mains.

P. 379 et suiv. Dans ses études d'étymologie, Fauchet a utilisé aussi Charles de Bouelles et Jacques Dubois. Cf. *infra*, p. 122.

P. 380 : Mots gaulois. Pour les mots *mark, ek, dur, bec*, cités *Œuvres*, f. 535 v°, voir notre édition annotée du *Recueil*, et pour *bec*, voir *Précellence*, p. 197. Les étymologies de *bec* et d'*alouette* sont données par Bouelles, celle de *bouge* par Dubois.

P. 382 : *haquebute*, cf. *Précellence*, p. 119.

P. 383 : *engin*, cf. *Précellence*, p. 228.

P. 384 : Sur « *bataille* emprunté par les Italiens », voir *Précellence*, pp. 278 et 355.

    Bail : Bouelles donne *bailli*.

    Bannière : Estienne dit que ce mot a été « emprunté par les Italiens », *Précellence*, p. 356. Bouelles donne *bannière : ab expando*.

P. 386 : Bouelles donne *balance* « a bilance, quae est statera et trutina ».

P. 388 : *Brigand* : Bouelles explique *bruch = pons*.

    Nicot dit que *brigand* était « l'homme de guerre armé de brigandine ».

P. 389 : *Cloche*. Bouelles donne « *cloche* : a coclea, inversis syllabis, quod tintinabula parva in modum coclearum tereti ac rotunda effigie fierent : & a similitudine tintinabulorum, etiam maiores campanae eodem nomine cloche dictae sunt. »

P. 391 : *Chemise* : Dubois, p. 44, donne *camisia > chemise*.

    Connétable : Estienne dit que ce mot a été emprunté par les Italiens, *Précellence*, p. 359.

    L'étymologie de *cordouan* est donnée par Bouelles.

P. 392 : Bouelles donne « *cren* : id est fissura, a creno quae est incisio » Sur *crousles*, cf. *Précellence*, p. 285.

P. 393 : *Monstier*. Bouelles donne « *monstier* : quondam a monasterio ».

P. 395 : *Encombrer* — encore un mot qui, selon H. Estienne, a été emprunté par les Italiens, *Précellence*, p. 287.

    Sur *estropié*, voir la thèse de L. Clément, p. 393.

P. 396 : Bouelles donne « foeurre et fourrage, à farre ».

P. 398 : *Hérault* : Bouelles après avoir expliqué le sens, ne sait pas ce qu'il faut dire de l'étymologie « nisi forte ab hero, id est domino, vel ab heroe ».

P. 399 : *Maréchal* : Bouelles dit « a martello vel malleo ».

P. 403 : Fauchet a expliqué le sens des mots *naquet, valet, page, laquet*, *Œuvres*, f. 512 r°. Il n'en a pas donné les étymologies.

P. 405 : Sur *roman*, on peut comparer *Précellence*, p. 72.

    Sur *ryme, Précellence*, p. 42.

    Salle : Bouelles dit « Salle, id est aula vox fictitia nisi pendeat ab aula praemissione literae S ».

P. 407 : Sur « soldat » voir aussi Nicot.

P. 408 : *Vérole*, Bouelles explique ce mot.

Corrigenda

P. 2, notes, ligne 8 : *1899* lire *1889*.
P. 10, note 4 : *G.* Simonnet lire *J.* Simonnet
P. 13, note 2, ligne 7 : *t 4* lire *t 2*.
P. 24, ligne 35 : *simple* lire *sainte*.
P. 27, ligne 31 : *Aristoteles* lire *Aristotelis*.
P. 28, ligne 25 : *accerbam* lire *acerbam*.
P. 31, note 3, ligne 3 : *droit* lire *droits*.
P. 36, ligne 4 : *journées* lire *journée*.
P. 38, ligne 12 : Paris *au* lire Paris *ou*.
P. 43, notes, ligne 1 : *emblable* lire *semblable*.
P. 46, ligne 34 : *exécutoires* lire *exécutoire*.
P. 46, ligne 37 : *bien* lire *biens*.
P. 50, notes, lignes 3 : xvᵉ et xviᵉ lire xviᵉ et xviiᵉ.
P. 54, ligne 7 : *exécutent* lire *excusent*.
P. 57, note 3, ligne 4 : *avroi* lire *avoir*.
P. 58, note 3 : *f. 339* lire *f. 399*.
P. 67, note 5 : livre *VII, 2* lire *VII, 12*.
P. 68, note 1 : *Helyhand* lire *Helynand*.
P. 69, note 1, ligne 12 : *Romains* lire *Romaines*.
P. 76, ligne 39 : *Spinelli* lire *Pinelli*.
P. 82, note 2, ligne 2 : *transferé* lire *transferée*.
P. 83, ligne 18 : *tenue* lire *donnée*.
P. 83, notes 1 et 3 : *Z 1B 382* lire *Z 1B 195*.
P. 85, titre courant : *Cours* lire *Cour*.
P. 87, ligne 30 : *soubsz* lire *soubz*.
P. 94, note 2 et p. 95, note 4 : *Montpellier* lire *Montperlier*.
P. 109, ligne 19 : *Quatre* lire *quatre*.
P. 116, notes, ligne 8 : *de Bellay* lire *du Bellay*.
P. 117, notes, ligne 4 : *Evagré* lire *Evagre*.
P. 119, note 2, ligne 8 : *Berichtungen* lire *Berichtigungen*.
P. 120, notes ligne 3 : *Mussefia* lire *Mussafia*.
P 123, note 4, ligne 1 : *1561* lire *1565*.
P. 125, ligne 27 : *Ciunte alla* lire *Giunte alle*.
P. 129, ligne 20 : *rythne* lire *rythme*.
P. 130, lignes 4 et 7 : ῥυθμοὺς lire ῥυθμὸς.
P. 130, lignes 4 et 7 : ῥυθμὸς lire ῥυθμοὺς.
P. 133, ligne 38 : *servi* lire *servis*.
P. 153, ligne 26 : *poe soir* lire *poes oir*.
P. 161, ligne 28 : *P. Paris* lire *Hippeau*, ligne 29, lire *P. Paris*.
P. 163, note 2, ligne 2 : *I. 49* lire *I. 59*.
P. 164, note 3 : *1866* lire *1886*.
P. 170, ligne 13 : *pereclitor* lire *periclitor*.

P. 198, note 4 : *Romani* lire *Romania*.

P. 199, ligne 12 : *67* lire *76*.

P. 200, note 3, ligne 8 : *tenu* lire *tenue*.

P. 204, note 1, ligne 10 : *leur* lire *leurs*.

P. 242, notes, ligne 2 : *caractérisée* lire *caractérisé*.

P. 248, ligne 16 : *probabement* lire *probablement*.

P. 250, ligne 21 : *traducion* lire *traduction*.

P. 256, ligne 3 : *que l'Amour* lire *quel Amour*.

P. 267, note 1, ligne 2 : *eminantibus* lire *eminentibus*.

P. 271, ligne 9 : *par le C. F. P.* lire *par C. F. P.*

P. 272, ligne 30 : *déclarées* lire *déclarée*.

P. 273, ligne 24 : *allusion de* lire *allusion à*.

P. 280, note 1 : *Ajes* lire *Ages*.

P. 283, ligne 11 : *Emlio* lire *Emilio*.

P. 283, note 2 : *annalogues* lire *analogues*.

P. 285, ligne 1 : *Roys France* lire *Roy de* **F.**

P. 285, note 1 : *Historie* lire *Histoire*.

P. 287, ligne 20 : *quatres* lire *quatre*.

P. 291, ligne 6 : *Alexandre* lire *Alexandrie*.

P. 296, ligne 2 : *disute* lire *discute*.

P. 297, note 1 : *t. 4* lire *t. 2*.

P. 300, ligne 10 : f. *60 r°* lire f. *61 r°*.

P. 311, ligne 1 : *Aeropagite* lire *Areopagite*.

P. 318, ligne 12 : *livres* lire *livre*.

P. 326, notes, ligne 5 : *principal* lire *principale*.

P. 330, note 2, ligne 7 : *Blogaille* lire *Blocaille*.

P. 330, note 2, ligne 8 : *Piere* lire *Pierre*.

P. 334, note 3, ligne 2 : *revêtement* lire *vêtement*.

P. 343, note 2, ligne 1 : *Histoires* lire *Histoire*.

P. 348, ligne 24 : *estraire* lire *estrain*.

P. 353, note 1 : *Grammatical* lire *Grammatici*.

P. 354, ligne 17 : *ausi* lire *aussi*.

P. 355, note 1, ligne 2 : *indigues* lire *indignes*.

P. 358, note 2, ligne 2 : *asssurer* lire *assurer*.

P. 360, ligne 9 : *Gugnières* lire *Cugnières*.

P. 360, note 4, ligne 1 : *l'Eglises* lire *l'Eglise*.

P. 370, ligne 17 : *1612* lire *1594*.

Table des gravures

Table sommaire

Imp. G. Thone, Liège (Belgique)